U0043265

孝道西遊

孝經翻譯與歐洲漢學的源起

潘鳳娟 著

目次

007　序言　鐘鳴旦
011　Preface　Prof. Nicolas Standaert

017　導論　一部《孝經》，各自表述

033　第一章　翻孔子、譯孝道：命名與中西角力
一、文人傳統：中國也有哲學家——孔子
二、帝國傳統：哲學家皇帝的典範——康熙
三、左圖右史：國王數學家的前行者與後繼者

091　第二章　中國禮儀之爭脈絡中的《孝經》翻譯：衛方濟譯本（1711）
一、中國禮儀的辯護者衛方濟：生平與著作簡介
二、翻譯聖治：衛方濟的人罪說與聖治新詮
三、翻譯聖孝：文人文獻脈絡中的西方首見《孝經》譯本

177　第三章　孝道詮釋的帝國轉向與共和徘徊：韓國英譯本（1779）與普呂凱再譯本（1786）
一、帝國文獻的脈絡
二、天子之孝：愛與敬的義務
三、帝／國的孝道：家國脈絡下的宇宙性大家庭
四、文人與帝國之間的立法者：衛方濟譯本的再譯者普呂凱

265 第四章　中西教育脈絡中的《孝經》翻譯：裨治文譯本（1835）

一、裨治文與中西教育

二、裨治文的《孝經》譯本與晚清民間教材：版本的探索與比較

三、裨治文《孝經》翻譯：文本與比較分析

303 第五章　比較宗教脈絡中的《孝經》翻譯：理雅各譯本（1879）

一、譯名問題與《孝經》英譯：理雅各與耶穌會

二、郊社之禮，所以事上帝也：東方聖書中的孝道書寫

三、比較宗教脈絡中的孝道：宗教與倫理之間

331 第六章　和漢交流的法國視野：東方學者羅尼的《西譯孝經》（1889/1893）

一、羅尼生平與研究概況

二、羅尼的《孝經》翻譯：底本、和刻本、章節重構

三、羅尼的孝道詮釋：幾個關鍵詞、黃種人與孝道

393 第七章　結論

一、兩代傳教士漢學的臍帶關係

二、被翻譯的孝道：《孝經》翻譯史與翻譯策略

三、漢學學科方法論的再思

431 後記

441 徵引書目

附錄

472 一、《孝經》不同譯本關鍵字詞翻譯對照表

482 二、《孝經》原文與譯本全文對照表

附表

118 一、《人罪至重》內容
155 二、衛方濟《孝經》譯本章名對照
278 三、裨治文《孝經》譯本中英文章名對照
355 四、羅尼〈經文彙編〉
357 五、羅尼《孝經》譯本的重構
359 六、《孝經》譯本與《孝經大義》章序

附圖

029 一、《孝經》歐譯與流傳
410 二、翻譯的多重脈絡與譯者的多重身分詮釋循環
415 三、被翻譯的漢學
428 四、耶穌會士、學院漢學家與新教傳教士的關係圖

序言

鐘鳴旦
比利時魯汶大學漢學系教授

當兩種文化相遇時，雙方都會發現彼此的相似處和差異處。這些差異對於深入洞察某一文化則格外有趣。它們不僅講述了其他文化，也講述了自己的文化。例如，當某人說：「在另一種文化中，人們會做某些事」，他同時暗示：「在我們的文化中人們不做這些事」，或者「人們會以不同方式做這些事」。

中國與歐洲學者們在反思中國文化特質時，認為「孝」（通常被英譯為filial piety）是中國文化的特色價值。從十七世紀中國和歐洲初次接觸時，已經是如此。例如，著名的傳教士利瑪竇注意到中國人如何高度重視兒女對父母的尊敬和服從、僕人對主人的忠誠，以及年輕人對長輩的奉獻。一旦這個概念被辨識，一個有趣的文化進程就出現在兩種文化間隙之中：如何翻譯這樣的概念？是否應該堅持音譯（例如 xiao）？是否應該選用受方語言裡現有的語彙，若然，選用哪一個：人子之敬虔（filial piety）、服從（obedience）、崇敬（reverence）、降伏（submission）……？或者應該發明新的語彙？[1]在前述三種情況下，或者合併使用它們，人將自己定位在差異和相似之間。對於「孝」這樣的概念，學者們可以再更深入探索，因為作為經典性文本的《孝經》不僅專注於這一概念，並在中國被歷世歷代地背誦和解釋。對此等經典的翻譯也因此成為文化間理解「孝」的重要來源。

潘鳳娟的研究是對此奮鬥與對中國經典翻譯史的重要貢獻。她的書以十八、十九世紀西方傳教士和漢學家對《孝經》的翻譯為個案。她總計確認了六種譯本，分別由衛方濟（François Noël，拉丁語，1711年）、韓國英（Pierre-Martial Cibot，法語，1779年）、普呂凱（François-André-Adrien Pluquet，法語，1786年）、裨治文（Elijah C. Bridgman，英語，1835年）、理雅各（James Legge，英語，1879年）和羅尼（Léon de Rosny，法語，1889/1893年）所翻譯。雖然這些譯本出自歐洲學者之手，但大部分是與匿名的中國學者密切合作完成的。他們也應該被視為譯本的作者。潘鳳娟依出版的時序分析譯文，探討每個譯本的特點。她首先區分了譯者所賦予此經典的體裁：文學、帝國訓令、道德或政治典範、民間教材、宗教的或神聖的書籍。她接著探討了不同脈絡裡各譯本的多種解釋。翻譯的脈絡化導出一個具六個連續階段的軌跡：中國禮儀之爭、現身朝廷的傳教士、法國共和時期、教材的發展、宗

1 有關這個詞彙英譯的歷史及其效應，參見James St. André, "Consequences of the Conflation of *Xiao* and Filial Piety in English," *Translation and Interpreting Studies* 13, no. 2 (2018): 293-316.

教研究和東方研究的發展。透過仔細分析譯者對關鍵詞彙和概念的抉擇，她展示了他們如何為新的受眾和新的脈絡，對同一部中國經典提供不同的意義。因此每一個譯本為西方提供了對中國的不同理解。這本書闡釋了單一經典文本的多種翻譯如何像潘鳳娟所說的「雙面鏡」，不僅反映了中國和歐洲的學術變化，也反映了雙方互動的文化效應。此書附加了一個非常有用的表格，涵蓋了六種譯本全文與中文原文的對照。潘鳳娟的作品是一部文本解釋和翻譯史的極佳範例。

受到俄羅斯文學批評家和哲學家巴赫金（1895-1975）的啟發，我們可以在文化間互動和對話領域這更廣的意義層面上去評量她的研究。雖然巴赫金半個多世紀前所表達的想法可能不再原創，但仍然是靈感的源泉。在他的一篇文章中，巴赫金討論了對（文學）作品的解釋。[2]他首先指出，為了理解一件作品，很重要的是將它擺在被創作的時間和文化之中。巴赫金認為，一件作品主要透過這特定的時間與文化來展現自我。然而，他也警告不要將一部文學作品封裝在其被創作的單一時間，其同時代性之中。作品不能被封閉在這個時間裡：它的豐富意義只有在他所謂的「長時間」（great time）當中才能被展現。因此，作品，尤其是偉大的作品或經典，「衝破了它們自己時間的界限，它們存活在幾個世紀之中，那是『長時間』。在其間它們的生命通常（偉大的作品則總是）比在它們自己所

---

2 文中所有巴赫金的引文均出自M. Bakhtin, “Response to a Question from the *Novy Mir* Editorial Staff,” in M.M. Bakthin, *Speech Genres and Other Late Essays*, translated by Vern W. McGee, Austin: Univ. of Texas Press, 2002: 1-9.

屬時間裡更為緊緻與完整」。因此，巴赫金認為，在某種意義上作者是他們所處時間的俘虜，是他們同時代的俘虜。後繼的時代會將他們從俘虜中解放出來。在其身後的生命過程中，偉大的作品「被新的意義和新的特質豐富了」；彷彿這些作品從被創作的時間裡成長茁壯了。中國經典也是如此，例如《孝經》。一代接著一代，它們被傳播和解釋，不斷更新的意義持續地照亮這個文本。

巴赫金還將這種進路從時間擴展到文化。身處外部（*exotopy*）是理解的最有力元素。巴赫金認為，只有在另一文化的眼中，異國文化才能充分而深刻地展現自我。「只有在會遇並與其他、外來意義接觸時，意義才會揭示其深處；它們參與對話，突破這些特定意義、這些文化的封閉性與片面性。」這也適用於《孝經》的譯者。他們對中國文化提出了新的問題，這些問題是它自己未曾提出的。他們在其中尋求自己問題的解答，而中國文化則藉由向他們揭示新面向來回應他們。簡言之，巴赫金認為：「沒有自己的問題，就無法創造性地理解任何其他或異國的事物。此等兩文化的對話性會遇不會導致融合或混雜。每個文化都保持著各自的統一性和開放的整體性，但它們是相互豐富的。」因此，任何鉅著，從《聖經》到《道德經》，都經常需要新的譯本，因為每次翻譯都會引入新的意義。《孝經》也不例外，藉由細緻入微的分析，潘鳳娟生動地再現了這部經典在十八和十九世紀的歷史。

Preface

Prof. Dr. Nicolas Standaert, Department of Sinology,
KU Leuven, Belgium

When two cultures meet each other, both discover similarities as well as differences. These differences are particularly interesting to get an insight into a culture. They not only tell something about the other culture, but also about one's own. For instance, when one says, "in the other culture one does so and so," one implicitly also says "and in our culture one does not do so and so", or "one does it differently."

Chinese and Europe scholars who reflect on characteristics of Chinese culture have considered *xiao* 孝 (often translated as filial piety) a characteristic value of Chinese culture. From the earliest contacts between China and Europe in the seventeenth century this has been the case. For instance, the well-known missionary Matteo Ricci noticed how highly the Chinese esteemed the respect and obedience of children toward parents, the fidelity of servants to a master, and the devotion of the young to their elders. Once such a concept is identified, an interesting cultural process arises at the interstices between the two cultures: How to translate such a concept? Should one stick to a transliteration (e.g. *xiao*)? Should one use an existing term in the language of reception, and if so, which one (filial piety, obedience, reverence, submission…)? Or should one invent a new term?[1] In all three cases, or a combination of them, one positions oneself between difference and similarity. For a concept such as *xiao*, scholars can proceed even a step further since the classical text *Xiaojing* 孝經 (The Classic of Filial Piety) is not only devoted to this concept but has been recited and interpreted generation after generation in China. The translation of such a classic thus becomes a major source for the intercultural understanding of *xiao*.

Pan Feng-chuan's study is an important contribution to this endeavor and to the history of translations of Chinese classics. Her book takes as a case study the translations of the *Xiaojing* by Western missionaries and Sinologists in the eighteenth and nineteenth centuries. In total she identified six translations: by François Noël (into Latin, 1711), Pierre-Martial Cibot (French, 1779), François-André-Adrien Pluquet (French, 1786), Elijah C. Bridgman (English, 1835), James Legge (English, 1879), and Léon de Rosny (French, 1889/1893). While these translations are attributed to European scholars, most of them were made in close collaboration with

1 For a history of the translations into English and its consequences, see James St. André, "Consequences of the Conflation of *Xiao* and Filial Piety in English," *Translation and Interpreting Studies* 13, no. 2 (2018): 293–316.

anonymous Chinese scholars. They should also be considered authors of the translation. Pan Feng-chuan analyses the translations in chronological order and investigates the characteristics of each work. She first distinguishes the genre that the translators attribute to the work: literature, imperial instruction, moral or political *exempla*, popular teaching material, religious or sacred book. Next, she investigates the various interpretations in their different contexts. This contextualization of the translation results in a trajectory of six successive phases: the Chinese rites controversy, the presence of missionaries at the court, the French Republican period, the development of educational material, and the development of religious studies and of oriental studies.

By closely analyzing the translators' choices of keywords and concepts, she shows how they provided the same Chinese classic with a different meaning for a new audience and a new context. Each translation thus provided the West with a different understanding of China. The book illustrates how the translations of a single classical text resemble what Pan Feng-chuan calls a "two-sided mirror," reflecting not only the scholarly changes in China and Europe but also the cultural effects to which both mutually responded. The work includes a very useful table with the parallel edition of the Chinese text with the six translations. Pan Feng-chuan's work it is a very nice example of the history of explanations and translations of a text.

Inspired by Mikhail Bakhtin (1895-1975), the Russian literary critic and philosopher, we can gauge the wider significance of her investigation into the field of intercultural interaction and dialogue. His ideas expressed more than half a century ago may no longer sound very original, but they remain a source of inspiration.

In one of his articles, Bakthin discusses the interpretation of (literary) works.[2] For understanding a work, he first states that it is important to situate it in the time and culture of its creation. Bakthin argues that a work reveals itself primarily through this specific time and culture. Yet, he also warns against encapsulating a literary work in the single time of its creation, its contemporaneity. A work cannot be closed off in this time: the plenitude of its sense is revealed only in what he calls the 'great time'. Thus, works, and especially great works or classics, "break through the boundaries of their own time, they live in centuries, that is 'great time.' Frequently (with great works, always) their lives there are more intense and fuller than are their lives within their own time." Therefore, Bakhtin is of the opinion that authors in a sense are captives of their time, of their contemporaneity; subsequent times liberate them from their captivity. In the process of their posthumous life, great works "are enriched with new meanings, and new significance": it is as though these works outgrow what they were in the time of their creation. This is also what happened to the Chinese classics, such as the

2 M. Bakhtin, "Response to a Question from the *Novy Mir* Editorial Staff," in M.M. Bakthin, *Speech Genres and Other Late Essays*, translated by Vern W. McGee, Austin: Univ. of Texas Press, 2002: 1-9. The direct quotes are from this text.

Xiaojing. Generation after generation, they have been transmitted and interpreted, with ever new meanings illuminating the text.

Bakthin moreover extends this approach from time to culture. Being outside (*exotopy*) is a most powerful factor in understanding. Bakhtin is of the opinion that it is only in the eyes of another culture that foreign culture reveals itself fully and profoundly. "A meaning only reveals its depths once it has encountered and come into contact with another, foreign meaning: they engage in a kind of dialogue, which surmounts the closedness and one-sidedness of these particular meanings, these cultures." This can also be applied to the translators of the *Xiaojing*. They raised new questions for Chinese culture, ones that it had not raised itself. They sought answers to their own questions in it, and the Chinese culture responded to them by revealing to them new aspects. In short, Bakthin believes that "without one's own questions one cannot creatively understand anything other or foreign. Such dialogic encounter of two cultures does not result in merging or mixing. Each retains its own unity and open totality, but they are mutually enriched." Any major work, from the Bible to the *Daodejing*, therefore regularly needs a new translation because in each time it attracts new meanings. The *Xiaojing* is no exception, and through detailed and careful analysis Pan Feng-chuan has brought its history in the eighteenth and nineteenth centuries to life.

導論

一部《孝經》，各自表述

經典是一代一代被傳誦、閱讀與詮釋的文本，它的影響力持續且深遠。而經典的翻譯，是在跨文化、語言的脈絡裡，被一代又一代重新翻譯與詮釋，在異文化的土壤裡，建構對同一經典的域外書寫系統。本書以十八至十九世紀西方傳教士與漢學家的《孝經》翻譯為個案，依時序解析它如何在不同譯本中被各自表述，以及如何各自在其時代背景中展現出不同的詮釋。在這個跨文化翻譯歷程中的六個譯本，其內容與進路各自有傳承性和衍異性。本書各章將從翻譯脈絡來分析並展示同一部經典的譯本如何像雙面鏡般，映照出中歐雙方的學術變化與相互迴響的文化效應。同時，本書也藉由這些在不同脈絡中被翻譯的譯本，追溯出一個西方重新建構中國禮儀的核心——孝道——的知識體系；從這些譯者對於《孝經》的詮釋及其後續的影響與流傳，觀察解析兩世紀之間西方對於中國的書寫。

近代西方首見《孝經》譯本的出版是在1711年比利時耶穌會士衛方濟（François Noël, 1651-1729）名下的《中國六經》（*Sinensis Imperii Libri Classici Sex*, 1711）當中刊行。此書收錄了《四書》之外，《孝經》與《小學》並分別列為第五、六本書。此後到十九世紀結束之前，《孝經》陸續出現其他五個譯本，後繼譯者與出版時間分別是1779年法國韓國英（Pierre-Martial Cibot, 1727-1780）、1786年法國修道院長普呂凱（François-André-Adrien Pluquet, 1716-1790）、1835年美國新教傳教士裨治文（Elijah C. Bridgman, 1801-1861）、1879年英國新教傳教士理雅各（James Legge, 1815-1897），以及1889年[1]法國東方學者羅尼（Léon de Rosny, 1837-1914）分別出版了不同語言的譯本。在前述不同譯本脈絡中，《孝經》的定位也不相同：它們分別被視為「文人文獻」、「帝國文獻」、「道德政治範本」、「民間教材」、「宗教文獻」和「神聖之書」。根據不同時代的譯本，可以追溯出這段期間《孝經》翻譯有六個延續階段的內在脈絡軌跡：（一）中國禮儀之爭脈絡、（二）中華帝國脈絡、（三）共和國脈絡、（四）中西教育脈絡、（五）比較宗教脈絡，和（六）東方民族學脈絡。各譯本在不同階段不同脈絡裡被翻譯與詮釋。兩百年之間，同一部中國經典以不同語言和不同詮釋方式在其他文化中出版與流傳。除了《孝經》定位之外，許多關鍵詞的翻譯和詮釋之間也出現衍異，從當中的變化也可觀察到不同時代的譯者受其時代精神影響之下所提出的不同解釋。

本書對於《孝經》翻譯的研究，源於對衛方濟的研究興趣。他是十七至十八世紀翻譯儒家經典的重要人物之一，同時也在禮儀之爭時期受耶穌會長與康熙皇帝之命，返回歐洲為中

---

1 羅尼的法譯本出版兩次，在1893年出版了簡要本，除了修訂書名之外，刪除了所有漢字、日文翻譯。詳見本書第六章。我視之為一個譯本。

國禮儀辯護的使節之一。在衛方濟所彙整的有關中華帝國上古敬天思想的詮釋為中國禮儀辯護的資料內容中，「聖治」具有核心的地位。他的《人罪至重》一書，一方面回應與補充艾儒略的《滌罪正規》，基本上屬於儒耶思想的對話。另一方面，他對於人罪，乃至人性善惡的哲學之辯，表面上雖屬於神學和理學的領域，但他的討論則延伸到「聖治」、「聖人」和「天人關係」等概念的詮釋，實則與中國禮儀之爭及其經典翻譯裡對中國關鍵概念的理解互為表裡。尤有甚者，他與馬若瑟（Joseph de Prémare, 1666-1736）相似，也把中國傳統裡的「字學」、「經學」和「理學」視為三而一的整體。也就是說，他們跨語言跨文化的思想比較，直接且具體地展現在他們的經典翻譯與詮釋裡。更重要的是，他是西方第一位翻譯《孝經》的譯者。大約在出版《人罪至重》一書同時期，他已經著手中國經典翻譯，該書對儒家思想的詮釋與其翻譯經典時的詮釋相互呼應。他的經學和理學是一體的，並且是在對中國關鍵概念的字學研究上，重新詮釋理學內涵。而他對「聖治」的解釋，對照他如何翻譯《孝經》「聖治章」，更能整體理解他對儒家的認識與定位。

早期耶穌會士對於中國思想的認識，主要以儒家為中心，並且以《四書》為首選。以儒學為核心的進路，是源自於耶穌會進入中國之後的傳教策略，在晚明中國儒釋道三教的脈絡中所做的抉擇。而他們對《四書》的翻譯與介紹，某種程度上，使之成為在「五經」之外，具同等地位的「一部」儒家經典。對應了歐洲知識體系，耶穌會士在其對中國的理解與詮釋的基礎之上，建構出他們所能認可的「中國知識」或「中國學」。

然而，由於此等對中國傳統之正向詮釋未能獲得教廷的青睞，耶穌會士們轉而向法王路易十四尋求支持，並轉向以帝王／帝國的權威作為詮釋的焦點。儘管翻譯儒家經典是從耶穌會初入中國已經展開，一方面作為新進人員語言學習的教材，一來也作為與中國士大夫對話的知識基礎，中國經典的翻譯在禮儀之爭期間更為成教廷宗教裁判與歐洲學界中國知識的來源。而《孝經》篇幅不大，卻是涉及儒家思想核心的文獻，會首次被翻譯並收入衛方濟的《中國六經》，並非偶發事件。衛方濟的翻譯是以文人的注疏本作為底本。延續了1687年由柏應理（Philippe Couplet, 1623-1693）主持的《中國哲學家孔子》（*Confucius sinarum philosophus*）的譯經工作，加入《孟子》使四書之翻譯完備外，並與《小學》和《孝經》一併翻譯，使焦點從「孔子」轉向「中國儒家」，或者是韓國英所謂的「文人儒家」。藉此，他凸顯了中國禮儀之爭的關鍵在倫理問題，嘗試突破當時歐洲神學家所爭論的「宗教的」（religious）或「公民的」（civil）二元對立的兩難。

衛方濟的繼承者韓國英所出版的譯本是《孝經》西譯史中，篇幅最大，譯述的中國文獻最多的一本。[2]他可以被視為《孝經》翻譯譯的承先啟後者，因為他的翻譯具體影響了晚清新教傳教士理雅各。韓國英任職清朝宮廷，不滿足於僅參考一般文人的注疏本，則以康雍乾三朝的官定的帝國文獻作為論

2 鐘鳴旦教授近期正全面地整理韓國英在《中國古今之孝道》所列出的所有中文孝道文獻，詳見 Nicoals Standaert, "*DOCTRINE ANCIENNE ET NOUVELLE DES CHINOIS SUR LA PIÉTÉ FILIALE:* The most extensive treatise on *xiao* 孝 in any European language ... dating from 1779," 待訂稿，作者同意引用。

據。他延續了衛方濟的倫理轉向，並且進一步聚焦皇權，轉向帝國。面對爭議不休的禮儀本質，韓國英則是擴大為宗教的、政治的、公民的與家族的四個面向，說明其如何分別強化並捍衛著天子的權力。他的孝道翻譯甚至是在法國皇室支持下的漢學叢書中出版，其帝國的轉向，中西一致。

做為衛方濟拉丁譯本的再譯者，普呂凱並未參考中文文獻，他則是在重新翻譯過程中，以當時法國的社會政治脈絡來重新詮釋《孝經》裡呈現在他眼中的中國政治與倫理意涵。韓國英與普呂凱，同於十八世紀末期出版了《孝經》的法文譯本，一個不滿足於衛方濟之以文人文獻為基礎而轉向帝國，一個徘徊於共和重新詮釋了中國禮儀之爭時期的衛方濟的孝道翻譯。某種程度預表了即將迎來的十九世紀輾轉於帝制與共和之間的法國。法國大革命雖然推翻君主制，但是拿破崙家族卻透過公投使自己成為皇帝。[3]十九世紀的法國政治，就在帝國共和之間徘徊。法國與遠東的關係，從路易十四派遣國王數學家開始，到十九世紀拿破崙一世與三世時期，分別創立了中文教席（1814）與日文教席（1868）。雷慕沙（Jean Pierre Abel-Rémusat, 1788-1832）的漢學教席是在法蘭西第一帝國時期（1804-1815），正式任命是1814年十二月，當時國王是路易十八。為拿破崙一世短暫失勢又復位中間一年左右的期間。[4]他

3　拿破崙稱帝之前先透過公投使自己成為終生第一執政，相關文件請參見潘鳳娟，〈澄定堂寄存國家圖書館拿破崙終生執政文件〉《國家圖書館館訊》，109年8月號（總號165期），頁14-26。

4　根據Knud Lundbaek, “The Establishment of European Sinology 1801-1815,” in Søren *Clausen, Roy Starrs, Anne Wedell-Wedellsborg (eds.), Cultural Encounters: China, Japan, and the West* (Aarhus, Denmark: University Press, 1995), p.39.

對中國事務的興趣，不只展現在軍事上，也對語言與文化有興趣。在他的命令之下，1813年，原本由十七世紀來華傳教士葉尊孝（Basile de Gemona, 1648-1704）已開始編纂的漢字拉丁字典：《漢字西譯》（*Dictionnaire chinois, français et latin*），在小德經（Chrétien-Louis-Joseph de Guignes, 1759-1845）重新編纂之下正式出版。該書封面明顯處有「奉皇帝國王陛下拿破崙大帝的命令出版」（*publié d'après l'ordre de Sa Majesté l'Empereur et Roi Napoléon le Grand*）。[5]而法蘭西學院日文教席的創設，是在第二帝國時期（1852-1870），在拿破崙三世接見了後來影響日本明治維新極為關鍵的文久遣歐使節團（1862）六年之後確立。當時使節團的成員包括福澤諭吉，當時擔任通譯的正是後來也翻譯《孝經》的日文教席羅尼。

十九世紀前半葉，在中國活動的西方人已經不侷限在歐洲人。美國的新教傳教士、同時也是《中國叢報》主編的裨治文便是其中之一。當時西方人僅能在中國沿海的口岸城市行動，他於廣州傳教、就地取材沿海地區的民間通俗版本作為他英譯的參考資料。《孝經》被裨治文視為介於蒙書與經典之間的中級教材，以中文學界相對罕用但流傳於清末東南沿海地區的民間教材為參考底本來進行翻譯。他的翻譯策略則是迴避了當時為了中文聖經翻譯再度引發的譯名爭議，而是採取通俗詮釋來處理經文爭議部分的內容。至於集大成的英國漢學家理雅各的

5　Basilio da Glemona, Chrétien-Louis-Joseph de Guignes, *Dictionnaire chinois, français et latin, publié d'après l'ordre de Sa Majesté l'Empereur et Roi Napoléon le Grand*（Paris: Imprimerie impériale, 1813）.

譯本，出版時間已經是十九世紀後期，西方人已能夠在中國的重要城市活動，他以其一貫之經典翻譯的手法，廣納中國傳統注疏本的方式來完成《孝經》英譯。理雅各實際上繼承明清耶穌會以來有關中國禮儀的遺緒，不過問題已經從衛方濟所面對的歐洲神學家追問之祭天與祭祖儀式是「宗教」或「公民」行為，歷經清朝前期從「文人儒學」轉向「帝國儒學」之政治倫理面向，以及裨治文譯本的民間教材轉向，到理雅各翻譯此經典時，問題已經演進為「儒家是否具宗教性」的提問。理雅各以比較宗教的策略，在跨文化四海之內皆兄弟的關係裡來翻譯《孝經》。對他而言，孝道兼具宗教性與倫理性，在以「上帝」為源頭的宇宙性大家庭的基礎上，達到「聖治」的終極圓滿。

至此，這部經典的翻譯已然走出新舊教會圈擴大為中西學術之間的活動，法國的東方學界與漢學界也參與這部經典的翻譯。法國東方學者羅尼於1889年在巴黎出版了《孝經》法譯本。雖同為法譯本，他所根據的中文原本卻與裨治文的民間教材相近。並且他所選底本還包含了多部和刻本《孝經》。他更以中文注疏本與日文和刻本《孝經》為主要參考資料，混編了今文經和古文經，在十九世紀的東方學與和漢交流的脈絡中，納入民族學觀點提出一個新的翻譯與詮釋。這位法國東方學教授羅尼，也是法國第三代漢學家，他是法蘭西學院第二任漢學教席儒蓮（Stanislas Julien, 1797-1873）的學生，在出版他的《孝經》譯本之前，曾經在1857年，將師祖雷慕沙的《漢文啟蒙》（*Élémens de la grammaire chinoise,* 1822, 1857）一書再次付梓，並於書末加入長篇幅的漢語發音規則表。此外，他的譯本導論也引用了衛方濟、馬禮遜（Robert Morrison, 1782-1834）、衛三畏（Samuel Wells Williams, 1812-1884）與理雅各等多位耶穌會士與新教傳教士的文獻。更多細節將會在本書第六章中討論。重點是，雖然與今文經混編重構，他是六個《孝經》譯本中唯一根據古文《孝經》進行翻譯的譯者。羅尼的法譯本引發一個重要問題，也就是歐美的漢學界與中國本土的今古文問題、漢學／宋學問題之間的關聯性如何？馬若瑟與法國漢學學院化的指標性人物雷慕沙之間的聯繫，可以幫助我們進一步了解箇中問題。過去我曾在探索傳教士的漢語研究與學院漢學的建立與開展時指出，十九世紀的漢學家實為有意識地繼承明清耶穌會的工作。這位與衛方濟在華時間相近的馬若瑟，不僅影響了韓國英，甚至直接改造與形塑了歐洲第一位漢學教席雷慕沙的漢語語文學。雷慕沙所著的《漢文啟蒙》與馬若瑟的《漢語札記》的關係顯示了他已經從馬若瑟的「字學—經學—理學」三而一的「愛言之學」（philo-logy, philo-logia）這種非純漢語目的的漢語與文學中獨立出來，漢語語文本身成為研究的目的而非手段，不同於傳教士之研究漢語作為傳教目的的手段。這個變化標記著十九世紀法國漢學學院化的重要里程碑，漢學正式在歐洲學術圈占有一席之地。而當中傳教士的經典翻譯占有重要地位。實際上，愛言（philo-logia）與愛智（philo-sophia）從原文的意義來說，是一體的兩面。言（logos）與智（sophia）都有智慧的意義，前者為陽性名詞，後者為陰性名詞。[6]如果在中文世界解釋的話，語文學和哲學也可以視為一體

6 這點在聖經學上可說是常識，於此不多做申論，相關書籍不少，意者可參

的兩面，馬若瑟的「字學—經學—理學」結構不僅在中國傳統中論述得通，在西方傳統中也有根基。

本書所研究的六種譯本，除普呂凱之外，每一位譯者基本上一方面有中文注疏本的依據，一方面也參考了西方相關漢學材料以及前輩的譯本。在與同時期的東西學術傳統的互動，以及歷時性的不同譯本間上下傳承，在兩世紀譯釋之間的重新書寫，而逐漸建立起一個與中國本土不同的漢學傳統與學術面容。自十七世紀中國禮儀之爭以來，耶穌會士為中國傳統辯護而累積的漢學資料，也就隨著時間的演進，在歐洲的文化裡發芽扎根，成為歐洲學術的一環。而他們的中文著作裡所介紹的西學不僅影響了中國知識分子，也成為了中文母語者認識西方的媒介，使西學在中國從傳統到現代過程中成為不可或缺的角色。我們從這些譯本的出版地點以及出版年代，乃至中國與歐洲之間的相對應關係來觀察，可以發現當歐洲天主教會權力核心逐步轉向代表世俗君主權力中心的巴黎，甚至大英帝國正式與中華帝國交鋒這過程裡政教之勢力的消長、核心城市的移轉，與《孝經》譯本出版的時地呼應。十九世紀新教傳教士，美國與英國的勢力漸漸向上提升，逐漸能與在中國的天主教相抗衡。在中國，則是從北京、廣州到香港；從權力中心向沿海與邊陲地區發展。這或者也意味著，傳教士與中華帝國朝廷之間的關係也由近而遠。

《孝經》在西方的翻譯與流傳歷經大約兩個世紀的時間，

見下書：Stephen M. Pogoloff, *Logos and Sophia: The Rhetorical Situation of 1 Corinthians*（Atlanta: Scholars Press, Society of Biblical Literature, 1992）.

來自天主教和基督教不同差會的背景與不同國家語言的譯者身分，以及分別處在不同時期的中西關係的差異下，他們的譯本呈現出多元的翻譯樣貌與意義詮釋。十六世紀末到十七世紀，耶穌會士初到中國，面對中國整體，選擇了以孔子為首的儒家經典作為主要對話對象。到了十七世紀末，除五經之外，四書中被視為孔子名下的文本也已經被介紹與翻譯。緊接著這些翻譯之後，《孝經》也在十八世紀初被完整翻譯。而透過《孝經》整體的翻譯史所呈現的多元樣貌與詮釋，我們則看見西方自近代早期，以耶穌會士所媒介的中國知識也隨著時空演進，逐漸形構出一個西方漢學的知識傳承。我們更看見在此發展路徑和過程之中，《孝經》所承載的知識內涵歷經多次變化，在兩個世紀的「譯／釋」之間被重新書寫。從這一段將近兩百年的經典翻譯史，我們不僅可以觀察到《孝經》在中國的發展，也可以看出存在於譯者與其翻譯對象之間的一種互動協商關係。即便是作者與譯者是同一人，相同主題以不同語言寫作時，便會發現兩個語言所傳達的內涵已經產生變化。尤有甚者，即使是同一部經典，由不同譯者翻譯時，箇中所蘊含值得我們深探的內涵，可能遠比我們想像中來得豐富。漢學研究者與其研究對象「中國」這「知識主體與知識客體之間」，存在著一種「互相影響與互相構成的關係」。當知識主體與知識客體「任何一方出現變化，其知識內涵就隨之發生變化」。[7]

---

7 相關知識史的問題與論述細節，請參見石之瑜，〈中國研究專家口述學思歷史的知識意義〉，收入石之瑜等編，《戰後日本的中國研究：口述知識史》（台北：國立臺灣大學政治學系中國大陸暨兩岸關係教學與研究中心，2011），頁5-6、9。

本書依每個《孝經》譯本出版時序，詳細解析了這部經典如何藉由翻譯傳入歐洲，從拉丁譯本、法譯本到英譯本，將其翻譯與流傳過程，以及個別譯本出版時中西之間的學術交流梗概提出整體性論述，並以此翻譯史的研究為基底，建構了一個具共時性與歷時性的經典翻譯研究模式（附圖一）。這個模式所呈現兩代傳教士以及法國東方學者之間的傳承性，將有助於我們重新省思過去將近代中西文化交流史切分為天主教與基督教不連貫的兩階段的作法。至少從《孝經》翻譯這個個案來看，上述三社群之間的關係非常緊密，未曾因政治因素或外交關係中斷而停止。一部《孝經》，兩個世紀，在六位譯者各自表述下，成就了一段孝道的翻譯史。這「被翻譯的孝道」，就在各自不同的文化脈絡與歷史時空中，以不同的新生命樣貌呈現在歐洲讀者眼前，在歐洲形成一個兩個世紀的閱讀史。每位譯者以中國知識著作者之姿，甚至參與了歐洲漢學的催生工作，進入歐洲學術體系。正如近年文化翻譯理論學者所提出的「翻譯」是「改寫」的主張，譯者並非只是重複作者的文字並轉換語言的人，而是一位改寫者（rewriters），會在他獨特的脈絡中，依據他的目的和讀者設定，做翻譯與詮釋的抉擇。[8]正視譯者並未隱身幕後的事實，重新檢視《孝經》翻譯，經典翻譯史也就一躍而成為學術交流史。中國經典在西方的翻譯與流傳是國際漢學研究主題之一，也是近代歐美漢學興起的重要關鍵成果，因此在本書最後，也對國際漢學的學科地位以及方法論

8　André Lefevere, *Translation, Rewriting, and the Manipulation of Literary Fame*（London: Routledge, 1992）, p. vii.

提出一些回顧與展望。希望能夠讓歷史上這些各自表述的《孝經》譯本，為當代國際學術注入一些新的活力。

全書章節說明

本書總計七章，除了普呂凱和羅尼的譯本的研究之外，書中多數章節曾經以單篇論文形式發表，後經系統性改寫整合為此本專書。第一章〈翻孔子、譯孝道：命名與中西角力〉主要說明早期耶穌會士對中華帝國的引介，其中包含了文人和帝國兩大傳統，前者代表性人物是孔子，以哲學家形象出現，後者則是康熙作為哲學家皇帝典範而被歌頌。這一章側重耶穌會士如何翻譯與詮釋的經典文獻建構中國知識，以及如何在圖文文獻的轉譯過程中，為西方提供一個歐洲視野的中華帝國文明形象與知識內容。

本書之第二至六章，則深入探究個別譯本的底本、翻譯背景、特定關鍵字詞的理解與譯釋、不同譯本之間的傳承與衍異關係，以及譯本翻譯過程的中西學術互動等等。六個譯本規劃以五章來討論。是第二章〈中國禮儀之爭脈絡中的《孝經》翻譯：衛方濟譯本（1711）〉，介紹衛方濟名下著作，以及為何在翻儒家經典時，選擇了《孝經》。他乃是在中國禮儀脈絡中，突破當時宗教裁判所以及涉入爭論的各方對於如何理解中國禮儀是否具備宗教性而僵持不下的兩難困局。他對於孝道的翻譯，又與他對於中華帝國的聖治觀念有密切關係。第三章是〈孝道詮釋的帝國轉向與共和徘徊：韓國英譯本（1779）與普呂凱再譯本（1786）〉，主要以1779年韓國英名下的《孝經》

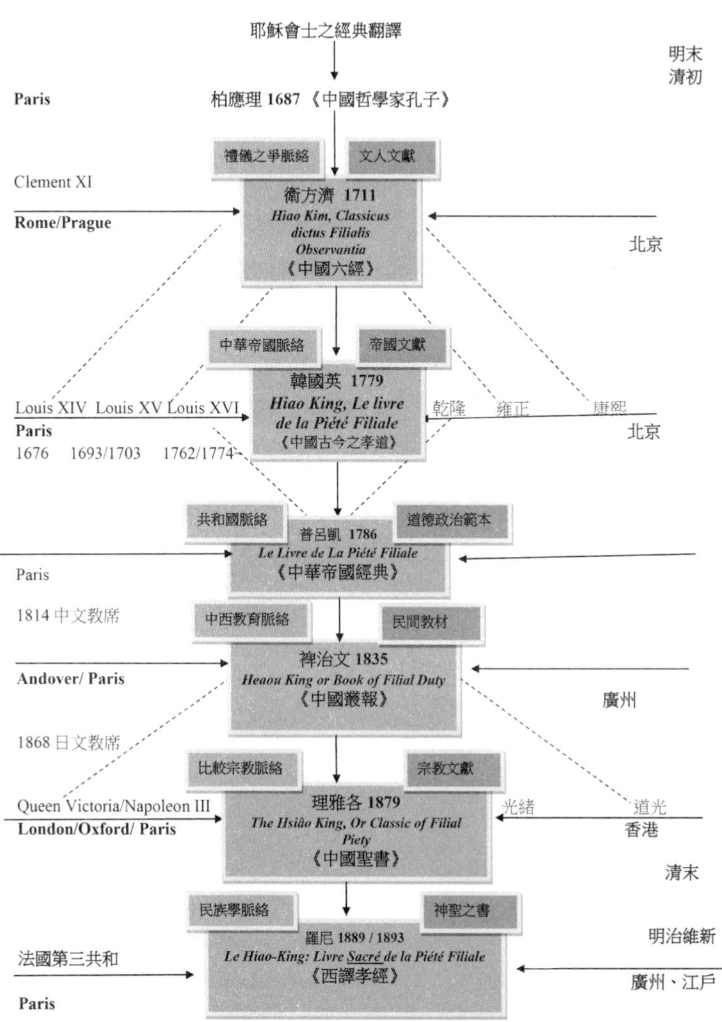
耶穌會士之經典翻譯
明末
清初
Paris
柏應理 1687《中國哲學家孔子》
禮儀之爭脈絡
文人文獻
Clement XI
Rome/Prague
衛方濟 1711
Hiao Kim, Classicus dictus Filialis Observantia
《中國六經》
北京
中華帝國脈絡
帝國文獻
韓國英 1779
Hiao King, Le livre de la Piété Filiale
《中國古今之孝道》
Louis XIV Louis XV Louis XVI
Paris
1676 1693/1703 1762/1774
乾隆 雍正 康熙
北京
共和國脈絡
道德政治範本
晉呂凱 1786
Le Livre de La Piété Filiale
《中華帝國經典》
Paris
1814 中文教席
中西教育脈絡
民間教材
裨治文 1835
Heaou King or Book of Filial Duty
《中國叢報》
Andover/ Paris
廣州
1868 日文教席
比較宗教脈絡
宗教文獻
理雅各 1879
The Hsiâo King, Or Classic of Filial Piety
《中國聖書》
Queen Victoria/Napoleon III
London/Oxford/ Paris
光緒 道光
香港
清末
民族學脈絡
神聖之書
羅尼 1889 / 1893
Le Hiao-King: Livre Sacré de la Piété Filiale
《西譯孝經》
明治維新
法國第三共和
廣州、江戶
Paris

附圖一：《孝經》歐譯與流傳

翻譯，以及他所譯介的有關中國孝道的文獻為主要討論對象。他以愛敬雙重義務來介紹中華帝國皇帝的孝道，側重在以皇帝為宇宙性大家庭家長的詮釋下，來介紹中國禮儀的四重面向。本章第四節則討論衛方濟譯本的再譯者——普呂凱——於1786年出版的《孝經》翻譯，以及他如何從中國的道德與政治哲學來詮釋衛方濟所翻譯的經典文獻。值得注意的是，他將士人定位為「立法者」，是介於文人傳統（衛方濟）和帝國傳統（韓國英）不同脈絡之間來翻譯《孝經》。本書在章節的安排上依據譯本出版的時間來規劃，由於普呂凱是根據衛方濟譯本再譯，出版時間比韓國英譯本僅稍晚五年，我將之視為同一時期的兩個譯本並列於第三章。本書在處理十八世紀三個譯本的比較時，於第二章的譯文分析並列並比較了衛方濟、韓國英與普呂凱三人的譯文。一方面提供同時期兩種譯本對中國孝道的不同詮釋，一方面也觀察衛方濟譯本如何在一個多世紀之後以不同面貌出現在法國讀者面前。

本書之第四章是〈中西教育脈絡中的《孝經》翻譯：裨治文譯本（1835）〉，則討論擔任近代英語世界第一份漢學刊物的《中國叢報》主編，且繼承了早期耶穌會士漢學成果的晚清新教傳教士裨治文在1835年所發表於前述刊物的《孝經》首見英譯本。在眾多中國教育文本的翻譯與介紹脈絡裡，他將《孝經》定位為一種介於經典與蒙書之間的民間教材。本書處理十九世紀的三個譯本，於本章的譯文分析時，對照比較了裨治文、理雅各與羅尼三人的翻譯。第五章是〈比較宗教脈絡中的《孝經》翻譯：理雅各譯本（1879）〉，以同為新教傳教士的理雅各於1879年出版的譯本為討論對象。不同於前輩譯者，他視《孝經》為東方聖書，並且在十九世紀後半，採取如同繆勒（Max Müller, 1823-1900）所提倡的比較宗教學的進路來翻譯這部經典。他援引利瑪竇（Matteo Ricci, 1552-1610）與明末中國教友朱宗元的文本，並且翻譯過程涉及關鍵的形上概念詞彙，他以跨文化、跨宗教的視野來詮釋與翻譯。本書第六章：〈和漢交流的法國視野：東方學者羅尼的《西譯孝經》（1889/1893）〉，則討論由巴黎的東方學者，同時也是法國首位日文教席的羅尼所翻譯出版的法譯本。此譯本有兩個版本，分別出版於1889年與1893年，是十九世紀結束前最後的西譯本，前者附有完整中文與日文拼音的經文，後者則僅有法文部分。羅尼曾經在1862-1864年間，兩次的文久遣歐使節團訪問歐洲期間擔任通譯的工作，因此也與包含福澤諭吉在內多位在明治維新扮演重要角色的使節團成員建立了良好友誼。他譯本有以下幾點值得關注：一、這是在西方《孝經》翻譯史裡唯一參考了古文《孝經》以及和刻本《孝經》而完成的譯本極具獨特性。二、此譯本不僅呈現了十九世紀法國東方學者對於中國古文經論辯的注意，也是和漢典籍交流成果的一部分。三、目前日本學界對於羅尼的研究以及有關著作目錄的調查報告中，幾乎是忽略了此《孝經》翻譯的存在，僅有法國里爾大學羅尼特藏介紹的專書以及比利時魯汶大學的日本學教授Willy vande Walle稍有提及。[9]四、他的譯本提供了有關黃種人起源與孝道

9　詳見Pierre Leboulleux, Bénédicte Fabre-Muller, Philippe Rothstein, *Léon de Rosny De l'Orient à l'Amérique*（Villeneuve d'Ascq: Presses Universitaires du Septentrion, 2014）; Willy vande Walle, "Between Sinology and Japanology Léon de Rosny and Oriental Studies in France," *Journal of Cultural Interaction*

的附錄文字，以一種相對隱晦的方式，將東方（包含中國與日本）的孝道精神與人種民族做聯想。這是前輩譯者所未曾提出的。[10]

本書之第七章：〈結論〉，則以西方《孝經》翻譯史的新發現與啟示，來反思中西交流連續性，尤其是兩代傳教士的「臍帶關係」。其次，儘管這些譯本出版的時代，翻譯學尚未成為一門專業，這些譯者面對不同讀者，在繼承與創發前輩譯者的作品當中，持續在不同的語境中完成新的譯本，他們選取的翻譯策略也出現變化。尤其面對敏感的字詞與概念，他們選取了不同的譯語，也因此在新的語境之中，使同一部中國經典呈現不同的樣貌。近代中國透過翻譯吸納了大量西學，促使中國文化從傳統走入現代。近代西方在十八到十九世紀兩百年當中這六個《孝經》譯本的出版，同樣的也為西方認識理解中國提供了不同的面向。換句話說，透過《孝經》的翻譯，一部經典在不同時期於不同譯者筆下的翻譯成果，這「被翻譯的孝道」幾次彷彿具有新生命一般以新作之姿引導了不同時期西方讀者探入該經典所欲傳達的深層理念。在兩世紀裡，中國的孝道於西方被翻譯、轉化與遞嬗。最後，本書從近代在傳教士對中國的研究與翻譯基礎上建立起來的國際漢學，從方法論反思其學科性問題，並倡議一種作為「第二序」的國際漢學研究。

---

in East Asia, 12:1（2021）: 29-62.

10 法國國家圖書館典藏有此書，編號FRBNF33416412，但尚未數位化，本人所用版本與此相同，為德國華裔學志研究所圖書館藏書。根據圖書館的登錄資料，另有一本有關孝道的著作編號FRBNF31247949 的*La Morale de Confucius. Le Livre sacré de la piété filiale*，作者也是羅尼，於1893年由巴黎的J. Maisonneuve出版社刊行。館員註記這是有關日本的文獻。https://catalogue.bnf.fr/ark:/12148/cb312479496

第一章

翻孔子、譯孝道

命名與中西角力

近年在國際漢學相關研究的推波助瀾之下，耶穌會所扮演的先驅角色正式為學者所重視。孟德衛（David E. Mungello, 1943-）曾在其*Curious Land: Jesuit Accommodation and the Origins of Sinology*一書中，將十九世紀歐洲漢學研究的根源之一，正式歸因於天主教耶穌會在中國的傳教工作。他同時指出，耶穌會在中國的活動和對中國文化的研究，為歐洲啟蒙時期中國的熱愛者（the Enlightenment Sinophilies），提供必要的知識。因此，耶穌會士被視為「漢學家的先驅」（the forerunner of Sinologue）。[1]這些先驅之所以對中國產生興趣，除了為認識中國而研究中國之外，更重要的目標是在於改善當時歐洲自身的問題。[2]十七至十八世紀的耶穌會士，在作為中西交流的媒介

---

1 David E. Mungello, *Curious Land: Jesuit Accommodation and the Origins of Sinology*（Honolulu: University of Hawaii Press, 1985）, esp. pp. 13-14.

2 David E. Mungello, "Confucianism in the Enlightenment: Antagonism and Collaboration between the Jesuits and the Philosophes," in Thomas H. C. Lee

上，他們以作者的身分對中國整體文化的介紹而催生了歐洲漢學。他們翻譯經典，甚至出版專書來進行介紹的工作，歐洲思想界因此得以認識中國的傳統、文化以及中國各種不同層面的實況。

由於中文與歐洲語言之間的巨大差異，如要以當時歐洲讀者能夠理解的語言來表述中華帝國中的人事物、概念和文化傳統，就必須借用歐洲語言來轉譯，甚至命名。這命名的抉擇過程，涉及命名者對中國語言、文字、思想的理解。這同時也涉及同時代歐洲讀者的思想與認知。當然還涉及命名之後，此新名詞在後世的知識界傳承所產生的一連串效應。近年來學界對於傳教士的圖文文獻的研究發現，近代早期的歐洲對中國的認識約略有一個進程：從認知到一個遙遠神秘的東方，逐漸在多方直接接觸之後，認識到其中最大規模的中國（大明國），[3]並逐漸在累積的文獻當中意識到，這個東方國度之規模，並非如同歐洲的小王國，而是帝國。[4]本人對於西方傳教士對中國經典翻譯相關研究也發現，他們區分中國傳統為文人傳統和帝國傳

（ed.）, *China and Europe: Images and Influences in Sixteenth to Eighteenth Centuries*（Hong Kong: The Chinese University Press, 1991）, pp. 119-120.

3 參見Nicolas Standaert, "The Making of 'China' out of 'Da Ming'," *Journal of Asian History*, vol. 50, no. 2（2016）, pp. 307-328.

4 劉耿在其〈從王國到帝國——十七世紀傳教士中國國體觀的演變〉一文中，透過對十七世紀耶穌會士的年信裡，對「王國」（reino）和「帝國」（império）兩個關鍵詞語之出現年份和使用頻率，進行了量化分析，他發現1660年代是從「王國」轉向「帝國」的轉折時代；爾後逐漸由後者取代前者。年信中對於中國皇帝的稱謂，也在十七世紀末逐漸從「王」（rei）轉向「皇帝」（imperador）。此文刊登於《新史學》，28卷，1期（2017），頁57-114。

統，代表性人物分別是孔子和康熙皇帝。本章將從三個部分來討論與說明耶穌會士入華之後，面對中華帝國的文人傳統與帝國傳統，以及如何透過文字與圖像向歐洲引介分別以孔子與康熙作為中心的這兩大傳統。

一、文人傳統：中國也有哲學家——孔子

翻譯是耶穌會士重構中國知識的門徑，尤其是他們對經典的翻譯工作。這工作在他們初進入中國之後不久，自羅明堅（Michele Ruggieri, 1543-1607）時就已經開始進行翻譯的工作。1593年，利瑪竇即奉命開始翻譯《四書》，一方面作為新進傳教士之語言教材，一方面希望正確理解儒家，並從儒家經典中，尋找切入點，以中文表達天主教神哲學思想。[5]根據梅謙立（Thierry Meynard）的研究，耶穌會士的中國典籍翻譯的發展歷程，有三個階段：首先，這些經典被當作初入中國以經典作為語言教材，新來神父得以在前人基礎上學習漢語及中文。第二，在1667-1668年間的廣州會議，傳教士們針對儒家經典的定位與詮釋出現爭議，最後結論是翻譯這些經典可視為訓練傳教士們具備對儒家典籍的「耶穌會士式的閱讀」（the Jesuit reading）。不過我認為這個閱讀應該用複數，因為在耶穌會士內部，對於儒家經典確實有相當不同的意見。第三階段，梅謙立認為是基於學術性的態度而展開的中國經典翻譯工作，此舉

5　梅謙立，〈《孔夫子》：最初西文翻譯的儒家經典〉，《中山大學學報（社會科學版）》，2008年第2期，頁131-142。

使論述主場從中國移回歐洲，他們在中國傳統注疏和歷史考據的脈絡中，建立一套詮釋體系，以便向歐洲學界和教會介紹中國哲學之理性面向與高度發展的智慧。《四書》之翻譯，成為在「五經」之外，同樣具有經典地位的「一部」儒家著作。[6]在最後階段需要達到的目標是：確認儒家權威、明確區隔古典儒家與宋明理學、在朱熹之外尋找另外具權威的注疏者，以及提供足夠的語言與歷史資料以確立《四書》的權威性。耶穌會士們嚴格地區分了受到佛教影響的宋明理學和純淨原本的先秦儒家。回歸「述而不作」的孔子之「祖述堯舜，憲章文武」原則，孔子名下作品成為最合適的對象。這個區分也造就了後來眾所周知，在利瑪竇派耶穌會士與與龍華民（Niccolò Longobardo, 1559-1654）等人之間，為了是否需要藉由宋明理學來理解中國上古哲學的不同主張。也就是，外來耶穌會士能否不需仰賴宋明儒學而直接理解上古思想的問題。經過將近一個世紀之後，他們對儒家《四書》中三本孔子名下著作的翻譯工作終於在1687年由柏應理等耶穌會士合作下出版了，題名為

6 Thierry Meynard, *Confucius Sinarum Philosophus*（*1687*）*: The First Translation of the Confucian Classics*（Rome: Institutum Historicum Societatis Iesu, 2011）, pp. 4-5. 梅謙立已經陸續將柏應理的譯本再譯為英文，目前已經完成其中的《大學》、《論語》。至於《中庸》翻譯，請參考羅瑩的研究成果，例如，〈耶穌會士衛方濟及其《中庸》拉丁文譯本〉，《澳門理工學報》總第57期，第18卷，第1期（2015），頁132-142。另外尚有〈十七、十八世紀歐洲主要的《中庸》譯本—兼論早期來華耶穌會士對儒學典籍的西譯及出版〉，《澳門理工學報》總第48期，第15卷第4期（2012），頁80-88。孟子的翻譯請參見黃正謙，〈論耶穌會士衛方濟的拉丁文《孟子》翻譯〉，《中國文化研究所學報》，第57期（2013），頁133-172。

《中國哲學家孔子》。此書奠立了十七世紀末葉之後，歐洲知識分子認識與理解中國哲學的基礎。在此書中，孔子被形塑為一位類似於古希臘哲學家的「中國哲學家」。孔子名下的《大學》、《中庸》和《論語》被翻譯為拉丁文，成為向歐洲介紹中國哲學或更廣泛的有關中國的知識（*Scientia sinensis latine exposita*）的平台。[7]

然而，由於《中國哲學家孔子》一書中所蘊含的對中國古典儒家之正向詮釋未能獲得羅馬教廷的支持，耶穌會士們轉而向法王路易十四尋求支持而出版。我們可以在此書的封面標示「基督教國王路易大帝」（*Ludovico Magno, Regi Christianissimo*〔Louis the Great, the most Christian King〕），在王的特許之下，此書是為了「為東方傳教士和文人共和國最佳利益」（Eximio Missionum Orientalium & Litterariae Reipublicae bono〔for the Highest benefit Oriental Missions and Republic of Letters〕）而出版。[8]針對《中國哲學家孔子》這本書，梅謙立指出歐洲知識（Europa Scientia）在三方面與中國知識（Sinensis Scientia）可以相互結合。首先是在形上層次，他發現耶穌會士

7　Thierry Meynard S.J., *Confucius Sinarum Philosophus*（*1687*）*: The First Translation of the Confucian Classics*, pp. 3-12; D. E. Mungello, "The First Complete Translation of the Confucian Four Books in the West," *International Symposium on Chinese Western Cultural Interchange in Commemoration of the 400th Anniversary of the Arrival of Matteo Ricci, S. J.*（Taipei: Fu-Jen Catholic University, 1983）, pp. 516-539.

8　Couplet, *Confucius Sinarum Philosophus*（Paris: 1687）, cover page；Thierry Meynard S.J., *Confucius Sinarum Philosophus*（*1687*）*: The First Translation of the Confucian Classics*, p. 81.

結合了經院神哲學與朱熹的理性主義，使他們得以將中國古代的思想與基督教神學取得連結，不過卻在內容中隱瞞與朱熹的關聯。其次是在政治層次，耶穌會士以張居正的《四書直解》這種有助帝國統治的詮釋作為其翻譯的依據。所以說，這時期中國的耶穌會士支持康熙之絕對君權，一如法國的耶穌會支持路易十四的君主極權，這些古代經典在經世致用之實務面向上被強化了。最後是在歷史層次，耶穌會士援引了丘濬，或書中所稱之丘瓊山（Kieu kium xam）的古代例證方法，甚至書末收錄了改編自衛匡國《中國歷史》（*Sinicae Historiae*, 1658）的《中華帝國歷代年表》（*Tabula chronologica monarchiae Sinicae*），強化經典中重要人物之史實性。[9]《中國哲學家孔子》書中所附致獻法國國王的書信中，其遣詞用字在某種程度來說確實相當諂媚，指稱孔子的古老理想或者僅能仰賴路易十四方能實現。書信中也展現出耶穌會士意圖藉由說明中國古代經典為中國皇帝所提供的合法性，用來支持耶穌會在中國傳教的合法性。[10]因著法國國王的支持，此翻譯計畫的編輯工作由羅馬轉向巴黎，這來自國王的支持，之後也延續到耶穌會士在中國的工作。

我們從早期耶穌會士的著作歸納整理可以發現，他們對中國的認識在最初將中國視為一個整體。所以，當時的出版品內容多半包羅萬象，舉凡中國古典語言、歷史、地理、物產、風

9 根據梅謙立，〈孔夫子：最初西文翻譯的儒家經典〉，頁138-141。

10 梅謙立，〈論語在西方的第一個譯本（1687年）〉，《中國哲學史》2011年第4期，頁103-104。

俗與宗教相關文獻的翻譯、介紹與評論。多屬於概述性質，並且多是在與歐洲的文化與體制的對比之下進行。也就是說，在與歐洲知識體系對應之下，在其對中國的理解與詮釋的基礎之上，耶穌會士們建構出他們所能認可的「中國知識」或「中國學」（Scientia sinensis, Chinese Knowledge, Chinese Learning）。在此「中國知識」的大主題之中，依序翻譯《大學》、《中庸》和《論語》等等中國文獻，陸續累積出以孔子核心，介紹中國文人傳統的相關論著和出版品。在《中國哲學家孔子》一書正式進入經典本文的翻譯之前，除了一篇極長的導論之外，在導論結尾還提供了一個九頁的孔子生平介紹（Confucii Vita〔Life of Confucius〕），和一幅孔子立像圖。雖然柏應理將孔子視為聖徒（Sanctus），但其圖像的背景裝飾，則是使孔子站立在類似希臘哲學學園與圖書館圓拱形出口的前方，背後充滿藏書，建築物正面有題著「國學」的牌匾，意在強化孔子的教師與學者角色。[11]此書所提供的視覺意象，很明確地導引歐洲讀者將孔子與希臘哲學家類比，進而將他視為一位中國的哲學家。「孔子」本意是孔夫子（Kong-fu-zi）、孔老師，這稱謂被拉丁化（Confucius），並進一步成為他的名字，甚至被賦予了「中國哲學家」（*sinarum philosophus*）的身分。換句話說，在十七世紀後期，藉由1687年出版的《中國哲學家孔子》一書的

---

11 Couplet, *Confucius Sinarum Philosophus*, Liber Tertius, Pars Quinta, p. 54；梅謙立，〈論語在西方的第一個譯本（1687年）〉，頁108；圖像的詮釋詳見李招瑩的研究：Chao Ying Lee, “Integration of Foreign Culture with Local Culture: The Icons of Confucius in *Mémoires concerant les Chinois*（1776-91）in France,” *Sino-Christian Studies*, No. 4（2007）, pp, 109-135.

翻譯與出版，孔子及其學說與學派的哲學家定位與哲學體系，被正式定調。話說回來，這幅孔子像雖是拉丁化，其整體建築物和人物的配置，仍有中國風味。例如圖像中介於國學與仲尼字樣中間，類似傳統中國建築的天花板橫梁，孔子的服飾與圖像兩側與整齊排列的寫著孔門弟子名字的牌位，這些在孔廟大成殿內部分擺設，也被納入圖像當中。

Confucius Sinarum philosophus, sive Scientia sinensis, latine exposita
來源：法國國家圖書館 (Bibliothèque nationale de France) ID/Cote :RES-R-691

實際上，耶穌會文獻裡有關孔子做為一位哲學家的定位，早在1615年，利瑪竇在其由金尼閣編譯為拉丁文的《利瑪竇中國傳教史》（De *Christiana* expeditione apud Sinas *suscepta ab Societate Jesu*〔*On Christian expeditions to China undertaken by the Society of Jesus*〕）[12]一書的第一卷中，並列敘述了孔子和老子，他稱老子為「老人哲學家」（Philosophus senex），並將他視為與孔子（Confutio）同時期的哲學家。[13]不過這些僅止於文字的描述。至於具體的圖像之出版與傳播，在利瑪竇之後、柏應理之前，尚有其他孔子像。根據Trude Dijkstra和Thijs Weststenijn兩位學者對於低地國的孔子知識建構，其中有關Gottlieb Spitzel（1639-1691）於1660年在荷蘭萊頓所出版的《中國文學評註》（*De re literaria Sinensium commentarius*）一書中已有一幅不同於柏應理的孔子像。Spitzel這本書是在中國、埃及、希臘和印度這四大古文明的比較當中討論中國的原初哲學（*prisca philosophia*），書中也描繪了孔子。他的中國知識主要來自金尼閣和衛匡國的影響。Spitzel書中的孔子的形象，半身坐

12　此書原作者為利瑪竇，以義大利文寫作，由金尼閣譯為拉丁文並加以補充完成，書名原題作*De Christiana expeditione apud Sinas suscepta ab Societate Jesu*（Augsburg, 1615）。繁體中譯本：劉俊餘、王玉川合譯，《利瑪竇中國傳教史》（台北：光啟出版社，1986）。簡體中譯本則是根據此書之英譯本Louis Joseph Gallaghe, *China in the Sixteenth-century*（New York: Random House, 1953）翻譯而成，出版資料如下：何高濟，王遵仲譯，《利瑪竇中國札記：傳教士利瑪竇神父的遠征中國史》（北京：中華書局，1983；桂林：廣西師範大學出版社，2001）。

13　Ricci & Trigualt, *De* Christiana *expeditione apud Sinas* suscepta ab Societate Jesu（Augsburg, 1615）, p. 110；何高濟，王遵仲譯，《利瑪竇中國札記：傳教士利瑪竇神父的遠征中國史》，頁109-110。

像，雙手握有寫著不明字體長卷的兩端並且環繞在赤裸的上半身，面容五官深邃，捲髮且頭戴著接近印度傳統的盤帽，放置在歐洲風格的建物室內一個具有花瓣紋飾外觀的柱臺上。雖然此書主要探索上古原初哲學，但是他對於孔子的形象描繪，是在佛教甚至是迷信的脈絡中去建構，以偶像方式來呈現孔子。[14]

在《中國哲學家孔子》透過經典翻譯，定位孔子為哲學家，指出儒家的哲學地位之後，1711年，衛方濟在布拉格出版的《中國哲學》（*Philosophia sinica*）直接採用「中國哲學」作為書名，正式與西方的Philosophia連結，成為兩組對照的哲學體系。[15]1735年，杜赫德（Jean-Baptiste du Halde, 1674-1743）的《中華帝國志》（*Description géographique, historique, chronologique, politique, et physique de l'empire de la Chine et de la Tartarie chinoise*）在介紹中國儒家時，也附上一幅孔子像。圖像的空間配置與柏應理的《中國哲學家孔子》一書中的孔子圖類似。[16]雖然仍保持學者的象徵，例如身後的書架與藏書，不過人

---

14 圖片出自Gottlieb Spitzel, De re literaria Sinensium commentarius（Lugd. Batavoru: ex Officina Petri Hackii, 1660）, p. 119. 我所用版本為慕尼黑巴伐利亞邦立圖書館（München, Bayerische Staatsbibliothek）編號：H.lit.p. 355。有關十七世紀孔子形象在低地國的概況，詳見Trude Dijkstra & Thijs Weststenijn, "Constructing Confucius in the Low Countries," De Zeventiende Eeuw, Vol. 32 Issue 2（2016）, pp. 141-143. 孟德衛在他的《令人好奇的土地：耶穌會的適應與漢學的起源》曾經討論此書部分問題，但未涉及孔子像，詳見David. Mungello, *Curious Land: Jesuit Accommodation and the Origins of Sinology*, pp. 170-171, 213.

15 潘鳳娟，〈衛方濟的經典翻譯與中國書寫：文獻介紹〉，《編譯論叢》，第三卷第一期（2010），頁201-203。

16 已有學者對此從藝術史角度做了詳細的討論，詳見李招瑩，〈異文化

Spitzel 孔子像_作者藏書攝影

JB du Halde, *Description geographique, historique, chronologique, politique, et physique de l'empire de la Chine et de la Tartarie chinoise*（Paris, 1735）, tom. 2, p. 225. 來源：台北國家圖書館特藏室，系統號：000872278

物的面容與手中所持物件做了大幅更動，也不見國學與經典的書名如論語、大學等漢字。此圖的孔子手中所持之長條狀類似於紙張的物件，卻又與Spitzel的孔子圖類似。而三圖的共同點，都是身後的圓拱設計，不同的是Spitzel的是室內，放置半身偶

與在地化的圖像融合：以法國出版「中國文化歷史及風情叢刊（1776-1791）」的孔子生平圖為例〉，《文化研究月報》，第112期（2011），頁7-34，文化研究學會出版品電子期刊。請參閱：http://csat.org.tw/pdf/112%E6%9C%9FPDF.pdf（檢索日期：2014年6月6日）。

像。另兩幅則是具有室外的視野，描繪捕捉孔子在特定時空的形象。

此外，在西方孔子形象的建構過程中，除了前述幾幅單一孔子像之外，稍晚的北京耶穌會士錢德明的所出版的「孔子生平」（Vie de Confucius, *Vie de KOUNG-TSÉE*）系列圖像，亦相當值得注意。此為錢德明從中國民間的孔子聖蹟圖篩選出的18幅孔子圖像集與傳記，在《關於中國之記錄》（*Mémoires concernant les Chinois*）系列叢書中出版。[17]錢德明自謂：「我承諾孔子生平圖；我仍然保持我的承諾…你找不到這個孔子形象如同其他歐洲人所繪製的孔子圖像；你們觀看如同中國人自己描繪的孔子圖像出生與死亡，我根據他的原本，忠實的描繪…我已經有一百多幅介紹孔子生命重要事件的作品，我從最原初作品抽取一部份，這是中國首都最優秀的工藝家之一所繪製的。」與柏應理之形塑孔子為中國哲學家的作法不同，錢德明的「孔子生平圖」卻就著圖像與文字，在有意無意之間，將孔子與基督的形象進行了連結。孔子的形象，彷彿成為中國的聖人，從初生之前、童年經驗、生平事蹟，甚至死後受朝拜種種奇特的經歷，與基督降生的事蹟具有相似性。[18]

---

17 錢德明有關孔子生平這一系列圖像頗多，本書不置入，詳見《關於中國之記錄》其中三卷：Joseph Marie Amiot, *Mémoires concernant les Chinois,* vol. 12（1786）, pp. 1-508, vol. 13（1788）, pp. 1-38, vol. 14（1789）, pp. 517-521. 此書另有一單行本：《孔子畫傳》（*Abrégé historique des principaux traits de la vie de Confucius*, célèbre philosophe chinois, Paris, 1788）。

18 請參見Joseph Marie Amiot, *Mémoires concernant les Chinois,* vol. 9（1783）, pp. 3-4. 錢德明的話轉引自李招瑩：〈異文化與在地化的圖像融合：以法國出版「中國文化歷史及風情叢刊（1776-1791）」的孔子生平圖為例〉，頁從利瑪竇、Spitzel、柏應理到錢德明，他們的著作出版時間相距超過一個世紀，孔子的形象除了是一位哲學家，還是足以類比耶穌基督的中國聖人。從孔子的命名，圖像描繪與定位包含孔子之具象與抽象的不同層面，在這個傳入歐洲與當地文化融合過程中，逐步深入歐洲文化的內部。不同於孟子與曾子等人仍採取拼音方式，我們可以說孔子的拉丁化命名，在早期耶穌會士的著作裡，已經進入歐洲文字的同化層次。不過，以本書主題所研究的《孝經》譯本為例，並非全部六個譯本均以Confuius為經文中提及之孔子命名。譯者對於「子曰」的「子」字之翻譯，手法相當多元。衛方濟與韓國英的譯本可以觀察到，他們延續了十七世紀以來，至少前述提到的柏應理的《中國哲學家孔子》已經使用的這個拉丁名字。但是，新教傳教士裨治文則是在第一章使用Confucius，之後使用多次the sage 來翻譯「子曰」的「子」字。而理雅各則是在第一章以拼音方式：Kung-nî來翻譯孔子 。羅尼是僅在第一章使用Confucius，後面章節多數使用le Philosophe。就本研究所觀察到六個譯本的稱謂，早期耶穌會士延續柏應理的命名與定位，十九世紀新教傳教士另有不同翻譯手法，而東方學家同時也是法蘭西學院的日文教席羅尼，在其《孝經》譯本中，孔子的定位又回歸哲學家的形象。

須注意的是，“Confucius” 這個字，是近代早期傳教士翻譯中國古典文獻，尤其儒學經典過程中產生的新字，大抵是從「孔夫子」的音譯 “Kong Fu tse” 或 “Con-fu-ci” 衍生而來。Con-

---

17。

fu-ci 被拉丁化之後，成為 Confucius（主格，第一人稱單數）這一新的單字而進入拉丁文的語言系統，爾後更在不同歐洲語言中被接受為專有名詞。既然進入歐洲語言，對於讀者來說，對於這位東方哲學家的異類感或是異文化人物的陌生感，相對於例如以拼音方式的孟子來說，研判是較不明顯的。值得繼續追問的是：在耶穌會士的著作、書信、翻譯和各類報告中的Confucius到底如何對應中國的孔夫子，以及這個字又如何影響中國傳統中對孔夫子的描述和認知。這個問題早在魯保祿（Paul Rule）的研究已經關注與討論，他直指這個拉丁化的字："Confucius" 是耶穌會的發明物（Jesuit invention/creation）。[19] 不過，這個在魯保祿書中相對中性的拉丁化名詞，卻在詹啟華（Lionel M. Jensen）的《製作中的孔夫子學》（*Manufacturing Confucianism: Chinese Traditions and Universal Civilization*），則多了些許蓄意與任意。詹啟華認為西方所謂的「孔夫子學說」（Confucianism），並非根據中國孔夫子，而是耶穌會根據自己的想像「製作」而成，他說：「『孔夫子』這個今天一般人對儒家創始人孔子的漢語稱謂，在利瑪竇來到之前的中國本土語言和思想文獻中幾乎不存在，它完全是利瑪竇等西洋耶穌會傳教士們『創造』和『製造』的結果。」[20] 他的意思是，「孔夫

19 Paul Rule, *K'ung-tzu or Confucius?: The Jesuit Interpretation of Confucianism*（Sydney, Boston and London: Allen and Unwin, 1986）, p. ix. 這是他的博士論文（1972）改寫出版，所以他關注此問題的時間是1970年代，取得澳洲國立大學博士之前，可以說是先驅者。

20 Lionel M. Jensen, *Manufacturing Confucianism: Chinese Traditions & Universal Civilization*（Durham, N.C.: Duke University Press, 1997）, esp., pp. 4-6.

子」三個字，不是來自漢語，而是被製作的西洋新詞。

不過王慶節透過考據研究，認為詹啟華的主張無法成立。前者在〈孔夫子：舶來品還是本土貨〉一文中提出的理由是，經考證之後，他發現中國文獻確實存在為數不少的「孔夫子」一詞。例如《朱子語類》至少兩次，而《四庫全書》出現115次，以及其他文物和銘文亦曾出現「孔夫子」的稱呼。王慶節同時也就出土文物、銘文進行做了考察，他發現目前可見曲阜孔廟的「魯孔夫子碑」、陝西博物館藏的「孔子答問鏡」銘文，以及上海博物館所典藏的「三樂紋方鏡」，均有「孔夫子」字樣。他認為，從早期文獻出現次數少，後期文獻相對頻繁的情況來估計，「孔夫子」一詞研判是經歷了從口傳到書寫的過程。[21]也就是說，耶穌會士在以歐洲語言介紹中文世界的孔夫子時，在拼音基礎上，轉化為拉丁化的Confucius的文化移植其實有其中國文化要件，並非無中生有。個人認為，名詞可以創造，尤其是在跨語言的脈絡中。但是如果一旦與其相對應之「原件」的連結一併根除，連當代中文圈所認知的孔夫子學說

鐘鳴旦對此曾撰文批駁，請參見Nicolas Standaert, “The Jesuits Did NOT Manufacture ‘Confucianism’,” *East Asian Science, Technology and Medicine*, no. 16（1999）, pp. 115-132.

21 王慶節，〈孔夫子：舶來品還是本土貨〉，《深圳大學學報》（人文科學版），第30卷第4期（2013），頁38-42。近年西方漢學界逐漸以Ru取代Confucius，作為「儒」的西方對應字，而儒學以Ruism、儒者以Ruist來表示。相關討論可參見董鐵柱，〈從“Confucian”到“Ru”:論美國漢學界對上古儒家思想研究的新趨勢〉《文史哲》2011年第四期，頁48-54。如欲獲得更深入的知識，請參見波士頓儒家，如南樂山（Robert Neville）與同事白詩朗（John H. Berthrong）及哈佛大學教授杜維明的著作。

也是耶穌會士製造中譯之後的「舶來品」，那就過猶不及了。無論是在中國本土或域外，無論使用「孔子」、Confucius或「孔夫子」不同稱謂，他均被塑造為一位代表中國重要人物，並逐漸形成各種不同的「孔子論」，也有著「哲學家」、「老師」和「宗教傳播者」的不同身分。環繞著孔子而來的各種論議，與西方文化交互影響之後呈現於當代的樣貌，或者也反過來影響中文世界對孔子的認識。他名下的經典，也該當在更寬廣的視野下、跨語言文化與宗教的脈絡中，不斷地被重新檢視與探索。

總體來說，近代早期傳教士對於東方的描述，隱約可以觀察到認識的進程：從一個相對模糊的東方意象，逐漸聚焦在中華帝國，隨著時間的進程以及接觸往來益趨頻繁深入之後，才逐漸認識了帝國內部的兩大傳統：以孔子為中心的文人傳統，和以康熙為中心的帝國傳統。此等區別的確立是在法國國王派遣了國王數學家白晉（Joachim Bouvet, 1656-1730）、李明（Louis Le Comte, 1655-1728）等耶穌會士前來之後，在與羅明堅、利瑪竇等來華的一代耶穌會士的工作內容交互省視的過程之中逐漸成形。早期耶穌會士對於中國儒家經典的翻譯，從初期以文人文獻為主要基底，發展到十七世紀末、十八世紀初的時期，中華帝國皇帝對於儒家經典的詮釋，慢慢成為耶穌會士在中國禮儀之爭為中國辯護的重要意見。也是在這樣的背景之中，西方首見的《孝經》翻譯的譯者衛方濟，在進行儒家經典翻譯與介紹時，中華帝國皇帝的詮釋在他提供的作品中具有極為重要的地位。也是在此背景之中，帝國傳統也逐漸浮出檯面，成為十八世紀耶穌會士介紹中國各種文化層面時的重要脈絡。這在本書後面的章節討論衛方濟與韓國英的譯本研究時，會詳細解析。

二、帝國傳統：哲學家皇帝的典範——康熙

十七世紀中晚期，在太陽王路易十四（Louis XIV, Louis le Grand, le Roi Soleil, 1638-1715, r. 1643-1715）的掌權之下，法國已經籌劃多年，設法擴張對遠東的政經影響力，試圖突破甚至取代由葡萄牙壟斷的遠東利益。在路易十四派遣「國王數學家」（Mathématiciens du Roy）前往中國之前，法國巴黎外方傳教會在1662年已經在暹羅建立了據點。當時的暹羅國那萊王（Pha Naraï, 1632-1688）[22]對法國傳教會頗為友善，多次互派使節建立良好的互動關係。雖然法國傳教會極力促使暹羅王改信天主教，不過始終未能如願。爾後在南懷仁（Ferdinand Verbiest, 1623-1688）與柏應理的推動之下，「國王數學家」成軍，1685年3月3日白晉、李明、洪若翰（Jean de Fontaney, 1643-1710）、劉應（Claude de Visdelou, 1656-1737）、張誠（Jean-François Gerbillon, 1654-1707）和Guy Tachard（1648-1712）六位耶穌會士從法國出發，於同年9月底中停暹羅。國王數學家們曾經一度考慮留在該地，後來僅有Guy Tachard留下，其餘五位決定繼續前行。1686年7月2日出發，於1687年7月23日抵達寧波。其中，白晉與張誠進入北京宮廷，李明等三人則前往其他省分服

---

22 根據網路版《大英百科全書》，那萊王在位時期致力於外交事務的擴展，被譽為暹羅的黃金時代，參見https://www.britannica.com/biography/Narai（檢索日期：2020年8月5日）。

務。在1688-1693年十多年間，白晉成為康熙皇帝的西學教師，並如同暹羅的傳教士成為路易十四和暹羅王之間的外交使節一樣，他也為康熙與路易十四兩位君王搭起溝通的橋梁。1693年，康熙派遣白晉帶著包含了漢語和滿語撰寫的書籍以及各種禮物出發，帶著宣揚中國皇帝的偉大和他對中國耶穌會士的禮遇，以及招募更多優秀的法國耶穌會士前往北京的使命，返回歐洲。[23] 1697年3月底白晉終於返抵巴黎。也正是在這一年，白晉於巴黎出版了《中國皇帝的歷史肖像》（*Portrait historique de l'empereur de la Chine*）一書。白晉返歐期間也向羅馬教廷和傳信部為康熙做見證，並取得教宗的證明：康熙皇帝並非無神論者，證書時間是1697年12月1日。[24]作為法國國王遣往中國的第一批探子，白晉這本書一方面可以視為致獻路易十四的奏章，一方面也是路易十四遠東擴張計畫的業務報告。書中對康熙皇帝和相關人事物的描述就此串起歐亞大陸兩端的兩位君王之間的聯繫。

白晉的《中國皇帝的歷史肖像》一書出版兩年後，1699年萊布尼茲（Gottfried Leibniz, 1646-1716）立刻請人譯為拉丁文收入他的《中國近事》（*Novissima Sinica*, 1697, 1699）第二版，同年英國倫敦也出版了英譯本。以康熙為中心的中華帝國的政治和倫理，在十七世紀末已經成為歐美知識階層關注焦點。在

23 以上有關白晉的歷史敘事，主要根據Caludia von Collani（ed.）, *Joachim Bouvet, S. J. Journal des Voyages*（Taipei: Taipei Ricci Institute, 2005）, pp. 3-35.

24 詳見Caludia von Collani（ed.）, *Joachim Bouvet, S. J. Journal des Voyages*, p. 43-44.

白晉出版康熙傳前一年，另一位國王數學家成員李明，於1696年也在巴黎出版了《中國現勢新志》（*Nouveaux mémoires sur l'état présent de la Chine*）一書，記錄了國王數學家在1687-1692年間在中國的相關事蹟。[25]此書的出版主要是因應中國禮儀之爭而來，對於耶穌會的中國傳教策略的嚴重質疑。[26]此書採取書信體的方式編寫，包含了十四封致獻給當時法國在政治、宗教等領域裡重要人士的書信。書信內容包含了國王數學家來華過程中的旅途見聞、皇帝接見過程敘述、北京城見聞，以及關於中國的自然景觀與物產。其中還包含了有關中國傳教事業以及1692年剛批准天主教合法傳教的康熙皇帝第一手親身經歷的介紹。李明在書中特別強調了康熙皇帝的容教令，以此證明耶穌會士在中國事業的成功。

---

25 此書法文原本出版後不久，陸續出版了英文、義大利與德文譯本。1698年英文譯本隔海於英倫出版，題名為《前次中華帝國旅遊途中對地形、物理、數學、機械、自然、文明和教會的回憶錄和觀察》（*Memoirs and Observations Topographical, Physical, Mathematical, Mechanical, Natural, Civil, and Ecclesiastical Made in late Journey through the Empire of China*）。

26 1700年，巴黎索邦大學譴責耶穌會的傳教策略，禁止了耶穌會傳教士對中國禮儀的正面解釋，1742年甚至禁絕任何有關中國禮儀的討論。李明這本辯護性的書籍，也跟著沉寂了三個世紀。參見Jacques Davy, "La condemnation en Sorbonne des *Nouveaux memoires sur la Chine de P. Le Comte*," *Recherches de science religieuse*, 37（1950）, pp. 366-397.近年隨著中國崛起，歐美學界對中國的研究再一次蓬勃發展，海峽兩岸的學術圈對近代早期中國與歐洲之間的往來，以及近代早期歐美對中國的研究重新燃起興趣。李明此書之現行中譯本題名為《中國近事報導》，由郭強、龍雲、李偉等翻譯，於2004年由鄭州大象出版社出版。中譯本乃根據1990年由Frédérique Touboul-Bouyere編輯再版的法文本*Un Jésuite à*（Pékin: Nouveaux memoires sur l›état present de la Chine, 1687-1692）一書翻譯而成。

相對於前文已經說到的十七世紀耶穌會士大規模地譯介文人儒家的經典和注疏，此時來華的耶穌會士在中國與歐洲之間傳遞的文化，仍屬於文人傳統的範圍。他們交往的對象主要也是文人。不過到十七世紀末之後這種交流逐漸轉向帝王。最關鍵的事件是太陽王路易十四派遣「國王數學家」前往北京的行動。這轉化其實標示著法國和中華帝國兩個世俗君王勢力逐漸凌駕於天主教教宗之上。這行動在中國禮儀之爭的論辯最高峰時期發生，對國王數學家與在華耶穌會士而言，這位中華帝國的皇帝康熙已然成為持續奠立與捍衛他們中國教事業的房角石。此外，本人的研究發現，來華耶會士為其中國傳教價值的辯論策略，在這階段前後出現了一種帝國轉向，其辯論的內容大量收錄康熙皇帝對中國傳統經典和禮儀的詮釋（詳第三章韓國英譯本的討論）。當衛方濟等人高舉康熙對中國傳統與儒學經典的詮釋為中國禮儀的辯護，此舉儘管天主教會內部似乎並不接受，但在當時歐洲的知識圈內，反而具備了一定的說服力。如以長時段的視野來觀察，我們可以看到，十八世紀末期在北京的耶穌會士更直接全面地譯介清朝「帝國文獻」的作為，給予讀者一種歐洲對於中國的意象，已從過去之聚焦在「孔子和儒家」轉向以康熙為核心的「帝國」中心的印象。我們也可以將這樣轉變視為從「歐洲—中國」的抗衡轉向「教宗—皇帝」的抗衡。當然，我認為這裡的「皇帝」應該理解為複數。爾後隨著歐洲的啟蒙時代裡世俗化進程，前述之「教宗—皇帝」的抗衡似乎變成「聖—俗」抗衡，並且隨時間推演逐漸分出高下。值得繼續觀察的是，此後歐洲單一統治的世俗王權（secular monarchy）逐漸擺脫天主教會控制的後續發展。[27] 這些進展說明了他們的著作在付梓傳播之後，其後續的效應已然獨立於作者「原意」之外而展開後起的生命。以下擬以白晉和李明的著作為核心，並以萊布尼茲與大約同時期引介康熙的著作為脈絡，從「康熙敘事」與「康熙圖像」兩面向來觀察分析國王數學家如何建構他們的東方帝國君主典範，以及如何向差遣他們的太陽王路易十四匯報在中國的傳教事業。

耶穌會的政治理念：單一統治（Monarchy）

路易十四是歐洲歷史上在位最久的君王，長達72年（1638-1715, r. 1643-1715），從十七世紀中期到十八世紀初，作為法國集權國王、唯一的統治者，也是確立法國絕對王權（monarchie absolue），削弱貴族權力的最重要君王。過去中文世界對於monarchie absolue一詞多翻譯為「君主專制」或「君主專制政體」，近年則轉而以「絕對王權」取代。十六世紀為使戰爭更有效地處置宗教戰爭過程的突發狀況，以及漫長的戰事帶來的

27 陳秀鳳在研究法蘭西王權在近代的世俗化問題時說道：國王登基的祝聖禮，從中世紀視之為純粹慶典的理解，在十二世紀之後逐漸從法學觀點來理解。到十五世紀之後，儘管祝聖禮不必然對王權的正當性具有法制效力，但是「隨著王權的擴張與君主國家的出現，對於十六世紀以後的法國國王們，祝聖典禮的重要性顯然已逐漸減退，成為一種僵化的儀式，儘管如此，祝聖典禮仍沿用到法國君主政體的結束。」詳見陳秀鳳，〈神聖性王權「世俗化」：中世紀晚期法學思想與法蘭西王權關係的探討〉，《新史學》18卷3期（2007），頁131-132。

國家分裂危機，國王被賦予高於法律之上的絕對權力。[28]這個「王權」（monarchie），就其字源monarcha，指「一位」「統治者」，中文可以直譯為「單一統治」。Harro Höpfl在其《耶穌會的政治思想》一書開場的第一句話說：「耶穌會就其成立之初就認知到參與世俗君王的世界是不可避免的。」[29]從耶穌會祖依納爵（Ignatius of Loyola, 1491-1556）寫給葡萄牙Coimbra的耶穌會院書信中，很清楚地指示「合一」對於耶穌會的必要性。這必須仰賴上下之間的秩序來維持，對單一長上的服從。這也可以類比宇宙層疊有序的結構；由頭腦來發號施令，指揮身體各部位的活動。如果一個身體有多個頭腦，結果就是混亂失序。為了防止這種情況發生，「單一統治」（monarchy）的政府體制是必要的，而且不僅適用耶穌會內部的管理，也適用人類公眾的社會。[30]他提到在所有政府型態與公共行政制度裡，這種「單一統治」是最好的。[31]統治者的意志被解釋為積極的法律，而臣民的責任就是服從統治者的意志，這是守法行為的展現。但他也強調，對耶穌會而言，這樣的意志需尊重「自然

---

28 詳見秦曼儀，〈絕對王權下貴族的書寫與出版〉，《臺大歷史學報》，第55期（2015），註2。

29 Harro Höpfl, *Jesuit Political Thought: The Society of Jesus and the State*（Cambridge University Press, 2004）, p. 2.

30 Harro Höpfl, *Jesuit Political Thought: The Society of Jesus and the State*, pp. 27-28, 39-40.

31 這是Harro Höpfl根據Pierre Coton 在其〈耶穌會神父共同教義宣告信〉（*Letter Declaratory of the Common Doctrine of the Fathers of the Society of Jesus*, 1610）所指內容，詳參Harro Höpfl, *Jesuit Political Thought: The Society of Jesus and the State*（Cambridge University Press, 2004）, p. 41.

法」，然而由於自然法是如此普遍，涉及層面如此廣泛，需要一些特定的規範才能成為行為準則，這規範需要一個權威性的決策，即做決策的君王，他「不受法律拘束」（princeps legibus solutus）。[32]

有關耶穌會的政治理念，梅謙立也在其〈萊布尼茨的《中國近事》及其學術思想的價值〉一文中指出：對耶穌會來說，政治是救贖的必要部分，因為政治為人類提供了一個社會結構，使人在其中經歷與尋求天主。政治和宗教並非絕對對立、排斥的兩個領域，相反地，都是幫助人獲得救贖的工具。但是，政治必須受教會的管轄，也就是說，教宗對世俗君王所統治的世界，具有間接權威。[33]在耶穌會群體裡絕對服從的精神被嚴格地要求，如同臣民對君王的臣服一樣，來對待會內的長上。在華耶穌會士認為權威的源頭始終是傾向君主制的單一統治（monos archos），主張這是世俗世界裡最好的模式。[34]不令人意外地，他們肯定中華帝國的君主集權統治對於維持這一龐大帝國秩序的重要性。在肯認普遍理性的前提之下，獲得天命的中國天子，一如獲得天主授權的教宗，擁有跨越神聖與世俗的雙重權力。在並非屬於天主教會的中華帝國裡建制完成的這套高度發展的文明體制，說明了文明的發展和倫理的建立，或

---

32 Cf. Harro Höpfl, *Jesuit Political Thought: The Society of Jesus and the State*, pp. 88, 226-227, 367.

33 梅謙立，〈萊布尼茨的《中國近事》及其學術思想的價值〉《澳門歷史研究》，第5期（2006），頁160-171。

34 梅謙立的討論主要是根據Harro Höpfl, *Jesuit Political Thought: The Society of Jesus and the State*, p. 41.

可獨立於天主教會之外，在世俗世界裡被完美地實踐出來。梅謙立從萊布尼茲的《中國近事》所收錄的文獻及其對於中國耶穌會的討論，看到這些論述對於近代早期的歐洲宗教與政治走上分流的關鍵角色。他說：「雖然耶穌會士最終無法提供給中國社會一種神學上的合法性，他們還能轉到世俗方面來討論和介紹中國社會與政治，而他們創造了一種新的社會觀念：完全世俗化、不包含任何宗教性的社會。耶穌會士認為，中國遵循儒家傳統，而不拜神，不信任何宗教。向祖先、孔子、皇帝所行的禮儀與宗教無關，而只有社會、文化、政治功能。」[35]這種有關儒家之非宗教性的敘述最典型的例子是柏應理的《中國哲學家孔子》，該書所塑造的儒家形象是一種與宗教無涉的公民社會理想。儘管未能成為中國皇帝的告解神父，但是前往中國的耶穌會士如湯若望、白晉、郎世寧、錢德明、韓國英等多位則活躍於清朝宮廷。國王數學家與路易十四的告解神父拉雪茲（François de la Chaise, 1624-1709）保持著良好的互動。李明的《中國現勢新志》書裡其中一封信正是向他報告中國的傳教概況。[36]

其實，利瑪竇的傳教軌跡已經清楚展現耶穌會對於政治的認知：他從踏上中國土地之後，便竭盡所能向權力中心的北京邁進，最終進入宮廷。不過，在路易十四涉入遠東事務之前，羅馬教宗和世俗國王之間的抉擇，對那時的耶穌會士們似乎尚

35 詳見梅謙立，〈萊布尼茨的《中國近事》及其學術思想的價值〉，頁160-171。

36 第十二封信：〈致國王的懺悔神父、尊敬的拉雪茲神父（Au R. P. de la Chaize）——傳教士在中國宣講耶穌教義的方式和新基督徒的虔誠〉。

未成為難題。儘管受葡萄牙保教權的支持，受教宗任命的耶穌會士們，其效忠對象仍是教宗。不同於比他們早一個世紀的耶穌會士前輩，這幾位「國王數學家」從受選派之初就處在羅馬教宗和法國國王兩造之間，具有教會與世俗世界的雙重使臣身分。他們所前往之地也不再是漢人政權統治下的明朝，他們受選派前往的中華帝國正迎來歷史上最強盛的集權王朝之一，也是當時世界另一端的單一統治的清朝。我們從他們的出版品署名方式也可以觀察到「耶穌會士」在教會與國家之間的抉擇；不僅可以看見白晉的和李明的這兩本書其共同點是以康熙大帝的形象成為重要典範，兩書封面所標示之敬獻對象均是法國國王，也是在國王的許可下出版；不是天主，也不是教宗。在這群由太陽王派遣來華的法籍耶穌會士的著作裡，論述核心所推崇的不再是孔子所代表的文人傳統，而是代表的帝國傳統的康熙皇帝與帝國權威。

康熙的雙重形象：圖像與敘事

白晉在出版《中國皇帝的歷史肖像》的同一年，他也出版了《圖像中國現勢志》（*L'Estat Present de la Chine, en Figures*）一書。這是一本獻給當時年僅15歲的路易十四之長孫勃艮地公爵*Duc de Bourgogne*（1682-1712）及其夫人的書籍。除了書前六頁的致獻公爵文和〈中國政府的理念〉（Idée du Gouvernement de la Chine）這篇短文為文字敘述之外，全數為人物圖像。[37]除

37 我所使用的版本為法國國家圖書館數位圖館所提供的數位檔。因此上文

了書前一幅公爵畫像之外，此書裡的人物像總計有43幅中國人物，其中第1-23幅為男性。第1-4為漢族：兩張明朝皇帝和兩張閣老的立像。第5-23為滿族人物像：著滿族服飾的男性，從親王以下，包含不同等級文武官員舉隅、依職級展示。第24-41幅為女性（24-32為滿族，33-41為漢族）人物像，從皇后以下，不同等級逐次展示女性的形貌。第42-43幅為佛道僧侶像，稱之為和尚、道士或偶像崇拜的祭司（Bonze ou Prêtre des Idoles）。值得一提的是，圖像展示的方式是同一人物均以素描和彩色兩張圖片對照的方式來呈現。而在皇帝的圖像的部分僅有指涉明朝的「中國皇帝」，但是沒有現任滿清皇帝的圖像。

但是我發現在白晉的康熙傳中，他在寫給國王陛下的致獻辭裡，以長篇幅文字為路易十四詳細解釋康熙的畫像。敘述的內容包含對康熙的身材體格、五官、甚至臉上因為曾經出過天花的疤痕等等外型概況，都在他的描述之列。白晉強調「每根線條都是嚴格地按照他本人的形像勾勒出來的」，尤其非常強調康熙的「精神之美」遠勝過其「形像之美」，同時對於畫家

所述圖像的次序也是以此版本為依據。不過我發現其他圖館所藏版本，圖像的次序與法國國圖的版本不同。德國的威瑪古典基金會（The Klassik Stiftung Weimar）官網提供的版本，人物次序變得與法國國圖版不同。由於都是1697年Pierre Giffart所出版，估計其中一版可能因為裝訂問題，後來圖館人員修整該書導致人物次序與原來版本不同，詳見http://haab-digital.klassik-stiftung.de/viewer/（檢索日期：2017年4月20日）。觀察兩個版本，法國國圖的版本，皮革封面，裝訂完整。威瑪古典基金會的封面使用紙板，僅有彩色圖像，沒有素描的圖像，人物次序亦混亂，不若法國國家圖書館版符合中國職官等級。因此我選擇法國國家圖書館的版本作為討論依據。未來再詳細比對以探索箇中可能問題。

繪畫能否精準表現康熙的形象表示擔心。[38]從白晉的文字描述來看，理論上應該有一幅康熙的畫像的存在，且已經獻給了路易十四。不過，目前沒有證據以資說明為什麼不僅沒有附在1697年的白晉的《中國皇帝的歷史肖像》，也沒有附在這本同年出版獻給勃艮地公爵夫婦的《圖像中國現勢志》。我研判其中一種可能性是：康熙像為一幅獨立的畫像面獻路易十四，繪圖方式就像我們能夠看見的各種路易十四個人肖像一樣。而且在〈致公爵〉文末，白晉說明這些圖像是中華帝國裡的官員和人物，他並對這位路易十四的長孫寄予期待，指出為了法國和天主教，當有一天他成為中國的庇護者，可以繼續支持中國傳教的工作。也許也因為此書的致獻對象畢竟並非現任法國國王，而是年紀尚輕的公爵，所以白晉並未在此書中置入中國當朝皇帝康熙的圖像。當然，此舉應該是為爭取這位可能繼承王位的年輕公爵，在將來能夠像路易十四一樣支持耶穌會的中國使命。

在《圖像中國現勢志》一書中〈中國政府的理念〉這篇的短文裡，白晉向勃艮地公爵介紹中國的文武職官制度之外，[39]他對中國政府理念的描述內容有兩點值得注意：一是服飾上紋飾的象徵，尤其是龍紋的意義。他提醒讀者區分龍爪的數

38　引自楊保筠，〈獻給國王陛下〉，收入〔德〕G·G·萊布尼茨著，梅謙立、楊保筠等譯，《中國近事——為了照亮我們這個時代的歷史》〔以下：萊布尼茨著，《中國近事——為了照亮我們這個時代的歷史》〕（鄭州：大象出版社，2005），頁053。

39　詳見中央研究院清代職官資料庫：http://archive.ihp.sinica.edu.tw/officerc/officerkm2?!!FUNC2（檢索日期：2017年4月20日）。

量。他解釋，龍是皇帝的象徵（le Dragon est le Symbole de l'Empereur），但是僅有皇帝服飾上的龍紋是五爪。身著蟒袍的高級官員，服飾胸前則有四爪或三爪的蟒紋。白晉特別強調，在中華帝國裡，自帝國初創至今，龍始終是帝國圖騰，象徵祥瑞與神聖。[40]這樣的敘述指出這象徵對中國的正面、神聖的意象，或者為要澄清在中國，這個「龍」與西方的負面形象和意涵有所不同。[41]第二點是，白晉在文末以柏拉圖的理念和歐洲基督宗教影響下的歐洲政治家來作為總結，非常值得關注。他說：

> 總括一句話，如果中國有幸獲得福音的光照啟蒙，我們可以如此企望，如此有智慧的政府將獲得來自基督宗教法則的終極完滿，那可以被視為比柏拉圖的共和國（理想國）更為完美。這政府所有美好的理念，乃我們最有智慧的政治家從未想像得到的。[42]

40 Joachim Bouvet, *L'Estat Present de la Chine, en Figures: Dedié A Monseigneur Le Duc De Bourgogne*（Paris: Pierre Giffart, 1697）, p. 2.

41 對此有興趣的讀者請參閱李奭學，〈西秦飲渭水，東洛薦河圖——我所知道的「龍」字歐譯始末〉，《漢學研究通訊》，26:4（2007），頁1-11和林虹秀，〈龍之英譯初探〉（新莊：輔仁大學翻譯研究所碩士論文，2007）。

42 Joachim Bouvet, *L'Estat Present de la Chine, en Figures: Dedié A Monseigneur Le Duc De Bourgogne*（Paris: Pierre Giffart, 1697）, p. 4: "En un mot, si la Chine est assez heureuse pour ester un jour pleinement éclairée des lumieres de l'Evangile, comme nous avons lieu de l'esperer, un si sage Gouvernement recevant sa derniere perfection de la sainteté de la Loi Chrêtienne, pourra ester regardé comme quelque chose de plus parfait que la Republique de Platon, & que

Nouveaux mémoires sur l'état présent de la Chine, tome 1, Frontispice
來源:法國國家圖書館（Bibliothèque nationale de France）, ID/Cote :8-O2N-29

在白晉的描述裡，只差臨門一腳，中華帝國的政府理念就超越柏拉圖的共和國裡提出的「哲學家國王」理想，在這理想國度裡，有一位熱愛智慧的君王，是當時歐洲傳統裡所有政治家所未曾想像得到的。這所需要的臨門一腳的努力，正是在華耶穌會士們，以及這幾位國王數學家們工作的目標。他們的目的可以理解的是希望獲得法國國王的支持。

雖然白晉的書沒有提供康熙的畫像，不過，李明的《中國現勢新志》（*Nouveaux mémoires sur l'état présent de la Chine*, 1696, 1697, 1698）[43]一書封面，則提供了青年英明的康熙32歲時的畫像。這幅康熙半

toutes ces belles idée de Gouvernement que nos plus sages politiques aient jamais imagines."底線為筆者所加。柏拉圖對於理想君王的理念是，哲學家成為國王，或國王成為哲學家，參見Plato, *Republic*, Book VI, cf. http://classics.mit.edu/Plato/republic.7.vi.html。

43 這本書在1696-1698年間出了三版，都是由巴黎 Anisson出版商出版，可見其受關注的程度。英譯本於1697年，由倫敦Benj. Tooke and Sam Buckley 出版。德譯本稍晚，於1700年在法蘭克福、來比錫、紐倫堡由Fleischer出版。

身像出自李明的《中國現勢新志》的第一卷，封面畫像下方有文字說明，中譯如下：「康熙：中國與東韃靼的皇帝，41歲，畫像繪於32歲」（Cam-Hy Empereur de la Chine et de la Tartarie Orientale, Agé de 41 an et peint a láge〔à l'âge〕de 32）[44]。

除了基本的年紀和在位年數之外，這段文字對中國皇帝所管轄範圍的描述，區分了「中國」和「東韃靼」（滿族）和「西韃靼」（蒙古族）。白晉的《圖像中國現勢志》所提供的人物像和文字說明，也明確區分漢、滿兩族。李明的第二封信〈致德內莫爾公爵夫人〉（**À** Madame la Duchesse de Nemours），其內容主要描述皇帝接見他們幾位國王數學家，以及他們訪問北京城的見聞。李明提到他們在晉見康熙皇帝時，行了三跪九叩的大禮。同時經過特許，可以雙眼注目皇帝。他描述康熙是中等身材，比一般歐洲人稍胖，但比一般中國人瘦。說康熙器宇非凡，標榜他是「亞洲最強大的君王」（le plus grand Roy de l'Asie）[45]、「宇宙間最強大的君王」（l'un des plus puissants Monarques de l'Univers）。[46]這封信裡李明花費相

---

44 原書藏於洛桑大學圖書館，2009年8月11日books.google.com將之數位化後公布。法國國家數位圖書館則提供了1697年的版本。有關李明的《中國現勢新志》的內容，另可詳見潘鳳娟，〈國王數學家的旅遊書寫——法國耶穌會士李明與《中國現勢新志》〉，《故宮文物月刊》，第343期（2011），頁58-67。本文不再贅述。

45 Louis LeComte, *Nouveaux mémoires sur l'état présent de la Chine*（1696），vol.1, p. 89.

46 Louis LeComte, *Nouveaux mémoires sur l'état présent de la Chine*（1696），vol.1, p. 91.〔法〕李明著，郭強、龍雲、李偉譯，《中國近事報導》〔以下：〔法〕李明著，《中國近事報導》〕，頁052-054。

當篇幅講述康熙對南懷仁的禮遇，並感念他對中國的熱誠，在其身後給予厚葬、修陵墓等情事，以此顯示康熙皇帝積極接納天主教會。[47]

在第九封信〈致紅衣主教德斯泰大人〉（**À** Mgr. le Cardinal d'Estrées），論中國政治及政府的信件中，[48]李明於介紹中華帝國的「政府理念」時，也認為中國所有政治思想裡以單一王權（une monarchie）的建立最為完美。值得注意的是，李明的描述指出，中國彷彿不受自然法約束，單一王權這個制度就像是直接由天主所規範（comme si Dieu lui-même s'en était fait le législateur），自古代即已建立，歷經四千年的淬煉沿用至今，變化不大。他說道：這個帝國的皇帝稱為「天子」（le fils du Ciel）和「世界唯一之主」（l'unique maître du mond），「他的命令是神聖的，他的話是神諭發布處，舉凡從他而來的，都是神聖的」（Ses ordres sont réputés saints, ses paroles tiennent lieu d'oracles: tout ce qui vient de lui est sacré.）。[49]李明換個角度又說：皇帝雖有至高無上的權力，但必須符合道德規範，合宜適度。有完整的官僚體制，任免、升遷、賞罰、諍諫均有規範。李明介紹了科舉制度、文武職官、民政等各面向的制度之後，總結說道：「大人，這就是對中國政府一番走馬看花的介紹，我描述的時候不免露出私心豔羨的情緒……良好政治的可靠

47 〔法〕李明著，《中國近事報導》，頁057-062。

48 參見Louis LeComte, *Nouveaux mémoires sur l'état présent de la Chine*, vol. 2, p. 3. 中譯文請參見〔法〕李明著，《中國近事報導》，頁217-218。

49 Louis LeComte, *Nouveaux mémoires sur l'état présent de la Chine*, vol. 2, p. 5-6.

性，在中國並不陌生」。[50]與白晉相似，李明也高度讚揚中華帝國單一王權的政府體制。

不過他們對中國如此正面的讚揚與介紹，也引發一些質疑。例如擔任主編的庫贊（Louis Cousin, 1627-1707）在《學者報》（*Le Journal des Savants*）上刊登了文章，提出對國王數學家們所介紹中國的內容有造假的疑慮。1697年李明在《中國近事報導》一書的再版序言裡，補充了約七頁有關南懷仁對康熙皇帝的讚揚文字，反擊了庫贊。並且以康熙皇帝肯定他們這群在華耶穌會士的熱誠為自己辯護，強調自己及其弟兄們在中國的工作純粹出自無私的熱誠。他說道：

> 南懷仁神父臨終前留下一封呈送給皇帝的信，信中特別寫道：陛下，臣雖死猶幸，因為臣把一生的分分秒秒皆用在為陛下效勞了。但臣非常謙卑地懇求陛下，在臣死後，記住，臣所作所為之唯一目的，即在東方偉大君王身上獲得世界上最神聖的宗教保護者。[51]

---

50 中譯文引自〔法〕李明著，《中國近事報導》，頁254。

51 中譯文根據〔法〕李明著，《中國近事報導》，頁016修改。原文參見Louis le Comte, *Nouveaux mémoires sur l'état présent de la Chine*（Paris: Anisson, 1697）, vol.1（此版未標示頁碼）, "avertissement,""Aussi le P. Verbiest étant à l'extrémité laissa une écrit pour luy être présenté, dans lequel entre autres choses, il luy disoit, Sire je meurs content, puisque j'ay employé presque tous les momens de ma vie au service de vostre Majesté. Mais je la prie très humblement de se souvenir après ma mort, qu'en tout ce que j'ay fait, je n'ay eu d'autre vue que de procurer en la personne du plus grand Prince de l'Orient, un Protecteur à la plus sainte Religion de l'univers."

這位南懷仁曾經在國王數學家初到北京時，運用他與康熙的良好關係提供了極大的幫助。對於康熙皇帝與中華帝國政體尚缺臨門一腳即可臻致完美的說法，也在南懷仁介紹康熙學習西學的報告書中，把康熙與前來朝拜嬰孩耶穌的東方之王做了類比和投射期許，他寫道：

> 過去天上明星曾經引導東方三王朝拜上主，如今讓中國皇帝接觸到歐洲的天文學精華，希望對天星（天文）的認識也能成功地引導遠東的人們去朝拜和信仰真正的、天星的主人。52

李明在序言中抬出南懷仁為自己在中國所有工作的熱誠辯護，高舉康熙對他們無私奉獻的肯定，字裡行間顯見康熙對他而言是如此地偉大受人尊敬，是一位「世界上最神聖的宗教保護者」。耶穌會士們把「康熙即將接受天主教」的消息，以各種方式不斷傳開。這一貫的說法以及描述康熙的方式，可以從兩方面理解：一方面證明他們在中國的工作方針正確。一方面也呼籲，正因為尚缺臨門一腳，需要歐洲有識之士以及法國國王更多的支持和援助。雖然從歷史的後續發展得知，幾年之後，耶穌會即將面臨來自羅馬教廷的禮儀禁令，但是在當時正遭受各方攻擊的耶穌會士們，仍以中華帝國傳統為主要的辯論基礎。

---

52 詳見梅謙立譯，〈有關現在中國皇帝學習歐洲科學的情況〉，見〔德〕G·G·萊布尼茨著，《中國近事——為了照亮我們這個時代的歷史》，頁39。

白晉的康熙敘事

白晉對康熙的敘事，主要在其1697年出版的《中國皇帝的歷史肖像》，此書將近250頁，除了致獻國王的題辭外，全書以說故事的方式，多方引證他在中國的見聞、親身經歷佐證他的觀察與評述。綜觀全書，我歸納出白晉的敘事有三個重點：（一）中華帝國的政府體制，（二）康熙與西學，（三）徘徊於康熙大帝與路易十四的權威之間。以下根據白晉的康熙傳，依序解說。

（一）中華帝國的政府體制

白晉在書中介紹康熙的起手式，是將中華帝國在十七世紀的朝代更迭、滿漢兩族和繼承前一世代流傳歐洲的中華帝國順治皇帝的形象，以及和耶穌會士基歇爾在《中國圖說》中曾經引介的各種元素，集結在康熙一人身上。他寫到：

> 今日統治中國以及韃靼絕大地區的皇帝稱之為康熙，意思是太平。他是順治——稱之為滿洲韃靼王——的兒子和繼承人……現年44歲，即位36年。[53]

---

53 "L'Empereur, qui regne aujour'huy à la Chine, & dans une grande de la tartarie s'appelle Cang-hi, c'est à dire le Pacifique," cf. Joachim Bouvet, *Portrait Historique de l'Empereur de la Chine*（Paris: E. Michallet, 1697）, p. 10. 這裡有關康熙的年齡與在位紀年，與1696年李明的版本不一致。李明的康熙半身像下方文字紀錄是：「現年41歲，即位32年」，年紀差三歲，即位時間差四年。

白晉花費了相當篇幅解釋所謂的滿洲韃靼，指出「滿洲國」（la Nation des Mantchéou）又稱之為「東韃靼」（la Tartarie Orientale），在中國東北方的遼東建立。這段文字主要凸顯康熙作為韃靼與漢族兩族共主：論才能他文武雙全，論品格他威嚴又仁慈，受到周邊藩屬國家所敬重之外，更重要的是他的「治國之術」，包含內政與外交。就這樣，白晉將敘事重點，轉向中華帝國的政府體制。他甚至具體地以鰲拜之例（這其實類比了紅衣主教馬薩林之於路易十四），說明他如何從攝政大臣奪回親政之權後，強化皇帝權力。[54]並透過中俄問題、荷蘭與葡萄牙使節團的到訪的例子，說明康熙面對外交問題的懷柔態度；高度禮遇外交使節，以及國王數學家如何在這外交事件上參與中華帝國的政治外交事務。[55]有關康熙處理內政的部分，他則以吳三桂為例，說明康熙皇帝如何以極具高度智慧的方式，恩威並施、調兵遣將，解決內部滿、漢兩族問題，以及來自蒙古族的突襲，並將鄭成功定位為海賊。[56]白晉將所有的勝利歸功於中華帝國的單一王權政府體制。這樣，康熙皇帝可以站在制高點，非常彈性、有效率地，不受法律的束縛以順應局勢所需及時應變。他說：「中國實行的是不折不扣的單一王權體制，所有人都向一人報告（仰賴一人）」（le gouvernement de la Chine est parfaitement Monarchique; tout s'y rapport à un seul）。[57]附

54 Joachim Bouvet, *Portrait Historique de l'Empereur de la Chine*（Paris: E. Michallet, 1697）, pp. 17-19.

55 Joachim Bouvet, *Portrait Historique de l'Empereur de la Chine*, pp. 34-46.

56 Joachim Bouvet, *Portrait Historique de l'Empereur de la Chine*, pp. 46-62.

57 Joachim Bouvet, *Portrait Historique de l'Empereur de la Chine*, p. 62.

帶一提，我發現在英譯本裡對於對於中華帝國的最高權威的皇帝，那「一人」這個詞的描述似乎更為強烈，使用了「絕對」來形容："It is to be observed, that the Constitution of the *Chinese* Government is absolutely Monarchical, all depending on One single Head"。[58] 對於法國讀者或英國讀者，至少這是對中國的單一君王統治制度的一種肯定，可以說是為此制度的存在提供了一個來自東方偉大帝國的支持。

白晉又強調康熙皇帝如何不受錢財與群力的誘惑，他說，儘管中華帝國的富強超越各國，但皇帝卻儉樸度日。[59]儘管康熙集大權於一身，他卻遵守禮法，賑災、祈雨、守喪，比中國大多數的學者更尊法中國自古流傳下來的宗教（la Religion），向天地之真主（ qu'il offer au vray Seigneur du ciel & de la terre）祈禱。白晉特舉出康熙熟稔儒家經典，學習漢學以求不僅在權力上讓漢人服氣，也求在學問知識上，讓漢族文人心服口服。尤其是在幾朝以來科舉考試的標準，均是以儒家經典為主要考科，在以學問上的成就取得官職的制度影響下的由「士」而「仕」的風氣裡，這樣博學的皇帝方能令人心悅誠服。[60]

---

58 參見Joachim Bouvet, *The History of Cang-Hy, the Present Emperour of China Presented to the Most Christian King*（London: F. Coggan, 1699）, pp. 23-24. 底線為筆者所加。

59 Joachim Bouvet, *Portrait Historique de l'Empereur de la Chine*, p. 78.

60 Joachim Bouvet, *Portrait Historique de l'Empereur de la Chine*, p. 74. 受白晉此行招募吸引前來中國，後來撰寫許多中國經學研究專論的馬若瑟，曾在自序中提到自己來華之前已聽聞康熙皇帝的好學大名。來華之後，閱讀了康熙欽定御批的《御選古文淵鑑》一書，更認為康熙之好學比傳聞是有過之而無不及。受到康熙熱愛知識的感召，馬若瑟擬定了《經傳議論》的研

（二）康熙對西學的接納

歸功於在宮廷裡服務的耶穌會士、國王數學家們，康熙每一天直接接受西學的培訓。白晉在其康熙傳裡的敘事，有關國王數學家如何為康熙講授西學的部分，占據將近八十頁，全書約三分之一的篇幅，長篇介紹康熙對於西學的學習和所展現的對西方學術的興趣。尤其是康熙召開一個中西天文學會議和擂臺，讓朝臣公開討論，並讓南懷仁與楊光先當場比試，預測日晷的投影。他也描述了北京觀象台的設置。白晉最後提到康熙在宮廷裡設立類似法國科學院的機構，[61]匯聚畫家、製造鐘錶的鐵匠，以及天文儀器的工匠等等，每一天都必須向康熙進呈他們的工作成果。[62]康熙與西學的部分，因為相關研究成果很多，白晉的介紹大抵相近，我就不多贅言。

（三）徘徊於康熙大帝與路易十四的權威之間

作為滿漢兩族的共主，康熙需要學習兩族的語言文字，熟悉兩族文化，尤其是傳統儒家的學問與禮教。白晉對於康熙

究與寫作計畫，原規劃有12卷，不過現存僅有〈經傳議論自序〉和卷六之春秋論，收藏於法國國家圖書館中文部，編號為Courant 7164。其中〈春秋論〉安排在第六卷。詳見馬若瑟，《經傳議論》，〈自序〉，頁4。

61　這部分文獻已經由柯蘭霓整理編輯注解出版，可以參考Claudia von Collani（ed.）, *Eine wissenschaftliche Akademie für China. Briefe des Chinamissionars Joachim Bouvet SJ. an Gottfried Wilhelm Leibniz*（Stuttgart: Franz Steiner Verlag, 1989）.

62　Joachim Bouvet, *Portrait Historique de l'Empereur de la Chine*, pp. 116-200，中譯本參見〔德〕G·G·萊布尼茨著，《中國近事——為了照亮我們這個時代的歷史》，頁074-090。

在道德方面的表現，以中國的倫理綱常，尤其孝道為主要介紹內容。對上表現在他對祖母的孝敬（詳見第三章有關韓國英的譯本討論），對下表現在他對皇子的教育。他特別強調，康熙非常關注皇太子是否像他一樣禮遇西方耶穌會士，因為這牽涉到康熙持續維護的遵守漢族禮法並融會中西學問的努力是否能夠繼續。白晉解讀康熙這種關切，意味著是要將他對天主教的善意，傳給皇太子。尤其提到在1692年康熙頒布容教令的同一年，康熙領皇太子登上南懷仁所設置的觀象台，要求太子多向西方傳教士學習西學這件事。白晉解釋道，皇帝之所以容許傳教，箇中關鍵在於如同利瑪竇的策略所呈現的中西同源的思想：天主教和儒家基本上都體現著自然法則的完美化，尤其是與中國古代與孔子的教義（la Dcotrine de Confucius & des anciens Chinois），而非與他們同時代的宋明理學。他認為康熙很早就已經持這樣的看法。[63]他強調：

> Au reste l'autorité que donne à ce grand Prince la qualité qu'il a de Chef de sa Religion, jointe à la parfait connoissance qu'il en a acquise, par la longue étude qu'il a faite de leurs anciens Livres, doit render son témoignage d'un tres-grand poids en cette matiere.[64]

---

63 Joachim Bouvet, *Portrait Historique de l'Empereur de la Chine*, pp. 225-232.

64 Joachim Bouvet, *Portrait Historique de l'Empereur de la Chine*（Paris: E. Michallet, 1697）, p. 232.

> 中文直譯：康熙皇帝以儒教教主的身分所擁有的權威性，加上通過長期研究中國古籍所獲得的對儒教哲理的完美理解，無疑地他對宗教問題的意見具有舉足輕重的重要性。65

白晉總結全書認為康熙離天主教已經不遠了；觀諸各種與路易十四的相似性，如果康熙能夠成為天主教徒，那麼跟路易十四就更相似了。援引了荷蘭人的信件，白晉透露康熙在1692年頒布容教令之後中國各地的傳教奏捷。為此，白晉更積極向路易請求協助，派遣更多國王數學家到中國，當然這也是康熙派他返回歐洲的重要目的，因為康熙是如此地滿意路易十四所派遣的人。白晉強調，這當中受益最大的將會是路易本人，因為他的作為與天主旨意相符，天主的中國傳教計畫將在路易的手裡完成。以中華帝國之大，在中國的成功，將使鄰國群起仿效，其成果將勝過其他單一國家的傳教規模。白晉說這是天主為路易保留的榮譽，意思是有機會參與實踐天主的計畫。66如果康熙皇帝改宗的話，那所有功勞都將是路易十四的，這將會蒙受天主的恩寵。

白晉在《中國皇帝的歷史肖像》書中致獻給路易十四的致辭裡，提到康熙皇帝仍然沉淪於異教信仰，儘管他對天主教

65 中譯文引自〔德〕G·G·萊布尼茨著，《中國近事——為了照亮我們這個時代的歷史》，頁093-094。

66 Joachim Bouvet, *Portrait Historique de l'Empereur de la Chine*（Paris: E. Michallet, 1697）, pp. 242-260〔德〕G·G·萊布尼茨著，《中國近事——為了照亮我們這個時代的歷史》，頁096-100。

非常友善與尊敬，擁有眾多君王的美德與過人的智慧。與路易十四再怎麼相似，他仍缺乏對天主的皈依。[67]白晉不忘提到：「不論我們受到中國皇帝的何等寵遇，也絲毫不為之迷惑，而且出於陛下〔筆者按：指路易十四〕的利益完全一致的基督教真正利益，我們理所當然地飽含著對真理與陛下應有的敬意。」[68]他如此這般地表明對路易十四與天主教信仰的忠誠，字裡行間有著一種急切地撇清受康熙寵遇可能引發的賣主叛國的絃外之音。歸根究柢，面對太陽王，無論他在中國宮廷裡是如何受到禮遇和重視，檯面上白晉仍是「國王的」數學家。

白晉的書出版後兩年，1699年在海牙也版了白晉的康熙傳：題名為《中國皇帝的歷史》（*Histoire de l'empereur de la Chine*），除了書名被改動之外，也附上一張與李明書中所收的康熙類似的半身像。[69]從新版的圖像可以觀察到：康熙半身像下方的文字有更動，不僅敘述文字相對簡化，康熙的年齡也因應

---

67 邱凡誠觀察到白晉描述的康熙，從世俗與宗教兩面向進行。「就世俗的部分而言，書中透過大量的情境與事蹟描繪了康熙做為一個皇帝的形象，他不只是國家的捍衛者，也是一個注重感情的念舊領導人，這兩個面向看似矛盾，但是白晉透過康熙處理政務的實例，將兩者融合在一起。」宗教面向，康熙被形容為「近天主者」，他認為「康熙如同古代中國人一樣，心中相信一位真正的天地至高主宰」，堅信天主教與中國儒家兩者一致。邱凡誠，〈清初耶穌會索隱派的萌芽：白晉與馬若瑟間的傳承與身分問題〉（台北：國立臺灣師範大學國際漢學研究所碩士論文，2011），頁94-96。

68 Joachim Bouvet, *Portrait Historique de l'Empereur de la Chine*（Paris: E. Michallet, 1697）, p. 9.中譯文引自楊保筠，〈獻給國王陛下〉，收入〔德〕G·G·萊布尼茨著，《中國近事——為了照亮我們這個時代的歷史》，頁052。

69 完整書名為Joachim Bouvet, *Histoire de l'empereur de la Chine: presentée au Roy*（La Haye: M. Uytwerf, 1699）.

書籍出版的時間，從李明書中之41歲增長為44歲；兩書之出版差距三年，康熙之年紀也修正。不過並未如李明書中所附的康熙半身像註記康熙在位的時間。值得注意的是，白晉的康熙皇帝傳，無論是1697年初版、1698年巴黎版，均未附康熙像。然而1699年的海牙版，不僅增加一幅出處不明的半身像，而且原本在1697年初版書名頁底部的「國王特許」（Avec Privilège du Roy）字樣亦遭到刪除。書名下方的「致獻國王」（Au Roy）字樣和正文前五頁國王致獻題辭則被保留。此書的英文版書名頁不僅並未出現「國王特許」，連帶的內文致獻國王的題辭也一概刪除。[70]藍莉（Isabelle Landry-Deron）在其研究杜赫德的《中華帝國志》的專書裡曾經提到荷蘭海牙的「偷偷摸摸版」。不過，這種開數小、品質低，但價格也低的版本，反而比巴黎原版流傳更廣。[71]目前我尚不確定在巴黎出版的康熙傳是否也受到荷蘭出版商的「青睞」而「被再版」，以及荷蘭書商是否為了

70 詳見Joachim Bouvet, *The History of Cang-Hy, the Present Emperour of China Presented to the Most Christian King*（London: F. Coggan, 1699）.

71 Isabelle Landry-Deron , *La Preuve par la Chine. La "Description" de J.-B. Du Halde, Jésuite*, Paris,1735（Paris: Editions de l'Ecole des Hautes Etudes en Sciences, 2002）, p. 39.中譯本請見〔法〕藍莉著，許明龍譯，《請中國作證》（北京：商務印書館，2015），頁29。杜赫德書的巴黎原版資訊如下：Jean-Baptiste du Halde, *Description géographique, historique,chronologique, politique et physique de l'Empire de la Chine et de laTartarie chinoise*（Paris: P.-G. Le Mercier, 1735）.海牙版出版資訊如下：Jean-Baptiste du Halde, *Description géographique, historique, chronologique, politique, et physique de l'empire de la Chine et de la Tartarie chinoise, enrichie des cartes générales et particulieres de ces pays, de la carte générale et des cartes particulieres du Thibet, & de la Corée; & ornée d'un grand nombre de figures & de vignettes gravées en tailledouce*（La Haye, H. Scheurleer, 1736）.

使書籍廣布而降低印刷品質以降低售價，且隨意將不同書籍的圖像置入這類操作方式，有待進一步深究。倒是無論是1735年巴黎版或是1736年海牙版，杜赫德的《中華帝國志》一書中均附上一幅與李明書中所附相似的康熙半身像。明顯的，我們可以看到，十七世紀末國王數學家們對康熙的介紹，在將近四十年之後，這類介紹中國的書籍仍然持續獲得歐洲各大城市出版商的青睞。海牙版之普及性較巴黎版高，這也意味著讀者群也更為擴大與普及。

杜赫德於1735年在巴黎出版《中華帝國志》一書時，正值雍正皇帝統治年間。時序在中國禮儀之爭的高峰，耶穌會的中國傳教策略被禁止，在1742年教廷正式禁止討論之前。杜赫德在書中稱他為當朝統治者（Maintenant régnant），及清朝第三位皇帝雍正（Yong Tching）。清（Tsing）被命名為中華帝國之第22個朝代（Vingt-deuxième dynastie nommée）。[72]此書的第一頁，附了一張康熙半身像，不同於歐洲君王的頭像，外圍以龍的圖像以及各種儀器與旗幟作為裝飾。從這些儀器我們可辨識得出與清朝宮廷裡的耶穌會士的關係：包括南懷仁在欽天監觀象臺上的幾件天文儀器、地圖、軍事用品等。杜赫德書中第一卷上半，依省份介紹中國疆域和城市，同一卷下半則自262頁起介紹歷代皇帝。該書第540-550頁介紹清朝皇帝康熙。此處的康熙像環形裝飾上有文字如下：「康熙，中國皇帝。1722年12月20日過世。在位61年，繪於32歲」（Cang Hi. Emp. de la Chine.

72 Jean-Baptiste Du Halde, *Description de l'empire de la Chine*, vol.1（1735）p. 550.

Mort le 20 Dec. de 1722. La 61 année de son Reg. Peint à l'age 32 ans）。不同於白晉和李明筆下那一位當朝、活生生的康熙，對努力與東方君王建立外交關係的路易十四而言，充滿活力與未來的想像，杜赫德的《中華帝國志》裡的康熙，則更多是緬懷歷史人物，遙想著中國耶穌會在華工作的輝煌歷史與黃金時代的遠距觀察。

三、左圖右史：國王數學家的前行者與後繼者

基歇爾《中國圖說》

除了康熙像，早期歐洲出版品中也有順治皇帝的圖像。與國王數學家書中所提供的康熙半身像不同，相對早期的歐洲漢學著作中的中國皇帝，很多是全身立像，例如1667年基歇爾（Athanasius Kircher, 1602-1680）出版的《中國圖說》（*China Illustrata,* 1667）一書中的清朝皇帝立像。[73]

《中華圖說》中的這幅皇帝立像上方有一文字標示：「漢滿帝國最高元首」（Imperii Sino-Tartarici supremus MONARCHA）。[74]這幅滿清皇帝立像，一手握著象徵帝王權力

73　基歇爾的《中國圖說》在1667年有兩個版本，都在阿姆斯特丹出版。其中，Joannes Janssonius出版的是大開本，慕尼黑邦立圖書館藏有此版。而Jacobum à Meurs小開本，法國里爾大學藏有此版。兩個版本的皇帝像不完全相同。筆者還見過其他類似的皇帝立像，不過右手並未握有權杖。

74　目前瑞士洛桑大學（Université de Lausanne）、比利時根特大學（Universiteit Gent）、西班牙馬德里 Complutense 大學、美國波士頓學院（Boston College）和史丹佛大學均藏有Athanasius Kircher, *China Illustrata*

Athanasii Kircheri, *China monumentis quà sacris quà profanis*（Amstelodami: Joannem Janssonium a Wæsberge, 1667）, p. 112. 來源：台北國家圖書館特藏室 系統號：001363945

的長杖，一手彎曲或插腰站立，姿態威武。背景的室內配置，包括壁飾、簾幕和黑白相間的格紋地板等，彷彿身在歐洲風格的宮廷。立像的左腳邊有一條狗，背後遠處的另一空間裡，天花板有太陽紋飾，圖像遠方坐著一位君王，前方有臣子貌似席地或坐或跪狀。此書中的滿清皇帝像，加入了非常多歐洲人的宮廷想像。[75]

這幅立像也在荷蘭東印度公司使節紐霍夫（Johannes Nieuhof, 1618-1672）中國

一書正本，並於學術網路提供的數位化版本。參見http://www.stanford.edu/group/kircher/和http://www.bc.edu/research/chinagateway/bc/（檢索日期：2012年8月2日）。

75 朱龍興在研究清朝〈職貢圖〉圖裡的西洋人物像時，與一般討論西洋影響的繪畫之重視光影明暗和透視法不同，他從人物的姿態，探詢人物像的母題姿態，發現了荷蘭繪畫風格在這個時期的影響。他特別關注到這時期人物像，包含職貢圖裡的西洋人、康熙時代的外銷瓷器，和郎世寧的香妃像，都出現了所謂的「文藝復興之肘」（The Renaissance Elbow）。一手握長杖，一手彎曲或插腰的站立姿態，是受到荷蘭人物畫的影響。基歇爾的康熙立像即呈現這種風格。詳見朱龍興，〈描繪荷蘭人──從謝遂〈職貢圖〉看荷蘭繪畫在中國的可能影響〉，《故宮文物月刊》，336期（2011），頁100-109。

行記的英譯本裡被納入，且置於英文本書名之前。此英文版書名為《東印度公司聯省大使晉見韃靼大汗、中國皇帝》（*An Embassy from the East-India Company of the United Provinces to the Grand Tartar Cham, Emperor of China* , 1669, 1673）[76]，立像上方文字也譯為英文「中華韃靼帝國至上君王」（The Supreme MONARCH of CHINA TARTARIAN Empire）。英譯本中的立像則有兩種情況：1669年的英譯本未見大汗坐像，僅有皇帝立像。1673年之英譯本，同時出現大汗坐像與滿清皇帝立像。英譯本封面說明文字顯示這是從基歇爾的書中擷取：「書後附錄部分擷取自基歇爾神甫〔的書〕」（with an appendix of several remarks taken out of Father ATHANASIUS KIRCHER）[77]。紐霍夫此書原文為荷蘭文，1665年在阿姆斯特丹出版[78]。在不同語言

76 Johannes Nieuhof, Pieter de Goyer & Jacob de Keizer & John Ogilby（transl.）, *An embassy from the East-India company of the United Provinces, to the Grand Tartar Cham: Emperour of China, delivered by their Excellcies Peter de Goyer, and Jacob De Keyzer at his imperial city of Peking.*（London: Printed by J. Macock for the author 1669）. 立像出現在書後基歇爾附錄，第402-403頁之插畫，參見http://digital.library.wisc.edu/1711.dl/DLDecArts.Nieuhof（access 2012/8/2）。1669年的英譯本，此一附錄內容不同且獨立編頁，而皇帝之立像則被置於封面，此英文本未收坐像。

77 Johannes Nieuhof, John Ogilby transl., *An Embassy from the East-India Company of the United Provinces to the Grand Tartar Cham, Emperor of China*（London: J. Macock, 1669）. 此書原藏德國巴伐利亞州立圖書館，books.google.com於2011年7月26日數位化公布。

78 *Het gezantschap der Neêrlandtsche Oost-Indische Compagnie, aan den grooten Tartarischen Cham, den tegenwoordigen Keizer van China: waar in de gedenkwaerdighste geschiedenissen, die onder het reizen door de Sineesche landtschappen, Quantung, Kiangsi, Nanking, Xantung en Peking, en aan*

版本中，皇帝圖像的選擇有些變化。我發現無論是1665年的荷文本、1665年法文譯本[79]和1666年之德譯本、1668年的拉丁譯本，均未如同英譯本附加基歐爾的資訊，也未見皇帝圖像。滿清入關後，順治統治期間為1644-1661年。目前古籍市場對於這幅圖像的身分，多指向康熙皇帝，不過，如果考慮1667年基歐爾《中國圖說》一書出版的時間，應該是另有其人。因為當時中華帝國在位者康熙仍然年幼，而基歐爾書中的皇帝立像為成年人，而且此書另有一湯若望立像對照，我研判這位皇帝圖像應該是順治皇帝。[80] 而且紐霍夫訪華期間為1655-1657年之間，目的在於與順治皇帝確保中荷貿易關係。所以紐霍夫訪華紀錄後續譯本裡的皇帝圖像與基歐爾書中的圖像，均指順治皇帝。

上面這幅來自基歐爾書中的滿清順治皇帝的立像，在歐洲同時期的出版品中曾經出現多次。有時候單獨出現書中，有時候與滿清入關之前的帝王服飾做對照，也因此從服飾的變化可以察覺到中國的朝代變遷。例如1683年Alain Manesson Mallet在巴黎出版的《世界描寫：包含不同世界體系》（*Description de*

---

het Keizerlijke Hof te Peking, sedert 1655 tot 1657 zijn voorgevallen, op het bondigste verhandelt worden（Amsterdam, 1665）.

79 Jean Nieuhoff: *L'ambassade de la Compagnie orientale des Provinces Unies vers l'empereur de la Chine, ou grand cam de Tartarie, faite par les Srs. Pierre de Goyer, & Jacob de Keyser*（Leyde: Pour J. de Meurs 1665）.

80 此書完整資訊如下：Johannes Nieuhof, John Ogilby transl., *An Embassy from the East-India Company of the United Provinces to the Grand Tartar Cham, Emperor of China*（London: J. Macock, 1669）. 其荷文原本於1665年，在阿姆斯特丹出版。臺大圖書館有收藏，參見項潔主編，《國立臺灣大學圖書館館藏大鳥文庫目錄》，頁vii。

l'univers contenant les differents systeme du monde）一書，其中第18-19幅圖像，分別展示「滿清之前的中國皇帝與皇后」，[81]和「滿清皇帝（入關後）」。[82] 至於「滿清之前的中國皇帝與皇后」這幅圖像的明朝皇帝與皇后為坐姿，圖像下方無文字說明。

而「滿清皇帝（入關後）」為立像，圖像下方有文字「中國的韃靼王」（ROY TARARE DE LA CHINE）。此圖像與基歇爾書中的順治皇帝的立像頗為類似，不過側身方向改變，而且左手中的（權）杖消失，呈現出手臂伸向側身方向，手掌平開的空手狀態。基本上，這幾本近代歐洲早期出版品中所呈現的清朝皇帝（順治），多半明確指出這位皇帝同時是中國（明朝）和韃靼的皇帝或大汗。Mallet直接在圖像下方的說明文字裡指出，「在韃靼人入侵之前」。[83]此書文字也說明中華帝國明清之際的變局，以及兩朝皇帝的概略轉變，尤其在服裝上明顯差異。這個朝代變遷也在當時歐洲的出版品中被介紹與說明。從這些插畫的中國意象，包含皇帝、職官、女性等等人物形象，可以看見到，不僅已經呈現了明清之朝代變革，也呈現了一種融合漢族與韃靼的多元種族帝國形象。

---

81 圖像請參照Alain Manesson Mallet, *Description de l'univers contenant les differents systeme du monde*, vol. 2（Paris: Denys Thierry, 1683）, p. 41.

82 圖像請參照Alain Manesson Mallet, *Description de l'univers contenant les differents systeme du monde*, vol. 2, p. 43.

83 Alain Manesson Mallet, *Description de l'univers contenant les differents systeme du monde*, vol 2, pp. 40-43.

白晉與李明的讀者：萊布尼茲

萊布尼茲一生未曾到訪中國，他是間接從耶穌會士的文獻以及透過往來通信來認識中國的。作為白晉等耶穌會士的讀者，當萊布尼茲再版《中國近事》一書時所收錄的康熙傳，似乎是從白晉的書取得文字敘事，從李明的書取得圖像。萊布尼茲早在1689年於羅馬已經從義大利籍耶穌會士閔明我（Francesco Maria Grimaldi, 1618-1663）的口中聽聞康熙盛名，對他的智慧、仁慈與對西學的興趣，讚譽有加。[84]萊布尼茲眼裡的中國與歐洲，如同人的雙眼，相輔相成。[85]萊布尼茲於1697年出版的《中國近事》（*Novissima Sinica*）一書並未收錄康熙傳和康熙像，而是收錄了1689-1697年間中國傳教事業最新的業績報告。其中包括中俄《尼布楚條約》的簽訂、康熙的容教令、中國現任皇帝對西洋科學的接納，以及經由俄羅斯前往的中國路線。1697年出版所收的文獻都跟這位康熙有關係。1699年萊布尼茲於漢諾威再版了他的《中國近事》一書，增錄了他請修辭學教授卡斯伯・柯爾貝爾（Caspar Corbër, ?-1700）所譯白晉康熙傳的拉丁文譯本，[86]成為該書的第七份文獻，題

84 梅謙立譯，〈萊布尼茲致讀者〉，收入〔德〕G·G·萊布尼茨著，《中國近事——為了照亮我們這個時代的歷史》，頁004。

85 Feng-Chuan Pan, *The Burgeoning of a Third Option: Re-Reading the Jesuit Mission in China from a Glocal Perspective*, Leuven Chinese Studies 27（Leuven, Belgium: Ferdinand Verbiest Instituut KU Leuven, 2013）, pp. 9-10, 163-195.

86 在萊布尼茲「致讀者」提到譯者是他的朋友。李文潮更直接指出，根據1699年萊布尼茲寫給Antonio Magliabechi的信件，這位朋友是修辭學教授卡斯伯・柯爾貝爾（Caspar Corbër），詳見 Li Wenchao, "Un commerce de

名為：「現在統治中國的君王肖像」（*Icon Regia Monarchae Sinarvm Nvnc Regnantis*）。[87]拉丁譯本在書名直接使用了單一統治（*Monarchae*）一字。書籍出版的這段時期，萊布尼茲當時正與回歐洲的白晉通信，不難理解康熙傳很快地就被萊布尼茲收入《中國近事》第二版。此外，這個再版也收錄了一幅與李明書中康熙半身像相似的圖像。但是畫像從原本的右側身變成左側身，圖像的畫質也相對較差。胸前的龍紋方向對反，但是邊框上左右兩條龍的面向並未轉變。儘管側身方向不同，從圖像本身，包含服裝和龍紋環形裝飾，以及畫像下方文字可以確認後者應該是根據前者再印製。雖然萊布尼茲與白晉曾經往來通信多次，似乎在《中國近事》一書的圖像，他選擇了李明書中所提供的康熙半身像。[88]

萊布尼茲在《中國近事》致讀者文中，用一種反問的語氣

lumière - Leibniz' Vorstellungen von kulturellem Wissensaustausch," in Friedrich Beiderbeck, Irene Dingel, Wenchao Li（eds.）, *Umwelt und Weltgestaltung: Leibniz' politisches Denken in seiner Zeit*（Göttingen, Germany:Vandenhoeck & Ruprecht, 2015）, p. 295，註10。又見〔德〕G·G·萊布尼茨著，《中國近事——為了照亮我們這個時代的歷史》，頁050。

87 1697年的初版總計有175頁，頁尾有finis字樣。1699年的再版直接在書尾補上全文，頁碼從1開始編號。中譯本見楊保筠譯，〈中國現任皇帝傳〉，收入〔德〕G·G·萊布尼茨著，《中國近事——為了照亮我們這個時代的歷史》，頁050-100。原書名如下：Bouvet, Joachim, *Icon Regia Monarchae Sinarum nunc regnantis* à R. P. Joach. Bouveto Jesuita Gallo, ex Gallico versa, Gottfried Wilhelm Leibniz, *Novissima Sinica historiam nostri temporis illustratura*（Hannover: Förster, 1699）.

88 這兩幅人物圖像左右方向對反，這種的情況在十七、十八世紀出版品裡有關中國圖像的展示時常出現。

強調他對中華帝國和這位皇帝的驚嘆與讚賞：

> 人類最偉大的文明與最高雅的文化今日終於匯集在我們大陸的兩端，即歐洲和位於地球另一端的——如同「東方歐洲」（Orientalis quaedam Europa）的「親納」（Tschina，原文如此，他們如此發音）……昔日有誰會相信，地球上還有這樣一個民族存在，他比我們這個自以為在各方面都有教養的民族更具有道德的公民生活（civilioris vitae）呢？[89]

萊布尼茲對康熙的描述，更是前所未見，茲引如下：

> 有誰不對這樣一個偉大帝國的君主（Monarcham tanti Imperii）感到驚訝呢？他的偉大幾乎超越了人的可能，他被人們視為人間的上帝（Deus），人們對他的旨意奉行

89 引自梅謙立、李文潮翻譯，〈萊布尼茨致讀者〉，收入〔德〕G·G·萊布尼茨著，《中國近事——為了照亮我們這個時代的歷史》，頁001-004。引文中的「親納」（Tschina，他們如此發音），以及引號中的原文經筆者稍微改動。原中譯者譯為「Tschina（這是「中國」兩字的讀音）」。原文如下："Singularu quodam fatorum consilio factum arbitror, ut maximus generis humani cultus ornatusq〔ue〕; bodie velut collectus sit in duobus extremis nostril continentis, Europa & Tschina（**sic enim efferunt**）qua velut **Orientalis quaedam Europa** oppositum terrae marginem ornat.〔...〕Sed quis olim credidisset esse gentem in orbe terrarum, quae nos opinione nostra ad omnem morum elegantiam usque adeo eruditos tamen vincat **civilioris vitae** praescriptis?"參見 G. W. Leibniz, *Benevolo Lectori*, *Novissima Sinica*（1699）, pp. 2-3. 底線和粗體為筆者所加。

> 無違。儘管如此，他卻習慣於如此地培養自身的道德與智慧：位居人極，卻認為在尊紀守法、禮賢下士方面超越過臣民才是自己的本職……中國的當朝皇帝康熙更是如此……〔他〕恩准歐洲人合法而公開地傳播基督宗教……他試圖將歐洲文化與中國文化結合起來……或許在此之前整個中華帝國還沒有人像他那樣學到西方科學的甜頭，他的知識與遠見便自然而然地遠遠超過其他漢人和韃靼人，如同在埃及的金字塔上添了一個歐洲的尖頂。[90]

這位出身德意志神聖羅馬帝國的新教哲學家，卻與耶穌會士經常往返寫信探詢中華帝國文明的萊布尼茲，提出希望中國派遣「中國傳教士」（missionarios Sinensium）來歐洲講授應用與實

---

90 中譯文字引自〔德〕G·G·萊布尼茨著，《中國近事——為了照亮我們這個時代的歷史》，筆者微調。這段文字的原文出自G. W. Leibniz, *Benevolo Lectori*, *Novissima Sinica*（1699）, pp. 4-5：“Quis vero non miretur Monarcham tanti Imperii, qui pene humanum fastigium magnitudine excessit et mortalis quidam **Deus** habetur, ut ad nutus eius omnia agantur, ita tamen educari solere ad virtutem et sapientiam, ut legum observantia incredibili et sapientum hominum reverentia vincere subditos ipso culmine suo dignum iudicare videatur〔...〕Usque adeo ut, qui nunc regnat Cam-Hi〔現在是康熙統治〕, Princeps pene sine exemplo egregius, utcunque in Europaeos propensus libertatem tamen religionis Christianae lege publica indulgere〔...〕Qua ille in re mihi longius unus quam omnia tribunalia sua prospexisse videtur; tantaeque prudentiae causam hanc esse existimo, quod Sinensibus Europaea coniunxit〔...〕quem fortasse in illo Imperio hactenus habuit nemo, non potuit non supra omnes Sinas et Tartaros rerum cognitione prospectuque extolli, quemadmodum si pyramidi Aegyptiae turris Europaea imponeretur.”底線和粗體為筆者所加。請注意拉丁譯本使用了當時爭議的名詞Deus。

踐哲學的知識。他認為如果邀請智者評斷什麼民族的文化最為傑出的話，將是中國勝出而非歐洲。[91]中華帝國的康熙皇帝儼然就成為實踐這套單一統治體制的典範君王。也許我們可以說，國王數學家們成功地將康熙皇帝完美形象推銷給像萊布尼茲這樣的歐洲知識圈裡的思想家，以至於啟蒙時期的學界對中國皇帝及其所賴以為統治的制度產生好感。

白晉的康熙傳以及1692年康熙皇帝的容教令，宣告耶穌會在中華帝國全境的傳教工作已經獲得皇帝的肯定這麼大的成就，不僅是教會內部的大事，也受到世俗學界的關注。除了萊布尼茲之外，我們也能發現，發行於1665年歐洲最早的學術性報刊巴黎《學者報》[92] 在中國禮儀之爭最熱的那幾年刊載了多

---

91 中譯文字引自梅謙立、李文潮翻譯，〈萊布尼茨致讀者〉，收入〔德〕G·G·萊布尼茨著，《中國近事——為了照亮我們這個時代的歷史》，頁006。原文如下：Certe talis nostrarum rerum mihi videtur esse conditio gliscentibus in immensum corruptelis, ut propemodum necessarium videatur **missionarios Sinensium** ad nos mitti, qui Theologiae naturalis usum praxinque nos doceant, quemadmodum nos illis mittimus, qui Theologiam eos doceant revelatam. Itaque credo, si quis sapiens non formae Dearum, sed excellentiae populorum iudex lectus esset, **pomum** aureum Sinensibus daturum esse, nisi una maxime sed supra-humana re eos vinceremus, divino scilicet munere Christianae religionis. G. W. Leibniz, *Benevolo Lectori*, *Novissima Sinica*（1699）, 第五頁之後的頁碼未標示。底線粗體為筆者所加。中譯本文字勝出原文是「獲得蘋果」（pomum），為適應文脈而做調整。

92 《學者報》（*Le Journal des Savants*）於1665年1月5日在Denis de Sallo（1626-1669）發起下，於巴黎創刊，迄今兩百多年，在1793-1815年間停刊（1797年除外）。1816年起由法蘭西學會（Institut de France）發行，1908年起，這份刊物改由法蘭西文學院（Académie des Inscriptions et Belles-Lettres）發行。法國國家圖書館數位圖書館提供了1665-1946年，共計272

篇相關文章。例如在《學者報》的第21期（1698.6.2）有一篇文章評論了白晉的康熙傳。不僅簡介康熙基本年紀和統治時間，講到這位中國皇帝44歲，在位36年，甚至指出他的行為幾乎已經是半個基督徒。還提到白晉獻給路易十四的畫像，述說兩人有多麼相似，並讚譽康熙是世上最完美的君王之一，如果他能夠像所有信仰基督教的君王一樣就好了。[93]同一年的 8 月號則刊載了書評，評論張誠（Jean-François Gerbillon, 1654-1707）所著有關康熙皇帝容教令的專書（*Histoire de l'édit de l'empereur de la Chine en faveur de la religion chrétienne*, 1698）。[94]這篇評論歷數在1632年之後進入中國的方濟會士、道明會士與耶穌會對於中國傳紀的不同立場與作風，最後提到張誠批評閔明我（Domingo Fernández de Navarrete, 1610-1689）用自已想像的事情來指控耶穌會士是非常的嚴重的犯罪行為。[95]這樣一份作為當時學者間知

卷的全文掃描檔。各階段的主編資料亦請詳見http://gallica.bnf.fr/ark:/12148/cb343488023/date（檢索日期2017年4月20日）。

93 *Le Journal des Savants,* 1698（Paris: Jean Cusson, 1698）, p. 246.

94 此書後來在1700年收入*Nouveaux mémoires sur l'état présent de la Chine*, tome troisième. Seconde édition（Paris: Jean Anisson, 1700）, pp. 1-216.

95 刊載於《學者報》（*Le Journal des Savants*）第33期（1698.8.23），參見*Le Journal des Savants,* 1698（Paris: Jean Cusson, 1698）, pp. 385-389. 張誠這本書長達三百多頁，萊布尼茲的《中國近事》收錄了蘇霖（Josef Suarez, 1656-1763）所傳有關容教令相對簡短的說明文件（*De Libertate Religionem Christianam apud Sinas propagandi nunc tandem concessa 1692. Relatio composita a R.P. Josepho Suario Lusitano collegii Pekinensis Rectore*），基本上描述了耶穌會如何從1669年到1692年間，受到漢族官員的排擠與迫害，最終在索額圖幫助之下，於1692年獲得康熙的准許令。蘇霖的文件中譯本，請參見梅謙立翻譯，〈蘇霖神父關於1693年容教令的報告〉，收入〔德〕G·G·萊布尼茨著，（法）梅謙立、楊保筠譯，《中國近事——為了

識交流平台的報刊，除前述兩例之外，該報刊仍有為數不少有關中國的文章。從這些無論是書評或是公開的辯論，我們可以觀察到中華帝國的康熙皇帝，對於當時學界已經是一個受到相當關注與推崇的東方帝王。中華帝國的政體也成為討論對象。

如前文已及，根據筆者近年觀察近代歐洲初出版品中所提供的地圖對中國疆域的劃分（Mapping China），呈現出「視中國為世界一隅」的意象，地圖裡的「東方」概念，逐漸聚焦為以中國為中心的區域。近代歐洲有關中國的描述裡有兩個關鍵，一以孔子為中心的文人與儒學之論述，另一以康熙為中心的帝王和政治之論述。尤其是當時東西方交互輝映的兩位君王：康熙大帝與太陽王路易十四，因其諸多面向的相似性，常成為時人與後世學者的比較對象。隨著「中國禮儀之爭」的發展與演變，中國耶穌會的辯護策略也出現了「帝國轉向」，以皇帝（尤其是康熙）對中國禮儀的詮釋作為辯護的論據，重要性逐漸超過孔子所代表的文人和儒學傳統，康熙就成為中國政體與社會秩序的執行者與維護者。

無論是孔夫子，或是康熙，兩位都是傳承中國上古聖王早已奠立的文人傳統和政府體制。類比於前期耶穌會士視孔子為中國大哲、文人傳統的始祖，於後期耶穌會士對於康熙大帝的形象建構，則視之為中華帝國單一統治體制的典範。耶穌會士分別以孔夫子與康熙兩位做為代表，一體兩面地將中國區分為文人傳統和帝國傳統。1687年柏應理的《中國哲學家孔子》，和1697年白晉的《中國皇帝的歷史肖像》這兩本著作，代表著

照亮我們這個時代的歷史》，頁001-036。

他們對中國雙重傳統的代表性人物的形象建構。《中國哲學家孔子》書中的孔子像，其圖像配置的方式是將孔子置於前方，位於類似歐洲圖書館的空間裡，塑造一種大哲學家（中國文人傳統也就此納入哲學領域），並且被視為中國精神維護與傳承者，地位類比古希臘大哲學家。無論是對「孔子」與「康熙大帝」的描述，可以觀察到這幾件歐洲出版品對偉大人物的形象建構，充滿歐洲的想像。從圖像空間的配置與規劃，可以看見歐洲宮廷風格的空間配置裡站立一位滿清——中國皇帝，而康熙的半身像，被典型歐洲人物像的外框環繞。白晉與李明名下這兩本書的出版時間大約是歐洲在啟蒙時代初期，我們在同時期的文獻裡可以發現大量與中國有關的出版品，介紹中國文字、風土民情、歷史地理等不同面向的東方，並且這些書籍甚至被翻譯為多種歐洲語言，這在某種程度意味著這些出版品在當時流傳甚廣。部分書籍在極短時間內就出現海盜版，流傳得更廣了。

在前文從圖像和敘事兩方面考察與解析了國王數學家所介紹、推銷的康熙大帝形象之後，未來應該繼續追問的是：十七世紀末之後的耶穌會士之高舉康熙作為單一統治王權的典範是否僅是一種策略？或者從耶穌會的內部教條會規而來的一種宗教性認同？如果是前者，自康熙對於中國古經的詮釋被高舉成為辯護中國禮儀的終極武器，這群耶穌會士其實讓自己處在一個尷尬的處境。之所以尷尬，在於從路易十四為涉入遠東事務而展開的與羅馬教宗和葡萄牙王的競爭，結果是受派前往中國的國王數學家，卻帶回有關這位無論在能力、智慧、道德各方面都如此卓越，幾乎是超越路易之上的東方對手——中國康熙皇帝的各種訊息。不僅路易本人獲知，也在當時的學者之間廣傳。儘管白晉口口聲聲宣誓效忠法國國王，斬釘截鐵地說，雖然康熙並未改信基督宗教，但是對傳教士的友善，在他的容教令裡展露無遺。對中華帝國單一統治政權的推崇，所帶來的效應，果真能夠強化羅馬教宗作為天主教會唯一在世界上的天主代表？或是強化法國國王權威得以獨立於教會之外的理念？如果僅是策略，耶穌會所欲達致的目標，似乎與他們實際造成的後果，並不相應。如果是來自他們的宗教性認同，對於會內的長上甚至是對教宗的絕對服從，豈不是在接受法國國王差遣之下，又再一次搖動教宗對於耶穌會士們的單一統治權，而形成多元政治或多元權威，也就是出現權力分化的現象？在十七世紀歐洲的世俗王權勢力漸長，並與羅馬教廷逐步抗衡的時代，作為單一統治之中華帝國的君王，康熙的智慧明君形象成為耶穌會士的推崇重點，並藉由圖像和文字傳記等出版品在歐洲傳播。這被建構的康熙的形象，直接或間接地對後來歐洲幾位重要思想家如萊布尼茲建構理想君王的形象影響頗深。

本書後面幾章將探討的十八世紀初期的耶穌會士衛方濟和中晚期的耶穌會士馬若瑟（Joseph de Prémare, 1666-1736）與韓國英，對於康熙皇帝以及中國古代經典裡的聖人，最終轉化為對於中華帝國裡這位承受天命、自稱「于一人」的「天子」的索隱詮釋。這個一人與「孤」、「寡」或「寡人」意思一樣，是中華帝國皇帝常用自稱。十八世紀末耶穌會被解散之後留在北京最後幾位耶穌會士之一的韓國英，具體舉例說明了這個「一人」的意義。他在翻譯《孝經・卿大夫章》最後所引的詩經文字「詩云：夙夜匪懈，以事一人。」（Il est dit dans le *Chi-king*: Ne vous relâchez ni jour ni nuit dans le service de l'homme unique,〔c'est-à-dire, de l'Empereur〕.）他在譯文最後加了文間注，說明這個「一人」（l'homme unique）即為皇帝。本章所探討的白晉與李明對於康熙的引介，在當時法國皇室和知識界所引起的關注，以及透過這位來自東方非基督教傳統的帝國領袖，將此單一統治理想化的效應，與在中國的法國籍耶穌會士對於中國古代經典裡的「聖人」的研究與詮釋，彷彿一種跨時代的回響。[96]而衛方濟在向歐洲宗教界與知識界引介中國經典文獻的重要辯護工具，是康熙對於經典的詮釋。從後來的歷史演變來看，他以這來自中華帝國的最高權威詮釋作為辯護的方式，也許反而使羅馬教廷感到威脅，並使他在歐洲的地位而反遭受更深疑慮，因此反而不被天主教內部人士接受。儘管如此，衛方濟為了辯護中國禮儀而在翻譯中國經典時選入《孝經》，使他成為西方《孝經》翻譯史上第一人。也是一種嘗試在中國禮儀之爭長久僵持不下，對於中國禮儀之性質屬於宗教或非宗教的層次，尋找一個在中國孝道脈絡下的新詮釋。他的翻譯，在後繼者的傳承與新詮釋的新譯本當中，在十八到十九兩個世紀的歷史發展過程中，逐漸形成一個獨具一格的《孝經》翻譯史。以下，從第二至六章，筆者將依時序，逐一解析十八至十九世紀西方的不同《孝經》譯本。除了探索各本所依據的底本和相關注疏本之外，也試圖以此為個案，系統地建立一個經典翻譯的研究模式（如前述附圖一所示）。

---

96 Pierre-Martial Cibot, *Hiao-King*, ou Livre Canonique sur la *Piété filiale*, in Joseph Marie Amiot et. al., *Mémoires concernant l'histoire, les sciences et les arts des Chinois*, vol. 4（Paris: Nyon l'aîné, 1779）, pp. 33-34. 底線為筆者所加。詳參本書第三章。

第二章

中國禮儀之爭脈絡中的《孝經》翻譯

衛方濟譯本（1711）

1983年，在慶祝利瑪竇抵華四百週年紀念學術會議上，孟德衛透過比較柏應理的《中國哲學家孔子》，以及探討耶穌會對儒家經典《四書》的翻譯最完整的，即衛方濟的《中國六經》之後，他說：或者因為耶穌會高層畏於推廣此一譯本，也因為在衛方濟之後歐洲漢學界不再對《四書》的不同注疏本持肯定態度，加上衛方濟的著作中許多內容和論點隱含著再次引爆中國禮儀之爭的成分，儘管《中國六經》是繼《中國哲學家孔子》以來，耶穌會士翻譯儒家經典《四書》完整本的最高峰，其譯文也優於前人，卻默默地被塵封至今。[1]《中國哲學

1 參見 D. E. Mungello, "The First Complete Translation of the Confucian Four Books in the West," *International Symposium on Chinese Western Cultural Interchange in Commemoration of the 400th Anniversary of the Arrival of Matteo Ricci, S. J.*（Taipei: Fu-Jen Catholic University, 1983）, pp. 516-539.

家孔子》深刻影響了啟蒙思想家萊布尼茲，《中國六經》則是伍爾夫之所以提出實踐哲學的重要出版品。重要性不言而喻。但是衛方濟的《中國六經》和收在當中的西方首見《孝經》譯本，也一併在前述風聲鶴唳的限制禁令情境之下被忽視。[2]

中國禮儀對於當時歐洲的神學家是一個棘手難解的問題。從如何針對它提出問題、它的屬性與定位、如何與歐洲主流的宗教對應，都不是能夠立即獲得解答的難題。中國的禮，到底應該是具宗教性的迷信行為？還是單純是作為中華帝國士人或為人臣、為人子所應盡的義務？從耶穌會決定採取適應儒家的傳教策略之後，禮儀之爭的種子就已經種下。衛方濟奉派返回歐洲為中國禮儀辯護的任務失敗，他隨即出版《中國六經》。除了孔子名下著作，他同時翻譯了《孟子》、《孝經》和《小學》，將禮儀從宗教與文化二元對立的爭論模式，導引論者進入中國處境的深處去理解與討論以孝道為核心的禮儀問題。他的《孝經》譯本之所以重要，不單是因為是西方首見，更因為它是一部有助於重新定位中國禮儀問題的重要經典。

一、中國禮儀的辯護者衛方濟：生平與著作簡介

衛方濟在1651年出生於比利時，1685年8月間抵華。1687年到1690年間往來日本、廣東和上海等地。1691年居住江西贛州。1692年到1700年似乎常駐江西南昌，這段期間，在中國

---

2 詳見潘鳳娟，〈無神論乎？自然神學乎？中國禮儀之爭期間龍華民與萊布尼茲有關中國哲學的詮釋與再詮釋〉，《道風：基督教文化評論》，第廿七期（2007），頁51-77。

有關禮儀的兩件同等重要，卻互相衝突文件被發布：一為康熙頒布宗教寬容敕令（1692），[3]使天主教傳教合法；另一為1693年，時任福建主教、屬巴黎外方傳教會之宗座代牧嚴璫（Charles Maigrot, 1652-1730）所發布之禁令[4]，禁止其轄區境內的教友和神職人員執行或參與耶穌會士所允許的中國禮儀。嚴璫同時派出代表將他的禁令帶回歐洲，轉給巴黎主教，請索邦神學院進行檢查。此舉恐將危及耶穌會的中國傳教。[5] 衛方濟約在此時完成《中庸》和《孟子》的翻譯[6]。索邦神學院在1700年做成決議，定罪了耶穌會的適應策略之後，在中國的耶穌會的高層立刻於1702年1月派遣代表回歐洲辯護，經過幾番波折，衛

3 D. E. Mungello, *The Chinese Rites Controversy: Its History and Meaning*（Nettetal: Steyler Verlag, 1994）, pp. 3, 15, 149-152, 173-174, 294.這份宗教寬容敕後來被萊布尼茲收入他於1697年出版的《中國近事》（*Novissima Sinica*）一書，是該書所收七件康熙相關文件其中一份。 郭弼恩在他的書中也討論了嚴璫在中國禮儀之爭中的角色，他的書是：Charles Le Gobien, *Histoire de l'edit de l'empereur de la Chine, en faveur de la Religion Chréstienne*（Paris, 1698）；相關討論請參見柯蘭妮的文章，Claudia von Collani, "Charles Maigrot's Role in the Chinese Rites Controversy," in D. E. Mungello（ed.）, *The Chinese Rites Controversy: Its History and Meaning*, p. 149, note 1.

4 Ray R. Noll（ed.）, Donald F. St. Sure, S.J.,（trans.）, *100 Roman Documents Concerning the Chinese Rites Controversy, 1645-1941*（San Francisco: The Ricci Institute for Chinese-Western Cultural history, 1992）, pp. ix, 8-10. See also C. von Collani, "Charles Maigrot's Role in the Chinese Rites Controversy," pp. 151-158.

5 G. Minamiki, *The Chinese Rites Controversy: from Its Beginning to Modern Times*（Chicago: Loyola University Press, 1985）, pp. 39-40.

6 D. E. Mungello, "The First Complete Translation of the Confucian Four Books in the West," p. 517.

方濟和龐嘉賓（Gaspar Castner, 1655-1709）終於成行。[7]1703年12月31日，代表團抵達羅馬，但是此行顯然沒有達到預期的成效，因為1704年，教宗克萊孟十一世（Clement XI, 1700-1721）正式禁止耶穌會的適應策略和中國禮儀[8]。1707年衛方濟回到中國，立即在1708年1月又陪同康熙所派出的大使艾遜爵（Joseph Antonio Provana, 1662-1720）和陸若瑟（Raymond de Arxo, 1663-1711）再度回到羅馬，不過此行卻讓他再也無緣返回中國。他於1709年轉往布拉格的耶穌會會院，繼續進行經典翻譯與中國書寫的工作。兩年之後，他的書於1711年陸續出版。工作完成後不久，他轉往今日法國邊境里爾（Lille），直到1729年9月17日過世之前，似乎都是居住於此。目前沒有更詳細的資料說明衛方濟這段期間的事蹟，僅知在1715年和 1716年，在教宗克萊孟十一世重申禁令之後，他曾兩度試圖返回中國，均未能成功。根據榮振華的紀錄，1716年那次他曾試圖從里斯本前往中國，仍被迫回到歐洲。[9]魯保祿認為這應該是生病或船隻問題導致，而非上級介入。[10]早期學者如雷慕沙與費賴之（Louis Pfister, 1833-1891）均曾語帶「暗示」，猜測天主教當局恐有阻撓其返中國的舉動。惟目前所能掌握之資料不足以判斷何者較

7 J. Dehergne, *Répertoire des Jésuites de Chine de 1552 à 1800*（Roma, 1973）, p. 186.

8 Noll, *100 Roman Documents*, p. 24; Dehergne, *Répertoire des Jésuites de Chine de 1552 à 1800*, p. 186.

9 Cf. J. Dehergne, *Répertoire des Jésuites de Chine de 1552 à 1800*, pp.185-186.或請參閱此書中譯本第461頁。

10 Paul Rule, “François Noël S.J. and the Chinese Rites Controversy,” p. 161.

為可信，其真正原因待考。

在其首度返回羅馬為耶穌會之中國傳教策略辯護時，衛方濟曾於1703年發信給耶穌會總會長，報告中國傳教會之現狀。信中說明鄉村地區的傳教工作如何地興盛，遠比北京等城市地區之發展更為迅速。他認為鄉村之自由度是重要因素。[11]信中指出江西地區的幾位耶穌會士在1696-1697年間總計為四、五千人施洗，顯見1692年康熙發布容教令之後，教務之蓬勃發展。這似乎暗示著1693年位處福建主教嚴璫之禁令恐為此樂觀發展的現狀投下變數。約在此信中所描述的期間，他的《人罪至重》（1698年）一書在北京出版。雖然生平資料顯示此時衛方濟應該是在江西一帶，而此書之序文內容以及序文作者籍貫（兩位中國仕紳均為江西人士），均顯示成書地點應為江西。可能因為衛方濟後來受上級任命返回歐洲辯護中國耶穌會的傳教與中國禮儀，因而前往北京出版。

衛方濟在江西的工作細節，目前資訊不多，不過幾位同時期、且同在江西一帶活動的教友和傳教士的文獻所透露些許訊息，研判他與當地其他耶穌會士與教友之間，有所往來。其中方濟各（Francesco Saverio Filippucci, 1632-1692）曾經兩度

11　Noël, François, *Mémoire sur l'état de la Mission de Chine en 1703*, in *Lettres édifiantes et curieuses écrites des missions étrangères,* vol. 3, pp.70-73. 其中譯本請參見〈關於中國傳教會現狀的匯報〉，收入杜赫德（Jean-Baptiste Du Halde）等人所編之《耶穌會士中國書簡集》（*Lettres édifiantes et curieuses écrites des missions étrangères*），1705年之初版收在第六卷，目前可見為1843年Panthéon再版之第三卷，頁70-76，其中譯本則請參見杜赫德編，鄭德第、朱靜、耿昇、呂一民等譯，《耶穌會士中國書簡集》卷一（鄭州：大象出版社，2001），頁230-239。

在1680-1683年和1690-1692年間擔任日本省會長。而1688-1691年間，他同時擔任日本與中國之視察員。此時期衛方濟初入中國，曾經幾度申請前往日本傳教未能如願，後來轉入中國內地，在江西一帶進行傳教工作。[12]他於1691年進入江西，不久他的前輩方濟各於隔年過世。研判兩人應有相當程度之聯繫，而且衛方濟可能某種程度上繼承了方濟各在江西的角色與工作。另外，衛方濟與聶仲遷（Adrien Grelon, 1618-1696）曾經在1691年間共事於贛州，聶仲遷的助手，人稱夏相公的夏大常在《人罪至重》一書出版的同一年，也就是在1698年撰述《祭禮泡製》一書，為教友實踐中國禮儀尋找中國經典的基礎與詮釋。[13]可見當時在江西地區的天主教會，無論教友或耶穌會士，均對福建地區因嚴璫禁令而來的爭議，展開了文獻探索，尋找為中國禮儀辯護的資源。衛方濟與上述幾位耶穌會士和中國教友應該也有相當程度的聯繫。

在《中國六經》的法譯本出版之前，法國杜赫德曾在《中華帝國志》中譯介衛方濟的《中國六經》。從衛方濟之《孝經》譯本在《中國六經》中出版後不久，兩個《孝經》法譯

12 Paul Rule, "François Noël S.J. and the Chinese Rites Controversy," in W.F. Vande Walle & Noël Golvers（eds.）, *The History of the Relations between the Low Countries and China in the Qing Era*（*1644-1911*）（Leuven: Leuven University Press/Ferdinand Verbiest Foundation: Leuven Chinese Studies XIV, 2003）, pp. 138-139.

13 Maurice Courant, *Catalogue des Livres Chinois*（Paris, 1912）, p. 82; Dehergne, *Répertoire des Jésuites de Chine de 1552 à 1800*, pp. 119-120. 有關夏大常的研究，請參見陳映竹，〈禮儀之爭時中國教友對人性與禮儀的論述：以夏大常為中心〉（台北：國立臺灣師範大學國際漢學研究所，2011）。

本，一為根據衛方濟拉丁本所譯，一為針對衛方濟譯本的缺失另作新譯。從兩譯本相繼在巴黎出版來看，衛氏的翻譯不僅如前述直接影響萊布尼茲和伍爾夫（Christian Wolff, 1679-1754）等德國哲學家，同時對巴黎學術圈產生影響。除此之外，清末英美新教傳教士在《中國叢報》（*The Chinese Repository*, 1832-1851）中，也引介衛方濟生平和經典翻譯工作。目前學界對衛方濟生平的資訊的引用，主要來自費賴之在1932年出版的《入華耶穌會士列傳》（*Notices biographiques et bibliographiques sur les Jésuites de l'ancienne Mission de Chine*）一書。書中費賴之稱讚衛方濟中文程度高、為耶穌會士中積極從中國經典探索基督教真理的並為其辯護的重要人物之一。[14]總括來說，目前學界對衛方濟的研究，除費賴之之外，以魯保祿和孟德衛相對早且完整詳盡。[15]而近年來井川義次對於衛方濟的經典翻譯研究堪稱前驅。魯保祿文中提到一份教宗特使多羅（Charles-Thomas

---

14 Louis Pfister, *Notices biographiques et bibliographiques sur les Jésuites de l'ancienne Mission de Chine, 1552-1773*（Shanghai, 1932）, p. 416. 此書之中譯本有二，譯者皆為馮承均：費賴之著，馮承鈞譯：《入華耶穌會士列傳》（台北：臺灣商務印書館，1960）；與《在華耶穌會士列傳及書目》（北京：中華書局，1995）。榮振華對費賴之的補充另行出版了列傳和書目，參見Joseph Dehergne, *Répertoire des Jésuites de Chine de 1552-1800*（Rome, 1973），此書中譯本：榮振華（Joseph Dehergne）著，耿昇譯，《在華耶穌會士列傳及書目補編》（北京：中華書局，1995）。

15 參見Paul Rule, "François Noël S.J. and the Chinese Rites Controversy," pp. 137-165; D. E. Mungello "The First Complete Translation of the Confucian Four Books in the West," *International Symposium on Chinese Western Cultural Interchange in Commemoration of the 400th Anniversary of the Arrival of Matteo Ricci, S. J.*（Taipei: Fu-Jen Catholic University, 1983）, pp. 516-539.

Maillard de Tournon, 1668-1710）隨行人員Sala的手稿，稱之為撒拉報告（Sala papers）。手稿中記載衛方濟被指控為耶穌會適應策略的反對派。雖然該傳聞出處和真實性目前不可考，不過，魯保祿則是以衛方濟否認多羅主教對他的控訴，主張衛氏持支持利瑪竇一派對中國禮儀的立場。[16]引介衛方濟著作的文章中，有幾篇討論他對歐洲的影響，尤其是《中國六經》為伍爾夫提供的中國形象，說明如何促使後者對中國實踐哲學的仰慕，甚至積極提倡所引發的後續效應。[17]

如前所述，作為禮儀之爭中如此重要的人物，衛方濟的經典翻譯與中國書寫卻被塵封三個世紀，研究成果罕見。以下就目前已經取得的衛方濟名下文獻，依時序進行初步介紹。[18]綜觀衛方濟的譯著，我將之區分為三階段：1690年代、1700年代、1710年代，從北京，經羅馬到布拉格三個城市。第一階段，衛方濟僅出版一本書：《人罪至重》，1698年初版於

16 Paul Rule, "Towards a History of the Chinese Rites Controversy," in D. E. Mungello（ed.）, *The Chinese Rites Controversy: Its History and Meaning*（Chicago: Loyola University Press, 1992）, pp. 260-261.

17 目前所知，當代這類研究以1953年D. Lach 在"The Sinophilism of Christian Wolff（1679-1754）"一文為英文學界中較早的研究成果，文中指出伍爾夫的中國哲學知識來自衛方濟，尤其是《中國六經》中，《大學》和《小學》二書對教育的描述。1979年D. E. Mungello 在"Some Recent Studies on the Influence of Chinese and Western Intellectual History"一文，延續Lach的資料性研究，對幾篇中國對近代歐洲思想發展的影響作了概述。

18 根據費賴之研究，衛方濟名下的文本共計 23 件，部分為詩歌或書信，此處僅介紹已經取得的，且與中國相關的七件文本。詳參L. Pfister, *Notices biographiques et bibliographiques sur les Jésuites de l'ancienne Mission de Chine*（1932）, pp. 418-419.

北京，時間在嚴璫（Charles Maigrot, 1652-1730）發布禁令後。第二階段則是禮儀之爭最高峰時期，與龐嘉賓（Gaspar Castner, 1665-1709）合作編寫有關中國禮儀的文本（多在1703年間於羅馬出版）。第三階段則是三本分別著重「字學」、「經學」和「理學」的書籍：《中國禮儀札記》（*Historica notitia Rituum et Ceremoniarum Sinicarum,* Historical notice of Chinese rites and ceremonies, 1711）、[19]《中國六經》（*Sinensis imperii libri classici sex*, The Six Classical Books of the Chinese Empire, 1711），和《中國哲學》（*Philosophia sinica*, Chinese Philosophy, 1711）。

目前所知，除《人罪至重》（1698, 1873）一書外，其餘皆為拉丁文本。[20]此書也是明清耶穌會的著述中，極少數完整且系統化論述天主教罪論的文獻。不同於耶穌會入華初期，如龐迪我（Diego de Pantoja, 1571-1618）的《七克》（1604）和艾儒略（Giulio Aleni, 1582-1649）的《滌罪正規》（1627）等書之側重

---

19 此書全名：*Historica Notitia Rituum et Ceremoniarum Sinicarum In colendis Parentibus ac benefactoribus Defunctis, Ex ipsis Sinenesium Authorum Libris desumpta. A P. Francisco* Noël, Societatis JESU Missionario. De speciali Licentia SS.D. N. D. CLEMENTIS PAPÆ XI ET SUPERIORUM PERMISSU（Prague: typis Universit: Carlo-Ferdinandeae, in Collegio Soc. Jesu ad S. Clementem, per Joachimum Joannem Kamenicky Factorem, Anno 1711）. 本人所見之《中國禮儀札記》藏於捷克布拉格國家圖書館，編號B IV 262。法國國家圖書館亦藏，編號為FRBNF31021846。底線為筆者所加。

20 《人罪至重》一書在1698年北京初版，本文所見為上海慈母堂1873年版，印自萊頓漢學系圖書館。中文學界目前僅見一文曾經對此書稍加著墨，討論西方傳入的人體知識，請參閱祝平一，〈身體、靈魂與天主：明末清初西學中的人體知識〉，《新史學》7卷2期（1996）：47-98。

罪的解除方法與禮儀實踐層面，衛方濟則是指出罪的根源性，主張「修德必先遠罪」，使罪論與中國修身觀接軌，並延伸討論倫理秩序與聖治圓滿達成的要件。他以至大之天主對比至微之罪人，凸顯「人罪至重」，證成人類乃「獲罪於天主」而非「獲罪於天理」。與艾儒略《滌罪正規》一書所言之「滌於已犯之後」相為表裡，《人罪至重》一書目的在於「警人遠罪」與「禁於未犯之先」。此書從「罪論」做為起點，以轉向「倫理秩序」，以天主十誡作為滿足「仁」與「義」的教條，以達致「聖治」的終極目標，為「天主、己與人」三角倫理關係的和諧為除罪後之仁義圓滿的狀態。《人罪至重》出版時間大約是嚴璫禁令發布六年之後，衛方濟徵引古代經典：《孟子》、《詩》、《書》、《禮》、《春秋》、《新唐書》，[21]延續利瑪竇一派之耶穌會士的經典詮釋策略，也區分古儒與宋儒，並歷引古經，對明清之際的儒佛道三教融合的現象予以嚴厲批判。[22]而他歷引古經之舉，也與嚴璫禁令後諸多中國教友紛紛從中國古經尋找禮儀原始意義的手法相似。

1703年由衛方濟和龐嘉賓共同署名的《對中國學者關於禮儀問題之論證的摘要》，[23]編輯、彙整與譯介了十份文件，包

21 衛方濟，《人罪至重》，卷一，頁2b-3a。

22 衛方濟，《人罪至重》，卷一，頁22b-23b。

23 François Noël, & Casparo Castner, *Summarium Nouorum Autenticorum Testimoniorum tam Europaeorum, quam Sinensium novissime è China allatorum.*（Rome, 1703）. 本人所見版本現藏於法國國家圖書館，編號FRBNF31021854。鐘鳴旦教授已經彙整研究了這些文件與中國教友身分，詳見Nicolas Standaert, *Chinese Voices in the Rites Controversy: Travelling Books, Community Networks, Intercultural Arguments* (Roma: Institutum

含八篇見證（testimonia），不同身分背景的人士，如中國教友、中國教區協助教務的人、耶穌會士、方濟會士等，對中國禮儀問題有關天（Tien）與上帝（Xam ti）的稱呼、有關「欽天」牌匾（tabella King Tien）的意義與相關問題的意見。值得一提的是，此書收錄了與衛方濟同在江西傳教，由方濟各所寫的一本有關中國禮儀問題的書，[24]將其目錄逐條列出，收在編號六號的文件中，而且當中討論了中文「祭」、「主」等字的意義。[25]同一文號還收錄西班牙道明會士閔明我（Domingo Fernández Navarrete, ca. 1610-1689）。七號文件收錄中國教友如李九功（Ly Kieu cum, d. 1681）的〈禮俗明辨〉（Lyso Mim Pien）、[26]李多默（即李九功，Ly Thomas）的〈證禮蒭議〉（Chim li Cu y）、[27]嚴謨（Paulus Yen, d. 1640?）所撰之〈辨

Historicum Societatis Iesu, 2012).

24 推測應該是《中國禮儀事件》（*De Sinensium politicis ritibus acta, seu prœludium ad plenam disquisitionem de cultu Confucii et defunctorum*, 1700），見費賴之著，馮承鈞譯，《在華耶穌會士列傳及書目》，第138傳，頁378。中譯本譯文刪除了原文第379頁一段發生在1681年有關磕頭事件的描述，詳見Louis Pfister, *Notices biographiques et bibliographiques sur les Jésuites de l'ancienne Mission de Chine, 1552-1773*（Shanghai, 1932）, p. 379. 費賴之說此書成稿於1682年，1700年在法國里昂出版。

25 François Noël, & Casparo Castner, *Summarium Nouorum Autenticorum Testimoniorum tam Europaeorum, quam Sinensium novissime è China allatorum.*（Rome, 1703）, pp. 57-60.

26 François Noël, & Casparo Castner, *Summarium Nouorum Autenticorum Testimoniorum*, pp. 63-65. 此文中文原文已經重印出版，見鐘鳴旦、杜鼎克主編：《耶穌會羅馬檔案館明清天主教文獻》，第九冊，頁21-50。

27 François Noël, & Casparo Castner, *Summarium Nouorum Autenticorum Testimoniorum*, pp. 65-66. 此文中文原文見《耶穌會羅馬檔案館明清天主教文

祭〉（pien Ci, seu discur sus de diversitate oblationum Ci）。嚴謨此文乃為駁斥道明會士萬濟國（Francisco Varo, 1627-1687）的〈福安辯祭〉而作。[28]方濟各曾經指派人稱贛州夏相公的夏大常調查生祀等問題，約在1686年之前撰寫報告回覆。[29]此文也被衛方濟收錄，題名為〈夏瑪第亞回覆諸多問題手稿〉（Hia Matthias in responsionibus manuscriptis ad varia Quæsita）。[30]依據目錄看，書末收兩份文件，一是1700年中國康熙皇帝對中國禮儀中有關天、孔子與中國古代傳統等等的意見，標題為*Brevis Relatio eorum, quæ spectant ad declarationem Sinarum Imperatoris Cam Hi circa Cæli, Confutij, & Auorum cultum datam Anno 1700.*

獻》，第九冊，頁63-90。

28 François Noël, & Casparo Castner, *Summarium Nouorum Autenticorum Testimoniorum*, pp. 66-67. 嚴謨之原文見《耶穌會羅馬檔案館明清天主教文獻》，第十一冊，頁37-46。而萬濟國〈福安辯祭〉的原文則請參閱李西滿的〈辯祭參評〉，收入《耶穌會羅馬檔案館明清天主教文獻》，第十冊，頁363-438。衛方濟也摘介嚴謨的Ci Cao（祭考），見François Noël, & Casparo Castner, *Summarium Nouorum Autenticorum Testimoniorum*, pp. 67-68. 不過目前中文書目中，未見此文，也許與嚴謨另一文〈考疑〉有關，待查證。

29 夏大常，〈贛州夏相公聖名瑪第亞回方老爺書〉，收入《耶穌會羅馬檔案館明清天主教文獻》，第十冊，頁35-43。

30 見François Noël, & Casparo Castner, *Summarium Nouorum Autenticorum Testimoniorum*, p. 72. 標題中之Hia Matthias是夏大常教名，根據陳綸緒考證，此人教名瑪第亞，是江西贛州之教理講授員（catechist），參見Albert Chan S.J, *Chinese Books and Documents in the Jesuit Archives in Rome: A Descriptive Catalogue: Japonica-Sinica I-IV*, pp. 39-40.其著作目前可見有八種，已經重印出版，均收入於鐘鳴旦、杜鼎克主編，《耶穌會羅馬檔案館明清天主教文獻》（台北：台北利氏學社，2002），第十冊，頁1-144。

Accedunt Primatum, Doctissimorum Virorum, & antiquissimæ traditionis testimonia etc.。這份文件是由安多（Antoine Thomas, 1644-1709）、閔明我（Claudio Filippo Grimaldi, 1638-1712）以及徐日昇（Tomé Pereira, 1645-1708）等多位北京耶穌會士，在1701年7月共同簽署完成，高舉康熙皇帝對譯名問題的解釋。[31] 不過，這份文件僅出現在目錄，內文未見。另一份文件題名為*Responsa Sac. Congregationis vniuersalis Inqusitionis à SS. D. N. Alexandro VII. Approbata*。這是1656年3月23日，由教宗亞歷山大七世和傳信部認可衛匡國的中國匯報而作的對耶穌會有利的裁決內容。強調孔子是儒生的導師，中國禮儀不是偶像崇拜，是單純的政治和公民行為，而非迷信。[32]

關於禮儀問題，尚有1704年由衛方濟和龐嘉賓共同署名的《對有關中國禮儀問題的答覆》，[33]針對1693年福建代牧嚴璫

---

31 現藏於耶穌會羅馬檔案館，編號Jap Sin I, 206，請參見Albert Chan, *Chinese Books and Documents in the Jesuit Archives in Rome*, pp. 268-273. 另詳見利瑪竇研究所藏書樓目錄，http://ricci.rt.usfca.edu/bibliography/view.aspx?bibliographyID=1845（檢索日期：2010年元月10日）。

32 原文如下："Nam nullus interuenit sacrificulus, vel ex Idololatriæ secta Ministellus, *nihil omninò fit ab Idoloatris insitutum, sed soli studiosi, & Philosophi conueniunt, Confucium tanquam Magistrum suum agnoscentes, ciuilibus, ac politicis Ritibus ex sua prima institutione ad merum cultum ciuilem institutis*." Cf. François Noël, & Casparo Castner, *Summarium Nouorum Autenticorum Testimoniorum*, p.94.

33 François Noël, & Casparo Castner, *Responsio ad libros nuper editos sub nomine illustriss DD. Episcoporum Rosaliensis & cononensis super controversiis Sinensibus oblata Sanctissimo Domino Nostro CLEMENTI PP. XI*（Rome, 1704）.筆者所見為法國國家圖書館藏版本，編號FRBNF31021852。中文書名採馮承鈞之譯法，參見費賴之著，馮承鈞譯，《在華耶穌會士列傳及書

（Charles Maigrot, 1652-1730）以及其他抨擊耶穌會的中國禮儀政策言論一一反駁的文獻。後來衛方濟可能將書中所列眾人的意見彙整，提出更具系統性的論述，在布拉格以專書出版。

衛方濟名下篇幅最大也是最著名的作品，是1711年在布拉格出版的經典翻譯巨著《中國六經》[34]一書，以及《中國哲學》（*Philosophia Sinica*）[35]。前者是翻譯，後者則是非常系統性地，在經典翻譯基礎上，建構一套中國哲學。《中國六經》包含：《大學》、《中庸》、《論語》、《孟子》、《孝經》、《小學》六本中國典籍之拉丁譯本。此譯本是繼1687年由柏應理主持的《中國哲學家孔子》將四書其中三本：《大學》、《中庸》與《論語》翻譯為拉丁文之後，耶穌會翻譯中國經典歷史的重要里程碑。1688年至1689年，法國出版了柏應理的《中國哲學家孔子》的兩個法文節譯本《孔子的道德》和《孔子與中國道德》；1691年，英國出版英文節譯本《孔子的道德》，英法譯本的出版爲擴大閱讀面提供了前提，使更多的歐

目》，頁422。

34 L. Pfister, *Notices biographiques et bibliographiques sur les Jésuites de l'ancienne mission de Chine 1552-1773,* p. 416; Dehergne, *Répertoire des Jésuites de Chine de 1552 à 1800*, pp. 185-186.

35 捷克布拉格國家圖書館藏，編號49 E18：*Philosophia sinica: Tribus Tractatibus, Primo Cognitionem Primi Entis, Secundo Ceremonias erga Defunctos, Tertio Ethicam, Juxta Sinarum Mentem complectens, Authore P. Francisco Noël Societ Jesu Missionario*, De speciali Licentia SS.D. N. D. CLEMENTIS PAPÆ XI ET SUPERIORUM PERMISSU（Prague: typis Universit: Carlo-Ferdinandeae, in Collegio Soc. Jesu ad S. Clementem, per Joachimum Joannem Kamenicky Factorem, 1711）。底線為筆者所加。此書法國國家圖書館亦藏，編號FRBNF31021851。

洲人了解中國文化。

衛方濟將《大學》譯為「成人之學」（*Adultorum schola*），《小學》譯為「童幼之學」（*Parvulorum schola*）。若根據朱子所說：「大學」與「小學」的區別在於：「大學」在於教導「窮理、正心、修己、治人之道」，但這一切都必須以「灑、掃、應、對、進、退之節，禮、樂、射、御、書、數之文」的日常生活功夫作為基礎。[36]似乎衛方濟此新譯本選書的標準，倫理占了上風。中國禮儀之爭，辯論著中國經書中的天和上帝是否與天主教的*Deus*等同，實際上，發展到後期，禮儀的倫理性質慢慢突顯出來。1784年至1786年間，普呂凱將《中國六經》譯爲法文，題名爲《中華帝國經典》（*Les Livres classiques de l'empire de la Chine*），總計七卷，《孝經》法文翻譯安排在第七卷，於1786年出版。他刪除了衛方濟原書中給讀者的前言，卻加入一整卷他自己撰寫有關〈中國政治哲學及倫理哲學的起源、性質和意義的觀察〉（Les observations sur l'origine, la nature et les effets de la philosophie morale et politique dans cet empire），[37]從政治和倫理面向介紹中國經典。與此同時期，其他耶穌會士，如前述已及之駐北京法籍耶穌會士韓國英和與錢德明等人大量譯介中國帝國文獻的舉措，也是與此詮釋趨勢一致的。[38]

---

36 朱熹，《大學章句》，收入《四書章句集註》，頁1。

37 François Noël, *Les Livres classiques de l'empire de la Chine*, précédés d'observations sur l'origine, la nature et les effets de la philosophie morale et politique dans cet empire par l'abbé Pluquet（Paris: de Bure, 1784-1786）.

38 衛方濟的譯本，在十九世紀仍有讀者。法國第一位學院漢學教授雷慕沙在此外，從目前存世的文獻來看，布魯塞爾圖書館藏有衛方濟所譯《孟子》與《中庸》的中文與譯文文件，時間與地點標示為1700年南昌。而聖彼得堡圖書館則藏有《論語》之譯本，同樣標示為1700年南昌。[39]這顯示至少在1700年之前，衛方濟已經完成前述三部中國經典之翻譯工作。而且翻譯的地點應不在歐洲，而是中國本土或航行途中。換句話說，1698年出版《人罪至重》不久，衛方濟的翻譯工作已經進行一大部分，而返回羅馬為中國傳教辯護效果不彰，約略1709-1710年間才前往布拉格並在此地將過去累積的翻譯成果出版，成為《中國六經》。《人罪至重》一書中引用大量中國古經經文，或者也是此翻譯

其《亞洲雜纂》（*mélanges asiatiques*,1826）和《亞洲新雜纂》（*Nouveaux mélanges asiatiques*, 1829）曾經評論衛方濟的翻譯，說他：「不但翻譯文本，而且選擇注疏，得為孔子與孔門諸子之說，翻譯較為完備者，誠無過於是編。但亦有弊，方濟對於文本不明者，輒以己意解釋，隱諱者為之補充，有時反失原意。」詳見費賴之，《在華耶穌會士列傳及書目》（北京：中華書局，1995），頁420。原文詳Jean Pierre Abel-Rémusat, *Mélanges Asiatiques*（Paris: Dondey-Dupré, père et fils, 1826）, vol.3, p. 300和ibid., "François Noël: Missionaire à la Chine," ibid., *Nouveaux Mélanges Asiatiques*（Paris: Dondey-Dupré père et fils, 1829）, vol. 2, pp. 128, 254-255.

39 L. Pfister, *Notices biographiques et bibliographiques sur les Jésuites de l'ancienne mission de Chine 1552-1773*, p. 417. 有關比利時布魯塞爾皇家圖書館所藏衛方濟檔案，高華士（N. Golvers）博士提供如下資訊："The mss. of his translation are in Brussels, Royal Library（Koninklijke Bibliotheek Albertina）, Section Mss., shelf number 19.930（Immutabile Medium）, 19.931（Memcius〔sic〕）; another ms. of F. Noël's translation of the Analects is now in the National Library of St. Petersburg（see B. Dorn & R. Rost, *Catalogue des manuscrits et xylographes orientaux de la Bibl. Impériale Publique de St. Petersbourgh*, 1852, p. 618 - 619, no. 842; *Bibliotheca Sinica*, col. 1395."（2009年8月28日高華士博士之電郵）。

過程累積而成。

而根據孟德衛研究，衛方濟說他翻譯《四書》與《小學》不僅是要協助歐洲讀者理解中國人的思想，而且，全中國的孩子都必須研讀、背誦這五本書，方得通過考試取得秀才資格。而《孝經》與五經更是所有秀才都必須詳讀以通過考試獲得舉人的重要經典。他決定不翻譯五經而是這六部文獻，是因為五經不像這六本書一樣被背誦研讀。而且日本、韓國、越南等地都相當重視這六部文獻。衛方濟說明《中國六經》的完成，是延續羅明堅與利瑪竇中國耶穌會士們長年來翻譯《中國六經》的集大成之作，而且前人所譯《四書》便成為後來耶穌會學習中國文言文的教材。衛方濟之前的穌會士之所以不翻譯《孟子》是因為孟子的無神思想，而衛方濟對《孟子》所呈現的對政治、倫理層面的忠孝仁義德行非常讚賞。[40] 孟德衛比較了柏

---

40 François Noël, *Libri Sex*, "Preface", 3rd page. 轉引自 D. E. Mungello, "The First Complete Translation of the Confucian Four Books in the West," pp. 518ff. 近年有幾篇優質的研究衛方濟經典翻譯的論文，《孟子》翻譯研究，請詳見黃正謙，〈論耶穌會士衛方濟的拉丁文《孟子》翻譯〉，《中國文化研究所學報》，第57期（2013），頁133-172。衛方濟的《中庸》翻譯研究，請詳見羅瑩，〈耶穌會士衛方濟及其《中庸》拉丁文譯本〉，《澳門理工學報》第18卷，第1期（2015），頁132-142。另外，曾協助我取得布拉格國家圖書館所藏衛方濟著作的李世佳博士也開始研究這些文獻並發表論文：Vladimír Liščák, "François Noël（1651-1729）and his Latin translations of Confucian Classical books published in Prague in 1711," *Anthropologia Integra*, Vol. 6 Issue 2（2015）, pp. 45-52. 梅謙立教授完成了柏應理的研究，也轉而處理衛方濟的翻譯：T. Meynard, "François Noël's Contribution to the Western Understanding of Chinese Thought: *Taiji sive natura* in the *Philosophia sinica*（1711）," *Dao* 17（2018）, pp. 219-230.

應理與衛方濟兩人的譯本前言，發現前者因為其思想的物質主義與無神傾向，拒絕了他們所謂的當代理學家朱熹的思想，企圖回歸《四書》古典意義。他們借助張居正（1525-1582）的《四書直解》（1573）以理解經文的古典意義之舉，誇大了張居正與朱熹之間的差異。[41]附帶一提，張居正的《四書直解》作為教育幼年皇帝（萬曆）的教材，文字與表達相對淺顯易懂，對耶穌會士來說是研究儒家文獻的極佳入門。孟德衛另外認為，張居正的注釋本，不像理學家朱熹的無神論傾向，而是具有一神論傾向。我研判除了簡明之外，這可能更是影響耶穌會士選擇這個注釋本的重要理由。[42]另外還有一點值得提的是，孟德衛也注意到衛方濟與白晉等經學派（符象派）耶穌會士之間的可能聯繫，因為在1700年左右，他們都在北京。白晉比衛方濟早一年，而後來的傅聖澤與馬若瑟則是遠比衛方濟資淺。Louis Nyel（1670-1737）更直言當時在歐洲，除了衛方濟之外，沒有人能夠評論傅聖澤對中國經典的符象派式詮釋。[43]

如前文所述，在出版《中國六經》的同一年，衛方濟同時出版了兩件爭議性著作：其一為有關中國祭天和祭祖的《中國禮儀札記》，另一為《中國哲學》。本人所見兩書藏於捷克布

41 詳參 David E. Mungello, "The First Complete Translation of the Confucian Four Books in the West," pp. 521-522.

42 David E. Mungello, "The Jesuits' Use of Chang Chü-Cheng's Commentary in Their Translation of the Confucian Four Books（1687）," *China Mission Studies*（*1550-1800*）*Bulletin,* vol. 3（1981）, pp. 16-18.

43 轉引自D. E. Mungello, "The First Complete Translation of the Confucian Four Books in the West," p. 526.

拉格國家圖書館，[44]其前身即是耶穌會的神學院，於1562年開始建立。[45]衛方濟於1709年前往此處。似乎無視於教宗克萊孟十一世的禁令，兩年之後連續出版重要卻敏感書籍。《中國禮儀札記》是有關中國祭祖與喪葬禮的歷史性紀錄。此書前三章探討中國禮儀的根源、演變，以及中國人對人、動物和靈的認識。第四至六章，討論葬禮與祖先牌位（Tabellæ *Chu*）等問題。第七、八兩章探討祭祖之「祭」這個字，以及祭祖與祭孔的相關問題。此書與1703年，由衛方濟與龐嘉賓（Casparo Castner, 1665-1709）合作的，其內容與〈1656年3月23日教宗亞歷山大七世之中國禮儀許可有關稱呼天與上帝與敬天牌匾的記錄〉有不少相似性。[46]費賴之引用疉鐵（Guillaume Pauthier, 1801-1873）的話說：「此書（按：《中國禮儀札記》）甫出版即奉上級人員命令禁止，故出版後不久即經原著者將所刊書本收回」，所以流傳不多。[47]

---

44 該圖書館所收衛方濟的著作從書卡可見有15種，不過許多書目重疊，有的是複本，有的是同一編號不同書籍在不知名原因下裝訂成一冊，書卡逐一分列，因此有一編號出現兩種甚至三種書籍，或一書即在不同書卡與編號中出現。請參考The National Library of the Czech Republic in Prague（http://www.nkp.cz/_en/index.php3）.

45 有關此圖書館之前身，耶穌會院、布拉格耶穌會的歷史以及重要館藏珍本書目，請參閱Alena Richterová & Ivana ornejová et. al., *The Jesuits and the Clementinum*（Prague: National Library of the Czech Republic, 2006）.

46 本人所見文藏於為法國國家圖書館，編號FRBNF31021847：*Memoriale circa veritatem et subsistentiam Facti, cui Innititur Decretum... Alexandri VII, editum die 23 martii 1656 et permissiuum Rituum sinensium itemque circa usum vocum "Tien" et "Xamti," ac tabellae "Kim Tien"*（Rome, 27 martii 1703）.

47 見L. Pfister, *Notices biographiques et bibliographiques sur les Jésuites de*

根據筆者在捷克布拉格國家圖書館所見之《中國哲學》與《中國禮儀札記》二書的封面，有相當特殊註記文字如下：強調此書之出版「具有我們最神聖的教宗克萊孟十一世的特殊證明與上級許可」（ De speciali Licentia SSD. N. D. CLEMENTIS PAPÆ XI ET SUPERIORUM PERMISSU,With the special licence of our most holy Lord Pope Clememt XI and the permission of superiors）。[48]一般而言，耶穌會士出版教理相關的書籍，基本上需要三位會士詳閱後，經會長批准即能出版。這兩本書卻需要註明具備教宗與耶穌會長的特別許可，實在非比尋常，給人一種欲掩彌彰的印象。這位克萊孟十一世正是在1715年下令嚴禁中國禮儀的教宗。1711年在衛方濟連續出版幾本重要著作時，這位教宗任命特使多羅前往中國傳達禁令。同時發信通令葡王、澳門主教嚴禁中國禮儀。[49] 前文已經提過的學者如費賴之，他在撰寫衛方濟生平時，字裡行間的弦外之音著實令人玩味不已。研判此等揣想衛方濟似乎遭受言論箝制的種種流傳，且隱約流傳在後期作者文獻中的現象，顯然並非空穴來風。不過詳情需更多相關脈絡性證據方能進一步申論。

與1711年出版的《中國六經》同一年，衛方濟另外一本重

---

l'ancienne Mission de Chine, p.418；費賴之著，馮承鈞譯，《在華耶穌會士列傳及書目》（北京：中華書局，1995），頁420。

48 本人所見之《中國禮儀札記》藏於捷克布拉格國家圖書館，編號B IV 262。法國國家圖書館亦藏，編號為FRBNF31021846。

49 Ray R. Noll（ed.）, Donald F. St. Sure, S.J.,（trans.）, *100 Roman Documents concerning the Chinese Rites Controversy, 1645-1941*（San Francisco: The Ricci Institute for Chinese-Western Cultural History, 1992）.

量級的著作是《中國哲學》。此書包含三個部分：上帝譯名、祭祖祭孔禮儀、中國倫理。第一部分論證中國人是否認識DEI這「第一存有」（De cognitione primi Entis, seu DEI apud Sinas），衛方濟依循經院神學的作法，逐一解析。他仔細地區分「古代經典」、「古代作者」（antiquos Authores）的不同意見，從中文「天」與「上帝」的字面意義和其完美性，仔細推敲對比這些中文名詞與*caelo*（天）、*caeli Domino*（天之主宰），探詢中國古籍與古經典中所載是否證實中國古人認識天主教的最高主宰（*Dei cognitionem*），或者其實是無神論者（*Atheos*）。在第一部第二章問題五至六：衛方濟提出「郊社」（Kiao Xe）與「太極」（Tay Kie）兩個名詞，來討論從經典延伸而來、在中國注疏傳統中，有關天地之祭和宇宙生成說的後續論述，藉此探索從注疏傳統而來對古典的新詮釋能否與天主教的至高主宰等同。[50]在第三章最後一段落，衛方濟引康熙皇帝對「天」和「上帝」的詮釋，為辯護譯名爭議的聲明提出一個合法意義，而將詮釋權從文人轉到皇帝，訴諸帝國權威。[51]

《中國哲學》的第二部分辯護中國禮儀，其首要討論的問題

50　筆者發現，自利瑪竇以來，似乎無力解決與面對「太極」的問題。利瑪竇批評「太極」非出自古代經典，以此排除其根基，但是如果中國思想家對「太極」的解釋與經院神學對那至高者的詮釋很接近，那麼耶穌會將面臨無法自圓其說的困境。

51　François Noël, *Philosophia sinica*, Tract. I. cap. 3. Quæst. 2, § 3, pp. 174-179, entitled: *Publica & suthentica Interatoris Tartaro-Sinica* Kam hi *Testimonia quibus* Tien *ac* Xam Ti, *& quorundam Rituum Sinicorum circa Defunctos controversorum* legitimus sensus declaratur. 底線為筆者所加。

是：事效性或人效性。[52]因為若要判定中國禮儀是否「迷信」，必須先考量祭祀行動所產生的效能，是來自其儀式本身內在能力（*intrinseco*）或抑參與者自由意志（*extrinseco*），[53]前者強調事效性（operationis/ operation），後者強調人效性（operantis/ operator）。所謂事效（ex opere operato）[54]指儀式本身的效力。

---

52 請參見François Noël, *Philosophia sinica*, Tract. II. cap. I. Quæst. I, p. 2: *An lignea Tabella, quam Sinæ Defunctis erigunt, sit superstitiosa ex fine suo intrinseco aut extrinseco, seu ex fine operationis aut operantis?*

53 這個問題實際上關涉到此書第一部分的「第一存有」論證，因為討論天主教禮儀的功效還涉及一位在世界之外創造自然萬物的創造主。若欲深入探討，必須一併思考斯賓諾莎（Baruch de Spinoza, 1632-1677）在其*Ethics*一書中對natura naturans（能產的自然, Nature naturing）與*Natura naturata*（被產的自然, Nature natured）所提出的解釋。有關斯賓諾莎的*Ethics*一書全文，請參見http://frank.mtsu.edu/~rbombard/RB/Spinoza/ethica-front.html（檢索日期：2010年01月11日）。這個問題未來將另闢專文深入探討，感謝江日新先生對此問題所提出的意見。

54 "'Ex opere operato', i.e. by virtue of the action, means that the efficacy of the action of the sacraments does not depend on anything human, but solely on the will of God as expressed by Christ's institution and promise. 'Ex opere operantis', i.e. by reason of the agent, would mean that the action of the sacraments depended on the worthiness either of the minister or of the recipient." See *Catholic Encyclopedia*, http://www.catholic.org/encyclopedia/view.php?id=10275（accessed: 31 Oct. 2009）.另可參閱Alister E. McGrath, *Christian Theology: An Introduction*（Malden, Blackweell, 2001）, p. 515: "Sacrament are efficacious *ex opere operantis*- literally, 'on account of the work of the one who works.' Here, the efficacy of the sacrament is understood to be dependent upon the personal qualities of the minister. Sacraments are efficacious *ex opere operato*-literally, 'on account of the work which is done.' Here, the efficacy of the sacrament is understood to be dependent upon the grace of Christ, which the sacraments represent and convey."

所謂人效（ex opere operantis），意指禮儀的功效來自施行者或領受者的虔誠、才德與誠心。在討論告解聖事時，衛方濟以十誡論「天主、人、己」之仁義，重新詮釋聖治之圓滿的本質與形式之雙重意義，並以「心與禮」雙重條件的滿足，作為罪完全豁免得救的要件（詳後）。其所涉及的也是儀式本身的效力問題。而在此書中論及中國祭禮中神主牌（木主，*Mo chu*）[55]的設立與祭拜動作時，衛方濟也探問相同問題。他的唯一中文著作《人罪至重》也與此有關（詳本章第二節）。

《中國哲學》的第三部分標題是中國倫理（De Ethica Sinensi），他區分出世倫理（Ethica Monastica）、家族倫理（Ethica Oeconomia）和政治倫理（Ethica Política）。[56]衛方濟從人類行動的目的（finalibus）、效應（effectivis）、共同效應（coëffectivis）和屬性（proprietatibus）不同原理分別進行討論。《中國哲學》一書可說是耶穌會士對中國經典研究的集大成之作：因為他先從古代經典（*antiqui Libri claßici*）中有關「天」、「帝」與「上帝」等名詞的出處和意義進行論證。其次從近著和古經註疏家（*libri Sinici recentiores, antiquorum Classicorum interpretes*）進一步探討這些名詞在中國如何被詮釋與理解。第三部分提出康熙皇帝的帝國詮釋。因為利瑪竇的論證方式基本上是，從古經找證據，如果古經書中沒有而宋明儒家的注疏才出現的，就會成為他攻擊後儒的切入點，例

---

55 François Noël, *Philosophia sinica*, Tract. II. cap. I. Quæst. I, § II, p. 4.

56 這或許應該與高一志（Vagnone, Alfonso, 1566-1640）的《西學修身》、《齊家西學》和《治平西學》對照。

如太極一詞。利瑪竇把中國古經書中的「上帝」等同於天主教的*Deus*，並在古儒與今儒間作出區別，以古儒駁斥宋儒的做法，並未獲得所有同會耶穌會士的支持。他的接班人龍華民（Niccolò Longobardo, 1565-1655）對於中國經典的態度則相當不同。他認為，無論古儒還是宋明儒都是「無神論者」（Athées），[57]全盤駁斥儒家。[58] 而衛方濟的後輩耶穌會士如韓國英等人對中國經典的翻譯便走向帝國的詮釋（詳本書第三章）。

雖然在1700年，索邦神學院的神學家們對利瑪竇派耶穌會士的中國傳教作出裁定，譴責他們有關中國道德、風俗，以及上帝知識等方面的觀點。[59] 1704年，天主教宗克萊孟十一世，正式禁止中國耶穌會的禮儀政策與上帝譯名。[60] 1715年，同一教宗重申1704年的禁令，頒布自登基之日（*Ex illa die*）通諭，嚴令完全遵守之，否則開除教籍。[61] 儘管衛方濟似乎無視於教

---

57 Niccolò Longobardo, *Traité sur quelques points de la religion des Chinois,* 2:14, 收入 Wenchao Li & Hans Poser（eds.）G. W. Leibniz, *Discours sur la théologie naturelle des Chinois*（Frankfurt am Main: Klostermann, 2002）, p. 84.

58 詳見潘鳳娟，〈無神論乎？自然神學乎？中國禮儀之爭期間龍華民與萊布尼茲有關中國哲學的詮釋與再詮釋〉，《道風：基督教文化評論》，第廿七期（2007），頁51-77。

59 請參見 "Censure de la sacrée Faculté de Théologie de Paris"，轉引自 Li Wenchao, *Die christliche China-Mission im 17. Jahrhundert*（Stuttgart: Steiner, 2000）, pp. 344-345.

60 Ray R. Noll（ed.）, Donald F. St. Sure, S.J.,（trans.）, *100 Roman Documents Concerning the Chinese Rites Controversy, 1645-1941*（San Francisco: The Ricci Institute for Chinese-Western Cultural history, 1992）, pp. ix, 8-24.

61 Noll, *100 Roman Documents*, pp. xii, 47-62 .

宗禁令執意出版，但他的《中國哲學》一出版很快面臨嚴格檢查。費賴之認為可能因為此書對有關中國禮儀問題的討論篇幅過大，所以有礙書籍傳布。[62]根據雷慕沙，在其《亞洲新雜纂》第二卷中對衛方濟《中國六經》與《中國哲學》二書的介紹，他認為是衛方濟對中國傳統的立場遭受天主教會反對，書籍遭禁。[63]

值得注意的是，在這關鍵時刻，1703年至1711年之間，衛方濟卻密集地出版他的經典翻譯和中國書寫，捍衛中國哲學和禮儀。在翻譯《中國六經》過程中，他對經典和注疏傳統的挑選，與其所撰述《中國哲學》之所以能建構如此系統性哲學體系，應該有相當密切的連貫性。研判衛方濟多年的經典翻譯工作與其對中國禮學的考察，應該是他之所以能在前人翻譯基礎之上，以一種相當典型的經院神哲學之論證方式，建立了一套極具系統的中國哲學論述的原因之一。身為中國禮儀辯護者，不同於早期耶穌會士的翻譯，衛方濟補入了《孟子》、《孝經》和《小學》三部書的翻譯，此舉不僅得以使《四書》完整本以歐洲語言翻譯出版，並且使《小學》與《大學》合觀，一併介紹中國教育理念的全貌。或許他可能也意識到，在中國禮儀是一個倫理議題，其核心是孝道，所以，當爭議落入

---

62 L. Pfister, *Notices biographiques et bibliographiques sur les Jésuites de l'ancienne Mission de Chine,* pp. 417-418.中譯本，頁421。

63 Jean-Pierre Abel Rémusat, *Nouveaux mélanges asiatiques*（Paris: Achubart et Heideloff, 1829）, pp. 252-257. 雷慕沙的評論後來為十九世紀比籍作者Félix Victor Goethals（1799-1872）在其專書：*Histoire des lettres, des sciences et des arts en belgique et dans les pays limitrophes*中長篇引用。

辯論禮儀是否為宗教行為時，其實已經偏離中國禮儀的核心意義。衛方濟翻譯儒家典籍，將《孝經》列入《中國六經》，也許與此有關，此舉也使他成為《孝經》歐譯的第一人，不僅影響了十八世紀在中國北京的耶穌會士韓國英和在歐洲啟蒙時期的思想家普呂凱，也影響了十九世紀英國新教傳教士理雅各的翻譯（詳第五章）。而衛方濟的《中國哲學》，則是系統地建構一套奠基在其經典翻譯與對中國注疏傳統之理解上的哲學，並引向中國禮儀之倫理面向的再詮釋。此舉與其前輩以形上學為基礎來討論中國儒學的方式，已經大不相同。本章所探討的《人罪至重》一書，或者也可視為對前述衛方濟三階段譯著工作的發展進行一個追根究柢的探索，觀察衛方濟的經典翻譯工作的起點。此外，欲理解衛方濟對於中國孝道的詮釋，必須先理解他對於傳統中國人性論的討論，這也是他在為中國禮儀辯護時，翻譯四書，並且納入《孝經》的深層理由。他名下唯一的中文著作《人罪至重》對此詳細闡述了在人罪的基礎上，重新詮釋了聖治的意義應該是天主、人、己的仁義圓滿，以及重新解釋如何在以人罪為基礎的反思上，理解中國禮儀作為達到這個目標的具體作法。聖治與孝治在《孝經》中有兩章以此為名，也是這部經典翻譯史上每一位譯者必須審慎思考如何翻譯的兩個重點。在跨文化脈絡中翻譯這部經典，尤其是如何使西方基督宗教背景中的讀者理解這部經典中涉及的宗教文化，不可迴避的如：聖人、宗廟、配天、配上帝等關鍵詞，都是譯者必須再三審慎處理的詮釋問題。而他對於《孝經》的定位也影響著他們的翻譯策略。因此，以下將討論衛方濟對於人性、罪，以及聖治論，作為後續討論六個《孝經》譯本的重要前導論述。

二、翻譯聖治：衛方濟的人罪說與聖治新詮

本節藉由對比清朝入華的比利時籍耶穌會士衛方濟之《人罪至重》與艾儒略（Giulio Aleni, 1582-1649）的《滌罪正規》（1627）兩書，探討衛方濟的人罪說與聖治論。不同於《滌罪正規》之側重罪的解除方法與禮儀實踐層面，衛方濟在其《人罪至重》一書，則是指出罪的根源性，主張「修德必先遠罪」。此舉使其人罪論述與中國修身觀接軌。衛方濟之經典翻譯，曾在歐陸啟蒙時期扮演重要角色，不過目前學界對其人其事仍未熟稔。《人罪至重》一書是他名下唯一中文著作，且是明清耶穌會的著述中，極少數完整且系統化論述人罪的文獻，然研究成果尚不多見。耶穌會士入華初期，極少「主動」討論人罪，[64]而且衛方濟的著作中較為學界熟知的是其經典翻譯與有關中國禮儀與哲學的書籍，他名下這唯一的中文著作卻異乎前述諸書，暢談人罪至重，且以「聖治」為「天主、人、己」三角的和諧倫理關係為除罪後之「仁義」圓滿狀態。此種以人罪為起點，轉向「倫理秩序」，以天主十誡作為滿足「仁」與「義」的教條進而達致「聖治」這個終極目標的論述，著實值得深入探究。

---

64 相關討論請見Nicolas Standaert and Ad Dudink（eds.）, *Forgive Us Our Sins: Confession in Late Ming and Early Qing China*（Sankt Augustin: Institut Monumenta Serica, 2006）和潘鳳娟，《西來孔子》（台北：聖經資源中心，2002），頁167-171，本文不贅。

《人罪至重》之罪論

此書分為三卷，「由人至微則觀人罪至重」、「由主至大則觀人罪至重」和「由罪至凶則觀人罪至重」三者，從三個向度論述「罪」的問題。其中卷一論罪人，以人違逆世俗國君所制定的法律，來說明犯罪如同犯法，是人違逆了天主天理。卷二論愛的天主與犧牲，主張人類應當愛天主。卷三論罪的效應與懲罰，強調罪人應該畏懼之。[65]

附表一：《人罪至重》內容

卷一 由人至微則觀人罪至重	卷二 由主至大則觀人罪至重	卷三 由罪至凶則觀人罪至重
1. 人罪謂何	1. 罪侮天主至一	1. 罪之廣害
2. 罪為幾等	2. 罪侮天主至善	2. 罪之醜辱
3. 論身知罪人至微	3. 罪侮天主至智	3. 罪之鄙賤
4. 論神知罪人至微	4. 罪侮天主至能	4. 罪之凶猛
5. 論理知罪人至微	5. 罪侮天主至愛	5. 罪之世罰
6. 論生知罪人至微	6. 罪侮天主至慈	6. 罪之煉罰
7. 論事知罪人至微	7. 罪侮天主降生	7. 罪之永罰
8. 論教知罪人至微	8. 罪侮天主受難	
	9. 罪侮天主聖體	

衛方濟以「至大」和「至微」作對比來呈現兩造之間的

65 在衛方濟的人罪論的這兩者，可以與韓國英所論天子之孝區分將敬與愛兩者互相對照，本書第三章第二節將會詳細說明。

巨大差異及其隔絕關係。[66]書中所論三者，反應了傳統天主教教義中，天主與人的對立隔絕關係，人類位於天主的對立面，這隔絕的障礙就是「罪」。因罪如此之凶猛，顯示出至善天主如此偉大，而人卻位於另一極端，如此卑微渺小。整體而言，《人罪至重》是在「愛與懼」這架構下論述人罪本質、天主屬性、罪之無所不在，以及不同等級之罪所導致的不同懲罰。從「愛天主」與「懼懲罰」兩端來判斷是否完全悔罪，決定罪是否得以滌除。衛方濟在著作此書的同時，其實也正進行著中國經典的翻譯，此書所論述之罪，是在耶穌會的神學倫理學（Theological Ethics）與中國古代經典的詮釋脈絡中進行。衛方濟在此書自序中說到天主教敷教中國的兩個重點在於「遠罪」與「行德」，他說：「聖教急務莫要於勸人行德，警人遠罪，蓋欲勉人為賢為聖，卒不能外此二端矣」，希冀該書所有讀者能夠「翻然悔，勃然改也」。[67]這「遠罪」與「行德」，應該是源出多瑪斯在《神學大全》中所提出的聖奧斯定之「避惡行善」（*declinare a malo et facere bonum,* to decline from evil and to do good）的倫理原則。[68]其中，這「遠罪」與「行德」中的

---

66 他說：「夫罪之至重，由三者而證：人微、主大、禍凶是也。犯罪之人，則至微；所犯之主，則至大；罪惡之禍，則至凶。」參衛方濟，〈人罪至重自序〉，頁5。

67 衛方濟，《人罪至重》，卷三，頁26b。

68 Sancti Thomae de Aquino, *Summa Theologiae*（Roma et al.: Editiones Paulinae, 1962）, Secunda Secundae, Qu. 79, A.I: Utrum declinare a malo et facere bonum sint partes iustitiae, p. 1412. 英譯本參見St. Thomas Aquinas, Fathers of the English Dominican Province, *Summa Theologica*（New York: Benziger Bros., 1948）, p. 1517.

「罪」，似乎更接近中文之惡（evil）或過（transgression）等字的意義。此舉某種程度也將神學倫理學中以「法／律」[69]詮釋罪的作法與中國修身問題接軌。

在中國讀者眼裡，衛方濟的《人罪至重》是艾儒略以告解聖事為核心之《滌罪正規》（1627）的理論為基礎。為此書作序的吳宿[70]便有如下評論：

> 余反覆讀之，大約與艾先生《滌罪正規》相為表裡，但滌罪篇，滌於已犯之後，而茲篇則禁於未犯之前，已犯則欲其悔而遷，未犯則欲其謹而嚴。雖一言一動，終食俄頃之間，無不有上主臨汝，而莫敢少自寬假焉，夫人修德與寡過，為治身之大端，而修德必由寡過，蓋有過泯而德日進者，未有過叢而德日上者，則修德斷必自寡過始。然過之在身，始於不自知，令其滋蔓無窮，則為罪焉。於是日積月累，根不可拔，潛滋暗長於動靜之間，因而成其為罪人，命之曰罪人，則反至善之真主，豈不與主為仇敵也

69 例如自然法或自然律（Natural Law），與教會法（Canon Law）對比。

70 此人為《人罪至重》所作之序中署名宜豐後學，應為江西人士。另一位作序者為李長祚，自稱崇禎十七年（1644）開始閱讀耶穌會士的書籍，如有關天文曆算與十誡等書，康熙三十三年登第歸鄉與衛方濟相遇時，得見《人罪至重》一書。見〈人罪至重序〉，頁1-4。另外，本人感謝祝平一教授提供資訊，謂「吳宿、李長祚兩人皆與劉凝相識，李長祚在《江西通志》中亦有傳」，未來本人將繼續細究之。有關劉凝的考據與研究，請詳見祝平一，〈劉凝與劉壎——考證學與天學關係新探〉，《新史學》23卷1期（2012），頁57 -104。

哉？[71]

吳宿在其序中讚許衛方濟「喜讀中華之書」，[72]此言確實不假。《人罪至重》第一卷論及人性時，衛方濟徵引古代如《孟子》、《詩》、《書》、《禮》、《春秋》等經典，[73]延續了利瑪竇一派之耶穌會士的策略，也區分古儒與宋儒，歷引古經，對明清之際的儒佛道三教融合的現象予以嚴厲批判。[74] 此外，書中區別「過」與「罪」的層累關係，說明人在日常生活中，如讓小過累積成為大罪，將與修德絕緣。因此強調衛方濟目的是希望人能夠「因微知著」、「畏悖主命」和「趨吉避凶」。[75] 總括一句話：「人不知罪，由於不明天主也。」[76]不認識天主，違反其命令，就成為天主仇敵。以此將「罪」與「天主」兩端，以「至微之人」立於中間，若向罪靠攏，就等同於站在天主的對立，成為天主仇敵。

衛方濟既然在書名直接聲明「人罪」至重，是否意味著他認為「罪」毀壞了人性本質？或者此等「罪」更近似於所謂習染，而非人性本質之惡。如果我們觀察衛方濟《人罪至重》一書的結構：以「人至微」對比「主至大」以證「罪至凶」的

---

71 吳宿，〈人罪至重序〉，頁3。

72 他說：「泰西衛先生，喜讀中華之書。自四子書以及經史，星羅碁布，淹貫條達，有所引證，淵微恰合」，見吳宿，〈人罪至重序〉，頁3a。

73 衛方濟，《人罪至重》，卷一，頁2b-3a。

74 尤其在衛方濟，《人罪至重》，卷一，大篇幅引用。

75 吳宿，〈人罪至重序〉，頁3。

76 吳宿，〈人罪至重序〉，頁3。

話，此「人」與「罪」在其論述脈絡中應該是有所區隔。以下將先討論衛方濟對罪的定義、分類，再看他如何討論罪與人性的問題。《人罪至重》一書開宗明義，區隔「人罪」「人身」、「人心」、「人之靈性」、「天理」與「天主」，再以此論述何為「罪」，他說：

> 人罪非他，犯理以犯主而已。國君制法以治人身，天主賦理以迪人心，越國君所制之法，即謂得罪於國君，逆天主所賦之理，豈不謂得罪於天主耶？夫越國法者，則侮國君，悖其令故也，而逆天理者，則侮天主，反其命故耳。天理乃天主所賦，銘刻於人之靈性，即天命之謂性是也，循此靈性之天理，即敬天主而由正道，悖此靈性之天理，即慢天主而陷於迷路之險也。[77]

上述引文中，衛方濟從法律面定義「罪」，以「國君」類比天主，以「國法」類比天主命令。人罪源於違背了天主的命令和原則。這原則，在衛方濟的語言，是宋明理學所討論的「天理」。他引宋儒所強調的「天命之謂性」，主張此天主之命乃「天主所賦予」、「銘刻於人之靈性」的天理，甚至進一步指出此為「永命」。[78]一旦違逆了內化於靈性之「天理」，違背了天主之永命，就是犯罪。但是，對衛方濟而言，天理或永命的內涵是什麼？他進一步說明，其內涵就是十誡，他說：

---

77 衛方濟，《人罪至重》，卷一，頁1。

78 衛方濟，《人罪至重》，卷一，頁5。

> 然因昏昧而不明於降衷之真理，故天主又舉此內之正理，總歸於十例，而發明於外，所謂天主十誡是也。此十誡者，原是天主親書於二石板上，付之古聖人名曰美瑟，命頒傳以為萬世萬國之規範……而十誡之天理自顯明矣……故凡為惡者，只是犯斯十誡，而犯斯十誡者，輒為獲罪上主，既獲罪上主，則上主必惡之、刑之。凡為善者，只是守斯十誡，而守斯十誡者，輒為欽崇上主，既欽崇上主，則上主必愛之、賞之，可不警哉？[79]

衛方濟將為惡者定義為「犯理以犯主」、「違上主之永命」、「悖此靈性」、「犯斯十誡」，最後引向「獲罪於上主」之人。如此，衛方濟一步一步地將複雜的理學論述簡化，以是否遵守十誡，來區別有罪與否。衛方濟主張此十誡為天主所頒布之「天理」，為「永命」，因此十誡當為「萬世萬國之規範」。[80]也就是說，「天主十誡為性教」，為「東西南北當奉行」的「萬民之教」。[81] 基於上述，衛方濟重新詮釋了孔子所謂之「獲罪於天」，絕非「獲罪於理」，而是乃「獲罪於賦理之天主」。[82] 關鍵不在於理本身，而在於理的制定者。而判斷一個人是否違逆理的制定者，可以從他是否違逆理的內容來判斷。

---

79 衛方濟，《人罪至重》，卷一，頁5。

80 衛方濟，《人罪至重》，卷一，頁1a。

81 無名氏，《十誡原本》，收入鐘鳴旦、杜鼎克、蒙曦合編，《法國國家圖書館明清天主教文獻》（台北：利氏學社，2009），第14冊，頁563。

82 衛方濟，《人罪至重》，卷一，頁1a。

雖然，在論及罪的定義，衛方濟論述的起點在區別「天主」與「天理」兩者，以「天」與「上帝」為「天主」的同義詞。從文意脈絡而言，此處之「天主」即為天主教至高神*Deus*的另一個稱呼。但衛方濟後來在布拉格出版《中國六經》的拉丁譯本，他翻譯中文經典中的「天」與「上帝」時不使用拉丁名稱*Deus*，而是選用「天之主宰」（caeli Dominus）；他將中文經典中的「天」轉為「天主」然後再譯為拉丁文。如此一來，這「天主」並非中國經典中的文字，這caeli Dominus也不等於*Deus*。衛方濟此等翻譯手法，基本上迴避了*Deus*與中文「天」與「上帝」之完全對等的關係。這種迴避手法並未出現在1698年出版的《人罪至重》，但卻出現在1711年出版的《中國六經》，研判是在中國禮儀之爭過程中，耶穌會與其他傳教會之間的張力升高，以及在1700年索邦神學院的宗教審查以及隨後而來羅馬教廷的對中國耶穌會與中國部分禮儀的定罪決議有關。這也可以看出，在禮儀之爭後期，局勢對追隨利瑪竇的耶穌會士們越來越不利了。

儘管耶穌會祖依納爵的《神操》區別三種罪，天使之罪、原祖亞當之罪和本罪，[83] 衛方濟將罪分為原罪與本罪兩類。其中原罪指原祖亞當之罪，因其為始祖，「違天主所定之嚴命」，禍延子孫，「凡人初稟靈魂之性命在母胎時即莫不污染其死罪」。此原罪之罰甚重，必須「領天主所定聖禮之聖水以

83 依納爵著，侯景文譯，《神操》（台北：光啟，1990），第45-54條：第一次操練，默想三種罪。

洗去其罪之污」，方得享「天堂之永福」。[84] 而本罪指「以己之本意，背理而犯天主之命。」就是在個人意志下，具自覺與意識情況下，個人所犯之罪。此本罪可再細分為心、言、行三類。[85]除此之外，衛方濟再依據天主三個位格之「全能」、「全智」與「全善」三種屬性，區分三大類型的罪。其中對於干犯第三位（聖神）的罪，再細分為「絕望上主、妄擬升天、明攻正理、忌人聖德、固執於惡、怙終不悛」六種。[86] 罪的內涵被細分為如此多重等級差別，因此在制訂悔罪方式以及相對應的懲罰刑度時，也呈現等級之差別。延續前述「人罪」定義，無論「原罪」或「本罪」，均為違逆天主命令的結果。

衛方濟並未對原罪如何遞相傳染給後世子孫多作解釋，[87] 問題是，若如前述衛方濟論及「天理」時，會引用「天命之謂性」來支持自己對人罪乃違逆天主銘刻於人靈性之天理的說法，他又是如何解釋自己所謂「凡人初稟靈魂之性命，在母胎時即莫不污染其死罪」？我曾注意到入華耶穌會士似乎有意無意中迴避、被動地談論罪。舉例來說，許大受、葉向高等中國知識分子曾為此事與艾儒略針鋒相對，逼不得已艾儒略才承認這是天主教的「原罪」的教義。[88]爭論過程中，伴隨著惡的問

84 衛方濟，《人罪至重》，卷一，頁5b-6a。

85 衛方濟，《人罪至重》，卷一，頁6。他另外說明本罪中有七大：「驕傲、貪吝、迷色、忿怒、貪饕、嫉妒、懶惰。」此罪為萬罪之根，又稱為七罪宗。與龐迪我的《七克》對照。詳見衛方濟，《人罪至重》，卷一，頁6b。

86 衛方濟，《人罪至重》，卷一，頁7。

87 衛方濟，《人罪至重》，卷一，頁5b。

88 見許大受，〈聖朝佐闢〉，《聖朝破邪集》，卷4，頁11和艾儒略，《三山

題所討論人性之善惡，以及「罪」與「習染」二者，似乎是耶穌會的罪論所無法妥善解釋的難題。但是，如果因此就認定艾儒略主張性惡論，似乎又是太快的結論。李九標曾經在《口鐸日抄》一書中記錄了一段艾儒略對性惡論的否定，相當值得注意，茲引如下：

> 時海寇就撫，聞復掠海上。良弼曰：彼惡性素成，不可移也。先生曰：不然。人之為惡也，如以歸之性，則惡人無罪矣。……天主至善，豈有賦人惡性之理。縱原罪未除，皆可以為善。特秉氣微有剛柔純駁之殊。至於善惡之大分者，習使然也。[89]

上述這話，大約是在1630年所說，在此之前約五年左右，艾儒略已經針對此與中國人辯論「天命之謂性」時，他對儒家主張的率性論予以反駁，他將惡視為破壞人性的外來之物而主張克性。[90]此一克性說招致中國知識分子嚴厲駁斥。因為在其詮

論學記》，頁13。本書有關耶穌會士與晚明中國儒者之間對於人性之善與惡、惡的來源，以及惡的本質等相關討論，請參考拙著，《西來孔子》一書第四章有關「率性」與「克性」的討論，本文不贅。

89 李九標等，《口鐸日抄》，中央研究院傅斯年圖書館藏八卷本，卷一，頁11b。

90 李九標等，《口鐸日抄》卷2，頁10：「子思子有云：率性之謂道，吾將曰：克性之謂道，夫性體之未壞也，率之即已是道，乃今人之性已盡非其故也，不克之又何以成道哉？」這是艾儒略與奉教者李九標等人的一段對話，似乎也是艾儒略初入福州時與士大夫論道和辯論的主題，參見Erik Zürcher, "The Jesuit Mission in Fujian in Late Ming Times: Levels of Response," in E. B. Vermeer（ed.）, *Development and Decline of Fukien Province in the*

釋，惡乃是由外來而非由性本身產生，黃紫宸一針見血地反駁道：「若云克習則可，而曰克性，則性非外來之物，焉用克？若云克去，中藏何物？又曰：不克之又何以成道，則道在中而性反在外歟？」[91] 半世紀之後的衛方濟，在《人罪至重》一書中對「罪」的討論，似乎與其前輩耶穌會士艾儒略等人一樣，面對罪的本質與人性的關係，同樣相當模糊，且無法自圓其說。此外，在《人罪至重》一書中，衛方濟以數量區分罪之等級，也數量化了罰的等級，書中所論之罪，頂多如黃紫宸所評論的習染，並未觸及人性本質，難題依舊存在。雖然如此，衛方濟在《人罪至重》一書，將罪的論述轉向一種倫理秩序，卻扭轉了上述難題。

倫理秩序

正式進入倫理秩序的討論之前，我們先針對明末清初入華之耶穌會士，如何理解人性與人的定位做一概述。艾儒略在《性學觕述》說：「是性學為天學、人學之總。」論及人之定位，他作如下聲明：「惟人則既該體質生長觸覺之美，兼含靈明，括眾品之攸具，亞天神而君萬物；且居有始無始之界，……有形無形之聯，為乾坤萬化之統宗也。」[92] 根據前述，人兼備肉體與靈魂，具物質性與靈性。人位於天與萬物之

---

*17*th *and 18*th *Centuries*. Leiden: E. J. Brill, 1990, p. 432. 相關細節請參閱拙著，《西來孔子艾儒略》，頁167-169。

91　黃紫宸，〈闢邪解〉，《聖朝破邪集》，卷5，頁17。

92　艾儒略，《性學觕述》，〈自敘〉一。

中，是有形與無形的連結。我們在衛方濟《人罪至重》中觀察到，書中內含一個以人為中心，天主至大與罪至凶兩極對立的結構。原本聯繫天與萬物、介於有形與無形中間的人，因為這至凶之罪的阻隔，使天主和人之間出現鴻溝，前述之連結斷裂。衛方濟藉由強烈對比「至大」與「至微」兩者，凸顯天主與罪人兩者有著等級、數量與空間上的巨大高低、大小與斷層，[93]然後引入足以連結至大天主與至微罪人間的鴻溝之降生天主與聖體聖事教義。而至微罪人有「肉軀」與「靈魂」之別，與「天主」三者之間的順服關係，來說明倫理秩序之正向與反向。《人罪至重》一書有如下之言：

> 今人既知上主之至智，則依主智所畀於物之倫理，不當順而行之乎？乃犯罪者，狥私欲而背公理，不當順而行之乎，乃犯罪者，狥私欲而背公理，反顛倒其倫理，是誠何必哉？天主之性功，所以資肉軀，而肉軀所以事靈魂，超性之聖功，所以資靈魂，而靈魂所以事天主，乃犯罪者，復反此秩序，輒將天主之性功以害肉軀、以事肉軀、以事內欲，又將超性之聖功以害靈魂，靈魂以事邪魔。[94]

從上述引文看來，衛方濟認為正確的秩序應該是：肉軀之本性，順從了靈魂之超性。如同靈魂之超性順從至大之天主。一旦順服方向相反，也就是：至微之人順應肉軀之本性，違背了

93 衛方濟，《人罪至重》，卷二，頁1。

94 衛方濟，《人罪至重》，卷二，頁8。

「靈魂」之超性，如同「靈魂」之超性違背至大之天主，就是犯罪。犯罪者顛倒倫理、反此秩序。下圖簡示衛方濟書中所論之倫理秩序，圖中之箭頭方向表示服事與順從方向：

（一）順公理背私欲以事天主

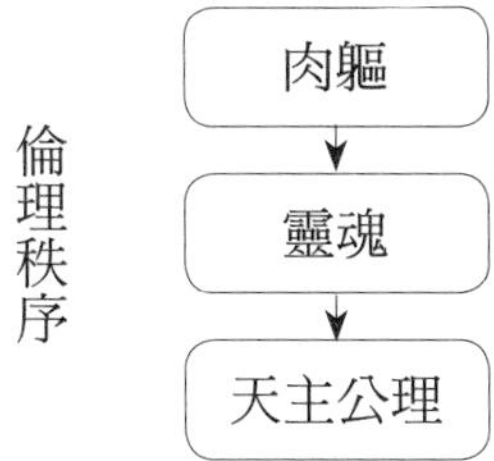

（二）徇私欲背公理以事邪魔

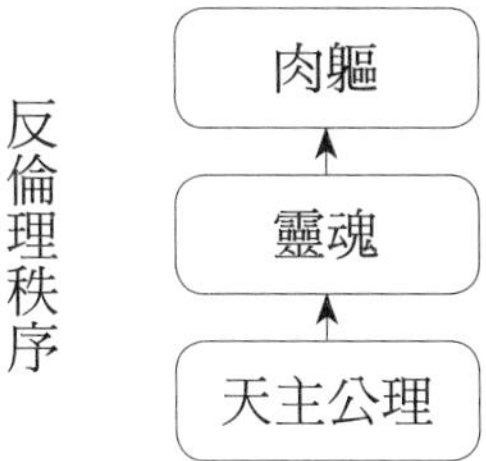

衛方濟對於這種肉軀順服於靈魂，靈魂順服於天主公理這種倫理秩序，作為修身準則，並且將作為天主聖旨的十誡，當作評估指標，以朝向天主作為修身之正確方向。他在書中另一處的文字，更明確指出這點，他說：「蓋在天主聖教者，其所以修身則是順己靈魂之正理，其所以順己靈魂之正理者，只是遵天主之十誡，其所以遵天主之十誡者，只是中天主之聖旨，其所以中天主之聖旨者，只是敬謝愛慕吾萬物之大原大主，又其所向止，則死後得回本鄉，到於至善之所，在天永遠無窮，

明見天主之神體聖榮，萬靈之全福歸向，常常愛之樂之而已矣！」[95] 也許我們可以說，對衛方濟而言：肉軀／本性和靈魂／超性，兩方是衝突對立的，如果順了本性就違反超性。這超性即為前述已及衛方濟所謂「銘刻與人靈性」的天理，與艾儒略不同的是，衛方濟沒有涉入克性所隱含性惡論的爭議，而是從倫理秩序的正反方向來解釋罪與惡的問題。

基本上，衛方濟對靈魂的論述，是繼承耶穌會所本之亞里斯多德的靈魂論。但是，衛方濟將「性」區分六等，與耶穌會入華初期其他同樣受到亞里斯多德《論魂》的影響，所引入之「生魂、覺魂與靈魂」三魂說大不相同。[96] 衛方濟的說法如下：

> 夫性者，以總而言之，物之所以為物，謂性也。性之所發，自內而效於內，謂生也。故性者本也，生者行也，性者全體也，生者內動也。隨物隨性，亦隨性隨生矣。物異則性異，性異則生亦異，物同則性同，性同則生亦同，萬物各具一性，萬性同出一原，天主是也！故萬有之各性，自具先後貴賤高下之次第，首性者，為諸性之大原大宗，

95 衛方濟，《人罪至重》，卷一，頁26。

96 在早期耶穌會與宋明儒學的對話中，論及相關的主題，「魂」字與「性」字被用以指涉Anima，艾儒略傾向使用「性」（例靈性），更廣泛地援引不同學派的語詞。此舉實際上引發另一面向的爭議，詳見潘鳳娟，《西來孔子》，頁160-166。原文討論請見艾儒略之《性學觕述》一書，收入鐘鳴旦、杜鼎克主編，《耶穌會羅馬檔案館明清天主教文獻》（台北：台北利氏學社，2002），第六冊，頁45-378。

> 則惟一天主也；次性，天神魔鬼性也；中性，人性也；下性，即禽獸魚鼈性也；再下性，則草木之性也。極下性者，謂為頑物之性耳，天主之性，並不是他有，而自無始自有，若凡物之性，皆自他有，而並自有始有焉。[97]

上述六種「性」的分類，比前述三魂說多出三種：從比於生魂下層的無生命之物，到比於靈魂上層的天神和天主，等級清楚。儘管區分等級，但為衛方濟在《人罪至重》中並未討論人性善惡問題，而是僅討論上述六種性之兩種：「天主」與「罪人」。衛氏此等轉向倫理秩序的罪論，及其區分六種「性」，凸顯了至微罪人和至大天主之差異的說法，在明清耶穌會有關人性論的描述中相當獨特。早期耶穌會為了與宋明理學，尤其是「天人合一」和「萬物一體」的觀念做出區別，高度強調天主的超越性，以「造物者－被造者」的類比，對立且二分了天人關係。衛方濟這種分類法，從無生命之物（或如理學中所謂枯槁之物）到人類靈魂之上的天神與天主，一條鞭串連之。在此天主之性和人類之性的差異，在於等級與貴賤，與早期耶穌會「割裂」[98]人類與天主的詮釋手法大相逕庭。[99]

---

97 衛方濟，《人罪至重》，卷一，頁16。

98 這「割裂」之說，是晚明反耶穌會的知識分子許大受所提，見潘鳳娟，《西來孔子艾儒略——更新變化的宗教會遇》（台北：聖經資源中心，2002），頁166-167，以及第四章有關人學的對話。

99 而衛方濟這種對「性」（nature）等級式的詮釋，與萊布尼茲有關中國自然神學的論點互相對照之後，似乎意味著這時期耶穌會對中國傳統的詮釋進入了另一階段。有關Leibniz對中國哲學的討論，及其對龍華民的批駁，請參見Feng-Chuan Pan, "The Interpretation and the Re-interpretation of Chinese

前述已及《人罪至重》所論之罪有等級數量之分，其對應的懲罰也有等級之別。罪之懲罰有三種：世罰、煉罰與永罰。衛方濟指出原罪之廣害，在於破壞和諧：破壞了天主與人類、萬物之和諧，甚至肉軀與靈魂的和諧。[100] 這種觀念，必須在前述論及仁義兩者時，以「天主」、「己」與「人」三者的關係和諧作為說明聖治的前提來理解。衛方濟指出，罪對個人最大戕害之一就是人心不平安，他說：「不仁者，乃如海沸浪也，心永永不平不安」，而且「己與己恆相爭相敵」，「終其生抑鬱於內爭」。[101]何以如此呢？他說：因為此「靈魂一出肉軀，肉軀便失本性之生命，聖寵一出靈魂，靈魂便失超性之生命，故靈魂犯罪，盡失其美好耳！」[102] 無論身體與心靈，均無法獲得安息，當然無從達到聖治，天下無法太平。

如果前述罪之廣害所造成之世罰，在生前未罰，或者懲罰刑期未滿，死後必罰。[103] 而死後之罰再依時間長短分為永罰、暫罰與簡罰三種，他說：「其罪之罰，除領洗與致命之洪勳特典，餘非全赦，惟減之輕之，死罪之永罰，減換於有限之

Philosophy: Longobardo and Leibniz," in Sara Lievens & Noël Golvers（eds.）, *A Lifelong Dedication to the China Mission: Essays Presented in Honor of Father Jeroom Heyndrickx, CICM, on the Occasion of His 75*th *Birthday and the 25th Anniversary of the F. Verbiest Institute K.U.Leuven*. Leuven: F. Verbiest Institute, pp. 491-514.

100 衛方濟，《人罪至重》，卷三，頁4b-5b。

101 衛方濟，《人罪至重》，卷三，頁13。

102 衛方濟，《人罪至重》，卷三，頁7a。

103 衛方濟，《人罪至重》，卷三，頁18b。

暫罰，活罪之暫罰，減換於更暫之簡罰已矣！」[104] 這死後之罰有永暫簡之別[105]，與洗禮、告解時是否完全悔罪（詳後）休戚相關。時間上，永罰沒有終止之時。[106]暫罰與簡罰的刑期，則視靈魂在煉獄中除罪的速度而定。而空間上，執行罰則之地點就是永罰之地獄和暫罰之煉獄。煉獄與地獄，就在腳下，地球中心。衛方濟說地獄是一個「最暗、最窄、最臭」之處，[107]這地獄之所「即具於地球之心，而距我足不遠也，蓋自我足至於地心，雖有一萬五千里之遠，天主置之直步耳」。[108] 而介於天堂與地獄之間的煉獄，則是對那些並非完全無罪而得以直接進天堂，卻又不是犯大罪必須落於永罰地獄的人而設置。以上所論，是一種以數量區分罪之等級，同時以量化方式計算罰則，是以法律之罰則來評量宗教上的罪責的方式，在煉獄服完刑期即可升天堂。[109]

對衛方濟而言，天主主宰一切古往今來世界萬物，包含中國古代聖賢，均在此等保護養育的恩澤大愛。[110]如同國君對其臣民、父親對子女、老師對學生的保護、孕育與教養，因此，他認為「人之罪，侮天主之至愛為極！」[111]在此，他引

104 衛方濟，《人罪至重》，卷三，頁18a。

105 衛方濟沒有詳細說明簡罰的內容，待考。

106 「夫所謂久者，一言而蔽之曰，無終也」，見衛方濟，《人罪至重》，卷三，頁25b。

107 衛方濟，《人罪至重》，卷三，頁22b。

108 衛方濟，《人罪至重》，卷三，頁22。

109 衛方濟，《人罪至重》，卷三，頁18b-19a、21。

110 衛方濟，《人罪至重》，卷二，頁11a。

111 衛方濟，《人罪至重》，卷二，頁16a。

進「愛」的概念，與「畏」對比。從愛之長、寬、高、深，大篇幅論述天主之愛，籲罪人遵行十誡以宣示愛天主。同時衛方濟花費相當長篇幅論述天主降生與贖罪，以此為天主之愛的極致，與全書起點所論人之「原罪」和「本罪」對應，指出降生原意，在「贖罪」、「定教」和「立規」。就其功效而言，「天主以降生之功，雖全贖一切眾人兩端之罪，但其原意，先在贖原罪，次意則贖本罪。」[112]有關天主降生，最核心的也是最著名的爭議就是：公義與恩典如何同時滿足。換言之，天主的兩個屬性：「至義」與「至慈」兩者必須取得平衡，衛方濟稱此為「奧意」。[113]至愛使人愛天主，至義使人畏懲罰，衛方濟將此種對比與中國儒家之仁義相提並論，從而引向他仁義的圓滿與兩全的討論，重新詮釋了聖治的意義。

聖治新詮：天主、人、己之仁義圓滿

衛方濟在《人罪至重》一書中分別從「天主、人、己」三向度說明重新詮釋儒家的聖治理想，並將之與天主教義結合，解說仁義兩者的平衡，茲引其言論如下：

> 一國不治，天下不平。從何而來？蓋從罪也！夫國有罪，則無聖治；天下有罪，則無泰平。聖治之要，仁義而已！仁者，愛也。上愛天主，中愛一己，下愛眾人，此仁

---

112 衛方濟，《人罪至重》，卷二，頁18b-19a。

113 衛方濟，《人罪至重》，卷二，頁20a。

> 之實也！若乃信天主之言，望天主之恩，行天主之命，此之謂愛天主；誠己意，正己心，求守天主聖寵，不敢以罪污辱己神，此之謂愛己；革人惑以識真，治人偏以向正，援人於惡以從善，而令地獄之永禍，導人於德以事天主，而使得天堂之永福，此之謂愛人。今國有罪，即無此三愛德即無仁德，即無聖治明矣！義者，宜也。凡事物各得其所宜得，而無過不及之差，此之謂義，故義之所向有三，天主、人、己而已，天主、人、己皆得其所宜得，乃備義之全體，假使人皆服領天主之訓，崇行天主之禮，遵守天主之誡，畏懼天主之威，以是昭事天主，天主方得所宜得也！使人皆以公報人之功與恩，以忠遵人之德與才與爵，不以偏害人之名與身，以是待人，人方得所宜得也！114

更有甚者，衛方濟將天主十誡的詮釋與中國聖治結合，他認為天主之十條誡命乃具體展現了「天主、人、己」三向度的「義」，並強調唯有完全遵守此十誡，聖治才有實現可能，他說：

> 十誡首三者，為向天主之義；次五者，為向人類之義；末二者，為向自己之義。不猶是天主、人、己三者乎？今國有罪，即違越天主十誡，國越十誡，即無義德，無義德，即無聖治，又明矣！天下之均平在於和，使四海之人，以聖寵和於天主，以周睦和於人，以七情之中節和於

---

114 衛方濟，《人罪至重》，卷三，頁3a-4a。

> 己，乃天下真平矣！天下有罪，則無此和，即無真平，又明矣！115

衛方濟所論「天主、人、己」三者，回歸以「己」做為核心，將「愛天主」、「愛己」與「愛人」三者，稱為「三愛德」，主張此即「仁德」，無此即無聖治。又將三種義德，包含對天主、對人、對己三種並立討論，以十誡為標準，無論個人或國家，違背此十誡，及即無義德。無義德，亦無聖治。必須仁義兼備，和於天主、和於人、和於己，方能達至「天下真平」，此為即為聖治境界。在此，關係面向被凸顯，天主之仁義兩屬性取得平衡，引向天下太平的結果，此即聖治的圓滿。

自利瑪竇以來，以天主為「大父母」的說法，在明清天主教社群中是普遍被接受的。他們並藉此將天主教義所主張之全世界源於天主，以普世為一個大家庭的概念，融入儒家倫理體系之中。衛方濟在《人罪至重》一書，重新詮釋了儒家聖治的意義，書中投射了一個天主、人、己之和平的理想境界，將天主（大父母）置入屬於人與人之間關係的國家和家庭，開展出天主教的神聖面向，使聖治的終極實踐不在於一般的家庭、國家範圍內，而在於以其所信奉的天主之理（十誡）為最高指導原則的大家庭的範圍內。綜而言之，衛方濟融合天主教罪論與中國的聖治與仁義，愛天主之仁而來的天賞與畏懼天主之義而來的永罰，在「天主、人、己」的三角倫理關係中，達成除罪之後的圓滿狀態，臻至聖治之境（詳圖示）。

---

115 衛方濟，《人罪至重》，卷三，頁4。

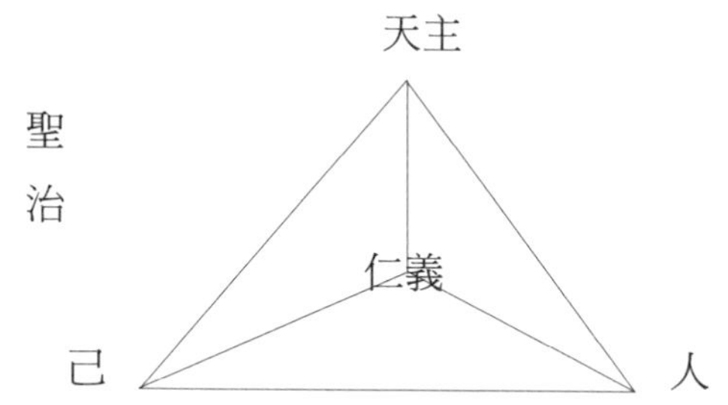

三面向之頂峰為仁義圓滿，前述之「三愛德」與「三義德」之終極。這目標之達成，即為聖治境界。

與衛方濟同時代的耶穌會士與中國教友也有相似的、對經典的重新鑽研與詮釋。例如陽瑪諾的《天主聖教十誡直詮》（1642, 1659, 1814）一書，不過陽瑪諾僅區別出天主與世人，他說：「上卷論前三誡：上愛天主。下卷論後七誡：下愛世人。」陽瑪諾以「旅人遊世」為喻，描述世人實為「天堂旅人」，人生是旅向天堂的歷程。[116]此書序言作者之一朱宗元，則是從世界起源於虛無、亞當夏娃之造、洪水等等講述十誡頒布的歷史，他說：「上主不忍下民之終于隮顛，洪施大訓付之

116 參陽瑪諾，《天主聖教十誡直詮》，卷之上，頁1。此書原藏羅馬耶穌會檔案館編號Borg. Cin. 348（1-2），本文所見為香港天主教區網站所提供之古籍影像，http://archives.catholic.org.hk/Rare%20Books/Author/EJ-Diaz.htm（檢索日期：2011年4月10日）。根據陳綸緒研究，1642年，此書於北京初版，第二版應該是在1659年，參Albert Chan, S.J., *Chinese Books and Documents in the Jesuit Archives in Rome*, pp. 120-121. 但根據香港天主教區網站所提供之原藏羅馬耶穌會檔案館的古籍影像，在1814年似有重印。

悔瑟，左版三誡，右版七誡，若者以升，違者以墮，率斯道也。」[117]再例如，約在衛方濟進入中國前不久過世的福建教友李九功（?-1681），在其《慎思錄》和《勵修一鑑》兩本宗教默想作品中，也呈現「天、己、人」三角倫理結構，[118]同時也對「仁義」提出不同於傳統儒學的詮釋，他說：「天主為大父，為上君，因不忍人犯罪，又不可白貰人罪，故寧降生受難，捨身贖我，以此而顯其仁之盡，亦以此彰其義之至。」[119]

李九功之言論的提出，比衛方濟時間稍早，兩者之間的關聯性和相似性未來再繼續詳加討論。我們先回到衛方濟以十誡論天主、人、己之仁義圓滿重新詮釋聖治的問題。我認為這當中包含了本質與形式這雙重意義，即以「心與禮」雙重條件的滿足，作為罪完全豁免得救的要件。如前一節已述及從聖事神學的語言來說，前者強調人效性，後者強調事效性。在衛方濟的詮釋下，聖治之仁所對應的是「心」，此等悔罪是因愛天主而發的。所謂事效性，意指聖事的功效出自聖禮之執行，也就是從舉行聖禮這個行為本身而來。在衛方濟的詮釋下，聖治之義所對應的是「禮」，不因人為因素，例如主持聖事的神職人員與聖事接受者的才情等非真心悔罪，而是因為畏懼天主懲罰而發的。若然，與聖治之仁所對應的是真心愛天主。此等禮儀

117 參朱宗元，〈天主聖教十誡直詮序〉，頁2。

118 有關李九功的詮釋，參潘鳳娟，〈文化交流史的一個新觀點：從晚明天主教士人李九功論天人關係談起〉，收入林治平主編，《歷史、文化與詮釋學：中原大學宗教學術研討會論文集（二）》（台北：宇宙光，2001），頁260-296。

119 李九功，《慎思錄》，卷一，頁14b-15a。

與獻祭，是「心」與「禮」合一，方能獲得上主喜悅與接納。此等詮釋，與艾儒略論及悔罪聖事時，強調發自真心的悔改方能獲得天主完全赦罪的論調一致。在明末清初時期，這「心與禮」的雙重要件，似乎隨著時間演進逐漸失衡，對禮儀的形式功能、對累積善功重視與強調，逐漸占上風。

心與禮的失衡：完全悔罪到累積善功

耶穌會士初到中國時，以死亡為前提切入倫理議題的討論，是其傳播悔罪神學的預備工作。[120]因為死亡是現象，造成死亡的原因——罪——就是他們傳播內容的核心之一，例如，龍華民（Niccolò Longobardo, 1559-1654）之《死說》[121]和後來之柏應理（Philippe Couplet, 1622-1693）之《四末真論》（1675）。[122] 前述已及，洗禮雖然可以免除死罪永罰（墮入地獄），但卻不能免暫罰（進煉獄）。洗禮去除原罪，告解去除入門之後所犯的罪。明清耶穌會入華初期的著作有關罪的論述，尤其對教會內部人士，似乎以解罪儀式為重點，包含如何

120 E. Menegon, "Deliver Us from Evil: Confession and Salvation in Seventeenth and Eighteenth-Century Chinese Catholicism," in Nicolas Standaert and Ad Dudink（eds.）, *Forgive Us Our Sins: Confession in Late Ming and Early Qing China.* Nettetal: Steyler Verlag, 2006, pp. 11-15. 此文詳盡討論耶穌會入華幾本重要的有關告解的書籍，主要有兩個主題，一為文本描述，說明告解聖事在晚明天主教社群的進行方式。其次為說明告解聖事在教友生活中的重要性。最後總結說明告解與救贖的關聯，標示告解聖事的目標，在於靈魂得救。

121 現存法國國家圖書館，編號Courant 6872，出版年份未知。

122 Albert Chan, S.J., *Chinese Books and Documents in the Jesuit Archives in Rome*, pp. 153-154.

克服、洗滌、去除罪所帶來的結果，指向生前死後的賞罰。相關著作如艾儒略之《滌罪正規》（1627）、《悔罪要旨》（1627）、利類思之《聖事禮典》（1675）、南懷仁之《告解原義》（1688），以及嚴璫之《天主聖教告解道理》等書。此類書籍詳述天主教會有關悔罪的教義，環繞著天主教七聖事之一：告解聖事（Sacrament of Penance）的教義與禮儀形式。[123] 此聖事的重點有四：省察、痛悔、告解和補贖。省察要很仔細，依據十誡條目，逐一省察，包括犯罪的次數時間地點等。痛悔必須完全（即，共弟利藏，contritio），如果痛悔不完全（即，亞弟利藏，attritio），就無法得赦。告解的對象必須是神父，自己私下的自責或自訴是無效的告解。當神父宣布罪被赦免之後，悔罪者必須進行補贖的善功。包括三方面：施行慈善救濟工作、祈禱與齋戒。[124] 真悔與否所對應的是罪的觀念與罪之數量。「亞弟利藏」僅能使罪變少、變小，而「共弟利藏」才能使罪完全消除。

---

123 今日之天主教神學改稱為和好聖事（Sacrament of Reconciliation），參谷寒松，「和好聖事」條，《神學辭典》（台北：光啟出版社，1996），頁329-333。有關告解聖事的神學簡介，請參Edward Hanna, "The Sacrament of Penance." *The Catholic Encyclopedia*. Vol. 11. New York: Robert Appleton Company, 1911. http://www.newadvent.org/cathen/11618c.htm（7 Nov. 2008）. 中文請參，中國主教團秘書處，《天主教法典》（台北：天主教教務協進會，1992），頁389-399。

124 原文請見艾儒略，《滌罪正規》，卷二，頁2a-6a，相關討論請參閱E. Menegon, "Deliver Us from Evil: Confession and Salvation in Seventeenth-and Eighteenth-Century Chinese Catholicism"一文。

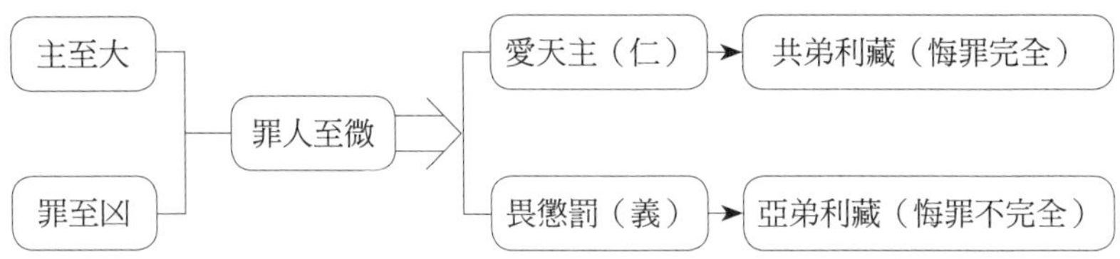

也許因為衛方濟著書目的在於強調人之重罪，而艾儒略強調滌罪（達到無罪階段以得贖），後者在《滌罪正規》中，他將罪區分為「無罪」、「微罪」與「大罪」三種層級，比衛方濟的分類多了「無罪」這一級。其區分標準是人的動機。也就是，當「邪念」出現時，此人有無將之「驅退」，或任由邪念主宰自身，甚至付諸行動，享受其結果。[125]艾儒略對「悔罪」有所解釋，他說：「西語謂之共弟利藏，猶言破碎也。蓋人心執著，如有一物，體鉅而堅，不可動移，必擊碎始能移。」[126]因此，完全悔罪最重要的是擊碎內心頑如磐石的邪念。而悔改區別完全與不完全的標準是根據心的狀態，亦即在於悔罪動機到底是對至慈天主之愛，或是對至義天主之畏。

> 若心與禮俱有未至，既不能領受□主宥，一旦身死，必墮地獄，萬不可救矣。噫！同一罪悔也，同一痛悔真切也，但亞弟利藏為自身而發，不為□天主而發，共弟利藏專為　天主而發，不為自身而發，便分受宥與不受宥，便

---

125 艾儒略，《滌罪正規》，卷一，頁3b-4a，收入於鐘鳴旦、杜鼎克主編：《耶穌會羅馬檔案館明清天主教文獻》（台北：台北利氏學社，2002），第4冊，頁362-363。

126 艾儒略，《滌罪正規》，卷二，頁11a。

分升天堂與下地獄，人何苦發念時，不審所為哉？[127]

上文之「心」強調真心痛悔，「禮」強調告解聖事禮儀的重要。人罪是否能完全得赦，就依據悔罪動機：所謂「共弟利藏專為　天主而發」之愛天主，或「亞弟利藏為自身而發」之懼懲罰作為區分，其結果則是天差地遠。而這兩者與衛方濟在《人罪至重》中所論述的聖治境界中之「仁」與「義」圓滿相呼應。

許理和（Erik Zürcher, 1928-2008）曾經指出：「在中國，無論宗教圈內或圈外，自省與自訴的歷史非常悠久。」他同時指出Wolfram Eberhard（1909-1988）在其先驅性著作《中國傳統中的罪感與罪》（*Guilt and Sin in Traditional China*, 1967）一書中已經指出，[128]內化的罪感在中國文化中的重要性。[129] 許理和

127 艾儒略，《滌罪正規》，卷二，頁5。底線為筆者所加。引文中的方塊，表示原文有空格。

128 許理和還提出其他學者，如吳百益對自省與悔改的研究、史華羅（Paolo Santangelo）對新儒家的罪觀研究、包筠雅（Cynthia Brokaw）論「功過格」，以及酒井忠夫的善書研究。佛教方面的研究有：于君方對晚明佛教復興的研究、郭麗英對上古與中世紀中國佛教研究等。詳見Erik Zürcher, "Buddhist *Chanhui* and Christian Confession in Seventeenth Century China," in Nicolas Standaert and Ad Dudink（eds.）, *Forgive Us Our Sins: Confession in Late Ming and Early Qing China*, pp. 103-127，本文不再贅述。

129 儘管許理和與吳百益均指出明清之際的自我省察風氣，但鐘鳴旦在其〈罪、罪感與中國文化〉一文指出：「中國文化比較接近樂感文化、羞恥文化，而西方文化比較接近罪感文化。」他認為，儘管如張灝所說，中國傳統存在「幽暗意識」，對人性之黑暗面也有所注目，但是他認為中國哲學較少談論惡的來源。他認為，中國自佛教傳入開始有罪感，並同意吳百益所研究明末存在許多「自訟」與「自責」的文本，主張儒家之「罪感」

同時引用吳百益的研究指出，在1570-1670年這段期間，自訴、懺悔與慎獨的風氣在文儒界特別流行，而這正是耶穌會以倫理書籍傳教最順利的階段。[130]他認為，在明末清初中國教友信仰中，悔罪與除罪之所以占據如此核心地位，與晚明佛教和道教的懺悔傳統密切相關。[131]在晚明道德失序的社會中功過格的使用廣為流傳，為天主教為告解聖事的教導鋪路。而天主教傳教士順勢更將赦罪權歸向天主，由神父代理宣告赦罪。晚明最重要的中國教友之一楊廷筠就清楚地說佛教懺悔變成一種例行性行為，主張「罪自己作，需自己更」來強調其個別性，以及對特定罪行悔改的重要性。楊廷筠仍指出唯有天主教神父才擁有赦罪權。[132]

另外，前述已提過的福建教友李九功則認為，辦告解是提升自我的方法，因此主張應該竭盡所能經常辦理。他同時認為，必須先告解最嚴重的罪，其次才是辦理情節較輕的罪，如

比「羞恥感」強烈的結論。參見鐘鳴旦，〈罪、罪感與中國文化〉，《輔仁大學神學論集》，第97期（1993），頁335-362，與張灝，《幽暗意識與民主傳統》（台北：聯經，1989）一書。

130 謝和耐也提出這點，參謝和耐著，耿昇譯，《中國和基督教》（上海：上海古籍出版社，1991），頁213，註一。關於晚明之自訴、懺悔與慎獨的風氣，請參見Wu, Pei-Yi, "Self-Examination and Confession of Sins in Traditional China," *Harvard Journal of Asiatic Studies*, vol. 39, no. 1（1979）, pp. 5-38; Pei-Yi Wu, *The Confucian Progress: the Autobiographical Writings in Traditional China*. Princeton（New Jersey: Princeton University Press, 1990）.

131 Erik Zürcher, "Buddhist *Chanhui* and Christian Confession in Seventeenth Century China," pp. 105-106, 118-126.

132 Erik Zürcher, "Buddhist *Chanhui* and Christian Confession in Seventeenth Century China," pp. 117-118.

此不間斷，直到無罪的境界才能停止。[133]李九功是艾儒略的得意門生之一，在談到功過格時，他曾經主張只記過不記功，對修行更有幫助。[134]其實，李九功這種「道德嚴格主義」者，[135]在晚明並不少見。根據王汎森的研究，此問題源於袁黃（了凡），在其〈了凡四訓〉中對功過格的推崇，而在晚明陽明後學的三教合一思潮中擴展。劉宗周的《人譜》和他的學生於明末清初形成一個潮流。劉宗周的「記過格」區分了：微過、隱過、顯過、大過、叢過與成過六種，從個人內心未起念前之隱過，到家國天下之大過，依情節與輕重予以記錄。[136]劉宗周在其自序中針對袁了凡的功過格提出疑議，說：「言過不言功，以遠利也。題之曰人譜，以為譜人者，莫近於是。學者誠知人之所以為人，而於道亦思過半矣。將馴是而至於聖人之域，功崇業廣，又何疑乎？」[137] 王汎森指出，明末清初，士大夫對人心的認識逐漸趨於悲觀；從「滿街是聖人」之對人性極度樂觀的態度變成對人性的極度不信任。此等轉變反引導出了一種道德嚴格主義，產生了「不為聖人即非人」、「不為聖人即為禽獸」的觀點，一方面具有成聖潛能，一方面面對滿身罪惡此等兩相矛盾的人性觀點。因此，有功乃本性之當然，有過則應

---

133 Erik Zürcher, "Buddhist *chanhui* and Christian Confession in Seventeenth Century China," p. 104.

134 李九功，《慎思錄》，第三集，頁11。

135 此處乃借用王汎森的語言，請參見氏著，〈明末清初的一種道德嚴格主義〉，收入《近世中國之傳統與蛻變：劉廣京院士七十五歲祝壽論文集》（南港：中央研究院近代史研究所，1998），頁69-81。

136〔明〕劉宗周，《人譜類記》（台北：廣文書局重印，1971），頁14-157。

137〔明〕劉宗周，〈人譜類記自序〉，《人譜類記》，頁7。

該省察，方能逐漸純化受染人性。「言過不言功」也是理所當然。既然「人人胸中皆為一個聖人」，但一轉念之間，可能立即成為禽獸。唯有隨時自省改過。於是，在明末清初時期，「省過簿」、「日史」等這類道德日記大量出現。[138] 如前述劉宗周「記過格」最後有一段文字提醒：「以上一過準一惡，惡不可縱，故終之以聖域。人雖犯極惡大罪，其良心仍是不泯，依然聖人。一樣只為習染所壞了事，若纔提起此心耿耿。小明火然，泉達滿盤，已是聖人。」[139] 所以，似乎如中國教友李九功對告解聖事所提出的有關功與過看法與主張，在明末清初的中國社會，並不令人意外。對他而言，善惡的定義在於有否遵行天主旨意，他說：「吾不識所謂善，但翕主旨者即善也。亦不知所謂惡，但背主旨者即惡也。」[140]對他而言，所謂「天學要旨」就是「以形軀順靈性之命，以靈性順天主之命而已。」[141] 這種主張符合耶穌會在華初期側重自我省察的重要性，堅持告解前對共弟利藏此一真心完全痛悔的實踐，方得以免除永苦地獄的刑罰的教導。而此脈絡中，當也為耶穌會士傳遞人罪教義與告解聖事，提供了一個融合的接點。

---

138 詳參王汎森，〈明末清初的人譜與省過會〉，《中央研究院歷史語言研究所集刊》，第六十三本，第三分（1993），頁679-712。此文後收入王汎森，《權力的毛細管作用：清代的思想、學術與心態》（台北：聯經，2013），頁227-272。

139〔明〕劉宗周，《人譜類記》，頁156-157。

140 李九功，《慎思錄》，第一集，頁12b。

141 李九功，《慎思錄》，第一集，頁5。參潘鳳娟，《西來孔子》，頁197-201。這樣種言論，以及對「罪」的理解與詮釋，我們可以在衛方濟的《人罪至重》一書看見更為系統化的論述。

明清耶穌會來華時期，歐洲剛經歷宗教改革後不久。羅馬教廷召開特利騰大會（Council of Trent, 1545-1563），會議重點之一與贖罪券以及此舉所引發來自新教的責難有關。天主教會藉由販售贖罪券，鼓勵教友捐獻金錢以換取教宗大赦（Indulgence）使煉獄的暫罰得以豁免的行為，[142]其核心問題就是「罪」、「贖罪」與「赦罪是否必須經過司鐸」。大會中確認了告解為七聖事之一，[143]也區別了完全與不完全兩種痛悔，並且強調了告解必須「完全真誠的悔罪」（即艾儒略所言之「共弟利藏」）並「面告神父」（見證人和宣告赦罪的人），才能解罪得赦。因此耶穌會入華初期對告解聖事的談論，特重「完全悔罪」以及「面告」神父，同時強調其個人之完全悔改與的告解聖事此一儀式的施行。《滌罪正規》強調凡是悔罪望赦的教友，其悔必須是為愛天主而真心痛悔，而非為了畏懼懲罰而做的形式上配合。真心痛悔者必須「自陳罪過

142 大赦，字意指來自教會的恩賜。大赦之權屬於教宗，他可以對那些已經符合教會規定，完成所有當盡義務的信友，完全地或部分地免除他們的暫罰（即，進入煉獄）。基於諸聖相通功的概念，教友可以為死去親友（煉獄中亡靈）代求，幫助他們得到大赦，脫離煉獄之苦。或者某些特殊處境下，例如1095年，教宗烏爾班二世（Urban II, ca. 1035 -1099, Pope 1088-1099）規定大赦十字軍人士，甚至所有資助十字軍的人。輔仁神學著作編譯會，《神學辭典》（台北：輔大神學院，1996），頁44-45。馬丁路德反抗教宗儒略二世（Jiulius II, 1443-1513, Pope 1503-1513）藉由販賣大赦券籌措聖彼得大教堂的經費。

143 改教者主張聖事只有兩種：洗禮與聖餐。天特會議確認七種：洗禮、堅振、聖餐、告解、婚姻、聖品、敷油。但是，七者並非同等，而是以洗禮和聖餐最重要。新教強調萬民皆祭司，否定教階制度，主張信徒透過唯一中介（基督）即可獲得上帝之赦罪，不必透過神父。

於撒責而鐸德（Sacerdotes）前」，[144]「兼行解罪禮」，[145]每日、每月、每年需不斷地進行此等悔罪與告解儀式，[146]使罪不斷減少，最終達致無罪狀態。如此，罪雖深重，也能完全被赦免。這是一種基於多瑪斯（Thomas Aquinas, ca. 1225-1274）的神學、側重告解之「形式」與「質料」合一的教義。告解者之「痛悔」是告解的「質料」，而面告神父且進行補贖的行動則是「形式」。形質俱足，此告解聖事才具備解罪、滌罪的效力，告解者之罪才得以赦免。[147]前述痛悔之完全（共弟利藏）與不完全（亞弟利藏）的區別，是在歐洲天主教會內部長期對「悔」與「赦免」之關聯性的爭議的結果，宗教改革期間這種爭議更為激烈。主張共弟利藏者認為，由神父主持宣告赦免這樣的告解聖事，是天主赦罪之恩得以流入告解者的工具（形式因），與告解者之質料因結合，方能達到實質且完全赦罪的效果。如果告解者僅是私下自責，或因為懼怕懲罰而非因為愛天主，或未能進行告解聖事面告神父獲得赦罪之宣告的話，均非屬「完全之痛悔」，最多只會使罪減小，未能完全從罪中獲得解脫。儘管如此，此一因應宗教改革而來的特利騰大會，並未平息「完全痛悔」與「不完全痛悔」兩派爭議。在此大會之後

---

144 艾儒略，《滌罪正規》，卷二，頁12a。「撒責而鐸德」指司鐸，教士。

145 艾儒略，《滌罪正規》，卷二，頁15。

146 艾儒略，《滌罪正規》，卷二，頁12a。除真全痛悔之外，他還區分「痛悔」與「動悔」，詳參李九標等，《口鐸日抄》卷四，頁23b-24a。

147 這種形質論是天主教會中普遍接受的告解聖事神學。另，在《論懺悔聖事的道理》諭令中有一條「只有司鐸（即使他在死罪的狀態中）有寬赦或保留罪過的權柄。」參谷寒松，〈和好聖事〉，輔仁神學著作編譯會，《神學辭典》（台北：光啟，1996），頁331-333。

耶穌會就主張「激進的不完全懺悔論」，而其對手詹森主義者（Jansenists）所主張的「激進完全懺悔論」後來遭到壓制。因此雖然主張「完全懺悔論者」認為「不完全懺悔」不足以獲得赦罪，但也承認其重要性。[148]1667年5月6日，教宗亞歷山大七世（此人是贊成耶穌會傳教策略者）頒布《論懺悔聖事的道理》諭令禁止了兩派的爭論，儘管此文獻是否符合天主教正統神學與否尚未定論，但這文獻中有一項聲明：「即使不完全的痛悔也是領受和解聖事的合法準備」，可以說教宗是承認了不完全悔罪論的主張。[149]

---

148 參黃瑞成，〈懺悔釋義〉，《宗教學研究》，2004年第1期，頁88-89。引號內是黃瑞成的文字，他使用「懺悔」二字，我引用其論文，所以這裡沿用。而且，天主教輔仁大學出版之《神學辭典》，也是沿用了「懺悔」二字。然而，本文其他部分依循艾儒略的《滌罪正規》和衛方濟的《人罪至重》所使用的文字，均以「悔」、「痛悔」或「真悔」，而非「懺悔」。估計這是因為「懺悔」出自佛教用語，不過仍須進一步確認。明清耶穌會有關悔罪的作品中，極少出現「懺悔」一詞。目前可見高一志所出版的《天主聖教聖人行實》七卷本當中曾出現一次，請參閱此書第三卷〈斯大尼老聖人行實第十〉，頁50b。感謝李奭學教授提供此一訊息。許理和在其"Buddhist *Chanhui* and Christian Confession in Seventeenth Century China"一文中，很精準地區分了兩者的差異，一為Buddhist *Chanhui*，一為Christian Confession。

149 此諭令之完整文獻（Council of Trent, DS 1667-1693、1701-1715）請見H. Denzinger & A. Schoenmetzer, *Enchiridion symbolorum definitionum et declarationum de rebus fidei et morum*, 32 ed.（Freiburg: Herder, 1963）, p. 2070，本文轉引自輔仁神學著作編譯會，《神學辭典》，第54條、第530條，頁107-108。英文本參見 J. Waterworth（ed. and trans.）, *The Council of Trent: The Canons and Decrees of the Sacred and Oecumenical Council of Trent*. London: Dolman, 1848, pp. 96-101. Denzinger & A. Schoenmetzer, *Enchiridion*之拉丁本網路版參見http://catho.org/9.php?d=g1（檢索日期：2011年6月12日）。

從中國教會內部告解聖事的發展來看，前述諭令的影響似乎在幾十年後延伸到中國。梅歐金（E. Menegon, 1966-）曾經指出，與耶穌會在中國初期之倫理改造不同，到十七世紀末十八世紀初，悔罪儀式轉變為側重其功效的機械性行為，關懷自己和親友能否積極累積次數以獲得大赦[150]。而除了上述神學因素外，其轉變關鍵似乎也與中國教會內變化有關。衛方濟曾在回羅馬期間，向耶穌會總長報告中國概況，報告中提到十七世紀末中國教友數量快速增長的情形。[151]另外，根據Liam Matthew Brockey（1972-）的研究，北京耶穌會院長蘇霖（José Soares, 1656-1736）也指出在1670年到1690年間，中國信徒數字增加，神父人數卻減少，大量的信徒尋求告解，超出神父工作負荷，神父們必須忙碌地到訪各地主持聖事。當時穆若瑟（José Monteiro, 1644-1718）為應付廣大教友的告解需求，以及耶穌會人手不足和語言不通的情況下，在1692年康熙容教令頒布之後，1695年到1705年之間，編纂了一本告解手冊Vera et Unica Praxis breviter ediscendi，其中一部分被摘要修訂為中文之「聖教

---

150 E. Menegon, "Deliver Us from Evil: Confession and Salvation in Seventeenth- and Eighteenth-Century Chinese Catholicism," pp. 75-84.梅歐金已經詳細整理《滌罪正規》一書各卷重點，請參閱該文頁89-90。

151 François Noël, *Mémoire sur l'état de la Mission de Chine en 1703*, in *Lettres édifiantes et curieuses écrites des missions étrangères,* vol. 3, pp.70-73. 其中譯本請參見〈關於中國傳教會現狀的匯報〉，收入杜赫德（Jean-Baptiste Du Halde, 1674-1743）等人所編之《耶穌會士中國書簡集》（*Lettres édifiantes et curieuses écrites des missions étrangères*），1705年之初版收在第六卷，目前可見為1843年Panthéon再版之第三卷，頁70-76，其中譯本則請參見杜赫德編，鄭德第、朱靜、耿昇、呂一民等譯，《耶穌會士中國書簡集》（鄭州：大象出版社，2001），卷一，頁230-239。

要緊的道理」，[152]以適應中國教區的不同處境，同時也用來訓練新來神父聽告解。[153] 從Brockey之研究，我發現前引書的內容中，告解神父對信徒私生活的限制非常嚴苛，如果完全遵守教規辛苦修行之後仍要入煉獄的話，對信徒的吸引力就不高了。積極懇請聖母代求、念經、守大齋、聽彌撒，快速累積次數，直接獲取大赦，免入煉獄，似乎反而成為一條通天捷徑。其次，對信徒來說，嚴璫禁止祭祖之舉，也許反而導致信徒產生補償心理，轉向積極為死去親人代求大赦出煉獄，成為另類孝道表現。[154] 然而，這樣的轉變，早已遠離前述衛方濟所強調心與禮並重的聖治圓滿的理想狀態。正是在這樣的氛圍中，1698年，衛方濟出版了《人罪至重》一書。

從衛方濟作為禮儀之爭期間耶穌會士立場的辯護者，和同時期中國天主教會的處境來觀察，筆者有幾點發現：

首先，衛方濟罪論中呈現一個以罪人為中心，以「主至大」和「罪至凶」為兩端之結構。與此結構相對應，論到天主

---

152 其中一部分為告解問答手冊（*Confissionario*），內容依據十誡和七大死罪的順序，採問答方式編纂。此書與「新來神父拜客問答」並置，現藏法國國家圖書館中文書目Courant的編號7046，寫作時間在*Confissionario*之後，應不晚於1720年。Cf. Liam Matthew Brockey, "Illuminating the Shades of Sin: The Society of Jesus and Confession in Seventeenth-Century China," in Nicolas Standaert and Ad Dudink（eds.）, *Forgive Us Our Sins: Confession in Late Ming and Early Qing China.* Nettetal: Steyler Verlag, 2006, pp. 190-192.

153 Liam Matthew Brockey, "Illuminating the Shades of Sin: The Society of Jesus and Confession in Seventeenth-Century China," pp. 195, 186-197.

154 E. Menegon, "Deliver Us from Evil: Confession and Salvation in Seventeenth- and Eighteenth-Century Chinese Catholicism," pp. 75-88.

降生救贖，衛方濟以聖治之仁義為兩端，因為主至大，所以出於「愛天主」的「共弟利藏」，與因為「罪至凶」，而出於「懼懲罰」的「亞弟利藏」作為對比，衛方濟在《人罪至重》一書中系統地說明了罪人之卑微、天主之至慈至愛至義、罪之至凶至險，最後回歸耶穌會士傳教初期的主軸，如同《滌罪正規》一書所強調之「真心痛悔」，為建構一個「天主、人、己」之仁義圓滿的聖治理想境界鋪路。

其次，如吳百益、許理和與梅歐金等學者的研究，在十八世紀的中國社會，曾經有過的懺悔風氣逐漸消失，中國教會內部逐漸從真心悔罪與倫理改造走向念經、望彌撒與齋戒等迅速累積善功以求大赦的現象。在歐洲教會對「完全悔罪」的堅持有了鬆動現象，而原本存在中國社會中那股自我省察、自訴悔罪的風氣逐漸衰微。加上教友增加、神父人手不足，以及禮儀之爭的衝擊，教友也不再注重「心」的省察與真悔，也忽略告解聖事的實質──禮。衛方濟這位以經典翻譯著名的耶穌會士，就是在這樣的背景中出版了《人罪至重》一書，呼籲讀者幡然悔改。全書不見衛方濟討論如何積累善功或如何進行補贖，而是重新強調人罪之根源，強調天主至大、至愛、至慈，凸顯罪的廣害，呼籲罪人必須愛天主，警告罪人應畏懼罪之懲罰，結合仁義兩端，心與禮並重，以求聖治之圓滿達成，強調真心痛悔才是王道。無論這呼籲的音量是否微弱，似乎是一種亂世中的回歸古典與追溯本源的舉動。

最後，《人罪至重》一書的論述，實以人罪做為起點，歷引中國經典並轉向「倫理秩序」的討論，以天主十誡作為滿足「仁」與「義」的教條，以達致「聖治」的終極目標，為

「天主、人、己」三角倫理關係的和諧，為除罪後之仁義圓滿的狀態。此書出版時間大約是嚴璫禁令發布六年之後，衛方濟在書中徵引古代經典之舉，延續了利瑪竇一派耶穌會士的經典詮釋策略，同時也與嚴璫禁令後諸多中國教友所撰，紛紛從中國上古經典尋找禮儀原始意義的手法相似。衛方濟後來所出版的《中國六經》以及《中國哲學》等翻譯和論著，研判是延續著這種回歸古典與追溯本源進路發展而來。他從經文的翻譯與理解，延伸到以中國注疏傳統為支撐，最終加入康熙的詮釋，高舉帝國權威。此舉影響了更後期北京耶穌會士韓國英等人的經典翻譯與詮釋；其中後者區分了「帝國文獻」和「文人文獻」，將自己與衛方濟做出區隔。這種以皇帝為宇宙性大家族的家長的詮釋，合理化了中國郊社之禮的地位（詳本書第二章與五章），而且連結了垂直性的天人關係，與水平性的人與人的關係。與前述所提中國教友李九功的三角倫理關係不謀而合。也使中國禮儀之爭從形上學式論辯轉向倫理面向，回歸以孝道為核心的中國禮儀本質。

三、翻譯聖孝：文人文獻脈絡中的西方首見《孝經》譯本

1711年，衛方濟在布拉格出版《中國六經》，[155]在儒家《四書》的完整譯本之外，也選譯了中國啟蒙教材《孝經》和《小學》，介紹了翻譯了當時中國科舉新增科目的材料與教

155 François Noël, *Sinensis imperii libri classici sex*（Pragae: J. J. Kamenicky, 1711）.

育方式，並藉此譯介了中華帝國的治國理念。因為同時擔任康熙皇帝與耶穌會特使，衛方濟在中國禮儀之爭中，奉命返歐為禮儀辯護。當耶穌會與索邦神學家和教廷宗教裁判者，處於中國禮儀應屬「宗教的」或「公民的」（religious or civil）兩難時，[156]衛方濟選譯《孝經》之舉，是提示歐洲神學家與教廷注意中國禮儀爭辯的核心是「孝道」，藉此他凸顯禮儀的倫理層面。在中國，歷經晚明對陽明學的批判，與對朱子學得重新推崇，經過順治康熙二帝的提倡，清順治十六年（1659），正式恢復《孝經》為明經科考試項目，康熙二年（1663），呂維祺的《孝經大全》出版，朱子學再次成為統治者施行教化的思想標竿。衛方濟所採用的詮釋進路正是與此詮釋風潮相同的取向。透過《孝經》之譯，他向歐洲介紹中國的政治、倫理和教育，可說是對中國學術和教育史上的重大事件的回應。衛方濟的經典翻譯與中國書寫，實呈現了「字學—經學—理學」三而一的架構。在對中文字意義的探索與經典翻譯中，衛方濟建構一套極具系統性的中國哲學論述。此論述展現了一種從經院神哲學的形上學式鋪陳，到以孝為核心的倫理與實踐面向的轉向。以下將以《孝經》為中心，在其經典翻譯與中國書寫的脈

---

156 兩者之對立性在禮儀之爭初期並不明顯，利瑪竇一派耶穌會士僅強調其作為公民義務的一部分，非屬迷信的宗教行為。但羅馬教廷檢查嚴璫所提中國禮儀七點質疑的過程中，這兩者之對立性被強化，見Noll, *100 Roman Documents*, pp. 10, 19. 另見*A True Account of the Present State of Christianity in China: With full Satisfaction as to the Behaviour of the Jesuits. As also the Pope's Determination, Which Has Been Kept so Long Secret*（London, 1709）, 收入Eighteen Century Collection Online資料庫，參見http://galenet. galegroup.com/servlet/ECCO。

絡中，觀察解析衛方濟的翻譯特質。同時也試圖探索其所根據的底本，兼論其與中國學術發展間的互動，希望能理解在中國禮儀之爭脈絡中，衛方濟所翻譯的《孝經》，以及明末清初的學風發展與詮釋變化對其翻譯的影響。

衛方濟的《孝經》翻譯：底本與文本

衛方濟的《孝經》譯本收在《中國六經》之第五部，題名直譯為《人子的遵守》（*Filialis Observantia*），書名以音譯為*Hiao Kim*。[157]此書可謂《孝經》歐譯首見，他的譯本在1786年被普呂凱再譯為法文出版（詳第三章第四節）。1779年，在衛方濟出版《孝經》譯本半個多世紀之後，駐北京的耶穌會士韓國英，在批判了衛方濟的譯文之後，重譯了《孝經》以及多件孝道相關文本。他宣稱其翻譯不同於衛方濟的「古文」（Kou-ouen, vieux texte），乃是根據「新文」（Sin-ouen, nouveau texte）與當朝學者士子（les Lettrés du Collège Impérial）公定文本而譯。[158]韓國英譯介諸多他所謂的「帝國文獻」（les *œuvres Impériales*）作為其《孝經》翻譯的學術脈絡，與「文人文獻」（les *œuvres* littéraires）僅屬於文人有所區別之處在於皇帝的意見優先。[159]在後面章節我們會討論韓國英如何長篇幅完整翻譯

---

157 François Noël, *Sinensis imperii libri classici sex*（Pragae: J. J. Kamenicky, 1711）, Liber quintus classicus dictus filialis observantia, sinicè *Hiao Kim,* pp. 473-484.

158 *Mémoires*, 4: 29.

159 *Mémoires,* 4: 99-100.

康熙的〈御定孝經衍義序〉。相對於韓國英的譯作幾乎均清楚標示所根據的帝國文獻出處，衛方濟的《孝經》所據底本為何需要釐清。韓國英所言之「古文」與「文人文獻」所指又是什麼？

附表二：衛方濟《孝經》譯本章名對照

《孝經》	Filialis Observantia	《中國六經》索引與各書提要（Index &Synopsis Librorum, p. C3）
開宗明義章第一	CAPITULUM I. Totius argumenti explanatio	In primo capitulo...totius argumenti explanatio ; hoc est, filialis observantia suum initium à Parentum obsequio, medium à Regis servitio, finem à morum perfectione accipit.
天子章第二	CAPITULUM II. Imperator.	In 2.3.4.5.6 cap...quaenam filialis Observationtia deceat Imperatorem, Regulum, primarium Praefectum, litterarum Alumnum, virum plebeium.
諸侯章第三	CAPITULUM III. Regulus.	
卿大夫章第四	CAPITULUM IV. Primarius Præfectus seu Toparcha.	
士章第五	CAPITULUM V. Litterarum Alumnus.	
庶人章第六	CAPITULUM VI. Vir plebeius.	
三才章第七	CAPITULUM VII. Tres causæ	... seu principia, scilicet cæli motus, terræ utilitates, hominis actiones, circa quæ ver satur filialis observantia

孝治章第八	CAPITULUM VIII. Filialis Observantiæ regimen.	...id est, prisci Imperatores, Reguli, primarii Præfecti suo benigno regimine omnes suos subditos proliciebant ad adjuvandum suorum Parentum cultum.
聖治章第九	Capitulum IX. Virtutis Regimen.	...id est, inter virtutes morales excellit filialis observantia, qua filius Parentem, ut suæ vitae authorem, confert cum cæli Domino rerum omninum Authore. Filialis obsevantia est fons & radix totius boni regiminis.
紀孝行章第十	CAPITULUM X. Filialis Observantiæ expositio.	...sive singula ejus officia.
五刑章第十一	CAPITULUM XI. Quinque pœnarum genera.	...quibus subjacent quavis delicta, & inter delicta nullum majus filiali inobedientia.
廣要道章第十二	CAPITULUM XII. Potissimæ disciplinæ explanatio.	...quæ in hoc consistit: Rex amet Parentes, revereatur fratres seniores, curet Musicam ac Ritus.
廣至德章第十三	CAPITULUM XIII. Summæ virtutis explanatio.	...sive, dum Princeps sua filiali observani, & franternâ reverentiá omnes Imperii populos ad eamdem & observaniam & reverentiam allicit, tunc summa virtus.
廣揚名章第十四	CAPITULUM XIV. Magni nominis fama.	...magni nominis fama ex filiali observantia emanans.

諫諍章第十五	CAPITULUM XV. Admonitio.	...quæ debet uti filius erga Parentem peccantem, uit & Minister Regius erga Regem, & alii erga alios.
感應章第十六	CAPITULUM XVI. Respondens effectus.	...filiali obverantiæ respondens effectus in Spirituum favore, & in Imperii tranquillitate.
事君章第十七	CAPITULUM XVII. Regis Ministerium.	...sive mutua Regem inter & Ministrum benevolentia
喪親章第十八	CAPITULUM XVIII. Parentum Justa.	Parentum exequiae, & modus quo debet filius illis parentare

上述附表二所示各章出自衛方濟在《中國六經》索引與各書提要(Index &Synopsis Librorum)針對《孝經》所提供的各章概要說明。[160] 以下依他的文字轉述。第一章…整體論點解釋(Totius argumenti explanatio)，孝從順服父母開始，以侍奉君王為中介，以道德的完滿為目的。他對第二至六這五章總體檢述重點: 有關皇帝(Imperator)、親王(Regulus)、第一級官員或地方首長(Primarius Præfectus seu Toparcha)、文人(Litterarum Alumnus)和平民(Vir plebeius)的孝道。第七章三個原因(Tres causæ)或原理(principia) ，指天的運動、地的利用、人的行為，由此產生了孝道。第八章「孝道之治」(Filialis Observantiæ regimen)，說明過去的皇帝，諸侯和地方政府，在一個仁慈的政權下，吸引所有臣民向他們的父母敬拜。第九章「德性之治」(Virtutis Regimen)，說明在倫理德性裡，孝是最重要的，

160 以下各章說明均引自Noël, *Sinensis imperii libri classici sex,* pp. c3-c4.

兒子將父母作為他生命的創造者，將其比作天主，萬物的創造者。 孝道是一切善治的基礎和根源。第十章孝道解釋(Filialis Observantiæ expositio)，講述個人責任。第十一章五種刑罰(Quinque pœnarum genera)，衛方濟指出經典強調其中最大的是不孝。衛方濟在五刑章譯文之後加了一個註解(nota)，明確說明是塗黑額頭(Frontem insculpto nigro charactere notare)、削鼻(nares rescindere)、斷足(pedem amputare)、閹割(castrare)和絞死(morte plectere)五種刑罰。[161] 第十二章廣要道，他譯為「最重要的解釋」(Potissimæ disciplinæ explanatio)，講述君王愛父母，尊重他的兄弟，注重音樂和禮儀。第十三章是最高美德的解釋(Summæ virtutis explanatio)，是因孝順父母尊敬兄弟而受人尊敬的君王，使帝國的所有人民都得到同樣的尊重和崇敬時，這就是最高的美德。第十四章聲名遠揚(Magni nominis fama)，指因孝道而聲名遠揚。第十五章告誡(Admonitio)，指一個兒子應該對他有罪的父母使用的告誡，既是大臣對君王的態度，也是對其他人的態度。第十六章回應效應(Respondens effectus)，指回應孝道的效應，得到了神靈的眷顧，帝國的安寧。第十七章君王的服事(Regis Ministerium)，指君臣的互惠。第十八章喪親章，衛方濟譯為父母之義(Parentum Justa)，說明父母的葬禮，以及兒子應該如何準備。

衛方濟在其《孝經》譯本前言中說，這是一部孔子與曾子談論「父母崇拜」（Parentes cultu）的書，[162]《孝經》的翻譯也

161 Noël, *Sinensis imperii libri classici sex,* p. 480.

162 請注意此處使用了相對負面的字眼cultu，與religion不同範疇。

涉及帝國治理，某種程度來說衛方濟也是先驅。[163]。另外，在《中國六經》的前言中，衛方濟說他翻譯《四書》與《小學》不僅是要協助歐洲讀者理解中國人的思想，而且，他對於當時清朝的科舉考科重新納入《孝經》之舉有所關注。中國的孩子都必須研讀、背誦這五本書，方得通過考試取得秀才資格。而《孝經》與五經更是所有秀才都必須詳讀以通過考試獲得舉人的重要經典。他決定不翻譯五經而是這六部文獻，是因為五經不像這六本書一樣被背誦研讀。衛方濟之《中國六經》，是延續利瑪竇、柏應理等中國耶穌會士們，長年來翻譯中國經典的集大成之作。衛方濟之前的耶穌會士之所以不翻譯《孟子》是因為孟子的無神思想，而衛方濟對《孟子》所呈現的對政治、倫理層面的忠孝仁義德行非常讚賞。[164] 從《孝經》譯本的格式觀察，他所採用的底本是今文《孝經》共十八章。筆者對比過最可能成為衛方濟翻譯參考底本的三種《孝經》注釋：江元祚《孝經直解》（1633）和呂維祺的《孝經大全》（1663）和李光地的《孝經全註》（約1690年代）的注釋版本[165]。目前的研判是，衛方濟採用呂維祺的《孝經大全》可能性較高。前述三種「文人文獻」中，屬呂維祺的《孝經大全》收錄最多文人的

---

163 Noël, *Sinensis imperii libri classici sex*, p. 473.

164 François Noël, *Libri Sex*, "Præfatio", p. a3.另見 D. E. Mungello, "The First Complete Translation of the Confucian Four Books in the West," pp. 518ff.

165 （明）呂維祺輯，《孝經大全》（1663），收入《續修四庫全書》，經部孝經類，vol.151，據天津圖書館藏清康熙二年呂兆璜等刻本影印（上海：上海古籍出版社, 1995）。底本的探詢受呂妙芬教授之孝經學研究啟發，請參閱呂妙芬，〈晚明士人論《孝經》與政治教化〉，《臺大文史哲學報》，期61（2004），頁223-260。

注疏。除了自己的箋注外，呂維祺援引大量文人注疏。由於衛方濟僅翻譯《孝經》本文，因此，要推論他所參考的底本，唯有從不同版本的注釋來判定。而且，觀察衛方濟的翻譯風格，他會在正文翻譯中，穿插注疏與詮釋，所以，每一章的譯文多半比原文長得多。對比這些詮釋與呂維祺的《孝經大全》，可以觀察出為數不少的證據支持前述推理。雖然衛方濟僅翻譯《孝經》本文，但是部分譯文明顯僅有呂維祺的《孝經大全》提供他所採用的解釋。

從《孝經》每一章經文最後所引用的《詩經》經文出處，我發現《孝經》正文多未註明所引之《詩經》經文的篇名，衛方濟的譯文則詳細標示《詩經》篇名。其餘如韓國英或理雅各，乃至普呂凱的譯本，均僅註明該段經文出自《詩經》，未詳譯篇名。經比對呂維祺的、江元祚和李光地的《孝經》注疏本，唯有呂維祺的《孝經大全》詳細標示，而且與衛方濟的譯本所載篇名若合符節。以下試舉幾例文本比較分析之：

詩云：戰戰兢兢，如臨深淵，如履薄冰。（諸侯章第三）

衛方濟：Hinc liber Carminum tom. Siao Ya sic ait: *Cave, cave, time, time aut instar appellentis ad profundissima abyssi clivum, aut instar calcantis subtilem glaciem.*（*Hiao Kim, Classicus dictus Filialis Observantia*, p. 475.）

韓國英：*Craignez, tremblez, soyez sur vos gardes*, dit le Chi-king, *comme si vous étiez sur le bord du précipice, comme si vous marchiez sur une glace peu épaisse.* （*Hiao King, Le livre de la Piété Filiale*, p. 33.）

普呂凱：c'est pour cela que le livre des poésies dit: "Craignez & soyez sur vos gardes comme si vous étiez sur le penchant d'un précipice, ou comme si vous marchiez sur une glace mince."（*Le Livre de La Piété Filiale*, p. 13.）

《孝經》此處所引經文，僅說明出自《詩經》，但是衛方濟的譯文，確更詳細地指明出自《詩經・小雅》。衛方濟將《詩經》意譯為「詩的書籍」（liber Carminum），而採音譯方式處理小雅的翻譯。 普呂凱雖然是根據衛方濟的拉丁本法譯為「詩的書籍」（le livre des poésies），不過卻省略了「小雅」。經檢索前述三種中文《孝經》注疏本，其中，呂維祺在《孝經大全》中，說明該段經文出自「詩小雅小旻之篇」[166]。江元祚的《今文孝經直解》卻說這段經文出自毛詩。[167]此外，衛方濟與普呂凱貼近原文，直譯「戰戰兢兢」（*Cave, cave, time, time*），表示恐懼謹慎之意，而韓國英除了「你恐懼」（*Craignez*），則多使用一個動詞「你顫抖」（*tremblez*）強化其警惕。再看下例：

詩云：夙夜匪懈，以事一人。（《孝經卿大夫章》第四）

166 「詩小雅小旻之篇。戰戰恐懼，兢兢戒謹。臨淵恐墜，履水恐陷」。見呂維祺，《孝經大全》，卷二，頁8b-9a。

167 「引毛詩說道做諸侯的，長戰戰的恐懼，兢兢的戒謹，恰似在深水邊頭立⋯⋯。」見江元祚，《今文孝經直解》，頁3b。

衛方濟：Hinc liber Carmin tom. Ta Ya sic ait: *Amane usque ad vesperam, nè sis negligens in unius viri*（scilicet Regis）*servitio.* ”（*Hiao Kim, Classicus dictus Filialis Observantia*, p. 475.）

韓國英：Il est dit dans le Chi-king: Ne vous relâchez ni jour ni nuit dans le service de l'homme unique,〔c'est-à-dire, de l'Empereur〕.（*Hiao King, Le livre de la Piété Filiale*, p. 34.）

普呂凱：Voilà pourquoi le livre des poésies dit: "Ne négligez en aucun temps le service de l'homme unique, c'est-à-dire du roi."（*Le Livre de La Piété Filiale*, p. 14.）

呂維祺在《孝經大全》中，說明該段經文出自「詩大雅蒸民之篇」：「詩大雅蒸民之篇，引仲山甫修其威儀，為王喉舌，小心式於古訓，不敢懈怠以事其君，以明卿大夫之孝。」[168]同樣地，江元祚的《今文孝經直解》則說這段經文出自毛詩。[169]值得注意的是，此處經文所謂卿大夫應當奉服務的對象，在衛方濟的譯本被特別加註說明所謂「一人」正是指「王」（Regis），而不是譯為皇帝（Imperatores）。這種翻譯與詮釋和呂維祺對這段的注解一致，強調此一人為「君」。普呂凱譯Regis 為du roi。而這裡的「王」在韓國英的譯本為皇帝（de l'Empereur）。普呂凱的翻譯是以衛方濟譯本為底本，可以理解

168 見呂維祺，《孝經大全》，卷三，頁6。
169 江元祚，《今文孝經直解》，頁4b。

他之所以直接將「一人」翻譯為國王，是來自衛方濟的翻譯：「王」（Regis）。而韓國英之譯本轉向帝國文獻並且聚焦「天子之孝」的譯介策略，在其〈皇帝的孝道〉（"La Piété Filiale de l'Empereur"）一文當中，譯介康熙朝《御定孝經衍義》以及其他收錄在其《中國古今孝道》（*Doctrine ancienne et nouvelle des Chinois sur la piété filiale,* 1779）一書中，諸多清帝國孝道相關文獻的作品可以非常明確觀察得到[170]。這種轉向帝國／帝王的翻譯，在下面這段經文再次出現：

> 故明王之以孝治天下也如此。詩云：有覺德行，四國順之。（孝治章第八）
>
> 衛方濟：Hinc sapientes Imperatores, qui filialis observantiæ subsidio Imperium regunt, similem etiam consequuntur effectum, uti liber Carm. sic ait: *Cùm* Imperator *grandi virtute excellit, tunc* omnia circumquaque Regna *ei* sponte *obtemperant.* 171
>
> 韓國英：Hélas ! ces heureux temps recommenceraient encore sous un Prince éclairé qui gouvernerait l'Empire par la Piété Filiale. Il est dit dans le *Chi-king: Quand* un Prince *est sage et vertueux, son exemple subjugue tout.*[172]

---

170 Joseph Marie Amiot & Pierre-Martial Cibot, et al, *Mémoires concernant l' histoire, les sciences, les arts, les mœurs, les usages des Choinois, par les missionaries des Pékin*（Paris, Nyon l'aîné, 1776-1814）, vol. 4, pp. 77-100.

171 Noël, *Hiao Kim, Classicus dictus Filialis Observantia*, p. 478.

172 Cibot, *Hiao King, Le livre de la Piété Filiale*, p. 42.

> 普呂凱：Les sages empereurs qui voudront gouverner l'empire par le moyen de la piété filiale, produiront toujours ces effets. Le livre des poésies le dit: "Lorsqu'un empereur s'éleve à une vertu éminente, tous les royaumes s'empressent de se soumettre à lui, & lui obéissent avec joie." [173]

在衛方濟的譯文中，這「孝治天下」（filialis observantiae subsidio Imperium regunt）的理想，是由一群明智／智慧的皇帝（sapientes Imperatores）完成。而衛方濟譯文中的明智／智慧的皇帝，在普呂凱則譯為「聖人皇帝」（Les sages empereurs），接近聖王之意[174]。在《孝經大全》中，呂維祺解釋道：「引詩大雅抑之篇，以證明王之孝治天下之意。」[175]對孝治天下的詮釋，呂維祺引朱子之言：「孝而和」[176]。如前一節所論，《孝經》譯本出版之前，1698年衛方濟在《人罪至重》一書，討論仁義之圓滿，重新定義聖治的意義時，也是以此天地人和論之。如前文所說，這或者可以印證無論是透過經典翻譯，或是更早其論述天主與罪人的關係，這種孝治天下的理想，似是衛方濟一貫的詮釋。從上述文本分析，應該可以說呂維祺的《孝經大全》，至少是衛方濟翻譯《孝經》參考的底本之一。呂維祺讚譽《孝經》為「統聖真、會五經四書之指歸，垂千聖百王之模範」[177]，清順治十六年（1659）正式成為科舉考試科目。

---

173 Pluquet, *Le Livre de La Piété Filiale*, pp. 22-23.

174 Cf. Pluquet, *Le Livre de La Piété Filiale*, pp. 22-23.

175 呂維祺，《孝經大全》，卷六，頁5b。

176 呂維祺，《孝經大全》，卷六，頁6。

177 呂維祺，〈進孝經表〉，收入《續修四庫全書》，經部孝經類，vol.151，呂維祺所輯《孝經大全》（1663）[178]的出版對清初孝經學影響深遠。

值得注意的是，衛方濟的《孝經》翻譯之轉向倫理層面，似乎並非如同嚴璫和索邦神學家之將「宗教的」與「公民的」對立，而是不予以區分的方式詮釋之。下列譯文對照可以觀察到一些蛛絲馬跡：

> 子曰：昔者周公郊祀后稷，以配天。宗祀文王於明堂，以配上帝。是以四海之內，各以其職來祭。（聖治章第九）
>
> Reponit Confucius,〔...〕Olim Princeps *Cheu Kum*, cùm litando cæli Domino antiquissimum suum Avum & Familiae Conditorem, *Heu Cie* comitem ei in litamine adjunxisset; posteà litando in aula imperiali eidem cæli Domino, patrem suum *Ven Uam* etiam cæli Domino in litamine comitem adjunxit;（id est, parentalem patris Tabellam ad latus Tabellae cæli Domini apposuit;）atque inde factum est, ut omens Imperii Reguli pro debito in Imperatorem obsequio, ultrò undique confluerent ad hanc parentalem Ceremoniam suis muneribus condecorandam. 179

據天津圖書館藏清康熙二年呂兆璜等刻本影印（上海：上海古籍出版社，1995），頁347。

178 呂維祺《孝經大全》的自序撰於明崇禎十一年（1638），清康熙二年（1663）出版。

179 Noël, *Hiao Kim, Classicus dictus Filialis Observantia*, p. 478.

上述衛方濟的譯文在人名的翻譯上，多採音譯方式處理。內容描述周公（Princeps *Cheu Kum*）作為主祭，將周朝始祖后稷（*Heu Cie*）在祭天（cæli Domino, 天之主宰）儀式中共祭。他又將中文的上帝二字翻譯為天之主宰（cæli Domino），在明堂祭祀自己父親文王（*Ven Uam*）時，與之共祭。最終四方各國各攜祭牲而來與天子合祭，以此說明天下之至德，沒有能超越此孝道，如此天下便能大治，四方各國歸順。換句話說，周公將祭祀周朝皇家祖先（宗祀）與祭天（郊祀）兩種禮儀結合在一起，展現以孝道做為聖人至德，正是前述所言「孝治天下」的智慧皇帝典範。呂維祺在其《孝經大全》中，曾引程子之言道：「神明孝悌，不是兩事」，說明孔子所謂「郊社之禮、禘嘗之義，治國如視諸掌」來強調孝治天下的德行，正是如此。[180] 請注意：在此段譯文中，衛方濟插入自己解釋說道：「也就是說，祖先牌位與天主牌位放在一起〔共祭〕」（id est, parentalem patris Tabellam ad latus Tabelae caeli Domini apposuit）。[181]這段翻譯裡的共祭，意義和配祀接近。如此強調牌位，研判是因為嚴璫對利瑪竇一派耶穌會士准許中國教友在祭祖儀式中，祖先牌位與欽天牌匾的攻擊，引發牌位、神靈相關辯論，因而有此解說。此舉將祭祀中所使用的牌位，放在孝道脈絡中，做為聖人至德表現的重要物件。另一值得注意的是，這裡的后稷「配天」與文王「配上帝」，這攸關至高者的翻譯，在衛方濟的譯本中，將中文「天主」意譯為拉丁文。此

---

180 見呂維祺，《孝經大全》，卷十一，頁6-7。

181 衛方濟的翻譯不另外附註，而是直接插入正文。

舉迴避了天主教至高者Deus是否與中國之「天」或「上帝」等同的爭論，可能也避免了來自教廷以及當時反對耶穌會的其他修會神學家的攻擊。

再者，有關宗廟與春秋祭祀的論述，透過比較喪親章第十八的經文翻譯，也可以觀察出衛方濟的譯本中，對祭祖相當關鍵的詮釋，以下文本對照：

> **衛方濟**：erigitur parentale ædificium ad faciendas parentationes（為之宗廟，以鬼享之）; vere & autumno illis parentatur ad renovandam istis temporibus illorum memoriam（春秋祭祀，以時思之）. Denique sivivis Parentibus amore & honore（生事愛敬）, mortuis luctu & mœrore inserviatur（死事哀戚）, videtur viventis filii munus omninò adimpletum esse（生民之本盡矣）, mortisque ac vitæ æquitas exactè servata（死生之義備矣）. Atque is est filialis erga Parentes observantiæ ultimus finis（孝子之事親終矣）.[182]
>
> **韓國英**：on élève un Miao pour Hiang son âme, on fait des Tsi au printemps et en automne, et on conserve chèrement le souvenir des morts auxquels on rougirait de ne pas penser souvent.[183]
>
> **普呂凱**：pour laquelle on choisit un lieu convenable pour y

182 Noël, *Hiao Kim, Classicus dictus Filialis Observantia*, pp. 483-484. 中文與底線為筆者所加。

183 Cibot, *Hiao King, Le livre de la Piété Filiale*, p. 76. 底線為筆者所加。

> rendre aux morts au printemps & à l'automne les devoirs qu'on leur rendoit pendant la vie. Un fils a donc rempli tous les devoirs de la piété filiale & observé exactement l'équité de la vie & de la mort, s'il a aimé & honoré ses parents pendant leur vie, s'il les a pleurés & regrettés sincèrement & amèrement après leur mort. [184]

透過對照文本與分析，我們可以更清楚地觀察到衛方濟翻譯的特質。相對多以譯譯方式來翻譯解釋中文經文。同時，衛方濟基本上採意譯方式處理經文中部分關鍵字詞：將「宗廟」譯為「先人的房子」（parentale ædificium）。「以鬼享之」的「鬼」則未譯出，「享」字譯為獻出一些東西，未明說所獻物件內容為何。而「春秋祭祀，以時思之」則以春秋更新變化（renovandam），時時永懷先人來解釋，在衛方濟的譯文中，更多側重追遠的意涵。此種詮釋和呂維祺在其《孝經大全》中，對這段經文的箋注相近，他說：「及其久也，寒暑變更，必有怵惕悽愴之心」所解說的「追遠」之孝一致。呂維祺在此對祭祖的詮釋與對葬禮的「慎終」之孝對應，表述「慎終追遠」之孝道。[185]換言之，時代相對久遠的先祖，甚至追本溯源而上，推至對宇宙創造的「祭天」的禮儀，均屬追遠之孝。在春秋寒暑變化時節，倍感思親而有此禮儀，以表達後世子孫對先人的孝思。因此，無論是祭天或是祭祖，郊祀或宗祀，在

---

184 Pluquet, *Le Livre de La Piété Filiale*（1786）, p. 41.底線為筆者所加。

185 見呂維祺，《孝經大全》，卷十三，頁10。

衛方濟的譯文中，是以晚明文人呂維祺著作中所詮釋的「慎終追遠」意義來翻譯的。其次，與衛方濟不同，韓國英以音譯方式處理爭議或敏感字詞。他將「宗廟」譯為「一座Miao」（un *Miao*），中文的「廟」字被音譯處理。將「以鬼享之」譯為*Hiang* son âme，中文的「享」字被音譯處理。「春秋祭祀」譯為on fait des *Tsi* au printemps et en automne，中文的「祭」字被音譯處理。這種以半音譯方式來處理敏感的關鍵字，半意譯來處理較不敏感的字眼的方式，對於法國讀者而言，閱讀平順感應該不高，具有強烈的異國風情。普呂凱基本上迴避了爭議或敏感字詞，經文最後一段：「生民之本盡矣，死生之義備矣，孝子之事親終矣。」則總結一句話帶過。而宗廟一詞，普呂凱譯為on choisit un lieu，很中性地說「選擇一個地方」。似乎在衛方濟之後，尤其1742年，教宗本篤十四（Benedict XIV, 1740-1758）將禮儀禁令絕對化，嚴禁教內任何有關中國禮儀的討論之後，[186]十八世紀末的《孝經》譯本，在某種程度上，或者略過不譯，或者採取音譯方式，處理這些敏感字詞與概念。有趣的是，與受制禮儀之爭的天主教傳教士和譯者不同，清末新教傳教士理雅各對同一段經文的翻譯卻相當直接。他將「宗廟」譯為「祖先的廟」（the ancestral temple），甚至加說明指稱其作用是設立先人牌位，並且在其中向先人之靈獻祭。當然，類似爭議在十九世紀又重新展開。[187]

事實上，中國晚明曾出現一股重新出版、詮釋《孝經》

---

186 Noll, *100 Roman Documents*, pp. xii, 47-62 .

187 詳見James Legge,*The Hsiâo King, Or Classic of Filial Piety*（1879）, p. 488.

的風潮，根據呂妙芬對明清中文學術界的《孝經》研究得知，當時學者的共同目標：「希望透過孝的教化以穩定社會秩序」。[188]清朝之對《孝經》的重視，正是因為前述的教化功能。她同時注意到，清初學者刻意借呂維祺的《孝經大全》，切斷陽明學與《孝經》的關聯。[189]事實上從計東於康熙七年（1668）為《孝經大全》作的序曾感嘆說：「東益以嘆姚江之教心，近溪之專主率性不言修道者，即于孝弟之道而未得其大全」，[190]便可以看得出這種意味。從衛方濟翻譯《孝經》的內容，清初學術發展藉由程朱一派儒學的注疏，使《孝經》的政治與實踐倫理面向強化，對衛方濟的影響確實相當重要。[191]而且他所轉向的倫理面向，採取不二分的視野，從孝道來重新討論與詮釋中國禮儀，並非「宗教的」與「公民的」（或謂文化的）之間的對立。

總而言之，不同於柏應理以前的譯本，《四書》之外，衛方濟的譯本加入《小學》和《孝經》這兩本蒙學教材，是

188 詳參呂妙芬，〈晚明《孝經》論述的宗教性意涵：虞淳熙的孝論及其文化脈絡〉，《中央研究院近代史研究所集刊》，第48期（2005），頁1-46，尤其是頁2。

189 但是呂妙芬主張陽明學其實反而是呂維祺孝經學的基礎。參呂妙芬，〈晚明士人論《孝經》與政治教化〉，《臺大文史哲學報》，期61（2004），頁223、256。

190 計東，〈孝經大全序〉，收入《續修四庫全書》，經部孝經類，vol.151，據天津圖書館藏清康熙二年呂兆璜等刻本影印（上海：上海古籍出版社，1995），頁344。

191 呂妙芬，〈晚明到清初《孝經》詮釋的變化〉，收入林維杰、邱黃海編，《理解、詮釋與儒家傳統：中國觀點》（台北：中央研究院中國文哲研究所，2010），頁137-191。

衛方濟譯本的特色。對應蒙學，《四書》則是高等教育的材料。《大學》為高等教育入門書，其次依序為《論語》、《孟子》，最後是《中庸》這本進階的義理之學。而他選擇《孝經》一書，則是全面且系統地，以孝道為核心，介紹自天子下至庶民的全國政治、倫理與教育。而祭天與祭祖之為孝行表現，禮儀中的行為、行為者，以及禮儀中所使用的如牌位等物件，也涵攝在孝道脈絡下。我認為衛方濟挑選所譯經典，不僅將焦點從「孔子」轉向「中國儒家」，同時指出中國禮儀之爭的核心是「孝道」。然而，儘管衛方濟已經採取了有利皇權統治的詮釋來翻譯《孝經》，在韓國英眼中仍舊是「文人文獻」和「古文」，因而進一步將焦點從衛方濟譯本所呈現的「文人文獻」的中國儒家，轉向「帝國文獻」、皇權之下所詮釋的帝國儒家。而延續衛方濟《中國六經》出版於禮儀之爭顛峰，韓國英之帝國孝道文獻的翻譯則見於中國禮儀之爭末期。隨著時間演變，譯介的文獻選材逐漸聚焦皇權，以帝國文獻為介紹重點。這轉變與《孝經》的詮釋由多元趨向一元，重新以程朱學這有利皇權統治的詮釋為主流的發展吻合。[192]儘管呂維祺曾在其書中說：「《春秋》孔子之刑書也，《孝經》孔子之教書也，皆天子之事也。」[193] 似乎這樣專向帝國的詮釋在衛方濟的經典翻譯尚不明顯，而是在其後繼者韓國英翻譯中發揚光大。呂維祺之《孝經大全》所提供的豐富注疏，力倡《孝經》之政

192 詳參呂妙芬，〈晚明到清初《孝經》詮釋的變化〉一文。筆者感謝呂妙芬教授賜稿，及其所提供對孝經在明清的發展的高見。

193 呂維祺，《孝經大全》，卷之首，頁15a。

治教化與實踐，對衛方濟乃至其後繼的翻譯者，影響自不在話下。因此，衛方濟藉由經典翻譯，事實上使明清間中國學術思想，尤其孝經學的演變對十七至十八世紀歐洲對中國傳統的認識與評論，轉向政治與倫理面向，並形成一種新的氛圍，應當與他的經典翻譯與中國書寫密切相關。

以下以幾點來總結這一章的討論。首先，中國禮儀之爭的高峰，在福建主教嚴璫的禁令頒布，所提出的論點環繞著與「祭」有關的人事物：對象、行為本身和象徵物件。對象包含：天地、上帝、孔子和祖先。行為本身區分公民義務或宗教迷信行為。象徵物件：如牌位。釐清「祭」字意義、對象、行為本身和象徵物件，在爭辯過程成為重點，而其判準便游移在古經、文人注疏和帝國詮釋之間。衛方濟的譯著作品在中國禮儀之爭後不久的敏感時期出版，當時歐洲神學家所爭論的中國禮儀難題，其關鍵正是孝道。其問題關鍵並非當時在歐洲爭辯不休的，關於這些中國禮儀的性質到底應該是「宗教的」或「公民的」，其關鍵是倫理問題。衛方濟加選《孝經》的舉措，並非隨機選取。他是意識到，在中國，祭祀禮儀的核心是孝道，是一個倫理議題，所以，當問題落入禮儀是否為宗教行為時，已經偏離。他的經典翻譯中，《孝經》之所以入列，與此有關。此舉同時使他成為《孝經》歐譯第一人，影響力直達十九世紀英國新教傳教士理雅各的翻譯（詳第五章）。衛方濟雖然並非首位以「中國哲學」為之名論述中國儒家的思想與傳統的人，[194]但他的《中國哲學》一書，確實是系統地建構一

194 1688年，Simon Foucher從《中國哲學家孔子》摘譯有關孔子的倫理學時已

套奠基在其經典翻譯與對中國注疏傳統理解上的哲學，建構並以此引向中國禮儀之倫理面向的再詮釋。此舉與其前輩以形上學為基礎來討論中國儒學的方式，已經大不相同。在衛方濟的翻譯中，前述宗教的或公民（家族成員）的行為，不是兩難。他對《孝經》聖治章的翻譯，凸顯了郊祀與宗祀、祭天與祭祖，在皇帝身上結合。此舉凸顯了孝為聖人之至德要道，由天子以至庶人的倫理秩序，均由此維持。其次，身為中國禮儀辯護者，不同於耶穌會早期的翻譯，衛方濟在《四書》之外補入《孝經》和《小學》不僅使《四書》的歐譯完整，且使之與《大學》合觀，一併介紹中國教育理念。他的翻譯手法似乎有意在經典本文之上，參考當時中國學者的注疏，加入文本之外的詮釋。當晚明以降，文人圈中對《孝經》之出版、閱讀與研究開始復興，而清初正式恢復了《孝經》為明經科考試項目，重新成為科舉考試必讀教材，康熙二年（1663），呂維祺的《孝經大全》出版，對衛方濟的經典翻譯確實有所助益。衛方濟與康熙朝的關係密切，當此之際，他將《孝經》列入翻譯選項，向歐洲介紹中國的倫理和教育，堪稱為對中國學術史重大事件的一個積極回應。

最後，從衛方濟的經典翻譯與中國書寫的脈絡中，可以看出其譯著特質，實展現了「字學—經學—理學」三而一的架構。他對重要關鍵字詞如「天」、「上帝」與「祭」等字詞的

經採用「中國哲學」為書名，書名如下：*Kong zi, La morale de Confucius, philosophe de la Chine*（Amsterdam, 1688）。本人所見為法國國圖藏本，編號R 322209。

研究，完全展現在其經典翻譯中。衛方濟採用與柏應理等前輩耶穌會士不同的譯法。例如，他迴避了*Deus*一詞，改用*cæli Domino*（天之主宰）來翻譯經典中的「天」與「上帝」二個字詞。這個迴避，原本或者是為了避免禮儀之爭中的迷信爭議，但使「天主」與*Deus*的原意之間的距離反而拉大，在歷史的造化之中，促成了歐洲思想學術的重大轉變。伍爾夫依賴衛方濟在其《中國六經》中所譯的小學來認識中國教育體系，以為中國的教育分兩種型態：幼年教育著重人性中與理性無關層面的教養，而成年教育則側重理性的訓練。[195]衛方濟奠基於經典的中國哲學論述，實展現了一種從經院神哲學的形上學式論述，轉向以孝為核心的倫理與實踐面向的論述。雖然其翻譯文本的流傳沒有比其前驅柏應理的譯本廣遠，但是他卻影響了重要人物如德國哲學家伍爾夫和法國的伏爾泰等人。衛方濟的經典翻譯與中國書寫之倫理轉向對歐洲知識圈的影響，在「後禮儀之爭時代」（post rites controversy era），1742年羅馬教廷絕對化中國禮儀禁令之後，更顯清晰。

---

195 孟德衛曾指出衛方濟的經典翻譯主要參照朱子的注疏。從衛方濟對比《大學》與《小學》二書，視之分別為幼年與成年的教育的教材的詮釋，可以看得出來。D.E. Mungello, "The Seventeenth Century Jesuit Translation Project of the Confucian Four Books," in Charles E. Ronan and Bonnie B. C. Oh（eds.）, *East Meets West: The Jesuit in China, 1582-1773*（Chicago: Loyola University Press, 1988）, pp. 264-265. 另參見Donald F. Lach, "The Sinophilism of Christian Wolff（1679-1754）," *Journal of the History of Ideas*, vol. 14, no. 4（1953）, pp. 563-564.

SINENSIS IMPERII
LIBER QUINTUS CLASSICUS
DICTUS
FILIALIS OBSERVANTIA,
Sinicè
HIAO KIM.

LECTORI.

Hic libellus nihil aliud complectitur, quàm quasdam responsiones, quas Confucius dedit discipulo suo *Tsem* de debito erga Parentes cultu, húncque ad bonum Imperii regimen maximè conducere affirmat. Quocircà quænam sint cujusvis filii, v. gr. Imperatoris, Reguli, primarii Præfecti, viri litterati & plebei erga suos Parentes officia, præclaráque horum effecta paucis indicat. Atque hæc etiam pauca pro prævia declaratione videntur abundè sufficere.

Ooo FI-

衛方濟的《孝經》譯本書影
來源 :德國慕尼黑巴伐利亞邦立圖書館
Bayerische Staatsbibliothek München, 4 A.or. 3020, p. 473, urn:nbn:de:bvb:12-bsb10219788-8

第三章

孝道詮釋的帝國轉向與共和徘徊

韓國英譯本（1779）與
普呂凱再譯本（1786）

韓國英在現存六種不同譯本的翻譯流傳過程中，扮演了承先啟後角色，與衛方濟的先驅性角色和理雅各的集大成角色並立為三。衛方濟、韓國英與理雅各名下的三種譯本中，它們分別是在「中國禮儀之爭」、「帝國文獻」與「比較宗教」的脈絡中完成，也分別呈現出其所處時代的中西學術的發展情況。本章將以韓國英所翻譯的《孝經》全文法譯本作為研究對象，旁及《中國古今孝道》這一本書中韓國英所譯介的「帝國文獻」，並從《孝經》法譯之文本及其翻譯與詮釋的內容，依序討論、並擷取關鍵主題進行分析，試圖理解韓國英的詮釋進路，所建構的清帝國孝道的架構與論述核心，同時理解他區別自己所譯介之「帝國文獻」與其前輩衛方濟之「文人文獻」的差異，以及他的譯本對歐洲歷史後續的變化有何影響。

不同於衛方濟為辯護中國禮儀而奔波於歐洲各國，韓國英常駐北京，並且有機會與宮廷往來。他介紹的中國孝道，是環繞著中華帝國皇帝而開展的。在現存所有《孝經》譯本中，他是唯一大篇幅介紹天子之孝的譯者。他的帝國轉向，不僅從文獻的選擇上可以看到，也在他詳細詮釋帝王孝道的實質內容上觀察得到。帝國與家庭在他的孝道翻譯與詮釋中，被融合在一個宇宙性大家庭的脈絡裡。在法國即將迎來推翻王權的大革命時代裡，韓國英帝國轉向的孝道翻譯在此時出版，頗有時代逆流之感。而大約同時期，壯志未酬的衛方濟卻有新的詮釋者普呂凱，將他未能廣傳的譯本在法文世界重新翻譯出版，與他一起邁向了共和時代的新里程。這也使得被韓國英批評為僅參考文人文獻的衛方濟譯本，披上了新時代的外衣。十八世紀初衛方濟譯本影響了德國哲學家伍爾夫，在中國哲學啟發下建立了一套實踐哲學之後，十八世紀末的普呂凱又在他的中國經典翻譯基礎上，在法國共和中尋找文人與帝國之間立足點，重新詮釋中國孝道。

如前章所已經討論過，衛方濟極可能根據晚明呂維祺所編之《孝經大全》（1663）進行《孝經》歐譯與詮釋，研判這是韓國英視衛方濟所據底本是「文人文獻」的可能原因。當時身在北京的韓國英所能參考的文獻，比當時往返中國與歐洲之間的衛方濟來得多，其自謂所依據底本均為「帝國文獻」，是否有一特定底本，或者到底涵蓋哪些文獻，也是本章欲一探究竟之處。

韓國英生平與著作

韓國英為法籍耶穌會士，1727年8月14日出生於法國中部，接近里昂的一個小鎮。1759年7月抵達澳門，1760年6月進入北京，成為清廷耶穌會團體的成員。而1773年羅馬正式宣布解散耶穌會，1780年耶穌會被解散的消息傳到北京後不久抑鬱而終。[1]

中國禮儀之爭在高層的打壓之下，禁止了相關的活動，同時也禁止了相關的討論。三十年後，耶穌會也被解散。此後不久，韓國英出版了強調皇權與帝國詮釋的《孝經》翻譯，題名為：《孝經：或有關人子敬虔的經典書籍》（"*Hiao-King*, ou Livre Canonique sur la Piété filiale"，以下簡稱*Hiao-King*）。收入其名下《中國古今孝道》（*Doctrine ancienne et nouvelle des Chinois sur la piété filiale*, 1779）[2]一書中出版。這是西方世界第一個法文譯本。在*Hiao-King*中，韓國英清楚地揭示了自己的翻譯與其前輩衛方濟的差別，有意識地區別為帝國文獻與文人文獻。此外，韓國英的譯本收入錢德明（Joseph Marie Amiot, 1718-1793）等人供稿與編譯之《關於中國之記錄》第四卷（*Mémoires concernant l'histoire, les sciences, les arts, les mœurs,*

1　有關韓國英的生平和著作，請詳見〔法〕費賴之（Louis Pfister）著，馮承鈞譯，《在華耶穌會士列傳及書目》（北京：中華書局，1995），頁938-952。

2　此譯本的完整內容請參見錢德明（Joseph Marie Amiot, 1718-1793）等人編譯之《關於中國之記錄》第四卷，見*Mémoires concernant l'histoire, les sciences, les arts, les mœurs, les usages des Choinois, par les missionaires de Pékin*, vol. 4（1779）, pp. 1-298（以下：*Mémoires*）.

les usages des Chinois, par les missionnaires de Pé-kin, 1779），此書之封面是以北京傳教士（*les missionnaires de Pé-kin*）稱呼這群駐北京之耶穌會士。從作者之身分標示來觀察，韓國英被歸為北京傳教士成員之一，與衛方濟著作封面以耶穌會傳教士（Societatis JESU Missionario）稱呼，也可以解讀為中華帝國的勢力對傳教士身分轉變出現了影響。

杜赫德曾經在其《中華帝國志》（1735）中介紹中國的「經」，視之為第一等典籍。然後將衛方濟之《中國六經》之《孝經》、《四書》、《小學》等書放在「第二等典籍」（Canonique du Second Ordre）中逐一介紹，與「經」做出區別。衛方濟譯本中之第五種為《孝經》，杜赫德以不到三頁的篇幅「介紹」全書十八章主旨。[3]其介紹的方式趨近於「摘譯」，以「第三人稱」方式解說內容。1711年衛方濟譯本出版時，韓國英尚未出生，而1735年杜赫德《中華帝國志》出版時，他才七歲。韓氏自己所出版的第一個《孝經》法譯本要等到1779年，時年52歲過世前一年。而衛方濟《中國六經》的法譯本需再等五年之後，由普呂凱陸續出版。《孝經》英譯本則需要半個世紀之後，才由英國著名漢學家理雅各（James Legge, 1815-1897）翻譯出版。儘管彼此時空有相當距離，從不同譯本之間的關聯性，仍可以略窺不同時代譯者之間的傳承與更新。在這過程裡，中國經典所承載的傳統藉由翻譯、再譯，被重構，也被傳播。相對於早期耶穌會士的經典翻譯與介紹中國文化的相關文獻，「孝」或「孝道」的介紹，在《關於中國之記

3　Du Halde, *Description*, tome 2, pp. 363-365.

錄》中所占分量，顯得高出許多。而百年後，理雅各翻譯《孝經》時大量引註韓國英的作法，可見兩者之關聯性和延續性，更證實了耶穌會士如韓國英等人之經典翻譯對後代傳教士與經典翻譯的影響力（詳第五章）。

除了《中國古今之孝道》之外，在《關於中國之記錄》叢書中，韓國英的代表作之一是〈論中國古代〉（Essai sur l'antiquité des Chinois）[4]一文，他主張堯是中華帝國的奠基者。事實上，在此之前，韓國英與錢德明等曾另外寄回《北京來鴻：關於中國語言起源及其符號書寫，與古埃及語言比較》（*Lettre de Pékin, sur le génie de la langue chinoise et la nature de leur écriture symbolique, comparée avec celle des anciens Egyptiens*）一書的文稿，1773年在法國出版。韓國英在此書中主張中國文明有其獨立起源，恐非屬猶太——基督教的一支，與當時歐洲盛行的文明一源說相左。他也在注釋《聖經舊約》的〈以斯帖記〉時，將中國與猶太人作了對比。[5]這種言論，容易令人與耶穌會的符象派作聯想。儘管韓國英的著作幾乎未曾提及白晉、馬若瑟等符象派（索隱派）耶穌會士名諱，但龍伯格（Knud Lundbaek, 1912-1995）卻發現他的著作多處引用馬若瑟的名著《漢語箚記》（*Notitia Linguae Sinicae*, 1728, 1831）的內容，且在《關於中國之記錄》第三卷介紹乾隆皇帝的文字中，韓國英採用了馬若瑟之《易經》與天主教義的相關論述文

4　*Mémoires*, vol.1, pp. 1-271 .

5　*Mémoires*, vols. pp. 14-16.

字，因此，龍伯格認為他可謂最後一位中國符象派。[6]《關於中國之記錄》之第四卷中，除了《中國古今孝道》外，韓國英的〈康熙皇帝對物理與自然史的觀察〉（Observations de Physique & d'Histoire naturelle de l'Empereur Kang-hi）一文也收錄其中。此乃康熙帝《幾暇格物編》之譯介，介紹康熙對物理與博物的觀察。[7]此外，韓國英對中國的園藝、植物學、蠶絲、馬與竹文化，以及天花病理和治療方法等也多所介紹，均可見韓國英展現了對不同領域研究興趣。從韓國英不僅翻譯《孝經》本文，而是廣泛譯介達十二種清帝國孝道文本來看，其百科全書式寫作風格，似乎也呈現在他的孝道研究與翻譯之中。

目前學界對於韓國英的研究，除了龍伯格所撰〈韓國英（1727-1780），最後的中國索隱派〉（Pierre Martial Cibot（1727-1780）-The Last China Figurist）一文，對其生平進行了相對詳盡的介紹外，[8]其餘研究均非以韓國英為主題，而是論及清初耶穌會或法國漢學時，「提及」韓國英。這些研究大致有三方面：第一類介紹韓國英對中國語言、古史和猶太人之研究：例如Ida Augusta Pratt等人之《古埃及：紐約公立圖書館的資源》（*Ancient Egypt: Sources of Information in the New York*

6 Knud Lundbaek, "Pierre Martial Cibot（1727-1780）-The Last China Figurist," *Sino-Western Cultural Relation Journal*, vol. XV（1993）, pp. 52-59. *Notitia Linguae Sinicae*一書現存多個圖書館，本人所見為法國國家圖書館藏本，編號FRBNF31148292。

7 見"Observations de Physique et d'Histoire naturelle de l'Empereur K'ang Hi," in: *Mémoires*, vol. 4（1779）, pp. 452-483.

8 Knud Lundbaek, "Pierre Martial Cibot（1727-1780）-The Last China Figurist," pp. 52-59.

Public Library）一書，以及艾田蒲（René Etiemble）的〈從十七世紀以後歐洲對中國的讚賞〉（Appréciation par l'Europe de la tradition chinoise: à partir du XVIIe siècle）一文，介紹韓國英對中國語言文字的研究。[9]有關中國的猶太人的研究，則有榮振華（J. Déhergne）的《中國的猶太人：根據十八世紀耶穌會士未出版的書信》（*Juifs de Chine: à travers la correspondance inédite des jesuites du dix-huitième siècle*）等論著。[10] 第二類研究成果則涉及韓國英之科學技術相關研究：如韓琦之《中國科學技術的西傳及其影響》與Peter Valder之《中國庭園植物》（*The Garden Plants of China*）兩書[11]。第三類注意到韓國英之翻譯工作，為數相當少：目前所知為朗宓榭（Michael Lackner,1953-）之

---

9 New York Public Library, Ida Augusta Pratt, Richard James Horatio Gottheil, *Ancient Egypt: Sources of Information in the New York Public Library*（The New York public library, 1925）, p. 314; René Etiemble *Appréciation par l'Europe de la tradition chinoise: à partir du XVIIe siècle, Actes du IIIe Colloque international de sinologie*（Paris: Belles Lettres, 1983）.

10 Joseph Dehergne, *Juifs de Chine: à travers la correspondance inédite des jesuites du dix-huitième siècle*（Paris et Rome, 1984）、Michael Pollak, *Mandarins, Jews, and Missionaries: The Jewish Experience in the Chinese Empire*（Jewish Publication Society of America, 1980）, pp. 111, 421和Shun-Ching Song, *Voltaire et la Chine*（Université de Provence, 1989）; Hyman Kublin, *Studies of the Chinese Jews: Selections from Journals East and West*（Paragon Book Reprint Corp., 1971）, p. 181.

11 Lo-shu Fu, *A Documentary Chronicle of Sino-Western Relations, 1644-1820*（Association for Asian Studies by the University of Arizona Press, 1966）, p. 731、Peter Valder, *The Garden Plants of China*（Timber Press, 1999）, p.18、韓琦，《中國科學技術的西傳及其影響》（石家庄：河北人民出版社, 1999），頁12、27、34。

《從一到多：中文翻為歐洲語言之譯本》（*De l'un au multiple: traductions du chinois vers les langues européennes*）一書中視韓國英為多語翻譯者，簡介其翻譯工作。

目前學界對於韓國英《孝經》翻譯以及中國孝道文獻的研究並不多。十九世紀英美傳教士的漢學著作與刊物中，在論及耶穌會入華史，或北京傳教士相關記錄時會稍加介紹韓國英，惟多以其科學、植物學相關資訊為主軸。韓國英在十八世紀法國與清朝之間的交流，占有相當重要地位，惜相關研究，尤其是其翻譯研究成果相當有限。而本人發現，明清之際耶穌會引介中國傳統進入歐洲，似乎有從中國歷史、經典的譯介這種以「中國」整體為介紹標的物的方式轉向以聖哲「孔子」為核心之中國儒家為焦點的趨向。而中國禮儀之爭後期，賢明皇帝「康熙」成為他們譯介撰述中重要聖王形象。除了白晉著名的康熙大帝傳之外，在《關於中國之記錄》中，韓國英對康熙帝的介紹，也占據相當大篇幅。雖然費賴之評論他的翻譯時說：「世人責其偏重意譯，不乏曲解是也」[12]。不過，我認為所謂「曲解」或者其實是一種新詮釋。韓氏所譯介《御定孝經衍義》一書，實則以「天子之孝」為譯介內涵，重構了「孝」的論述，對其法國讀者所處文化、社會提出挑戰。目前學界對韓國英的研究，關注重點是他對醫學、植物學與園藝的興趣，而他的經典譯介較受忽視。但是，我認為在《關於中國之記錄》第四卷中，超過一半的篇幅譯介中國孝道文獻應非偶然。而且

12 費賴之著，馮承鈞譯，《在華耶穌會士列傳及書目》（Répertoire des jésuites de Chine de 1552 à 1800），頁941-942。

他特別強調自己的工作與衛方濟的《孝經》翻譯有「文人」與「帝國」之區隔，值得重視。

一、帝國文獻的脈絡

韓國英在《中國古今孝道》一書之序言開宗明義地說明，依古聖名訓中華帝國作為一個大家庭，皇帝是這大家族的父母（l'Empereur est le *Père & la Mère*），[13]為全書所選譯的「帝國文獻」脈絡鋪路，並將孝道與帝國緊密連結。他稱「孝」為「中國人的國家美德」（la vertu nationale des Chinois），「孝」在中國，就如同「對國王之愛」在法國（chez les François l'amour de leur Roi）一樣。因此，任何意圖攻擊這倫理道德規範者，將引發全體中國人的反擊。[14]韓國英解釋了自己翻譯這些文獻的目的，乃是因為中國孝道多記錄在文獻中。為提供歐洲讀者正確認識中國孝道之相關教義與實踐的路徑，他從文本的譯介入手，而且整理了一本彙編（un Recueil），使歐洲讀者便於參考。[15]此一彙編研判就是《中國古今孝道》。在其中，韓國英選譯了清康雍乾三朝，多種長短不一的與孝道相關之帝國文獻，其中又以康熙朝相關的文獻為大宗。從韓國英之序言、所選文本與孝子故事觀察，我們可以這麼說：對他來說，孝道之真諦要從古今文本紀錄來認識，而孝道之實踐，則可以從古今重要著名人士之行為典範來認識。追隨比韓國英更早前來北京

13 *Mémoires*, vol. 4, p. 2.

14 *Mémoires*, vol. 4, p. 3.

15 *Mémoires*, vol. 4, p. 3.

的耶穌會士們對這位東方最偉大君王的崇敬，韓國英筆下的帝國文獻與孝道典範，同樣聚焦於康熙皇帝。

韓國英之《中國古今之孝道》一書，刊載於錢德明與韓國英等人合編之《關於中國之記錄》第四卷，全書超過一半的篇幅（近三百頁）介紹中國的孝道，[16]所譯介之孝道文本多達12種，涵蓋了康雍乾三朝。除了〈皇帝的孝道〉（La Piété filiale de l'Empereur）全文翻譯了康熙《御定孝經衍義》的序文（1690），並且花費相當篇幅介紹討論《御定孝經衍義》的內容之外，《中國古今之孝道》中尚有幾件譯介文獻值得注意：（一）〈孝經 ，或有關孝道的經典書籍〉（Hiao-King, ou Livre Canonique sur la *Piété filiale*），此為《孝經》全文法譯。正是在此，他宣稱其《孝經》翻譯不同於衛方濟根據「古文」，而是根據「新文」，即清朝官定文本而譯。[17]（二）〈奏議〉（Placet *Tseou-y*）一文，此為康熙奏議的簡介。此文本是1733年（雍正十一年）出版長達三百卷的「奏議」（*Tseou-y*）之第二卷摘譯。在此，韓國英強調自己所選取文本是所謂「帝國文獻」，與「文人文獻」有所區別。[18]（三）〈聖祖康熙關於孝道的細節〉（Détails sur la Piété Filiale, tirés du Cheng-hiun de Kang-hi）一文，此為韓國英逐年譯介《聖祖仁皇帝聖訓》卷一「聖孝」全部內容，韓國英稱之為孝之細項。《聖祖仁皇帝聖訓》成書於雍正九年（1731），書中有雍正序文。乾隆六

16 *Mémoires*, vol. 4, p.77.

17 *Mémoires,* vol.4, pp. 99-100.

18 *Mémoires,* vol.4, pp. 99-100.

年（1741），也為此聖訓作序，強調繼承康熙承古聖人受天命為下民軍師的意義。在〈聖訓〉翻譯之後是《大清會典》的簡介，題名為〈當朝法典有關孝道的公告〉（Notice de ce qui a rapport à la Piété Filiale dans le Code des Loix de la dynastie régnante），此文從法律層面介紹孝道。《大清會典》是中國清朝歷代所編修清代政治制度相關內容的書籍，韓國英所譯介的《大清會典》是他同時代當朝皇帝新出版的第三部，於乾隆三十一年（1766）完成，敘事記錄止於乾隆二十七年，共100卷。[19]（四）〈第一條：論1663年康熙的宣告〉（Article I: D'une Déclaration de Kang-hi de l'an 1663）一文。此為1663年康熙所發布的與葬禮有關的告示，內容在描述康熙在經歷祖母之喪後，在葬禮上所表現的真實情感。最後他依序列舉古代自皇帝以下多位著名孝子的事蹟，並在文末提供一個總結：〈有關孝道教義的反思與考慮〉（Réflexions et Considérations sur la *Doctrine de la Piété filiale*）一文為「孝治」提供六點結論。[20]換句話說，韓國英的《孝經》翻譯，是在諸多他所謂的「帝國文獻」之孝道論述的脈絡中進行，他所選譯的中文文獻，提供了歐洲讀者更完整地理解《孝經》一書，乃至完整的中國孝道相關知識的脈絡。

韓國英將《聖祖仁皇帝聖訓》中卷一「聖孝」稱之為孝之細項（Détails sur la Piété Filiale），提供了這份文本的全文翻譯。《聖祖仁皇帝聖訓》成書於雍正九年（1731），書前附有

---

19 Mémoires, vol.4, pp. 126-167.

20 *Mémoires,* vol.4, pp. 113-126.

雍正序言。又，乾隆皇帝也為之作序（1741），強調繼承康熙承古聖人受天命為下民軍師的意義。[21]後者為1663年康熙所發布與葬禮有關的一份告示的譯本，內容描述康熙在經歷祖母之喪後，在葬禮上所表露令人動容情感。以皇帝之尊，卻如此強烈表達情緒，實為一昭告天下的舉動，也就是說，無論身分地位如何崇高，都必須以孝為尊。《聖祖仁皇帝聖訓》記載了康熙為了祖母的病，先下令特赦，減免罪犯死罪，以求上天眷顧等事蹟，以及後來率王公大臣步行前往天壇，表明願折壽救祖母之病時，康熙所表達的哀戚之情，陪祀諸王公大臣「無不感泣」。祭天完畢，康熙立刻前往慈寧宮服事重病祖母。[22]文中描述太皇太后崩逝之後，康熙的表現：

> A minuit, la très-auguste Impératrice mourut. L'Empereur, ivre de douleur & d'affliction, fit retentir tout le palais de ses cris, versa des torrens de larmes, & il ne fut pas possible de lui faire prendre aucune espece〔sic〕de nourriture, ni de boisson.[23]
>
> 太皇太后崩於慈寧宮，上擗踊哀號、呼天搶地、哭無停聲、飲食不入口。[24]

21 乾隆，〈聖祖仁皇帝聖訓序〉，頁2。《聖祖仁皇帝聖訓》總共六十卷，其中卷一「聖孝」收入康熙元年（1661）以來，至康熙五十九年十二月的聖訓。

22 《聖祖仁皇帝聖訓》，卷一，頁6。

23 *Mémoires*, vol. 4, p. 121.

24 《聖祖仁皇帝聖訓》，卷一，頁6。

不僅如此，康熙甚至計畫效法古代異族賢君魏孝文帝，也為祖母服喪三年，他說：

> Mais Sa Majesté ne répondit à leurs humbles représentations qu'en disant que *Ouen-ti*, de la dynastie des *Hoei*, ayant porté le deuil pendant trois ans, il etoit〔sic〕encore plus juste qu'il le portât, puisque étant monte sur le trône à l' âge de onze ans, Sa Majesté la très-auguste Impératrice avoit environné son enfance de soins & de bontés ; mais qu'il n'ordonnoit ni ne défendoit de suivre son exemple.[25]
>
> 朕覽自古帝王，居喪持服以二十七日易為二十七月。惟魏孝文帝欲行三年之喪。朕平日讀史至此，常羨慕之。[26]

經比對原文與譯文可以確認韓國英幾乎翻譯了《聖祖仁皇帝聖訓・聖孝》的全部內容，甚至對於康熙因祖母之喪而「擗踊哀號、呼天搶地、哭無停聲、飲食不入口」也譯得相當傳神。[27]而且，康熙如此強烈的情感表達，似也在某種程度上與《孝經・喪親章》所言：「擗踊哭泣，哀以送之」遙相呼應，以表章康熙無論言行悉遵循古聖王教訓。再者，康熙在與群臣往返協商為太皇太后守喪的時間長短時，值得注意的是，韓國英對康熙特別提魏孝文帝（*Ouen-ti*, de la dynastie des *Hoei*）作為典

25 *Mémoires*, vol. 4, p. 121.

26 中文見《聖祖仁皇帝聖訓》，卷一，頁7。韓國英之法文翻譯見*Mémoires*, vol. 4, p. 121.

27 *Mémoires*, vol. 4, p. 120.

範，表達羨慕之意的描述，也如實翻譯出來。[28]魏孝文帝在帝王祭祀的改革，以及作為外族統治者欲晉身正統的所有努力，也許也是康熙將他視為典範的原因之一。根據張璉有關魏孝文帝對中國祭祀典禮的改革的研究，他說：

> 自秦以降，最早出現具開創性祭祀思維的帝王是北魏孝文帝。他一改早期「所至而祀」的即興式祭祀，除建置祭祀的規格外，最大的創制就是扭轉了以前祭祀的舊思維。從祭於墓塚改為祭於肇起之地。祭於墓塚，意味著對前代帝王之死表達追思崇慕之情；而祭於肇起之地的意義則大不同，是意味著對於前代帝王政權立基之地的禮敬，象徵著政權確立與君威廣被的核心基地，所以是兩個截然不同的思維，故從墓塚轉為肇起之地，魏孝文帝的禮制改革為帝王祭祀賦予歷史性的新意涵〔……〕在諸多禮制改革中，除了改祭於肇起之地具有濃厚的政治宣示外，就是具體奠定「聖德」的祭祀，這對鮮卑外族入主中原，具有重大而深遠的意義，足見他不僅在政治上尋求「正統」，也在文化意義建立崇聖祀德的規制。[29]

28 *Mémoires*, vol. 4, p. 121.此處韓國英之翻譯為文帝，經比對中文，應是魏孝文帝，參《聖祖仁皇帝聖訓》，卷一，頁6。

29 參張璉，〈歷代帝王祭祀中的帝王意象與帝統意識——從明代帝王廟的祭祀思維談起〉，《東華人文學報》，第10期（2007），頁352-353，另外請同時參考康樂，《從西郊到南郊——國家祭典與北魏政治》（台北：稻鄉出版社，1995），頁165-206。

因此，我們也許可以說，康熙同樣身為非漢族統治者，同樣遵守漢族孝道禮儀，希望如同魏孝文帝（467-499）一樣，亦「孝」亦「文」而被接受為中華帝國的正統。韓國英在“Détails sur la Piété Filiale”之末，從康熙的處境提出六點評語，他說：1.康熙是清朝第二位皇帝。2.他需要藉由孝道來征服尚未向他歸順的省分。3.他並非順治長子，惟深受其祖母讚賞。4. 這位太皇太后（cette grande Princesse, 指康熙之祖母）養育順治，奠立滿州皇權基礎，輔佐他在中國建立政權。5.王儲之選擇是一種政治性動作。6.康熙極力向中國古代教訓（指古聖王孝治天下）靠攏，至少以其自我的表達方式。[30] 上述韓國英的評語之語意次序稍有跳躍，我認為他的意思是，康熙的大位是仰賴其祖母而來，也因為她的保護才能穩坐皇位。康熙以奉行中國古代帝王的尊親與孝治，不僅捍衛自己的正統性，同時也藉此拉攏王公大臣。康熙非常清楚自己的處境，韓國英似乎也清楚。他翻譯這些帝國文獻，彷彿與康熙有著類似心境。身為外來傳教士，服務於滿族朝廷，卻必須在言行、語言文字、衣冠、禮儀、文化、倫理等方面，均以漢族孝道為正統。箇中弦外之音相當耐人尋味。

整體來說，除了翻譯經文，韓國英在《中國古今孝道》大篇幅介紹以康熙朝為主的清帝國文獻中的孝道論述。除了康熙朝的文獻外，1766年乾隆朝出版的《大清會典》（*Code des loix de la dynastie régnante*）之部分內容，依據吏、戶、禮、兵、刑、工五部，介紹清帝國組織及官職。此外，韓國英另譯

30 *Mémoires*, vol. 4, p. 126.

介了《禮記》（Extraits du *Li-Ki*, sur la Piété filiale）。他採取重組篇章安排與次序方式，重新譯介《禮記》部分篇章。他所選譯的篇章包含了〈檀弓〉、〈王制〉、〈曾子問〉、〈文王世子〉、〈內則〉、〈玉藻〉、〈喪服小記〉、〈喪大記〉、〈祭義〉、〈祭統〉、〈緇衣〉、〈奔喪〉、〈問喪〉、〈問服〉、〈三年問〉、〈昏義〉、〈酒義〉、〈喪服〉等。從他所選取的《禮記》篇章可以觀察到一個特色，多數與祭祀、婚喪禮有關。[31]此外，《詩經》部分內容與中國歷史著名孝子的故事，也在韓國英譯介之列。韓國英的《孝經》翻譯，就是在前述所介紹的這些他所謂的「帝國文獻」之孝道論述脈絡中進行。

在《中國古今孝道》一書最後，韓國英對中華帝國的孝道提出總評論。[32]文中他向其歐洲讀者強調，在中國，孝道被視為最崇高的德性。如果這種展現孝道的祭祀禮儀，被說成是一種是愚蠢且錯誤的行為，或是一種迷信、危險的偶像崇拜儀式，將無法被所有中國人接受。中國人不可能放棄這從古代聖王相傳而下的孝道禮儀。他認為，歐洲人對孝道的想像，反而使他們自己在面對中國的祭祀禮儀時，陷入驚慌失措的處境。諸多因此認定中國人必須放棄此種展現孝道的儀式，來擁抱歐洲宗教的意見，以及那些主張儘管有孝行（行為實踐層次），卻不認識天主與敬拜基督耶穌而死亡者（正統教義層次），必受咒詛進入永罰等思想或說法，實在令人難以接受。這種論點可以

---

31 *Mémoires*, vol. 4, pp. 6-28. 韓國英的《禮記》翻譯研究，將另闢專文處理。

32 *Mémoires*, vol. 4, pp. 286-296.

進一步理解為，韓國英可能認為，歐洲方面對天主教正統教義層面（Orthodoxy）的堅持，忽略了中國孝道相關的種種正統實踐層面（Orthopraxes）所展現的真理本質。在譯介中華帝國孝道文獻中的各種詔令、律典，各種孝道的實踐面概況之後，韓國英觀察到祭祀禮儀的積極面向。他說道：如果回歸記載孝道的原始文獻，如經書（les *King*）與古代文獻所載內容，孝道教義在中國是更為純淨與更有啟發性。孝道在中國是如此古老、神聖與普遍，無論從經典文字、古籍文獻、國家律典、教化和風俗，都強調了孝道在規範全帝國百姓生活次序的重要角色。他甚至引用箴言，說明中國這古代先聖所建立的典範，在人心中之不可任意改變的重要性。[33]他認為如同《聖經》福音書所載之浪子比喻（la parabole de l'enfant prodigue）的含義，[34]中國人在孝道實踐，或者對孝道精髓的認識，其實可能比歐洲人，如同浪子那未曾離家出走卻滿心忌妒的兄長，更接近福音（Les Chinois à cet égard sont plus près que nous de l'Evangile）。[35]儘管如此，韓國英最後還是回歸耶穌基督的十字架，他說：孝道的惟一權威是十字架，因為後者是和平的象徵。他認為，當家族的大家長改信，整個家族就會產生極大改變。家中不再放置神鬼偶像，而是十字架。[36]對韓國英而言，儘管沒有直接稱呼天主

---

33 *Mémoires*, vol. 4, p. 287.

34 浪子的故事請參見《聖經》路加福音十五章，第11-24節。

35 *Mémoires*, vol. 4, p. 295.

36 在"Réflexions et Considérations sur la *Doctrine de la Piété filiale*"這篇短文中，韓國英忽然針對孝道問題所涉及的有無子嗣，所謂不孝有三，無後為大，及其隨之而來的納妾多妻制問題，花費了兩大段落的篇幅進行評論。目前

或耶穌基督之名，《孝經》所標榜的孝治天下的精神完美的展現天地人合一的理想，正如同韓國英所引用《聖經》中浪子的比喻所傳達的寓意一樣，雖然浪子曾經忤逆父親離家出走，最終卻迷途知返，返回父親身邊，在行為面實踐了福音的精神。

韓國英的《孝經》翻譯，是在前述所介紹《中國古今孝道》所選譯的帝國孝道文獻脈絡中一起出版。此舉與其前輩衛方濟將《孝經》與《大學》、《中庸》、《論語》、《孟子》和《小學》等文人儒學文獻脈絡一起出版有所區別。衛方濟之譯《孝經》，主要源於清初科舉將之增列為考試科目的出題範圍。康熙以後的清朝皇帝對此經典的提倡與推廣未曾間斷。康熙〈聖諭十六條〉，[37]後來被增補為《聖諭廣訓》，在鄉里推廣孝道。[38]韓國英將《孝經》的翻譯，從科舉和學術發展脈絡，轉向滿清皇權集中的大一統帝國脈絡。與康熙極力向中國古代

無法確認是否因為韓國英對此類現象仍存在一些負面評論，所以還是回歸耶穌基督的十字架來理解。

37 康熙〈聖諭十六條〉，頒於九年，收入欽定四庫全書，子部，717冊，頁589-610。

38 《聖諭廣訓》雍正二年推繹之。雍正針對聖諭第一條：「敦孝悌以重人倫」部分推繹道：「我聖祖仁皇帝臨御六十一年，法祖尊親，孝思不匱。欽定孝經衍義一書，衍釋經文義理詳貫，無非孝治天下之意。故聖諭十六條，首以孝弟開其端。」〈聖諭廣訓序〉，收入欽定四庫全書，子部，717冊，頁589-590。清末傳教士米憐與理雅各均對此產生極大興趣，譯為英文向西方傳播。請參閱廖鎮旺，〈「萬歲爺意思說」——試論十九世紀來華新教傳教士對《聖諭廣訓》的出版與認識〉，《漢學研究》，26卷3期（2008），頁225-262和王爾敏，〈清廷《聖諭廣訓》之頒行及民間之宣講拾遺〉，《中央研究院近代史研究所集刊》，第22期下（1993），頁255-276。

聖王之教（指孝道）靠攏相似，韓國英的尊古態勢也展現在其孝道文獻的譯述中。他不僅摘錄翻譯了《禮記》與《詩經》的部分文字作為孝道的經典依據，同時也列舉中國古代聖王與名人的孝行作為實踐典範。更值得加以注意的是，彷彿因著與滿族皇帝同樣身為異族，韓國英所選譯的帝國文獻，在其字裡行間存在著與康熙積極適應漢族孝道文化的戚戚之情。前述韓國英這種詮釋也出現在他所翻譯的《聖祖仁皇帝聖訓・聖孝》之中。儘管隱含於字裡行間的個人感受在韓國英對康熙朝《御定孝經衍義》的譯介並不明顯，但是從*Hiao King*的譯文分析可以觀察到。韓國英的《孝經》的全文翻譯與他對康熙朝《御定孝經衍義》的譯介手法，大致相同，多處關鍵或具爭議性的字詞，均採用音譯，不直接下定義的方式處理（詳後）。這作法似乎一方面迴避了利瑪竇派耶穌會士早期有關天、上帝翻譯所招致的攻擊，另一方面韓國英的孝道文本翻譯，在法國皇室主導贊助下出版，並將清朝帝國文獻所高舉的孝治天下理念，建構了以中國皇帝（康熙）為典範的大一統帝國，其中天子為大家族之家長，藉由國家社會法令與禮儀的建制，使國家井然有序的形象，藉由孝道文獻的翻譯傳回法國。

二、天子之孝：愛與敬的義務

本節旨在探索清初耶穌會士韓國英如何譯介歷經順治和康熙兩朝編纂出版、長達一百卷的《御定孝經衍義》，並藉此觀察他對中國孝道，尤其「天子之孝」的翻譯、介紹與詮釋。以下聚焦在韓氏所發表並題名為 “La Piété Filiale de l’Empereur”

（〈皇帝的孝道〉）[39]的文本來分析。

在〈皇帝的孝道〉一文中，韓國英幾乎全文翻譯康熙的〈御製孝經衍義序〉，[40]而《御定孝經衍義》一書之正文則採譯介方式，摘要並重構之。韓氏僅擷取書中有關天子之孝的部分，區分「愛親」與「敬親」兩大類，分為25項義務（les devoirs）說明天子之孝的細目。此舉凸顯並支持了康熙序文所強調孝道核心：「愛」與「敬」兩者，並將焦點聚集在皇帝一人。除了〈皇帝的孝道〉一文之外，韓國英的《中國古今孝道》還收錄其他如《孝經》全文、[41]《聖祖仁皇帝聖訓》、《大清會典》、《淵鑑類書》等諸多有關孝道之官方書籍和宮廷葬禮祭文的翻譯與介紹，最後他依序列舉古代自皇帝以下多位著名孝子的事蹟，似乎欲藉此向歐洲讀者證實其所譯介的孝道論述，在中華帝國是以皇帝為中心具體實踐的德行？從時間的關連性而言，韓國英對中國孝道相關文獻的譯介，是在中國禮儀之爭激烈辯論中國的祭天祭祖問題的氛圍中、在耶穌會遭解散的六年後出版。從他將《孝經》全文翻譯與前述諸多清帝國孝道文獻的譯介一同發表觀之，似乎在某種程度上他藉此官方意見回應歐洲對中國禮儀的質疑？

官方修訂的孝道相關文獻對韓國英而言，權威性高過文

---

39 *Mémoires*, vol. 4, p.77.

40 康熙，〈御製孝經衍義序〉，《文淵閣四庫全書》，第七一八冊，頁1-2。

41 *Mémoire*, vol. 4, pp. 28-76. 韓國英之法譯《孝經》全文近年重印，見 Confucius, *Le livre de la piété filiale* , trad. du chinois et présenté par Roger Pinto. Suivi de la traduction ancienne et des commentaries, publ. par le R.P. Cibot,. *Traduction de Hiao-king*（Paris: Éd. du Seuil, 1998）.

人自行編註的種類繁多、詮釋不一的孝經文本。根據呂妙芬的研究，僅《續修四庫全書總目》提要目錄，清初三朝就列出多達45種孝經版本。這種觀點或許可從《孝經》在中國學術圈的發展來觀察。明清之際《孝經》學及其詮釋觀點的變化，呈現延續性：晚明「孝治天下」的理想與《孝經》教育的提倡，在清初順治康熙兩朝得以實現。從《孝經》正式被列為科舉的科目和康熙朝《御定孝經衍義》的頒布，自此《孝經》詮釋觀點從多元定於一尊，並回歸朱子學的詮釋脈絡。[42]呂妙芬引用魏斐德（Federic Wakeman, Jr., 1937-2006）研究，主張《御定孝經衍義》的頒行是「繼明末以來打擊陽明學為代表的道德相對論論述，強化程朱學以忠孝等絕對倫理為準則的秩序觀，以及清初強調禮法與實踐等一系列政治主張與作為的延續，同時也是以朝廷之力推動社會教化的重要基礎。」[43] 她認為，康熙頒布《御定孝經衍義》效法唐玄宗頒布《御注孝經》和《石臺孝經》以推行「孝治天下」，似有異曲同工之妙。並且，此書體例仿真德秀（1178-1235）的《大學衍義》之衍義體，而非章句訓詁，以天子之孝主「愛」「敬」二者為基調，詳列條目為綱目骨架，參酌以經史諸子，最後匯集於皇帝之前，頒布天下遵行，上行下效。《御定孝經衍義》的經文則取朱熹《孝經刊誤》為準，不僅與朝廷崇尚朱學的立場相一致，同時解決了今古文之爭，「擺脫了晚明以降許多學術上的論辯與觀點，以朝

42 參呂妙芬，〈晚明到清初《孝經》詮釋的變化〉。

43 Federic Wakeman Jr., *The Great Enterprise*（Berkeley: University of California Press, 1985）, p. 1094. 參考呂妙芬，〈晚明到清初《孝經》詮釋的變化〉。

廷推行孝治天下、崇尚程朱理學的威勢，呈現出一部以朱子學為詮釋主軸、以『孝治天下』的政教論述為主要目的《孝經》正統版本」，主導未來《孝經》詮釋的發展。[44]

對比清初孝經學的發展，韓國英之所以區隔「文人文獻」與「帝國文獻」是有跡可尋，而他所評述有關衛方濟所據之本為「古文」當指定為一尊之前的孝經文本。以韓國英大篇幅討論康熙頒布的《御定孝經衍義》和清初帝國其他孝道文獻來看，衛方濟所根據的本子是早於康熙朝出版的《今文孝經》其他版本[45]。儘管衛方濟與康熙關係密切，但是他卻沒有根據康熙朝所頒布的官方本《御定孝經衍義》進行詮釋，反而成為促使韓國英法譯新版《孝經》全文，並據清初皇帝御製文本和諸多帝國文獻進行譯介工作的主要動機之一。應當注意的是，儘管衛方濟的《中國六經》直到1711年才在布拉格出版，但是他的經典翻譯工作起點很早。官修《御定孝經衍義》的出版期間，他或者已經完成大部分翻譯內容，而不久之後兩次奉命返回歐洲為耶穌會的傳教策略和中國禮儀辯護，往返途中，即使獲知官修本的出版，或者也無緣進行翻譯工作。若因此根據較早的文人版《孝經大全》為底本進行翻譯也屬必然。再者，順治朝將《孝經》納入明經科項目（1659）之後，官修版《御定孝經

44 同上註。

45 詳前章所述，目前推估衛方濟應該是根據呂維祺的《孝經大全》進行翻譯與詮釋。根據呂妙芬研究，呂維祺的孝經學明顯受到陽明學影響，那麼，衛方濟的《孝經》翻譯與韓國英根據受朱子學影響的《御定孝經衍義》而譯，其譯文必然也呈現兩種不同學派的詮釋結果。有關呂維祺二人的孝經學，請參考呂妙芬，〈晚明士人《孝經》與政治教化〉，頁223-260。

衍義》（1682完成，1690頒布）出版前，研判文人所編註《孝經》文本的影響力當不僅止於韓國英所謂的「文人文獻」的程度。耶穌會在歐洲面對中國禮儀之爭的論辯，其所據以為論的基礎，已經開始從文人儒家的詮釋文本，轉向帝國的官方詮釋文本。

《御定孝經衍義》翻譯文本分析

介紹這套篇幅巨大長達一百卷、超過一千頁的《御定孝經衍義》一書，韓國英以21頁篇幅摘述主要內容。在《御定孝經衍義》中，「天子之孝」所占篇幅長達55卷：包含愛親部分21卷，敬親部分34卷。韓國英依循《御定孝經衍義》對孝的詮釋：同樣以「愛親」與「敬親」區分兩大部分譯介之（詳後）。《御定孝經衍義》不採「訓詁」，不用「以經釋經、以史釋經之舊法」，[46]而是仿真德秀《大學衍義》的體例，「徵引經史諸書，以旁通其說」。[47]全書「提挈綱領，附麗條目」，詳列天子之孝，旁及諸侯卿大夫及庶人之孝。由天子之「敬親」與「愛親」，推衍至郊丘宗廟典禮之義。不以墨守章句訓詁，而務以推廣「先儒注釋之所未盡」之意，表明「繼述先烈尊經崇本之志」。[48]此《御定孝經衍義》不僅旁徵博引，衍經文的實踐意義，同時，表明傳統的延續性，紹承先聖先儒傳統，以通經致用。這種訓解經文方式所成之書，往往長篇大論，旁通經

46 〈御定孝經衍義・凡例〉，頁2。

47 康熙，〈御製孝經衍義序〉，頁1b-2a。

48 康熙，〈御製孝經衍義序〉，頁3。

史文集、貫通古今以為佐證。所衍申之義也在史事的佐證之下逾越字面意義，由主其事者或編纂者對經文進行詮釋。因此，韓國英在譯介《御定孝經衍義》的過程中，其詮釋空間相對寬廣。伴隨所譯《孝經》全文，同時出版孝道論述相關文獻的舉動，已經為他鋪陳一個再詮釋的空間。

《御定孝經衍義》的經文採朱子《考誤》，經一章將今文開宗明義章第一至庶人章第六合併，以「至德」、「要道」、「揚名」、「事君」、「感應」等分列各傳。不過，與真德秀衍經不衍傳稍有不同，《御定孝經衍義》中將傳十四章依據仁義禮智信之五性，和君臣、父子、夫婦、兄弟、朋友之五常條列衍其義，以補衍義體例不衍傳的缺憾。[49] 從章節編排可證凡例所言經傳之衍義。前文已說明《御定孝經衍義》全書一百卷，天子之孝占據一半以上篇幅。但是，為何該書如此側重天子之孝？該書〈凡例〉有如下說明：

> 經稱先王以發端，明是專為君天下之天子陳孝道也。天子以愛敬為孝，博愛廣敬不敢惡慢于人。古注有二解：一是設教施令，使人皆愛敬其親。一是推己及物，愛敬天下之人。蓋諸侯、卿士大夫之有社稷宗廟祿位及庶人之有田農，皆為天子推己及物之事。若其能保能守及庶人之克

---

49 根據〈御定孝經衍義・凡例〉:「朱熹取古文孝經刊其誤者，考證章次，定為經一章，傳十四章。即大學或問所謂以經統傳，以傳附經，則其次第可知矣。真德秀衍經不衍傳，深有見於經之統傳，傳之附經者也。今但標舉經文以為衍母，條縷五性五常之屬以為衍子，以融會傳十四章之義，非闕如也。」〈御定孝經衍義・凡例〉頁1。

> 供養父母，皆為設教施令使之然也。故是書詳於衍天子之孝，而諸侯以下則稍略焉。其諸侯以下之愛敬既是天子所使，經不復為立文，而今顧不得而闕云。[50]

換句話說，《御定孝經衍義》所衍，是「天子之孝」的實踐。天子以下，舉凡諸侯、卿大夫、士庶等人之孝，實質上是天子「設教施令」、「推己及物」的結果。一旦天子之孝能確行，以朝廷力量推行、實踐孝治天下的理想，自然產生上行下效的成果。《御定孝經衍義》的核心很清楚地在韓國英的文本標題中呈現：「皇帝的孝道」（La Piété Filiale de l'Empereur），他明確說明自己所譯為「天子之孝」，譯介所據之本並非民間文人墨客的著作，而是朝廷頒布的官方通行本。那麼，《御定孝經衍義》的精神，在韓國英的文本中是如何呈現和重構？以下我們將對比分析韓國英的譯文及其所對應的中文，首先觀察康熙〈御製孝經衍義序〉的全文翻譯。

御製孝經衍義序

除了第二段大幅刪除人名、第四段大幅加入己見之外，韓國英幾乎全文翻譯康熙的〈御製孝經衍義序〉[51]，正式進入譯文之前，韓氏略述此書出版背景與年代，註明康熙廿九年（1690）作序，但其西元年份卻誤計為1689年。唯康熙的序文

---

50 〈御定孝經衍義．凡例〉，頁2b-3a。

51 康熙，〈御製孝經衍義序〉，頁1-2。

並未分段，韓國英的翻譯則分為五個段落。韓氏全文翻譯康熙的序文，其目的或者在取代《御定孝經衍義》前20卷有關「經旨」、「教之所由生」的譯介。同時也使其譯介內容聚焦「天子之孝」中，「愛親」與「敬親」共25項義務的細節。以下依據韓國英的分段，將康熙序文全文與韓國英的翻譯對照，逐段說明，並舉出具特色的部分進行討論。

第一段：說明天子之孝治天下的根源性、宇宙性、實踐性。請看下列引文對照：

一、朕緬惟自昔聖王以孝治天下之義，而知其推之有本，操之有要也。夫孝者，百行之源，萬善之極。書言：奉先思孝。詩言：孝思維則。明乎為天之經、地之義、人性所同然。振古而不易，故以之為己，則順而祥，以之教人，則樂而易從，以之化民成俗，則德施薄而不匱。帝王奉此以宰世御物，躬行為天下先。其事始於寢門視膳之節，而推之於配帝饗親。覲光揚烈，誠萬民而光四海，皆斯義也。

I. "Plus j'ai réfléchi sur les principes qui avoient déterminé les Empereurs de l'antiquité à gouverner l'univers par la Piété Filiale, plus j'ai compris que c'était pour rapprocher le gouvernement de sa première origine, & s'attacher à ce qui en est l'essence: La Piété Filiale est le germe & le terme de toute les vertus. Le *Chou-king* dit: *Méditez a Piété Filiale pour soutenir la gloire de vos ancêtres;* & le *Chi-king*: *Les pensées de la Piété Filiale sont lumière.*[52] La loi du *Tien*, le droit naturel & le raison de l'homme déposent pour elle, & n'ont jamais varie depuis la première antiquité; chacun doit donc la pratiquer. C'est pour en consacrer les devoirs que l'Empereur monter sur le trône, & personne dans l'univers n'en porte l'observation aussi loin que lui. Du seuil de la porte de **l'Impératrice mère,** où il vient s'assurer de ce qu'on doit servir sur la table, ses soin s'élèvent par degrés jusqu'aux cérémonies solemnelles qu'il fait à ses augustes ancêtres, au pied **des autels du *Chang-ti***. Tout est lumière dans ce grand exemple: l'imitation des Grands en réfléchit au loin les rayons, les dix mille peuples entrent dans la voie qu'ils leur montrent, & les quatre Mers retentissent des vérités qu'ils leur portent. "[53]

請注意上述長引文中的底線部分。聖王譯為「古代諸皇帝」（les Empereurs de l'antiquité），聖字未翻出。從字詞翻譯來看：韓國英翻譯「天之經、地之義、人性所同然」時，對於敏感字眼「天」選擇了音譯方式，以*Tien*譯之，但是，「地之義」

52　這裡的法文翻譯與中文原文不符，中文是「詩言：孝思維則。明乎……」，中文原意本來是：孝的思維模式或想法作為遵守的準則，以此就可以明白這是天經地義人性均同的原則。法譯文變成le *Chi-king*: Les pensées de la Piété Filiale sont lumière. 被解讀為「孝道的思想是清楚的」，這裡的斷句變成「詩言：孝思維則明乎。」《詩經》原文出自〈下武〉:「永言孝思，孝思維則。媚茲一人，應侯順德。永言孝思，昭哉嗣服。」

53　*Mémoires*, vol. 4, pp.77-78. 底線與粗體字形皆為筆者所加。

則採意譯方式，指涉自然（naturel）。人性則譯為「人的理智」（le raison de l'homme）。中國儒家的「天地人」三才，分別以不同方式詮解。音譯「天」為*Tien*，而非意譯為*Dieu*，一則保存了這個外來名詞的異國原味，[54]也迴避了當時風聲鶴唳的禁教令所可能帶來的衝擊。這翻譯手法，在「其事始於寢門視膳之節，而推之於配帝饗親」這段話韓國英的譯文兩點值得討論：一是「寢門視膳之節」在譯文中明顯是指太后之寢門。二是「配帝饗親」在譯文中，指出中國祭祖禮儀與上帝祭壇的存在。

在韓國英以康熙之孝來介紹中國的天子之孝時，出現一個相當特殊的情況：就是原本孝親首指「父母」，但是康熙與其祖母、嫡母與生母之間的關係，遠超過與父親關係密切，因此譯文提及愛親時，用字特別指出是對「太后」（與太皇太后，l'Impératrice mère）之愛。這在後述將討論的天子之孝的實踐面時，再度出現。韓國英翻譯的愛親第一條如下：「向太皇太后提供可以維護她的體能與健康，並使她的生活愉快的一切需求」（A rendre à l'Impératrice mère tous les soins qui peuvent

---

54 這譯法近似當代翻譯學者L. Venuti所提出的「異化」翻譯（Foreignizing Translation），可參考L. Venuti, *The Translator's Invisibility*（London: Routledge, 1995）, pp. 1-42; 另外也可參考翻譯與文化建構相關理論，André Lefevere, "Composing the Other," in Susan Bassnett, &Harish Trivedi（eds.）*Post-colonial Translation: Theory and Practice*（London and New York: Routledge, 1999）, pp.75-94; L. Venuti, "The Formation of Cultural Identity," in idem., The Scandals of Translation（London: Routledge, 1998）, pp. 67-87; Susan Bassnett, & André Lefevere, *Constructing Cultures -Essays on Literary Translation*（Clevedon: Multilingual Matters, 1998）, pp. 1-40, 123-140.

conserver ses forces & sa santé, & lui rendre la vie agréable）。雖然敬親（A honorer ses parents）第一條論及對父母的孝敬時，韓國英引用了《御定孝經衍義》所舉漢高祖所召告天下論述「父子」血緣的文字，但是，他的譯文內容重點卻是母親，特別強調古代中國皇帝們對其母親們（les Imperatices leurs mères）的孝敬。[55]另外，在《關於中國之記錄》第四卷譯介康熙聖訓時，康熙之祖母、嫡母與生母，相繼成為康熙展現孝道的對象。其中有關太皇太后之病、崩、葬的描繪，尤其詳細。韓國英詳述整體過程，以及康熙與大臣間為守喪期限長短的討價還價，一再凸顯康熙祖母病逝對他的打擊，以及康熙依據孝道所採取的行動，展現《孝經》第十八章所言「生事愛敬，死事哀戚」的極致。[56]研判這是康熙的特殊成長經驗與處境影聞之下的結果，在論及天子之孝時，女性長輩的角色益發凸顯。

至於韓國英在翻譯「配帝饗親」時，其中與「天」字同樣敏感的「帝」字，也被他以音譯方式：*Chang-ti*來處理。韓國英在另一處類似經文：《孝經》第九聖治章的翻譯可以更進一步理解他的翻譯手法。這段經文是：「昔者周公郊祀后稷以配天，宗祀文王於明堂以配上帝」，我將韓國英的譯文翻譯為中文如下：「當他以收成獻祭，他與Tien 一起來Pei其祖先*Heou-tsi*；當他在夏冬獻祭，他與*Chang-ti*一起來Pei其父親文王」（Quand il offroit les sacrifices pour les moissons, il *Pei* son ancêtre *Heou-tsi* avec le *Tien;* quand il offroit les sacrifices des Solstices, il

55 *Mémoires*, vol.4, p. 89.

56 Cf. *Mémoires*, vol.4, pp. 113-126，尤其是119-123。

Pei Ouen-ouang son père avec le *Chang-ti*）。 讀者讀到這一段，可以看見他將「配天」、「配上帝」的「配」字，也是採取音譯方式來處理，變成："*Pei... Tien*"與"*Pei... Chang-ti*"。[57]這對於不具中文閱讀能力的法國讀者而言，譯文中的異文化元素對於他理解這段文字必然有所阻礙。對照韓國英在翻譯康熙的序文以及《孝經》正文相似的文句時，可以觀察到他採取不同的翻譯方式。在前者的翻譯，他相對多使用意譯，在後者則相對多使用了音譯。

如同前文已經說過的，在韓國英之前，衛方濟在翻譯《孝經》時已經揚棄親利瑪竇的耶穌會士之將中國經典中「天」、「上帝」等同天主教*Deus*的詮釋和翻譯，而是將中文之「天主」二字，意譯為拉丁文，即，將「天」、「上帝」一概譯為*caeli Dominus*（天主）。[58]而後面章節將會討論的衛方濟的再譯者普呂凱則是順應將之翻為Maître du ciel，[59]以及後輩譯者理雅各則是將天譯為Heaven，將上帝譯為God。[60]從上面這段韓國英

57 Cf. *Mémoire*, vol. 4, p. 43.

58 Cf. François Noël, *Sinensis imperii libri classici sex*, pp. 478-479. 雷慕沙則批評衛方濟以己意，補充解釋文義不明的文字，反而使原文意義喪失，A. Rémusat, *Mélanges asiatiques*, vol. 2, p. 389, quoted in Pfister, *Notices*, p. 417.

59 "L'usage de regarder son pere comme l'associé ou comme l'assesseur du maître du ciel commencé sous le prince Cheu-Kum, qui, en offrant un sacrifice au maître du ciel, fit placer la tablette de son pere à côté de la tablette du maîtte du ciel. Aussi tous les prince qui sont entre les quatre mers s'empresserent de se render à cette solemnité, & d'en augmenter la pompe par leur présence." Cf. François Noël, *Livres classiques de l'empire de la Chine*, trans. M. l'Abbé Pluquer（Paris, 1786）, tome 7, p. 24，底線為筆者所加。

60 "Formerly the duke of Kâu at the border altar sacrificed to Hâu-kî as the correlate

的翻譯來看，則是將中文「上帝」的發音異化為歐洲讀者所陌生的*Chang-ti*。這顯示韓國英的翻譯手法，似乎是對於敏感字眼，多採音譯方式處理。除前述例子，還有「宗廟」一詞，他也是音譯為*Tsong-miao*。[61]話說回來，儘管韓國英並未採用法文之*Dieu*一字來翻譯中文「上帝」，但是他確實譯出祭祖與上帝祭壇現祭的內容。不過，他卻是在「天子之孝」的脈絡中介紹這種禮儀，與禮儀之爭中所呈現「宗教／公民」（聖／俗）之對立思維，探詢禮儀實質意義的種種爭辯有所不同。另外值得注意的是，這裡論天子之孝的意義，延伸到祖先身後之饗與上帝之祭的相關文字並未遭到刪除，反而透過清朝官修文獻孝道論述的翻譯，以至高皇帝孝治天下為主軸，將當時聲名狼藉的中國祭天、祭祖之禮儀與「天子之孝」結合，一同為歐洲讀者翻譯，並在法國皇室支持之下出版並廣為流傳。韓國英的帝國轉向，也就在以皇帝為中心的宇宙性大家庭架構之中，在譯介中國孝道的理念與實踐文獻裡，於十八世紀末王權即將崩潰而且即將迎來共和的法國出版了。

---

of Heaven, and in the Brilliant Hall he honoured king W n, and sacrificed to him as the correlate of God. The consequence was that from（all the states）within the four seas, every（prince）came in the discharge of his duty to（assist in those）sacrifices. In the virtue of the sages what besides was there greater than filial piety?” 見James Legge, *The Hsiao King*, in Müller, *The Sacred Books of the East*, vol. 3（1899, 2nd edition）, pp.476-477.

61 Cf. *Mémoire*, vol. 4, p. 43. 由此觀之，韓國英的《孝經》全文譯本加入56個大篇幅注腳並不令人意外。

第二至三段則說明《御定孝經衍義》在中國的演變與體例，康熙序文與韓國英的翻譯如下：

二、「孔子教孝之言散見於六籍而統會於孝經。曾子以純孝親承斯訓，其詞約，其旨遠，條貫終始，綜括群論。言孝之義於斯為備。自顏芝藏本出於漢初，考註箋釋代有其人。如孔安國、鄭康成、皇侃、邢昺輩，無慮百餘家，大約皆訓詁章句，辯論古今文同異，而求其推擴義蘊，達之於萬事萬物而皆莫出其範圍者，則尚未之備也。」

II: "Confucius a réuni dans le *Hiao-king* tout ce qui est semé çà & là dans les King sur la Piété Filiale. C'est à *Tseng-tsée*, qui excelloit en cette vertu, qui s'adressent ces admirables enseignements dont toutes les maximes sont profondes, & dont les divers articles contiennent, malgré leur brieveté, tout ce qu'on a jamais dit & pensé de plus sage sur ce sujet important."[62]

三、「世祖章皇帝弘敷孝治，懋昭人紀，特命纂修孝經衍義，未及成書。朕纘承先志，詔儒臣蒐討編輯，仿宋儒真德秀大學衍義體例，徵引經史諸書以旁通其說。」

III:"Feu mon auguste Père fit recueillir des mémoire, & ordonna de composer le *Hiao-king-yen-y*, pour mettre dans tout son jour l'art de gouverner les peuples par la Piété Filiale.

62 *Mémoires*, vol.4, p. 78.

> L'ouvrage ne put pas être achevé de son vivant. Nous avons donné nos ordres à des Savans, nous leur avons fait ouvrir notre Bibliothèque, pour y mettre la dernière main. On a suivi le plan du célèbre *Tchin-te-sieou* de *Song* dans le *Ta-hiao-yen-y*, & comme lui, on s'est appuyé du témoignage des *King*, des Annales & des Livres les plus universellement estimés."[63]

中文原文第二段所見底線部分，對他而言，文中所列舉《孝經》名家名單，就是他所謂的「文人文獻」之注釋家如孔安國、鄭康成等人名在韓國英譯文中完全省略。不過同為「文人」，宋儒真德秀的大學衍義體例被《御定孝經衍義》所繼承。在韓國英翻譯第三段說明體例時，則被相對詳細介紹，以說明「衍義」體之廣徵經史的著書風格。如同前述已論及衍義體相關詮釋問題，這廣徵經史為證的解經方法，對韓國英而言，詮釋空間相對寬廣。同時，也藉由所徵引的廣大資料，間接證明「孝」在中國典籍確實受到廣泛重視與討論，顯示「孝」在中國之重要角色。此外，韓國英是以第一人稱翻譯康熙序文，上文中的「世祖章皇帝」被譯為「我的高祖」（mon auguste Père）。他也運用了歐洲的概念「學者」（Savans）和「圖書館」（Bibliothèque）來描述來詮釋宮廷裡儒臣及其工作場域。但是，經典的「經」卻又以音譯：「這些經」（les King）來表達。整體來說，他很彈性地選擇翻譯方式。

---

63 *Mémoires*, vol.4, p. 78.

第四段進入「孝」的延伸義與實踐面，甚至推衍至孝之超越面向。這段文字比較長，為方便討論，我還是將原文附上。請注意底線部分：

> 四、「竊以仲尼稱至德要道以順天下，又曰教之所由生而後詳列天子諸侯大夫士庶人之五孝，此則一經之大旨，亦猶大學之言明德、新〔親〕民、格致、誠正、修齊、治平也。是故衍至德之義，則仁義理智信之說備矣。衍要道之義，則父子君臣夫婦昆弟朋友之倫備矣。衍教之所由生之義，則禮樂政刑之屬備矣。衍五孝而皆以愛敬為本，明貴賤之所由也。由天子之敬親推之，則郊丘宗廟典禮之義備矣。由天子之愛親推之，則仁民育物、撫綏愛養之義備矣。無非敬也，無非愛也，及無非孝也。遞而至於諸侯之不驕不溢，卿大夫之法服法言法行，士庶人之忠順事上，謹身節用，何一非愛敬之義？推而極之，通於神明、貫乎天地，夫寧有涯際乎哉？」
>
> IV. "Selon Confucius, il faut s'attacher aux vertu capitales & aux devoirs essentiels, pour instruire les peuples. Or, ce n'est qu'en remontant jusqu'aux premières sources de l'enseignement qu'on peut en assurer le succès. Tout le *Hiao-king* tend à monter quelle doit être la Piété Filiale de l'Empereur, des Princes, des Grands, des gens en place & du peuple. Le *Ta-hio* enseigne à bien connaître la vertu, à renouveller les peuple, à rectifier ses pensées, à régler son cœur & à régner par la paix, on s'est attaché à ces grands règles. La bienfaisance, la justice,

l'honnêteté, la prudence & la probité sont le sujet des détails où l'on entre sur les vertu capitales. Les rapports de père & de fils, de Souverain & de sujet, d'époux & d'épouse, de frère aîné & de frère cadet, d'ami enfin, sont la matière des devoirs essentiels qu'on explique. Le Cérémonial & la Musique, les récompenses & les châtiments fournissent les observations qu'on fait sur la source primitive de l'enseignement. L'amour enfin & le respect, qui sont comme les deux pôles de la Piété Filiale de tous les états, donnent lien aux développement qui particularisent ce qui regarde spécialement chacun de cinq ordres. Ainsi pour expliquer quel doit être le respect filial de l'Empereur, on montre sur la colline des sacrifices, on entre dans la salle des Ancêtres, & on parcourt tout ce qui est prescrit par la loi, les rites & le cérémonial. Pour expliquer quel doit être l'amour Filiale de l'Empereur, on décrit à quoi l'obligent sa tendresse pour son peuple, l'intérêt de la chose publique, & la santé, le contentement & le bonheur des auteur de ses jours. Tout est Piété Filiale dans la vie, parce que tout doit être respect & amour. Dire aux Princes & aux Seigneur d'éviter l'orgueil & la mollesse; aux Grands & aux Mandarins, de se conformer à la loi dans leur façon de parler & d'agir, aux gens de lettres & au peuple, d'être fidèles & soumis au Prince, appliqués au travail & économes, n'est-ce pas leur prescrire le respect & l'amour? En atteindre la perfection, c'est participer à la sagesse sublime des Esprits: le respect & l'amour égaleraient le bonheur de la terre à celui du ciel, s'il y régnaient également. "[64]

《御定孝經衍義》一書，衍經不衍傳，以天子之孝為主軸，逐章衍經文之義，依序說明天子以至庶人五等級之孝，而十四章傳則採附加方式，置入相關章節。韓國英的譯介，擷取天子之孝，略去《御定孝經衍義》卷一至卷二十之「衍經」，包括：「衍至德之義」之五性（仁義禮智信）、「衍要道之義」之五常（父子、君臣、兄弟、夫婦、朋友），以及「衍教所由生之義」之禮、樂、政、刑。康熙的序文強調孝道核心：「愛」與「敬」兩者，而韓國英譯文甚至指出兩者如同孝道的南北兩極（les deux pôles de la Piété Filiale），相異又相依。值得注意的是，此處「郊丘、宗廟、典禮」的翻譯是「祭祀的小山」（la colline des sacrifices）、「祖先的廳堂」（la salle des Ancêtres），以及「法、禮與儀式」（la loi, les rites & le cérémonial），涉及祭祖的問題他採取意譯方式處理，與他在翻譯《孝經》孝治章相同與相似字時採音譯方式處理的異化翻譯方法不同（詳後）。他將「典禮」翻譯為兩部分，區分典（la loi）和禮（les rites &le cérémonial），這樣的翻譯凸顯了孝在祭祀典禮的制度規範層面與超越性儀式之層面。

上面這段序文的翻譯，對於不同階級詳細的行為描述，並未在法譯文中呈現，只是簡要地區分從天子以下各有其相異的生活方式，他說：「整部《孝經》指出各階層孝道應是如何：皇帝、親王、大人、管理階層和人民」（Tout le *Hiao-king* tend à

64 *Mémoires*, vol. 4, pp. 78-79.

monter quelle doit être la Piété Filiale de l'Empereur, des Princes, des Grands, des gens en place & du peuple.）原文中的「不驕不溢」、「法服法言法行」、「忠順事上，謹身節用」，和「何一非愛敬之義？」並未翻譯。此外，尚須注意之處在於韓國英面對不同等級孝道時，與他翻譯《孝經》正文互相對照看，發現他對於士與庶人的孝道，出現了翻譯方式的多樣性。在此他是以管理階層或地方仕紳（des gens en place）與人民（du peuple）來翻譯，在翻譯《孝經》孝治章時卻以近似於共和國脈絡所理解的公民（citoyen/concitoyens）來翻譯。韓國英倒是抓到「敬」與「愛」作為孝道核心（Tout est Piété Filiale dans la vie, parce que tout doit être respect & amour.），貫串了全文和整部經典這個一體兩面的關鍵概念。本章後面將會討論韓國英區分四層面的禮，其中一個是公民之禮。韓國英與普呂凱是六個《孝經》翻譯中唯二以這個公民概念來翻譯與詮釋士與庶人的孝道的譯者。有關這一點，後面將會詳細討論。

以下繼續分析康熙序文第五段，呈現一幅書成頒布天下之後當有的四海昇平景象。

> 五、「書成凡一百卷，鏤版頒行，並製敘言冠於簡端，庶幾嘉與海內共遵斯路，家修子弟之職人，奉親長之訓，協氣旁流，休風四達以成一代敦厚鴻龐之治，斯則朕繼述先烈尊經崇本之志也夫。」
>
> V. "L'ouvrage entier est divisé cent Livres. Il a été gravé, imprimé dans notre Palais; & c'est pour l'annoncer à tout l'Empire que nous en avons raconté l'histoire & ébauche le

> plan dans cette Préface. Puisse-t-il être la joie de l'univers, en faisant entrer tous les peuples dans les voies qu'il indique. On s'appliqueroit dans les familles à donner à la jeunesse une éducation sage & vertueuse; les pères & les mères seroient respectés & aimés comme ils méritent de l'être; chacun rendroit à ses supérieurs & à ses anciens l'honneur & l'obéissance qui leur sont dûs; tout le monde concourroit à l'envie à la réforme des mœurs; l'impression du bon exemple l'étendroit jusqu'aux quatre Mers, & notre Chine rendue à son ancienne gloire, offriroit à tout l'univers le grand spectacle de l'innocence & du gouvernement des premiers âges. Nous avons eu que cela en vue en faisant réunir dans cet ouvrage ce que les *King*, les annales & les livres des sages nous ont conservé de la sainte doctrine de l'antiquité."[65]

在這一段的翻譯中，韓國英加入相對大篇幅的詮釋。 再次強調「愛敬」二字箴言，以及中國古代經史典籍（尊經崇本）所共同保存的「孝」這古代流傳下來的神聖教義。不過論及海內，韓國英翻譯為「四海與吾中國」（quatre Mers, & notre Chine），其實中文原文並沒有吾中國。韓國英這譯者增加的文字，使得這段翻譯的內容，如前所述以第一人稱方式翻譯，或許更能夠強化這篇序文；由康熙之口來表達，具有一種現身說法、如帝親臨的意味。因此在這篇序文翻譯的結束語，韓國英

65 *Mémoires*, vol.4, pp. 79-80.

對於「先烈尊經崇本」被轉化為「我們已經看到這作品〔按：指《御定孝經衍義》〕彙集了這些為我們保存古代神聖教義的經、史和聖賢書籍」，先烈成為古代聖賢。

整體來說，韓國英將康熙之〈御製孝經衍義序〉的文字完整翻譯，完整呈現中華帝國的孝道，是經由天子孝治天下，具體實踐了「愛親」與「敬親」兩大類，總計25種義務，強調各自遵行本位的義務，將達致文中所描繪的舉國父慈子孝、兄友弟恭、四海昇平的景象。回歸第一段以孝為「百行之源，百善之極」，為孝賦予了超越性意義：「天之經、地之義，人性所同然」。並且再次強調「衍義」的精神，以經典為基礎，延續先王先賢的傳統。

天子之孝內容譯介

韓國英所介紹《御定孝經衍義》「天子之孝」，僅包含卷21-75的內容。儘管有此節略之舉，但是，前述韓國英全譯康熙序文中，已經對此所節略部分有所說明。因此，他的譯介直接從天子之孝的實踐面著手。對韓國英而言，天子之愛親與敬親部分所列舉的各項，是「義務」（les devoirs），愛親條列12項，敬親13項。以下採對照表方式說明韓國英如何重組《御定孝經衍義》中的天子之孝，包含了生前死後以及宇宙面向，這與他翻譯《孝經》正文的大方向是一致的。

愛親的義務

愛親義務總計12條，來自天子之孝卷21-41，韓國英以摘錄譯寫方式來介紹其中的重點。

對照表一

Les devoirs de l'amour filial de l'Empereur	卷二十一～四十一 天子之孝 愛親
1. "A rendre à l'Impératrice mère tous les soins qui peuvent conserver ses forces & sa santé, & lui rendre la vie agréable. "	卷二十一 天子之孝　愛親
2. "A veiller avec soin sur l'éducation des Princes ses enfans."	卷二十二 天子之孝　早諭教（衍愛親之義） 卷二十三 天子之孝　均慈愛（衍愛親之義）
3. "A faire éclater son amitié & sa considération pour ses frères."	卷二十四 天子之孝　敦友恭（衍愛親之義）
4. "A chérir tous les Princes de son sang."	卷二十五 天子之孝　親九族（衍愛親之義 動舊附）
5. "A honorer les Grands & les gens en place."	卷二十六 天子之孝　體臣工（衍愛親之義）
6. "A faire grand cas des Officiers subalternes & des Chefs du peuple."	卷二十七 天子之孝　重守令（衍愛親之義）
7. "A aimer le peuple."	卷二十八 天子之孝 愛百姓（衍愛親之義 愛物附）
8. "A protéger l'agriculture & la rendre florissante."	卷二十九～三十一 天子之孝 課農桑（衍愛親之義 藉田附）

9. "A diminuer les impôts & les dépenses."	卷三十二～三十五 天子之孝 薄稅斂（衍愛親之義 戶口附 職役附）
10. "A secourir le peuple dans les calamités."	卷三十六～三十七 天子之孝 備凶荒（衍愛親之義）
11. "A adoucir la rigueur des supplices. "	卷三十八～三十九 天子之孝 省刑罰（衍愛親之義 弭盜附）
12. "A s'intéresser de cœur aux gens de guerre."	卷四十～四十一 天子之孝　恤征戍（衍愛親之義）

注意第一條義務是天子對太皇太后、太后的照養，前述已論，不贅。卷二十二之早諭教，原特指太子的養成教育，而卷二十三之均慈愛，則廣指眾世子之教養，韓國英將二者合併，泛指諸侯之幼教（l'éducation des Princes ses enfants）。這淡化了中國皇帝後宮之複雜性，迴避了耶穌會所極力反對的多妻制的描述。韓國英特別說明中國天字之孝的愛親義務中，論及「敦友恭」廣泛地影響了亞洲其他國家。論及愛百姓，韓國英引《御定孝經衍義》卷二十八楊時的言論，強調皇帝應該是孤兒寡婦的父母，需擔負養育的責任，認為愛百姓的義務適用於所有皇帝。[66]他以《聖經》中耶穌以「葡萄樹與枝子」比喻他與信徒的關係來比喻天子與所有人的關係，說明其主從和根源關係。葡萄樹必須提供枝子足夠養分，才得以存活與結果。韓國英更在論及稅賦時，引《御定孝經衍義》強調帝國非一人之帝

66 *Mémoires*, vol.4, pp. 84-85.《御定孝經衍義》卷28，頁2。

國。[67]論及荒年，他細列中國12條防範荒年的方式，更以中國五罰五刑的內容，批判羅馬法不人道。[68] 韓國英對天子之愛親的義務與實踐，其說明方式明顯是用中國的範例，批評歐洲當時的政治社會狀況。從太皇太后以至諸侯士庶，在愛親義務所條列的內容中，呈現一個以天子為家長的大家族。在敬祖義務描述中，韓國英將此親族關係延伸至天地、祖先。

敬親的義務

在愛親的基礎上，天子延伸其愛至父母、諸侯、卿大夫與士庶百姓，應有的義務作為，則為敬親的實踐。韓國英條列13條，來自天子之孝卷42-75，對照如下：

對照表二

Les devoirs du respect filial de l'Empereur	卷四十二～七十五 天子之孝 敬親
1. "A honorer ses parens."	卷四十二 天子之孝　敬親（衍敬親之義）

67 《御定孝經衍義》卷32，頁1。

68 *Mémoires*, vol.4, pp. 86-87.

2. "A craindre, servie & adorer le **Chang-ti**, comme père & mère de tous les hommes, comme ayant donné à l'homme un corps matériel & une âme spirituelle, comme récompensant le bien & punissant le mal, comme donnant & ôtant l'Empire en maître des peuples & des Empereurs, ainsi que s'expriment les *King*. "	卷四十三～四十四 天子之孝 事天地（衍敬親之義） 卷四十八～五十 天子之孝　隆郊配（衍敬親之義）
3. "A honorer & imiter ses ancêtres."	卷四十五～四十七 天子之孝 法祖宗（衍敬親之義） 卷五十一～五十三 天子之孝 嚴宗廟（衍敬親之義 上陵附）
4. "A veiller avec soin sur l'enseignement. "	卷五十四～五十五 天子之孝 重學校（衍敬親之義）
5. "A conserver & augmenter le dépôt de la doctrine."	卷五十六～五十七 天子之孝 崇聖學（衍敬親之義） 卷五十八 天子之孝　崇聖學（衍敬親之義 講筵附） 卷五十九 天子之孝　崇聖學（衍敬親之義 經籍附）
6. "A contenir dans leur devoir les personnes de l'intérieur."	卷六十～六十一 天子之孝　教宮闈（衍敬親之義）

7. "A s'assurer du mérite des Mandarins."	卷六十二 天子之孝　論官材（衍敬親之義） 卷六十三 天子之孝　論官材（衍敬親之義 詮選附） 卷六十四 天子之孝　論官材（衍敬親之義 考課附） 卷六十五 天子之孝　論官材（衍敬親之義 舉逸附）
8. "A faire honneur aux Grands."	卷六十六 天子之孝　優大臣（衍敬親之義）
9. "A profiter des représentations des Mandarins & des Censeurs."	卷六十七～六十八 天子之孝 設諫官（衍敬親之義）
10. "A maintenir sans cesse les trois Kang & les cinq Ki"	卷六十九 天子之孝　正紀綱（衍敬親之義）
11. "A honorer les gens de bien & à flétrir les méchants."	卷七十 天子之孝　別賢否（衍敬親之義）
12. "A pourvoir à tout ce que demande l'entretien de sa maison, & l'abondance publique."	卷七十一～七十二 天子之孝 制國用（衍敬親之義）
13. "A bonnifier & perfectionner les mœurs publiques."	卷七十四～七十五 天子之孝 厚風俗（衍敬親之義）

在敬親的義務中，韓國英特別對於「諫官」的設置表示讚許。他認為中國是世界上唯一設立諫官的國家，可以對皇帝提出建言。[69]敬親義務的論述中，他對學校、教育、經典保存的論述，篇幅明顯比其他項目長。而《御定孝經衍義》，卷四十三至四十四與卷四十八至五十之「事天地」與「隆郊配」，原文

69 *Mémoires*, vol.4, pp. 95-96.

共五卷，韓國英卻以不到六行文字說明，[70]明顯偏短。既然翻譯康熙序文時已經說明，此處卻迴避原因為何？原因待解。敬親的敘述之中，有一點值得注意。《御定孝經衍義》原文所論「制國用」與「敦風俗」，在譯文中「公眾風俗」（如les mœurs publiques）的概念被引入。前述論及「愛親」以大家族描述天子與眾民，但是在這段譯文似乎並非如此。公眾的概念已悄悄地出現在中華帝國孝道的譯介當中。

整體而言，韓國英的譯述重點是「皇帝的孝道」，所以《御定孝經衍義》自卷七十五之後，即從諸侯以下，以至庶人的孝道論述則被省略不譯。[71] 完成《御定孝經衍義》中有關「天子之孝」的譯介後，韓國英在《中國古今之孝道》一書中，則繼續介紹清初宮廷其他孝道相關文獻。如前文已及，韓國英所選文本都是他所謂的「新文」，或者可說是與韓國英同時代的「時文」，且為朝廷所頒布之文獻。換句話說，在《關於中國之記錄》第四卷中，韓國英所譯《孝經》，是在衍義、奏議、聖訓、會典、《詩經》、《禮記》以及各種與孝相關的官方文獻脈絡之中進行的，與衛方濟以「文人文獻」脈絡並不相同。身為最後幾位北京傳教士之一，韓國英選取當時新出版的文獻作為譯介對象，對於歐洲學界與讀者認識中國的媒介，

---

70 *Mémoires*, vol.4, p. 90.

71 卷七十六至七十九，論諸侯之孝，同樣依據「愛親」「敬親」分別衍諸侯之孝，在「不驕」、「不溢」；卷八十至八十九，衍卿大夫之孝「法服、法言、德行」。卷九十至九十五，衍士之孝「事君忠、事長順」；卷九十六至九十八，庶人之孝「用天道分地利謹身節用」，卷九十九至一百，大順之徵。

在強化雙方的認知上有一定貢獻。

如第一章已經提出的，耶穌會透過文獻在歐洲傳播中國知識的內涵，從早期「中國觀」，尤其中國上古歷史和語言文字為核心，轉向以「孔子」為核心的中國聖人形象建構，最終在白晉的康熙傳記中，高舉皇權。一直延續到韓國英、錢德明等人的《關於中國之記錄》，以康熙為核心的中國形象建構與傳播，長達將近一世紀。這個過程，在某種程度上，如前本書前面已經提到的，隱含著從「歐洲—中國」的抗衡進入「教宗—皇帝」的抗衡。康熙傳在世俗階級大受歡迎，似乎也是某種反對教宗的心理投射。而法國國王支持這部叢書的出版，傳入來自中國「理想的」皇帝做為宇宙性家族的家長應有的天子之孝對於愛敬「義務」的介紹，或者最後反而在有識之士心中形成典範，襯托出法國國王乃至貴族與此典範之間的遙遠距離。中國之敬天、祭祖禮儀原以「孝」為其核心，沒有當代所謂神聖宗教或世俗文化的區分。在中國禮儀之爭過程中，這兩個面向逐漸被區別開來，世俗化進程被啟動，啟蒙運動也逐漸展開。教宗與君王之爭，似乎在禮儀之爭中，逐漸分出高下。十七世紀末，法國國王的勢力進入中國，十八世紀與十九世紀交界的年代，北京耶穌會士這套《關於中國之記錄》在法國王室的支持規劃下出版。韓國英在其《中國古今孝道》一書中區別的「帝國文獻」與「文人文獻」，其對孝道文獻的翻譯與論述也伴隨清朝皇權的集中而從文人轉向帝國儒學的詮釋。自羅馬教廷正式禁止利瑪竇一派耶穌會對中國祭祖儀式的寬鬆策略，中國之祭禮與孝道的關連性似乎藉由孝道文獻的翻譯，使爭辯的戰場從儀式的性質進入中華帝國最核心的部分。韓國英以「皇帝的孝道」譯介《御定孝經衍義》，其動機與此書的效應，非常耐人尋味。另外值得注意的是，在韓國英的《中國古今孝道》出版後十年之間，法國大革命爆發，法國君主專政體制被推翻。而韓氏對中文「天」與「帝」之異化翻譯，以及他對「皇帝的孝道」的譯介是否也因此挑戰了以法國為中心的歐洲啟蒙運動，著實值得將來深入研究。[72]

三、帝／國的孝道：家國脈絡下的宇宙性大家庭

底本、文本與詮釋

韓國英的《孝經》法譯本（*Hiao-King*）與衛方濟拉丁本最大不同處，在於韓國英除了翻譯經文本身，還加入56個腳註，總計47頁。他所加入注腳多屬長註，經文翻譯約四千多字，腳

72 二十世紀多位學者對於中國文化經由耶穌會傳教士引進歐洲所產生的效應，尤其是中國文化與歐洲啟蒙運動和啟蒙思想家的影響已經展開探索，相關文章很多，請參閱Julia Ching and Willard G. Oxtoby. *Moral Enlightenment: Leibniz and Wolff on China*（Nettetal: Steyler Verlag, 1992）；Dominic Sachsenmaier, "Cultural Transmission to Europe," in Nicolas Standaert,（ed.）, *Handbook of Christianity in China*, vol. 1（Leiden: Brill, 2001）, pp. 879-906. 另外Virgile Pinot和孟德衛等學者均強調耶穌會傳教士因禮儀之爭將中國哲學、經典，以及倫理思想傳入歐洲，對十八世紀歐洲啟蒙產生重大影響，見E. Mungello, "Confucianism in the Enlightenment: Antagonism and Collaboration between the Jesuits and the Philosophes," in Thomas H. C. Lee,（ed.）, *China and Europe: Images and Influences in Sixteenth to Eighteenth Centuries*（Hong Kong: The Chinese University Press, 1991）, pp. 99-127；Virgile Pinot, *La Chine et la formation de l'esprit philosophique en France, 1640 - 1740*（Geneva, 1971）.

註長達一萬九千多字，形成正文僅約注腳的五分之一篇幅的現象。韓國英在其*Hiao-King*的前言中說道，他的翻譯將不同於衛方濟的「古文」（*Kou-ouen*, vieux texte），乃是根據「新文」（*Sin-ouen*, nouveau texte）。[73]韓國英所謂的新文與古文之別，所指為何？是指今文《孝經》與古文《孝經》的分別嗎？本人詳細比對韓國英名下*Hiao-King*的內容之後，確認他所翻譯的是今文《孝經》。所以他所謂今文與古文並非指不同版本的《孝經》。他所謂的新與古，是相對於衛方濟所參考的底本來說的，他的新文是指清帝國官學中文人的文本（les Lettrés du Collège Impérial）而譯。[74]

那麼他的新文應該哪一本或那一些文獻呢？從譯本格式來看，譯本不分章，全書連成一氣。這種不分章的安排與李光地《孝經全註》的格式相似，不過韓國英採用注腳方式加入詮釋，而李光地則於每一章經文之間夾註。韓國英譯本所加注釋內容遠比李光地長，包含諸多不存在於李光地版本的詮釋，因此儘管李光地身為宮廷一員，是否被韓國英視為「帝國文獻」與「新文」，可能性較低。如果從韓國英強調其譯本所據底本為「帝國」文獻來思考，也許此底本應該是眾多朝廷頒布的《孝經》之一， 或者其他文本比較具可能性，這問題待考。此外，韓國英在前言中提到他同時處理了一份擴大《孝經》經文的文本，所根據的底本是通行於宮廷、官學以及全國各省的本子。[75]我研判這應該是指《御定孝經衍義》。但似乎也不是韓國

73 *Mémoires,* vol.4, p. 29.

74 *Mémoires,* vol.4, p. 29.

75 *Mémoires,* vol.4, p. 29.

英《孝經》全文翻譯的底本。事實上，儘管從譯文格式來看，與李光地的《孝經全註》類似，但是從韓國英豐富的注腳內容來觀察，他所根據的注疏文獻應該不只一件。目前無法斷定其主要根據的文本為何，不過其中一個可能性應該與《中國古今孝道》一書所譯介的多種孝道文獻有關。既然其他文本幾乎都直接註明所譯介的文獻標題，我估計這些帝國文獻正是韓國英翻譯《孝經》全文的參考資料。事實上，從韓國英所加入的注腳內容來看，相當多腳註有文本互涉的情形，韓國英徵引諸多《禮記》、《詩經》、其他經典中孔子的言論，以及中國古史中的孝子典範，這些文獻的譯介均納入《中國古今孝道》一書中。因此，如果我們將《中國古今孝道》一書所收的各種帝國孝道文獻視為韓國英翻譯《孝經》全文所需的參考書目，應該是合理的。

回答了底本問題，以下從*Hiao-King*文本分析與詮釋，歸納出：「明王」、「禮」與「聖治」三個重點，來討論韓國英的《孝經》翻譯主軸。這三個重點是環環相扣的，不僅與韓國英所強調的帝國文獻脈絡相輔相成，同時也可以系統性地觀察羅馬教廷實施中國禮儀禁令後半個多世紀，身處北京的韓國英如何向歐洲皇室與知識界傳達來自中華帝國的孝道。

（一）「明王」：古先聖王？當朝皇帝？小國諸侯？

在《孝經・開宗明義章》論及孝道義務的翻譯中，韓國英強化其倫理與哲學性（la morale & la philosophie）。這段經文翻譯下方韓國英加註說明，指出孝道的義務，以及天地人三才之和諧，以孝為各種善行的根源。[76]其內容與康熙之〈御製孝經衍義序〉的第一段論點相近。而在《孝經・天子章》中論及「天子之孝」時，韓國英譯為la Piété Filiale du Souverain，指「掌權者的孝道」，與其譯介《御定孝經衍義》時採用la Piété Filiale de l'Empereur為標題，指「皇帝的孝道」，兩者不完全相同。在《孝經・開宗明義章》，韓國英特別加註說明孔子在《孝經》經文之末引用《詩經》的目的，在於凸顯《孝經》作為古經之一的權威性。[77] 韓國英這種尊古或援古證今的作法，以及對帝國皇帝的唯一崇高地位強調，從他對《詩經》內文指涉聖王或先王的翻譯，可以觀察出一些端倪。《孝經・開宗明義章》：「先王有至德要道，以順天下，民用和睦，上下無怨……」，其中「先王」二字，韓國英譯為「我們古代的君王」（nos anciens Monarques）。在此他加了注腳明確指出這些先王是《書經》和《論語》中常提及的堯、舜、禹等上古聖王，宣稱他們的德性與智慧相稱（leur vertu etoit egale〔sic〕à leur sagesse）[78]。從韓國英所加的腳註，可以理解為他採取向中國古史文獻或古經尋找論述基礎的作法。韓國英這種作法和當時清朝中葉的學術潮流是一致的。他這種將皇帝權威直接與古代聖王連結的詮釋方法，在他翻譯《孝經・卿大夫章》以及為這一章所加的注腳可以尋得佐證。而這樣的連結，可以說明對韓國英而言，由天子主持的郊社之禮，和明堂祭祀皇室先祖，

---

76 Cibot, *Hiao-King*, p. 31.

77 Cibot, *Hiao-King*, p. 31.

78 Cibot, *Hiao-King*, p. 30.

也能在這帝國孝道脈絡中，連成一氣。並且，這些儘管看似具有宗教性的儀式，確有著政治與家族意涵。這將會涉及韓國英對「禮」的詮釋（詳後）。現在我們再回到「明王」的問題的討論。首先看下面這段譯文和原文的對照：

> Ne vous emancipez〔sic〕point jusqu'à porter d'autres habits que ceux que vous permettent les ordonnances des anciens Empereurs; ne vous hasardez jamais à rien dire qui ne soit conforme aux loix qu'ils ont faites ; n'osez rien faire dont leur vertu ne vous ait donné l'exemple.〔...〕Ces trois choses conserveront la salle de vos ancêtres. Voilà sommairement ce qui est particulier à la Piété Filiale d'un Grand. Il est dit dans le *Chi-king:* Ne vous relâchez ni jour ni nuit dans le service de l'homme unique,〔c'est -à-dire, de l'Empereur〕.[79]
>
> 非先王之法服，不敢服。非先王之法言，不敢道。非先王之德行，不敢行〔……〕三者備矣，然後能守其宗廟，此卿大夫子孝也。詩云：夙夜匪懈，以事一人。（《孝經・卿大夫章》）

首先，「宗廟」一詞被韓國英翻譯為「您們先祖的大廳」（la salle de vos ancêtres）。此處韓國英加註指出宗廟是家族榮耀的歷史遺跡（un Monument de gloire），在該處中國祭祖禮儀被舉行，以表達對先祖的崇敬。這段文字最後，韓國英加入六

79 Cibot, *Hiao-King*, pp. 33-34. 底線為筆者所加。

點觀察，說明《孝經》中對其他古經的引用與詮釋，有著不同層次的應用。有時採經文之字面意義（sens *obvie* & littéral），但也採其寓意和符象（sens allégorique & figuré）。他注意到《詩經》因著字面意義相當抽象而來的詮釋問題，所以他在翻譯《孝經》所引用之《詩經》經文時，採其寓意以應用之。韓國英注意到，孔子之《書經》由曾子與孟子的傳承，引其他經典以注釋之。[80]而此處之「一人」被譯為「這獨一的男人」（l'homme unique），但是他另外插入自己的詮釋，指出此「一人」指皇帝（c'est-à-dire, de l'Empereur）。其次，韓國英在此將一人譯為皇帝，以單數表述，是指當今皇帝而與多位古聖先王有別嗎？實際上，商王自稱「余一人」，《尚書・湯誓》：「夏德若茲，今朕必往。爾尚輔予一人，致天之罰。」承襲商王習慣，周王也沿用此專稱，相對於天，「天子」身為人君自稱「余一人」，使天與人關係緊密相連，溝通了神聖界與世俗界兩者。[81] 韓國英所加入之譯者按語："c'est-à-dire, de l'Empereur"基本上對這「一人」的理解應當說得通。

但問題是，在韓國英的翻譯中，明王到底指誰？是古聖先王、當今皇帝或是諸侯？在《孝經・三才章》:「先王見教之可以化民也」這句話中，的「先王」（les anciens Empereurs）以複數形出現，[82]指諸多古代的皇帝。但是，在《孝經・孝治章》，「子曰：昔者明王之以孝治天下也」，韓國英卻將「明王」譯

---

80 Cibot, *Hiao-King*, p.30.

81 轉引自林素英，《古代祭禮中之政教觀：以《禮記》成書前為論》（台北：文津，1997），頁282。

82 Cibot, *Hiao-King*, pp. 36-37.

為「一位親王／王子」（un Prince），[83]與其在《孝經・諸侯章》將諸侯譯為un Prince，並不一致。基本上，這段話之「明王」在中文脈絡中應指「皇帝」。所以說，在此第一個「明王」譯為「我們古時最賢能的皇帝們」（les plus sages de nos anciens Empereurs），應當是指天子，即皇帝（l'Empereur）。第二個「明王」譯為「一位親王／王子」（un Prince）當指諸侯。在《孝經・感應章》韓國英同樣使用了「古代最聖賢的皇帝們」（Les plus sages Empereurs de l'antiquité）來翻譯「昔者明王」一詞。[84]

在韓國英的譯本中，天子、明王、諸侯、先王等詞，被交錯使用。當他翻譯「天子」，無論是用「統治者」（Souverain）或「皇帝」（Empereur），均採單數形。當他將「一人」翻譯為 "l'Empereur"時，指稱某一朝之當朝皇帝。當他翻譯「先王」時，均採複數形，指古代多朝多位皇帝。但是面對昔者「明王」一詞，有時使用複數形，有時卻以與翻譯諸侯一詞相同的「一位親王／王子」（un Prince）譯之。 韓國英的孝道文獻譯介，收入由法國皇室主導出版的叢書《關於中國之記錄》中，受到法國上層社會包括貴族、院士與知識分子們的重視。中國的大一統帝國之政治體制，與當時的國家林立、缺乏一統帝國皇帝的歐洲不同。《孝經》所載不同等級的孝道，對歐洲讀者相當陌生。而當時法王路易十五而言，在法

83 Cibot, *Hiao-King*, pp. 39-41.韓國英在此加入注腳，大篇幅解釋孝治與天下和平。

84 Cibot, *Hiao-King*, pp. 71-72.

國他是最高領袖，但並非歐洲皇帝。路易十四雖曾派遣耶穌會士前往中國，但他不是教宗。韓國英身處乾隆朝，其所譯文本也不是在法國最強盛時期出版，但所選譯之文獻卻以康熙朝為主軸，對應著那位在歐洲君權神授觀念顛峰時代掌權的、集政治與宗教權力於一身、伏爾泰筆下發出「朕即國家」（l'Etat, c'est moi!）豪語、派遣韓國英的前輩耶穌會士如白晉、李明等國王數學家前來中國的太陽王路易十四的時代，韓國英之混譯天子、明王、諸侯、先王等名詞，讀出一種與歐洲君主權力，甚至政教關係的消長的意味。值得注意的是，「神明」二字之法譯為l'esprit intelligent（靈神，智性之靈，或智性精神），但是韓國英以「以智識與宗教服事天和地」（Le *Tien* & le *Ti* etant servis avec intelligence et avec religion）來翻譯「天地明察」一詞，宗教一字在他對這個詞的翻譯中被使用，是極為獨特的做法。[85]這必須細看韓國英如何詮釋禮儀方能理解其深層意涵，這就進入下一節主題。

（二）禮的四個層面：宗教、政治、公民或家族？

在韓國英的《孝經》全文翻譯中，他對於幾個關鍵字詞，採取加入長篇幅腳註進行解釋的方式。其中一個很重要的是他將中文的「禮」區分為四個層面來理解：宗教的（le religieux）、政治的（le politique）、公民的（le civil）與家族的（le domestique），每一種禮從不同面向強化並捍衛著天子的

85 Cibot, *Hiao-King*, pp. 71-72.底線為筆者的強調。

權力。[86] 這種從四面向詮釋禮字的意義，出現在韓國英對《孝經・廣要道章》的翻譯，原文與譯文如下：

> 安上治民，莫善於禮。禮者，敬而已矣。故敬其父，則子悅。敬其兄，則弟悅。敬其君，則臣悅。敬一人而千萬人悅。所敬者寡而悅者眾，此謂之要道也。（《孝經・廣要道章》）
>
> le *Li* enfin est le moyen le plus aimable de conserver l'autorité du Souverain & d'assurer les soins de l'administration publique. Le *Li* naît du respect, & le produit. Un fils est ravi des égards qu'on a pour son pere, un cadet est flatté des attentions qu'on a pour son aîné, un vassal est charmé des honneurs qu'on rend à son maître, un million d'hommes est enchanté des honnêtetés qu'on n'a faites qu'à un seul. Ceux qu'on distingue ainsi, sont en petit nombre, et tout le monde s'en réjouit; c'est donc le grand art de régner.[87]〔中文直譯：最後，禮是保存君主權威以及確保公共行政關懷的最好方式。禮是從尊敬而生，是尊敬的產物。兒子為父親所擁有的關懷感到高興。年幼之子為他的長者所受的關注而驚喜。一個隨從因為主人所獲得的榮譽而吸引。百萬人因為對那一人（un seul）的忠誠而欣喜。因此這就是以少數人的作為讓全地都歡欣，這就是偉大的管理藝術。〕

86 Cibot, *Hiao-King*, p. 60.

87 Cibot, *Hiao-King*, pp. 58-62.

根據上面所引錄的法譯文字，可以看到韓國英將「禮」解釋為鞏固皇權與確保公共行政體系順利運轉的方法。引文的後半段在討論父子、兄弟、君臣之間之敬，將「一人」與「千萬人」之間對比，將所有之崇敬，集中在一人身上。他稱讚中國孝道井然有序的人際與層級，認為這是一種極為高明的管理學。

韓國英為這段討論加入一個長篇幅注腳，提出禮的四層面詮釋，進一步說明上述偉大的管理藝術。第一是宗教之禮（Le cérémonial *religieux*）。他對於「宗教的禮」解釋篇幅相當短。相當有趣的是，他說宗教之禮是「最原始、最古老的」，但是這個主題確又是「如此令人困擾、如此棘手」，所以他說自己（或耶穌會士們）「沒有勇氣同意（或遵循）這些注疏家的解釋」（que nous n'avons le courage de suivre ici les Commentateurs），[88]便草草結束這個部分的解釋。面對這個在禮儀之爭期間最爭議的議題，韓國英選擇了迴避。第二是政治之禮（Le cérémonial *politique*）。主要描述皇帝作為全帝國最高領袖，全國萬物均屬他所有，為他所用。他描述了朝臣對皇帝的朝拜之禮，以及描述跪與叩的動作表示臣服等等。皇帝與諸侯官員之間階級分明，下一級服從上一級，形成一種從屬關係的和諧（cette harmonie de subordination）從上而下進而鞏固皇權。基本上，談論禮儀的政治面，他認為禮儀有助於維持上下有序的政治體制，以樹立帝王的威信以及人們的他的敬意。然而，這種禮儀同時限制帝王的一舉一動，避免帝王感情流露。

第三是公民之禮（Le cérémonial *civil*）。相較於對前面兩

---

88 Cibot, *Hiao-King*, p. 60.

種禮的詮釋，韓國英對公民之禮這部分的說明，使用更長的篇幅來解釋。他說公民之禮，僅是建立在協議或約定上的集會或友誼關係，是一種榮譽與情感的連結，沒有權威性或強制性。我估計可能是指鄉約或會社。他說，這包含不同層面：（一）藉誠信與互惠原則，制訂上下尊卑的往來或維持公民群體中公平性的方式。（二）或是可以視為群體中當一方權利受他人侵犯或利益受損時，強制性的賠償法規。這通常是政府方有權執行。韓國英說：「一個國家越文明、有禮、正直、細心與節制，越能免於嚴厲規範與奴隸式的服從，公共道德發揮強化統治者權威的力量。」也就說是由和諧、友誼、感情與尊嚴約定而成的，而不是透過霸權強加於民，或藉由嚴刑峻法來建立良好的社會次序。[89]

第四是家族之禮（Le cérémonial *domestique*），他認為這家族之禮是前述政治與公民之禮的結合。在家族內部，一方面如同政治之禮下對上、臣對君的服從一樣，在家中也會對父母服從尊敬。另一方面如同公民之禮，家族成員間的關係則是一系列的責任與互愛，互相照顧關心。家族成員成為一體，個人意志較為和緩，維護長幼尊卑之序，因此大家長（或指皇帝，le pouvoir souverain）的權力更加穩固。他說：「因為一個會看長輩眼色的人，是不會抗拒官員的指令的。一個能為家族慶典奉獻錢財的人，也不會抗稅。」[90] 藉此，韓國英將家族、鄉里與帝國連結，將大家長的權威，延伸到帝國領袖皇帝身上。另

89 Cibot, *Hiao-King*, pp. 61-62.

90 Cibot, *Hiao-King*, p. 62.

外，值得注意的是在《孝經・聖治章》中，韓國英對「父子之道，天性也，君臣之義也」（Les rapports immuables de père et de fils découlent de l'essence même du *Tien* & offrent la première idée de Prince & de sujet）特別加註說明。他說儘管在注疏家的文獻中對此段文字的解釋並不清楚，但是他引用某中國注疏者所引《道德經》：「道生一，一生二，二生三，三生萬物」加註對此父子天性進行解釋。韓國英的腳註內容如下："Le Tao est vie & unité*, le premier a engendré le second, les deux ont produit le troisieme, les trois ont fait toutes choses*."〔中文直譯：道是生命與合一，第一個生出第二個，第二個造出第三個，第三個做出所有事物。〕[91]其中，父子「天性」這不可改變的親近關係（Les rapports immuables），延伸為宇宙萬物之間的生機關係，回歸宇宙起源的大道。而父是子自然的君王（le souverain naturel），子是父自然的臣民（le suject naturel）。[92]如此，帝國整體、從皇帝以下至庶人，甚至萬物，都涵攝在此孝道大道之中。天子郊社之禮與宗祀祖先於明堂之舉，也在此生機關係之中合而為一。[93]

李光地對《孝經・廣要道章》同一段經文詮釋如下：「禮者敬而已矣，則樂者愛而已矣。禮樂之道，不出乎愛敬。而愛

---

91 這段引文之相關詳細延伸性的析論，請詳見潘鳳娟、江日新，〈早期耶穌會士與《道德經》翻譯——馬若瑟、聶若望與韓國英對「夷」、「希」、「微」與「三一」的討論〉，《中國文化研究所學報》（香港中文大學），第65期（2017），頁249-284。

92 Cibot, *Hiao-King*, p. 47.

93 Cibot, *Hiao-King*, p. 46.

敬生於孝弟。故推吾之孝弟以敬人之君父兄，則千萬人莫不悅者。蓋以天下之達道而順天下，自然上下無怨。」[94] 李光地在其《孝經全註》一書中，將《孝經》的主旨濃縮為「敬」與「愛」二字， 韓國英的翻譯也展現出這個重點，他總結聖人之教為二字：「敬」與「愛」。他說：「聖人教導要把這種愛轉變為愛，並把這種恐懼昇華為尊重。」（le *Cheng-gin* enseigne à changer cette affection en amour, & à élever cette crainte jusqu'au respect.）[95]而孝的核心意涵也在此。他如此詮釋孝道與中華帝國的關係，其中隱含著對歐洲各國君王、社會的啟示與挑戰。透過注腳，他幾番透露出滿族政權在漢族孝道相關禮儀的重視，同時也透露自己與滿族皇族處於某種相似的處境；身為外籍傳教士、常駐北京、服務於宮廷，韓國英在其孝道文獻的譯介中，明確且強烈地藉清帝國孝道文獻透露出，對漢族自古傳承下來的以孝為核心，從天子以至庶人那祭禮，實為堅固不可撼動的。同時，他也在其注腳中清楚區別禮儀的不同面向，涵蓋政治、公民與宗族，其廣度遠超過當時歐洲所理解的意義。總結上述，儘管韓國英依循著《今文孝經》十八章的次序和內容來翻譯，他的譯本卻不分章，整體譯本成為一個完整論述。而他所加入的注腳，為對中國禮儀陌生的歐洲讀者提供了相當程度的解說，並藉此「禮」字的翻譯與詮釋，從當時歐洲的社會和國家所能理解的不同面向，來解說中國禮字的不同層面意義，暢談家族與帝國的連續性與生機關係，以及神聖與世俗不

---

94 見李光地，《孝經全註》，頁14a。

95 Cibot, *Hiao-King*, pp. 44-45.

二分的中國禮儀。也因此，他的法文譯本呈現了不同於中文《孝經》的面貌，使中國的禮呈現了至少宗教、政治、公民或家族四個面向的意涵。

（三）翻譯「聖治」

聖治的翻譯，延續本書前章有關衛方濟的內容已有論述，本節將側重韓國英延伸天子之孝而來的孝道翻譯，他特別注意到事父母與事天相輔相成，而且區分出古今與上下層級的明王意義，以古聖先王、當今皇帝和諸侯混譯了《孝經》中的「明王」概念，將古今連結，使當代的掌權者具有與古聖王相等的權威。同時，他從宗教、政治、公民與家族四個面向來詮釋中文之「禮」字，藉此鞏固皇權。總結兩者，我們觀察到一個重點，孝道之行於天下，從家族、社稷、國家到天下，乃聖人之德的實踐，也就是說，孝治天下就是聖治，是聖人之教的實質內涵，總括在「敬」與「愛」之中。問題是：如果孝治就是聖治，韓國英如何翻譯「聖治」？「孝」如何具有「聖」的層次？不同於其前輩耶穌會士對《孝經》的翻譯，韓國英的譯本不分章，因此無法立即從標題看出他如何翻譯「聖治」。我們必須從內文，尤其是他對《孝經・聖治章》的翻譯來推敲。

> Mais quoi ! demanda *Tcheng-tzée* ; est-ce que la vertu du *Cheng-gin* n'enchérit pas sur la Piété Filiale ? L'homme, répondit Confucius, est ce qu'il y a de plus noble dans l'univers ; la Piété Filiale est ce qu'il y a de plus grand dans les oeuvres de l'homme; respecter son père est ce qu'il y a de plus relevé

> dans la Piété Filiale; & *Pei* son pere avec le *Tien,* est ce qu'il y a de plus sublime dans le respect filial. *Tcheou-kong* porta le sien jusques-là. Quand il offroit les sacrifices pour les moissons, il *Pei* son ancêtre *Heou-tsi* avec le *Tien* ; quand il offroit les sacrifices des Solstices, il *Pei Ouen-ouang* son pere avec le *Chang-ti*; aussi tous les Princes qui sont entre les quatre mers venaient à l'envi pour en augmenter la solemnité. Or, que peut ajouter la vertu du saint à cette Piété Filiale ? [96]
>
> 曾子曰：敢問聖人之德，無以加於孝乎？子曰：天地之性，惟人為貴。人之行，莫大於孝。孝莫大於嚴父，嚴父莫大於配天，則周公其人也。昔者周公郊祀后稷，以配天。宗祀文王於明堂，以配上帝。是以四海之內，各以其職來祭。夫聖人之德，又何以加於孝乎？（《孝經・聖治章》）

緊接在《孝經・孝治章》論及「昔者明王之以孝治天下」之後，韓國英在《孝經・聖治章》中對「聖人之德」的翻譯，同時採取了兩種譯法：一為拼音*Cheng-gin*之德（la vertu du *Cheng-gin*），一為聖徒之德（la vertu du saint）。前者音譯，除非加以解釋，否則對歐洲讀者而言，意義並不清楚。後者之譯，適應了歐洲天主教傳統中的聖徒意象。基本上，韓國英很清楚意識到自己的西方偏見，必須仰賴諸多不同的注疏，他

96 Cibot, *Hiao-King*, p. 43. 底線為筆者所加。

偏向採用最普遍的解釋，[97]在不同脈絡中也出現不同翻譯。而孝治之連結天／人與聖／俗兩界，也在韓國英翻譯聖治之混用*Cheng-gin* 與Saint，兼具中國聖王與西方聖徒意象。面對難翻譯或具爭議的字詞或概念，韓國英的注腳內容就顯得非常長，例如他對「配」字的詮釋。前述譯文中之「配天」（*Pei* son ancêtre *Heou-tsi* avec le *Tien*）、「配上帝」（*Pei Ouen-ouang* son père avec le *Chang-ti*）的「配」字，也音譯處理。韓國英花相當大篇幅解釋這個「配」字。在其註21，他舉出此字的兩重意義：一是以瓶裝酒的形象（de l'image de *vase à mettre du vin*），其次是指印章（de celle de *cachet*）或人的自我象徵（ou de celle d' *homme*, ou du symbole *soi-même*），韓國英說根據中文辭典與中國注疏家的解釋，「配」意指使面對面，合而為一或使之相匹配。[98]當韓國英從宗教、政治、公民與家族四個面向來詮釋中文之「禮」字時，對棘手的宗教面向採取迴避策略，面對「聖治」翻譯中的關鍵字詞卻又是如此大費周章。他翻譯時採取之避重就輕的傾向，在這些翻譯的抉擇中，可以看得出來。

《孝經・聖治章》所論之郊祀配天與宗祀配上帝，基本上是使孝治的「生事愛敬」，延伸到喪親後之「慎終追遠」、「死事哀戚」與多代之後的祖先祭祀。在《孝經・喪親章》中有關「宗廟」、「享」、「祭」等關鍵字詞，如前面論到衛方濟採取意譯方式處理經文中部分關鍵字詞，例如「宗廟」、

97 Cibot, *Hiao-King*, p. 36.

98 Cibot, *Hiao-King*, pp. 42-43: *Pei* signifie être *mis vis-à-vis, union, faire compagnie, assortir, couleur de vin.*

「以鬼享之」，以及「春秋祭祀，以時思之」。不過，面對這些爭議或敏感字詞，韓國英則是以一貫的音譯法處理，其翻譯如下：

> On eleve〔sic〕un *Miao* pour *Hiang* son ame, on fait des *Tsi* au printemps & en automne, & on conserve chérement le souvenir des morts auxquels on rougiroit de ne pas penser souvent. [99]
>
> 中文直譯：我們興建一座*Maio* 來*Hiang* 我們的魂。我們在春天與秋天作那些*Tsi*，來保存我們所珍惜的對亡者的回憶，如果不這樣，我們會感到羞愧。
>
> 經文原文：為之宗廟，以鬼享之；春秋祭祀，以時思之。（《孝經・喪親章》）

他將「宗廟」譯為un *Miao*（一座Miao），將「以鬼享之」譯為*Hiang* son âme（*Hiang*其靈魂），而「春秋祭祀」則譯為on fait des *Tsi* au printemps & en automne（在春天與秋天作那些*Tsi*）。不難想像，韓國英的譯文，對不懂中文的歐洲讀者而言實質上是一種異文。這種譯文充分使兩種語言背後的文化體系間的差異，完全展現在其讀者面前。

在這些被音譯的字詞中，我們可以觀察出一個重點，即，對歐洲讀者較陌生的人物和具爭議性或不易尋得對應的歐洲文字詞概念的字詞，都採用這種的方式。例如，配（*Pei*）、禮

---

99 Cibot, *Hiao King*, p. 76.

（*Li*）、祭（*Tsi*）、天（le *Tien*）、地（le *Ti*）、廟（*Miao*）、享（*Hiang*）、上帝（le *Chang-ti*）、周公（*Tcheou-kong*）、后稷（*Heou-tsi*）、文王（*Ouen-ouang*）、曾子（*Tseng-tsée*）和老子（*Lao-tsée*）。不過有兩個例外，其一是前述聖人一詞的翻譯。其二是韓國英用Confucius翻譯「孔子」，而非拼音Kong-tsée。可能因為Confucius這個字對歐洲讀者並非新字，而是在歐洲文獻中已經流傳超過一個世紀，其形象已經大致建構完成。至少如本書前面多次提到的，1687年在柏應理名下出版的《中國哲學家孔夫子》一書，已經將孔子之名字拉丁化為Confucius和身分定調為「中國哲學家」。

從韓國英的翻譯來觀察，其實孝治天下就是聖治，是聖人之教的實質內涵。而孝治之連結「天／人」與「聖／俗」兩界，也在韓國英混用了*Cheng-gin* 與Saint的翻譯時，使之兼具中國了聖王與西方聖徒意象。韓國英並未遵循衛方濟之說，直接將聖治重新詮釋為「天主、人、己」之仁義圓滿。在衛方濟那裡，「聖治之要，仁義而已」，其中包含了「愛天主」（仁）與「畏懲罰」（義）兩者。而天地人三才，在此聖治的新詮釋中，「天主」取代了天地，人則包含他人與自己。但是，既然聖人之德與孝道真諦總歸「愛」與「敬」兩者，那麼，韓國英之翻譯聖治的「中西混搭」風格，看在法文讀者眼裡，恐怕也意味著，西方天主教聖徒的精神，也在愛敬兩者。至於這愛敬與的對象是天主 ?教宗或是國王 ，在那個時代對於不同立場與背景的人或有不同。而且，愛敬的理論基礎是天主或古先聖王的教訓呢？諸如此類的問題或者也會在法國讀者的閱讀過程中，在腦中縈繞不去。權威之歸屬，或者也游移在不同對象之間。政權與教權間的角力，也在此間達至顛峰。

儘管學界對於文努迪（Lawrence Venuti）所提出的「異化翻譯」（Foreignising Translation）與「直譯」之間的異同仍存在爭議，音譯與意譯之間的差異性也待釐清。不過，我們可以借用Venuti所提出的「異化翻譯」作為一種抵抗式翻譯策略藉此圖顯文化差異的主張，來審視韓國英的《孝經》翻譯大量使用音譯的作法。[100] 文努迪在《再思翻譯》（*Rethinking Translation*）一書的導論中，援引Maurice Blanchot（1907-2003）的言論指出：「翻譯是純粹的差異遊戲：翻譯總得涉及差異，也掩飾差異，同時又偶爾顯露差異，甚至經常突出差異。這樣，翻譯本身就是這差異的活命化身。」[101] 他主張一種徵候式閱讀（symptomatic reading），一種在歷史性進路的閱讀中來進行翻譯與詮釋的方法，因此翻譯是在雙方文化脈絡中對異文化和語言文字的重新書寫。[102] 從前面章節討論的有關韓國英孝道文獻的翻譯來看，他是有自覺地，在中華帝國脈絡中，進行孝道文獻的翻譯與介紹。他的選材和翻譯，均在清朝帝國時期之中國文化與十八世紀法國的文化脈絡中進行。除了保留了詮釋空間之外，韓國英的翻譯，包含混用音譯與意譯多元化翻譯方

---

100 由文努迪所提出，請參閱Lawrence Venuti, *The Translator's Invisibility*（London and New York: Routledge, 1995）, pp. 23-25.

101 參見Lawrence Venuti（ed.）, *Rethinking Translation: Discourse, Subjectivity and Ideology*（London & New York: Routledge, 1992）, p. 13，中文轉引自文努迪著，吳兆明譯，〈《翻譯再思》前言〉，收入陳德鴻、張南峰編，《西方翻譯理論精選》（香港：城市大學出版社，2000），頁250。

102 Lawrence Venuti, *The Translator's Invisibility*, pp. 41-42, 312.

法處理敏感關鍵的字詞，也在不同脈絡中以不同方式詮釋等手法，其實也達到提示其歐洲讀者注意：異文化的中國並非歐文所有文字所能涵攝。此舉實則尊重另一文化的差異性，也是將孝道在中國注疏傳統中的多樣性呈現在其譯本中。在韓國英翻譯康熙滿族身分的統治權，在其與朝廷大臣周旋是否效法魏孝文帝依漢族喪禮守喪三年的文字中，看出他積極適應漢族儒學傳統，並以程朱思想建立有利皇權的詮釋的努力。其間有關滿漢之間的文化往來與交涉，為韓國英這位法籍傳教士而言，是感同身受。他身處北京，曾經努力走入漢語的文化與傳統。而今他的翻譯，這種採音譯方式翻譯主文，穿插長注解說異文化實質內涵的翻譯作法，在該譯本所關涉的至少兩種語言和文化的交流過程中，是讓兩種語言文化間的差異凸顯，迫使譯本讀者努力走出自身文化，投向譯本原文（漢語）的文化傳統。與此同時，漢語文本所承載的文化與思想概念，便藉由譯文挑戰了譯文所承載的文化與傳統。因此，中國孝道相關的諸多重要思想與觀念，做為歐洲的異質文化，便在韓國英的譯文中保存。至少是比直接援引歐洲語文中既有的概念

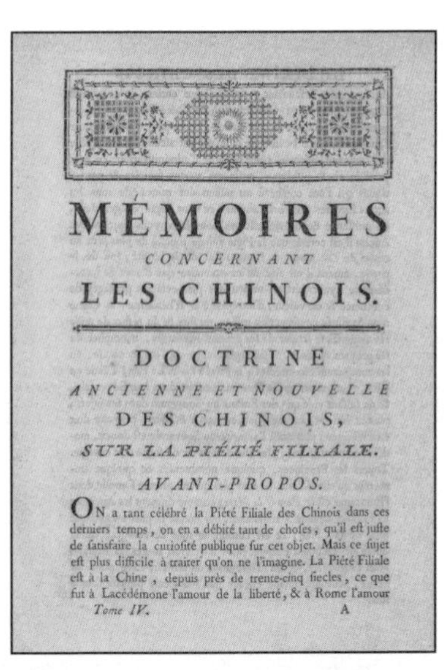

MÉMOIRES
CONCERNANT
LES CHINOIS.

DOCTRINE
ANCIENNE ET NOUVELLE
DES CHINOIS,
SUR LA PIÉTÉ FILIALE.

AVANT-PROPOS.

ON a tant célébré la Piété Filiale des Chinois dans ces derniers temps, on en a débité tant de choſes, qu'il eſt juſte de ſatisfaire la curioſité publique ſur cet objet. Mais ce ſujet eſt plus difficile à traiter qu'on ne l'imagine. La Piété Filiale eſt à la Chine, depuis près de trente-cinq ſiecles, ce que fut à Lacédémone l'amour de la liberté, & à Rome l'amour

Tome IV. A

Mémoires concernant l'histoire, les sciences, les arts, les moeurs, les usages, &c. des Chinois, tome 4（1779）, p. 1. 來源：法國國家圖書館（Bibliothèque nationale de France） ID/Cote : 4-O2N-54.

相對完整，並進而對歐洲文化投入異質成分。因此，韓國英這不順暢的譯文（或異文），就像刺一樣，挑戰著譯文所屬的文化傳統。

韓國英的《孝經》與孝道文獻的翻譯，是在路易十五財政大臣所規劃，皇室所主導出版的《關於中國之記錄》叢書當中。他藉此相關經典文獻的翻譯，將中華帝國的管理藝術，介紹給即將面對法國大革命，君主專制體制即將崩潰的法國政界、宗教界與知識界人士。對於他們理解從這麼龐大的帝國如何能夠井然有序，君王如何扮演管理者角色，臣民如何各安其所，可以從韓國英所出版的《孝經》以及整體中華帝國孝道文獻的譯介當中獲得啟發。

四、文人與帝國之間的立法者：衛方濟譯本的再譯者普呂凱

本書第二章探討了1711年衛方濟的《孝經》翻譯，他的《中華帝國六部經典》，雖然受到天主教內部的管控，這套譯本在歐洲還是有流通，並且由普呂凱翻譯為法文出版，流傳到法語世界。經過他翻譯之後的譯本書名變更為：《中華帝國經典》（*Les Livres classiques de l'empire de la Chine*, 1784-1786），並未如衛方濟特別標明是六本。[103]值得關注的是普呂凱以〈中國政治哲學及倫理哲學的起源、性質和意義的觀察〉為題，以一整冊的篇幅發表了自己對中國政治與倫理的見解。這將會是

103 François-André-Adrien Pluquet, *Les livres classiques de l'empire de la Chine*, 7 vols.（Paris: De Bure, Barrois aîné & Barrois jeune, 1784-1786）.

本節討論的重要依據。[104]既然是翻譯衛方濟的再譯本，原書已經翻譯的《孝經》自然也在他的翻譯之列。也因為是再譯、翻譯的翻譯，普呂凱以及他的讀者也就扮演了衛方濟譯本的詮釋者角色與文獻流傳的推手。普呂凱的譯本和韓國英的譯本時間很接近，也都是在法國大革命之前不久的出版品。前者處於巴黎親身經歷法國社會的變化，而後者則是在中華帝國生活，直接面對中國帝國傳統。他們翻譯雖然都是面對法文讀者，但卻提供我們對於《孝經》內涵的不同詮釋。在本書第二章對於衛方濟譯本的文本分析，我們已經透過幾個例子對照了衛方濟、韓國英與普呂凱三人對於相同經文的不同翻譯以及手法。本章將從普呂凱的翻譯來觀察他如何透過衛方濟的譯本理解與詮釋中國的政治與倫理哲學。這對理解十八世紀後期歐洲思想界，尤其是宗教界與神學界如何詮釋中國經典提供了不同面向的觀察。

作為衛方濟的詮釋者的普呂凱

普呂凱是法國貴族之後，1742年，26歲前往巴黎就讀神學，1750年獲得索邦神學院的文憑。曾擔任法蘭西公學院教授。[105]根據法國國家圖書館提供的資訊，普呂凱的著作計有

104 François Noël, F. Pluquet transl., *Les Livres classiques de l'empire de la Chine, précédés d'observations sur l'origine, la nature et les effets de la philosophie morale et politique dans cet empire*, vol. 1（Paris: De Bure, Barrois aîné & Barrois jeune, 1784）.

105 本文有關普呂凱的生平與著作介紹主要依據後書摘述而成，詳Joseph

九種。[106]他生平第一部出版品是1757年於巴黎出版的三卷本：《宿命論的考察，或揭示與駁斥哲學家有關世界起源、靈魂本質和人類行為原理的不同宿命論體系》（*Examen du fatalisme, ou Exposition & réfutation des différens systêmes de fatalisme qui ont partagé les philosophes sur l'origine du monde, sur la nature de l'âme et sur le principe des actions humaines*）。這本書主要介紹了世界各地，包含印度、中國與日本等東方地區有關世界起源的思想。[107]普呂凱的第二本著作是1762年於巴黎出版的《與基督宗教對照下人類精神的變異歷程相關紀錄：或稱為異端、錯誤與分裂的字典》（*Mémoires pour servir à l'histoire des égaremens de l'esprit humain par rapport à la religion chrétienne: ou Dictionnaires des hérésies, des erreurs et des schismes*），[108]此書曾經出版多次，一個世紀之內至少分別於1773年、1817年、1845年和1847年四次再版。此書並且有義大利文的譯本，其影響力已經延伸至法語世界之外。這本書另有一個更通行的書名：《異端字典》（*Dictionnaires des hérésies*），也介紹了歷史上著名的神學家。[109]

Michaud & Louis Gabriel Michaud, *Biographie Universelle, Ancienne et Moderne*, vol. 35（Paris: Michaud frères, 1823）, pp. 100-111.筆者所用為加州大學圖書館藏書，由googlebook數位化的版本。

106 書籍如為再版則不列入普呂凱著作數量的計算，參見https://data.bnf.fr/fr/12176450/francois-andre-adrien_pluquet/#related_to

107 Joseph Michaud & Louis Gabriel Michaud, *Biographie Universelle, Ancienne et Moderne*, p. 101.

108 出版資訊如下：Paris: Barrois, 1762。

109 Joseph Michaud & Louis Gabriel Michaud, *Biographie Universelle, Ancienne et*

作為一位十八世紀的神學家，普呂凱名下著作中這本有關異端的書籍，使他在相關的傳記資料以及近代早期歐洲異端史的研究中，被納入討論。他在1767年出版了《論社會性》（*De la sociabilité*），不久之後此書於1770年再版 。雖然與當時的社會觀感不同，在書中普呂凱反對英國霍布斯（Thomas Hobbes, 1588-1679）的機械主義系統，而是去強調人有與生俱來的宗教性與良善。[110] 他對人性的觀點其實與衛方濟並不相同，本書第二章曾花費篇幅討論衛方濟在人罪至重前提下，建立一套天主、人、己的聖治終極目標，並於此基礎上我們討論他對於中國孝道的翻譯。至於不能直接閱讀中文的普呂凱，卻在對人性相對正面評價的基礎上，徘徊於共和與帝制之間，以衛方濟譯本為基底重新翻譯與詮釋了《孝經》。他在重新翻譯衛方濟的譯本之外，另撰一專卷暢論一套由「中國立法者」所建立、

Moderne, p. 102.

110 按，霍布斯對於自然狀態的人性，由於資源匱乏，人與人之間處在恐懼與競爭當中，人類為了共存而制定契約。普呂凱論及社會性時強調人性的良善面向，這種立場類似於與他同時代盧梭（Jean Jacques Rousseau, 1712-1778）。同樣是反對霍布斯的利維坦書中所論的社會契約，盧梭在他的《社會契約論（政治法的原理）》（〔*Du contract social ou*〕*Principes du droit politique*），Livre IV, Chapitre VIII, 論公民宗教（De la Religion Civile）時，他提到霍布斯是所有基督教國家中，唯一勇於提出人生而不平等，以及看見罪惡並致力尋找解決之道的學者。盧梭傾向主張人因為這種善性，在自然狀態中，會以避免妨害他人的方式求生存。雖人生而不平等，可以透過道德與法律的平等來彌補。見Jean Jacques Rousseau, *Principes du droit politique*（Amsterdam: Marc Michel Rey, 1762）, pp. 305-306. 台北國家圖書館藏澄定堂寄存西洋珍本，四樓善本室，編號JC179 R762 Du 1762，法國國家圖書館譯亦藏，見https://gallica.bnf.fr/ark:/12148/bpt6k6243538w（2020年9月13日檢索）。

全民遵循的外在制度，是中華帝國得以建立使全民生活於幸福社會的道德政治哲學。[111]1775年普呂凱獲政府任命擔任文學審查人，並於隔年擔任路易十四所設立的法蘭西學院倫理哲學教席與歷史教席。普呂凱翻譯與出版中國經典的工作就在這之後不久完成。他於1784-1786年間所出版的衛方濟譯本的法譯本，則屬於他晚年的作品，大約在他68歲到70歲之間陸續出版。他嘗試理解中國文人如何在如此龐大的帝國裡運用道德與政治哲學的原理，去建立一個公民的社會。他同年也出版了兩卷本《論奢侈的哲學與政治》（*Essai philosophique et politique sur le luxe*）此書的主旨是：在社會政策中檢視奢侈的缺失。[112]

普呂凱所出版的《孝經》法譯本，收在他對衛方濟《中華帝國經典》再譯本的第五本書，收入第七卷，第9-41頁，1786年出版。普呂凱的法譯本僅分章，共計18章。但是與衛方濟的

111 普呂凱和伍爾夫都是受到衛方濟經典翻譯的影響而建立對於中國道德實踐哲學的理念，他們的理念以及後續歐洲思想家對於政治哲學的理論建構之間有何關聯性，將來擬另闢專文繼續深入探究。

112 Joseph Michaud & Louis Gabriel Michaud, *Biographie Universelle, Ancienne et Moderne*, pp. 102-103. 另外，在他身後由他人代為出版了一本論迷信的書籍，由Dominique Ricard（1741-1803）負責為此書作序與注解，題名為《論迷信與熱誠》（*De la Superstition et de l'enthousiasme*）於1804年出版。普呂凱留下許多資料，他的家族也保存了許多檔案，其中尚有未刊稿，例如他名下有一份討論神話的起源，反對Antoine Banier（1673-1741）的體系的書稿，並未出版。詳見Joseph Michaud & Louis Gabriel Michaud, *Biographie Universelle, Ancienne et Moderne*, p. 104. Banier 是法蘭西銘文與美文學術院（Académie des inscriptions et belles-lettres）成員，也是一位修道院長。普呂凱所反對的應該是有關他名下論及神話的書籍。但這並非本文重點，不再贅述。

譯本格式不同，普呂凱譯本沒有章標題。他僅翻譯正文，沒有提供注解。這是法語世界第二個《孝經》譯本，時間比韓國英晚七年。雖然衛方濟的譯本在出版之後不久遭受天主教會的限制，導致流傳並不廣，不過，作為衛方濟譯本的翻譯者，普呂凱的抉擇形同為衛方濟的工作提供了正面的辯護。普呂凱的譯本，出版時間雖在韓國英譯本之後，但是他卻回到韓國英之前，選取了衛方濟重新在儒家經典、文人文獻的脈絡當中，去理解與詮釋《孝經》。而翻譯過程中，卻又跳脫衛方濟，在十八世紀末的法國思想脈絡中來詮釋。以下解析普呂凱在此經典的翻譯中對於中國道德政治哲學的詮釋內涵。

普呂凱的中國道德政治哲學

普呂凱分七章介紹中國的道德政治哲學（la philosophie morale and politique），從(1)起源、[113] (2)這個體系的建立以及執行方式、[114] (3)政治憲法（la constitution politique）、[115] (4)這個體制對公民特質（caractere des citoyens）[116]、(5)與主權的影響、[117] (6)中國道德政治在公民社會（la société civile）的實踐如何影響國家穩定與和平，[118]以及(7)如何影響掌權者權位的穩定

113 Pluquet, *Les livres classiques de l'empire de la Chine*, vol. 1, pp. 7-28.

114 Pluquet, *Les livres classiques de l'empire de la Chine*, vol. 1, pp. 29-91.

115 Pluquet, *Les livres classiques de l'empire de la Chine*, vol. 1, pp. 92-116.

116 Pluquet, *Les livres classiques de l'empire de la Chine*, vol. 1, pp. 117-142.

117 Pluquet, *Les livres classiques de l'empire de la Chine*, vol. 1, pp. 143-151.

118 Pluquet, *Les livres classiques de l'empire de la Chine*, vol. 1, pp. 152-187, 189-208.

性與政治憲法和風俗的制定等等來討論。[119]普呂凱讚揚中華帝國的道德政治哲學，教化人民成為文明、謙卑又仁慈的公民。

普呂凱指出，中國人是世界上唯一沒有將道德與政治區別民族，在不受到特定立法者的個性、個別想法與觀念影響之下，建立了獨立於時空環境之外的道德與政治體系。[120]他對於如此龐大的中華帝國如何奠基於這樣的道德政治基礎上建構出一個公民社會，其中的原則、實踐方式，以及政府的性質與組織，乃至於這個制度對於公民社會的和諧與福祉有怎樣的效應等等問題，感到極大興趣。他認為要了解上述問題，可以透過閱讀這些中華帝國的經典，來對中國人的道德與政治哲學及其整體的關聯性有所掌握。[121] 因為這個道德政治體系的原理與具體實踐都記錄在相關的歷史書、經典文獻當中。[122]普呂凱強調：「天」（le Tien）是中國真正的立法者（le vrai législateur de la Chine），沒有任何人能夠在天之外另外建立是社會關係與應承擔的天職，他掌握一切賞罰。[123] 這個「天」，是自然的作者（l'auteur de la nature），存在於家庭之中，人依其天生自然的本能生活。[124]也是在天人關係的基礎上，中華帝國的立法者們（les législateurs）透過建立典章制度，使這個國家得以維持和平穩定，在孝道所建構的大家庭關係中，相互扶持，團結一

119 Pluquet, *Les livres classiques de l'empire de la Chine*, vol. 1, pp. 209-238.

120 Pluquet, *Les livres classiques de l'empire de la Chine*, vol. 1, p. 2.

121 Pluquet, *Les livres classiques de l'empire de la Chine*, vol. 1, pp. 4-6 .

122 Pluquet, *Les livres classiques de l'empire de la Chine*, vol. 1, pp. 27-28.

123 Pluquet, *Les livres classiques de l'empire de la Chine*, vol. 1, pp. 26-27.

124 Pluquet, *Les livres classiques de l'empire de la Chine*, vol. 1, pp. 29-30.

致。

在第二章論及中華帝國立法者所建構的這個體系及其執行方式，普呂凱以四條目說明這個體系的具體實踐，具體實踐是一種透過上行下效的國民教育培養，使全國公民得以在其中安居樂業。茲引錄與中譯如下：

Article I.

Des moyens que les législateurs de la Chine employerent pour procurer aux citoyens une subsistance assurée, sans les assujettir à des travaux excessifs & continuels; de l'exemple qu'ils leur donnèrent pour les rendre susceptibles des vertus auxquelles ils vouloient les élever.[125]

Article II.

De l'instrucìion que les législateurs chinois donnerent aux citoyens.[126]

Article III.

Des règlements & des motifs par lesquels les législateurs chinois porterent les citoyens à létude de la morale, & à la pratique des devoirs qu'elle prescrit.[127]

Article IV.

De l'éducation nationale établie par les législateurs de la

---

125 Pluquet, *Les livres classiques de l'empire de la Chine*, vol. 1, p. 32.

126 Pluquet, *Les livres classiques de l'empire de la Chine*, vol. 1, p. 47.

127 Pluquet, *Les livres classiques de l'empire de la Chine*, vol. 1, p. 58.

Chine.[128]

第一條：中國立法者過去曾為公民提供有保證的生活，不需過度勞動與工作不休；為他們提供榜樣，使他們願意培育自己的美德的薰陶。

第二條：中國立法者提供公民提供指導方針。

第三條：中國立法者提供公民道德的規範和理由，以及其職責的實踐。

第四條：中國立法者所建立的國民教育。

第三章論政治憲法，普呂凱開宗明義指出，「沒有主權（une puissance souveraine）、議會、法規或法律決定執行方式，以及建構一套國家的政治憲法（la constitution politique），那麼就不具備公民國家（l'état civil）的條件」。[129]普呂凱說，在中國唯有皇帝可以掌握統治權，他以中國理學思想的核心「天」（Tien），說明皇帝是中華帝國裡絕對的主宰者（le maître absolu de l'empire），以及絕對的掌權者（l'empereur a sur les Chinois un pouvoir absolu）。以皇帝為一個大家庭的父親，在自然法則的指引下，愛民如子。而人民對他也是如愛父親一樣，建立起一個真正的孝道。他認為，中國的政治憲法將專制主義的力量與父權的溫和統一在主權之中。[130]這樣的解讀，與其同時代作者，北京的韓國英，似乎有所呼應。普呂凱所理解

---

128 Pluquet, *Les livres classiques de l'empire de la Chine*, vol. 1, p. 70.

129 Pluquet, *Les livres classiques de l'empire de la Chine*, vol. 1, p. 92.

130 Pluquet, *Les livres classiques de l'empire de la Chine*, vol. 1, pp. 95-99.

的孝道也使用了宇宙性大家庭相似的類比。

在討論中華帝國的歷史時，普呂凱指出他參考了大量有關中國歷史的書籍，尤其是馮秉正（Joseph-Anne-Marie de Moyriac de Mailla, 1669-1748）名下根據通鑑綱目譯寫，後來由格魯賢（Jean Baptiste Gabriel Alexandre Grosier,1743-1823）[131]在1777-1784年間於巴黎出版的總計12 卷的大部頭中國歷史書籍《中國通典》（*Histoire Générale de la Chine: ou Annales de cet Empire*），以及杜赫德1735年出版的《中華帝國全志》。尤其是在介紹中國古代皇帝、政治制度和具體實踐的方式時，他以大篇幅引文方式來介紹討論這些書籍。[132]我們從他的參考用書也可以看到耶穌會士的著作對於這位雖未曾親訪中國的學者之影響力。普呂凱不僅選擇了衛方濟的拉丁譯本作為再詮釋中國的基礎，他在十八世紀晚期有關中國的翻譯與討論，相當程度是建立在耶穌會士的著作和文獻基礎之上。

普呂凱在第四章介紹了中華帝國這套道德與政治哲學中國公民性格的影響，第五章討論這套系統對於帝國的主權的影響。他認為這提供了一種公民義務（devoirs）去遵循，對於違反規定的相關懲罰也有所制定，整體來說這套制度為所有公民提供一個平等、公義、和平，一個足以安身立命的環境。[133]他

131 有關他的介紹與出版請參見法國國家圖書館作者資訊https://data.bnf.fr/fr/10717384/jean_baptiste_gabriel_alexandre_grosier/（檢索日期：2020年7月1日）。

132 例如Pluquet, *Les livres classiques de l'empire de la Chine*, vol. 1, pp. 100-104, 111-113.

133 Pluquet, *Les livres classiques de l'empire de la Chine*, vol. 1, pp. 124-129.

又重申整個帝國作為一個大家庭的觀念，使這套制度得以讓每個人在這家庭之中依其長幼之序各司其職的情況，即使在滿族人征服漢人之後，仍舊繼續維持和運作。[134]整體來說，他認為，透過教育和法制的建立，中華帝國的公民維持對皇帝的效忠，各級官員，包含文官與武官也能夠盡忠職守，捍衛國家安全，帝國秩序就在這樣的制度當中和平的運作著。[135]

至於第六章到第八章，普呂凱重點在討論這樣的道德政治哲學，在風俗習慣與法制的建立上，對於公民社會的長治久安、權位更迭過程維持穩定性的影響。這裡，他又強調家庭的觀念，從上到下透過教育、訓導，以及建立典範以得到上行下效的效果，包括皇帝、各級貴族、官員以及家族成員。這呼應了前面已經說過的，普呂凱指出，因為「天」才是這套「政治憲法」真正的立法者，天子的皇位、政府的穩定性也是由他所制訂和維持，在這個體系中，所以公民盡自己的義務，依循立法者建立的制度生活。[136]維繫這秩序的關鍵，又回到自然的天倫關係，君臣關係也肖似父子關係一般。[137] 他又提到，立法者所建立的這一套道德政治哲學，不會因為皇帝個人就能任意修改，一切都在國家級教育體制中，將所有規章和原則一代一代

134 Pluquet, *Les livres classiques de l'empire de la Chine*, vol. 1, pp. 133-135. 他參考了錢德明等人名下的《北京傳教士回憶錄》（又稱《關於中國之記錄》或《中國歷史文化與風俗叢刊》）第七卷的內容。

135 第五章的內容請參見Pluquet, *Les livres classiques de l'empire de la Chine*, vol. 1, pp. 143-152.

136 Pluquet, *Les livres classiques de l'empire de la Chine*, vol. 1, pp. 218-224.

137 Pluquet, *Les livres classiques de l'empire de la Chine*, vol. 1, p. 213.

傳承與維持下去。[138]

普呂凱對於中華帝國的公民社會之介紹，從家庭、政治社會、大家庭展開，以父子之天倫關係作為介紹的起點。[139]他指出不同於其他建立在法律關係上的社會型態，中華帝國的公民社會是建立在人性最根本之血緣關係上。在父子關係當中，他導引出中國的孝道觀念。在自然法則基礎上，兄弟都是公民社會成員（Les frères sont concitoyens），是共同在父親保護下非常緊密的長幼關係，[140]由此再延伸到其他關係。普呂凱指出，根據中國的立法者，正是天然本性連結了家庭成員，在其中享受團圓的最大喜樂，沒有人不在孝道中感到父母之愛、兄弟的溫柔，以及自我認可的愉悅 。[141]普呂凱的結論是「中國立法者所建立的是對社會最有用、對人類最有利的道德與政治哲學」，這種道德是一種「普世的道德與政治」（la morale & la politique universelle），這樣的道德政治，無論在何處，均能使所有人建立家庭，享有一樣的幸福，「是人類精神努力統治人類美德，和平與幸福的最美麗的紀念碑之一」。[142]

普呂凱對於中華帝國道德政治哲學的介紹包括兩個重要面向：道德動機與制度規劃。[143]或者也可以說，對他而言，中

138 Pluquet, *Les livres classiques de l'empire de la Chine*, vol. 1, pp. 215-216.

139 Pluquet, *Les livres classiques de l'empire de la Chine*, vol. 1, pp. 10-14.

140 Pluquet, *Les livres classiques de l'empire de la Chine*, vol. 1, pp. 17-18.

141 Pluquet, *Les livres classiques de l'empire de la Chine*, vol. 1, pp. 20-21.

142 Pluquet, *Les livres classiques de l'empire de la Chine*, vol. 1, pp. 239-246.

143 張君勱對於中國專制君主制的評議啟發了筆者對此的觀察，詳見張君勱，《中國專制君主政治之評議》（台北：弘文館，1986），頁2-4。

華帝國的經典像是一套道德政治範本。前述我們從普呂凱的譯本看到，他所謂的立法者基於血緣的道德原則規劃出一個具實踐人類幸福的法律與制度。透過他的譯本，讀者可以認識東方的公民社會如何在這些立法者的手中建構其道德和政治哲學的內涵。值得注意的是，不同於早期耶穌會士之稱呼中國文人為literati，普呂凱更多使用「立法者們」一詞來指涉文人在建構一種中華帝國的道德與政治哲學的角色，在他的論述當中，相當一致性地使用這個稱呼。這意味著，普呂凱對於中國士人的定位，與衛方濟之視為中華帝國內部的文人不同，而是更多從一種接近於民主共和體制下，承擔立法責任的立法者來理解與描述這個的國的政治和倫理。

如前所述，韓國英從四個面向重新詮釋中國的禮，其中之一是公民之禮。而他在翻譯士人之孝時，單數公民（citoyen）和複數公民（concitoyens）這兩個詞各出現一次。在論及下對上的服從使用一位公民（un citoyen），以及在他翻譯孝治章「百姓之歡心」（les concitoyens concouraient-ils avec joie）時使用。不過在庶人章的翻譯，韓國英仍使用眾人（ la multitude）總括。普呂凱雖然並未翻譯章名，但內文「庶人」字直接使用les citoyens。雖然前述對於韓國英譯本的觀察，整體來說他在中華帝國的脈絡裡譯介孝道文獻，但是有關一般民眾的翻譯，他所使用語言已經開始多樣化。單就《孝經》翻譯的觀察，我們至少發現在十八世紀末，無論是韓國英或普呂凱的譯本中，已經注入了公民的概念。他們也都注意到家庭這種基於血緣所建立的群體在中國的重要性。[144]

這個問題，在他們翻譯第十六章涉及長幼與上下關係時，也出現值得提出說明的差異。以下對照說明之：

感應章第十六：子曰：昔者明王事父孝，故事天明。事母孝，故事地察。長幼順，故上下治。天地明察，神明彰矣。

韓國英：

Confucius ajouta ensuite: Les plus sages Empereurs de l'an tiquité servaient leur père avec une vraie Piété Filiale; voilà pourquoi ils servaient le *Tien* avec tant d'intelligence: ils servaient leur mère avec une vraie Piété Filiale; voilà pourquoi ils servaient le *Ti* avec tant de religion: ils étaient pleins de condescendance pour les vieux et pour les jeunes ; voilà pourquoi ils gouvernaient si heureusement les supérieurs et les inférieurs. Le *Tien* et le *Ti* étant servis avec intelligence et avec religion, l'esprit intelligent se manifestait. [145]〔中文直譯：孔子又說：古代最賢能的皇帝，以真正的孝道來事奉他們的父親；這就是為什麼他們以這樣的智慧事奉天（Tien）：他

---

144 雖然同樣是法文翻譯，十九世紀末的羅尼卻與他們不同，士譯為（fonctionnaires publics），而庶人譯為人民（l'homme du peuple）。裨治文稱士人為scholar，理雅各翻譯為inferior officers。庶人則翻譯為people和common people。詳見「不同譯關鍵字詞翻譯對照表」。

145 Pierre-Martial Cibot, *Hiao-King*, ou Livre Canonique sur la *Piété filiale*, pp.71-72.

們以真正的孝順事奉他們的母親；這就是為什麼他們以如此多的宗教信仰為地（Ti）服務：他們對老人和年輕人都充滿了帶著傲慢的敬意[146]；這就是為什麼他們能如此愉快地統治著上司和下屬。天（Tien）和地（Ti）被以智慧與充滿宗教的方式地服務，智慧之靈就此自我展現出來。〕

普呂凱：

Autrefois les sages empereurs servoient leur pere comme le ciel, voilà pourquoi ils servorient le ciel avec tant d'intelligence; ils servoient leur mere comme la terre, & voilà pourquoi ils servoient la terre avec tant de religion; ils faisoient régner une bienveillance réciproque entre les parents plus âgés, voilà pourquoi ils gouvernoient avce tant de facilité les supérieurs & les inférieurs. Le ciel & la terre étant bien connus, l'esprit intelligent se manifestoit par ses effets.[147]〔中文直譯：過去聖賢皇帝們像事奉天一般事奉他的父親，這是為什麼他們以如此的智能來事奉天；他們像事奉大地一樣事奉他們的母親，這就是為什麼他們如此具宗教虔敬地侍奉大地；他們在年長的父母之間創造了一種互惠的仁慈，這就是為什麼他們以如此實用的方式統治上司和下屬。天地被很好地認識，在這些成效中智慧之靈顯現自我。〕

---

146 這裡我將condescendance翻譯為帶著傲慢的敬意。本來在上下文讀起來應該使用正面意義的尊敬，但是因為韓國英使用了有點負面意義的condescendance來翻譯，而不是常用的respect。

147 Pluquet, *Le Livre de La Piété Filiale*, pp. 36-37.

前述已及，韓國英的翻譯，是在中國禮儀遭禁止之後，他對於爭議中如天、上帝、宗廟等關鍵與敏感字詞選擇了音譯方式。普呂凱的譯本則採取意譯方式處理。面對傳統中國上下長幼的關係，韓國英選取了帶點負面意義的恭敬，而普呂凱則是翻譯為一種互惠的仁慈（une bienveillance réciproque），來描述中國家庭中對年邁父母的孝道。值得注意的是「天地明察」的翻譯，韓國英詮釋為一種帶著宗教性的行為，普呂凱則是從實踐成效來解釋。

本章已經從韓國英的《中國古今之孝道》所謂之帝國文獻脈絡，歸納出「明王」、「禮」與「聖治」三個重點 ，觀察討論了他的《孝經》翻譯策略與帝國轉向的詮釋進路。他使用多樣化的稱謂，來翻譯《孝經》中的明王概念，使皇權具有來自古先聖王的權威。他從宗教、政治、公民與家族四個面向重新詮釋棘手的禮字，建立帝國與家族之間，君臣父子之生機關係。又以音譯拼寫和適應歐洲天主教聖徒傳統的辭彙來翻譯「聖治」，使孝治的意涵兼具中西文化的意義。韓國英的翻譯大量使用音譯拼寫與長篇幅注腳方式譯介中國孝道文獻，不僅保留了多元詮釋的空間，也引導其歐洲讀者向異文化的中國接近，成為文化溝通的管道。

儘管韓國英有意識地與其前輩衛方濟的翻譯作出區隔，但是，他的孝道文獻譯介並不是從零開始。當衛方濟在1703年至1715年之間，在天主教宗克萊孟十一世（Clement XI, 1700-1721）頒布且重申中國禮儀禁令的這關鍵時刻，密集出版他的《中國六經》和《中國哲學》等書籍，捍衛中國哲學和禮儀之後半世紀，韓國英重新翻譯了前人曾經翻譯的中國經典。如同前一章論及衛方濟的《孝經》翻譯時說道，當耶穌會與索邦神學家和教廷宗教裁判者，處於中國禮儀應屬「宗教的」或「公民的」兩難時，衛方濟的經典翻譯，選擇《孝經》之舉，讓禮儀爭辯的核心轉向「孝道」，凸顯其倫理面向。本章對於韓國英譯本的研究發現，他則是更廣地，從宗教、政治、家族與公民，四大面向重新詮釋了禮的意義。其次，雖然衛方濟的經典翻譯已經開始將康熙對禮儀與關鍵字詞概念的意見作為對經典的權威性論述，某種程度可謂採取了有利皇權統治的詮釋來翻譯《孝經》，但是，在韓國英的標準裡，仍舊是「文人文獻」和「古文」，仍是一種在文人脈絡中的詮釋。因此他進一步將焦點從衛方濟譯本所呈現的「文人文獻」的中國儒家，轉向「帝國文獻」、皇權之下所詮釋的帝國儒家。而且，韓國英的《中國古今之孝道》中之帝國文獻的翻譯則見於中國禮儀之爭末期，世俗君主的權力逐漸凌駕天主教會之上。例如李明（Louis Le Comte, 1655-1728）在1696年於巴黎所出版的《中國現勢新志》（*Nouveaux mémoires sur l'état présent de la Chine*）一書，其封面所標示之敬獻對象，不是天主，也不是教宗，而是國王（au Roy），也是在國王的特許之下（Avec privilege〔sic〕du Roy）出版。法國國王與羅馬教廷之間的勢力消長，可見一斑。身為衛方濟《孝經》譯本的評論者與補充者，韓國英的《孝經》翻譯手法，實則延續了衛方濟的倫理轉向，並且更進一步聚焦皇權，轉向帝國。事實上，中華帝國的政治和倫理，以及康熙之明王形象，在十七世紀已經成為歐洲知識階層關注焦點。本書第一章討論的白晉於1697年獻給法王路易十四的《中國皇帝的歷史面貌》之廣泛流行於歐陸與英倫知識階層，正是具體的例子之一。

翻譯在跨文化的脈絡中，成為重新建構文化和知識的重要方式，對中國文化的陌生，提供了譯者極大的新詮釋空間。韓國英大經常混用多種語詞翻譯相同中文概念以及採取拼音方式處理中國禮儀之中當中敏感甚至被視為具有迷信異端風險的語詞，譯本裡這麼多洋腔洋調的洋文（中國詞），使他的《孝經》譯本滿滿異國風情，抓住了十八世紀法國帶領的中國風尚的潮流，吸引了眾多啟蒙時期知識分子的注目。與十七世紀由路易十四所派遣的第一批法國入華代表、被稱為國王數學家的耶穌會士不同，十八世紀末期，這位北京傳教士韓國英之直接全面地譯介清朝的「帝國文獻」，並且在法國皇室主導的有關中國的系列叢書中出版，更突顯出中西文化交流的影響所及，已經對其政治結構、倫理體系產生影響甚至是衝擊。

至於普呂凱，他與長駐北京的韓國英的時代相近，作為衛方濟的再譯者，在自己的時代中提出了新的詮釋，避開禮儀之爭的爭議，從道德與政治的普世性來解釋中華帝國的孝道。從他的著作，我們觀察到普呂凱透過翻譯《中華帝國經典》，他對於中華帝國的道德與政治原理的介紹，是從經世的立足點來解釋，相當程度上使這些經典的超越性和哲學性降低，入世性和實務性提高。在十八世紀晚期的巴黎，在法國大革命前不久的年代中，普呂凱出版這一套中國經典的翻譯，值得我們省思。普呂凱使用了許多共和國概念的詞彙來描述這個體系當中的相關法令規章，例如政治憲法、公民特質、公民社會等等，他對於中華帝國的描繪內容，卻又可以讀出一種君主立憲的意味。他的譯本及其對中國帝國體制的介紹，似乎是徘徊在共和與君主制之間。[148]

由於普呂凱的《孝經》翻譯與韓國英的譯本面對的同樣是法文讀者，而且出版的年份相當接近，差別在於前者是與中國儒家的經典成一套完整文獻出版，而後者則是在法國皇室規劃的有關中國的紀錄叢刊當中的一冊刊行。普呂凱某種程度也是繼承衛方濟之文人文獻的取向，雖然他在譯本當中，將中國文人以近代共和制度的脈絡來理解，稱之為立法者。在普呂凱的《孝經》翻譯中，他注入了社會的概念，取代了中國家族觀念，但卻又是一種建立在血緣之上的宇宙性家庭的社會觀念。雖然他在總體說明中對於中華帝國之以血緣為核心的家族有所釐清與說明，但是所使用的語言終究是公民社會，對於法國讀者，這仍舊是與中國家族相去甚遠的概念。並且，他多處強調平等原則、帝國上下長幼的秩序等等，加上《孝經》和作為童幼教育的書籍《小學》放在同一冊當中刊行，也就使得普呂凱與韓國英兩人的《孝經》翻譯，在法國讀者面前扮演了中華帝國對同一部經典不同面向的詮釋傳統。雖然衛方濟的譯本出版時間較早而且遭受教會壓力而流傳不廣，但是因為普呂凱的再

148 本人購得一套原屬於Dampierre城堡所有的普呂凱譯本，主人是第八代呂依內（Luynes）的公爵：盎諾赫阿伯特（Honoré Théodore Paul Joseph d'Albert, 1802-1867）。這位公爵同時也是法蘭西文學院院士，他的收藏有這套書可以側面證實衛方濟的經典翻譯，曾經因為普呂凱間接地影響了十九世紀法國的上流社會與知識階層。政治上，這位公爵曾經擔任第二共和國民議會的代表，不過在拿破崙三世崛起時，他退隱到自己的城堡Dampierre，最後於羅馬過世，捍衛教宗地位，反對義大利統一。參見下書：Francesca Silvestrelli, *Le duc de Luynes et la découverte de la Grande Grèce*（Paris: Institut National d'Histoire de l'Art, 2018）.

度翻譯，使得他的影響力從十八世紀初期，延伸到同一世紀的晚期。

翻譯是一種文化溝通，[149]無論這溝通暢通與否，韓國英的翻譯為我們提供了一種他作為一位十八世紀駐北京之歐洲觀察家對當時中國的理解與詮釋；提供了一種在同一語言中所無法察覺的閱讀。在韓國英的翻譯中，這些中華帝國孝道文獻彷彿具有繼起之生命（afterlife），進入歐洲學術與知識圈。而且這位法國耶穌會士的《孝經》翻譯手法，又為十九世紀英國新教傳教士理雅各所承接，提出另一種詮釋。時至今日，這譯本又回眸凝視其中國讀者，化身為一件來自十八世紀法國且具異國風貌的孝道文獻，為吾人所閱讀。這譯本作為一個新生命，幾個世紀以來生生不息，綿延不絕。孝道的意涵，也就在這不同時代之再翻譯與再詮釋之中，不斷地被重新書寫與閱讀。

149 Lawence Venuti（ed.）, *The Translation Studies Reader*（London and New York: Routledge, 2000）, pp. 468-470.

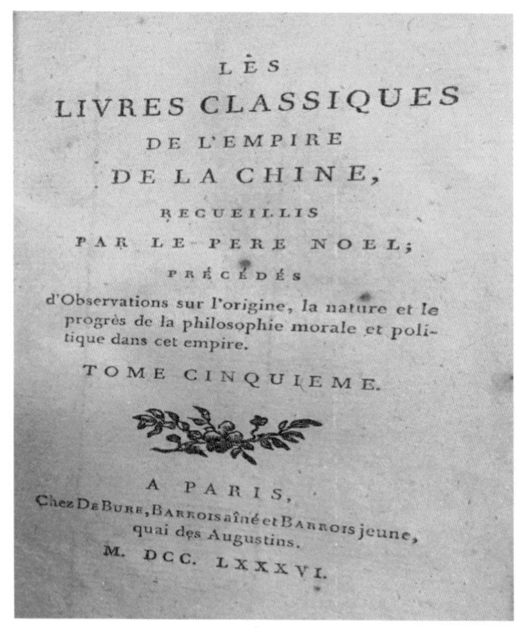

LES
LIVRES CLASSIQUES
DE L'EMPIRE
DE LA CHINE,
RECUEILLIS
PAR LE PERE NOEL;
PRÉCÉDÉS
d'Observations sur l'origine, la nature et le progrès de la philosophie morale et politique dans cet empire.
TOME CINQUIEME.

A PARIS,
Chez De Bure, Barrois aîné et Barrois jeune, quai des Augustins.
M. DCC. LXXXVI.

普呂凱譯本（作者藏書攝影）

普呂凱譯本Dampierre城堡藏書票（作者藏書攝影）

第四章

中西教育脈絡中的《孝經》翻譯

裨治文譯本（1835）

前面章節已經說到，在十八至十九世紀西方的《孝經》翻譯史裡，筆者觀察到早期耶穌會士的三階段知識建構歷程：從柏應理以「孔子」名下的經典翻譯做為起點，經由衛方濟之「中國文人儒家」，再到韓國英之「中華帝國儒家」的詮釋以及普呂凱之徘徊於文人與帝國之間的再詮釋。中國與歐洲的角力在十八至十九世紀之交，從韓國英譯筆下的明君康熙以及他所統御的理想帝國，到了乾隆晚期隨著英國使團馬嘎爾尼（George Macartney, 1737-1806）訪華所引發的新禮儀之爭出現了翻轉。[1] 第一批新教傳教士開始出現在中國歷史的舞臺上，繼承了耶穌會士的經典翻譯工作並展開新頁。就筆者目前已掌握的十八至十九世紀西方《孝經》譯本，已經確立了這兩世紀中不同教派的傳教士名下的譯本之間，確實具有相當程度的延續

1 黃一農，〈印象與真相——清朝中英兩國的覲禮之爭〉，《中央研究院歷史語言研究所集刊》，78.1：35-106。

性，也在不同的時空脈絡中有不同的詮釋。

本章從兩條取徑討論十九世紀美國傳教士裨治文（高理文，Elijah Coleman Bridgman, 1801-1861）在廣州出版的《孝經》首見英譯本：*Heaou King, or Filial Duty*（1835）。[2] 於此我擬從裨治文對中西教育的介紹，並透過文獻比對與歷史重建的方法，來討論他在中西教育交流史上的先驅角色及其譯本對晚清教育與教材的介紹與貢獻。其次，以二次鴉片戰爭區分入華新教傳教士為初期與後期，並將此譯本放在初期的中西教育脈絡，與後期的理雅各（James Legge, 1815-1897）和羅尼名下的兩個譯本對照，從此在十九世紀的英國新教傳教士和法國東方學學者比較的脈絡裡，確立此譯本在《孝經》西譯史上的定位。

一、裨治文與中西教育

《中國叢報》（*The Chinese Repository*, 1832-1851）創刊於第一次鴉片戰爭（1839-1842）之前，西方人在中國沿海活動仍受到極大限制的時期，主編由裨治文擔任。在1835年發表《孝經》首見英譯：*Heaou King, or Filial Duty*之前，他已經刊登了 [3]

2 E. C. Bridgman, "Heaou King, or Filial Duty: Author and Age of the Work; Its Character and Object; A Translation with Explanatory Notes," *The Chinese Repository,* 4.8（1835）, pp. 345-353.

3 作者歸屬主要根據以下索引：*General Index of Subjects Contained in the Twenty Volumes of the Chinese Repository: With an Arranged List of the Articles*（Shanghai: n.p., 1940）.

《三字經》（*Santsze King*）、[4]《百家姓》（*Pih Keä Sing*）、[5]《千字文》（*Tseën Tsze Wăn*）[6]與《鑑韻幼學詩帖》（*Keënyun Yewheŏ Sheteĕ*）[7]四本中國啟蒙教材的譯介。同年後期又發表了《小學》與《孝經》的翻譯。他將《孝經》定位為介於「初級學校教材」（primary school books）與「最高經典性出版品」（highest classical productions）之間的文本，[8]也正是在此中西教育的比較中進行翻譯。身為漢學期刊主編，除了傳教使命之外，裨治文同時向總會回報有關中國人的性格、習俗與風情等內容，以提升總會有關中國的第一手知識。雖然與傳教工作沒有直接關係，但裨治文卻認為，欲向中國傳福音，甚至去中國之前，必須先認識中國；不僅需要了解文獻所記錄屬於過去的中國，更需要去認識當下的中國。對於過去的中國，已經有早期天主教傳教士所出版的中國相關書籍足資參考，而對於當下

4 "Santsze King, or Trimetrical Classic: Its Form, Size, Author, Object, and Style; A Translation with Notes; The Work Ill Adapted to the Purposes of Primary Education" *The Chinese Repository,* 4.3（1835）, pp. 105-118.

5 "Pih Keä Sing Kaou Le , or A Brief Enquiry Concerning the Hundred Family Names: Character and Object of the Work; Variety of Names in China, and the Manner of Writing Them; Degree of Consanguinity, with the Terms Used to Express Them," *The Chinese Repository,* 4.4（1835）, pp. 153-160.

6 "Tseën Tsze Wăn, or the Thousand Character Classic: Its Form, Size, Author, Object, and Style; A Translation with Notes; New Books Needed for Primary Education of the Chinese," *The Chinese Repository,* 4.6（1835）, pp. 229-243.

7 "Keënyun Yewhe　Shete , or Odes for Children in Rhyme, on Various Subjects, in Thirty-Four Stanzas," *The Chinese Repository,* 4.6（1835）, pp. 287-291.

8 E. C. Bridgman, "Heaou King, or Filial Duty: Author and Age of the Work; Its Character and Object; A Translation with Explanatory Notes," p. 345.

真實的中國，則需要當時在中國的傳教士陸續提供最新資訊。像《中國叢報》這樣的刊物便是其中一個重要傳播訊息的管道。[9] 在《中國叢報》的發刊詞中，裨治文提到在廣州一帶的外國人，普遍受當地中外人士以洋涇濱英文溝通的景象所震驚。在鴉片戰爭之前，被稱為中央之國（Middle Kingdom）的偌大帝國，僅有廣州、澳門的部分區域容許外人進入，當地找不到具備中英翻譯能力的人。[10] 從《中國叢報》的辦報目的，已經可以預見裨治文在此發表了包含《孝經》在內的各種中國經典之英文譯本，其目標大抵是一致的。裨治文宣稱他們編寫期刊，採取一種不帶偏見與負責任的態度工作，提供讀者有關中國的知識。[11] 儘管這份期刊發展到後來面臨質疑，1850年代甚至遭到停刊，部分傳教士認為該期刊報導中國文化相關事務與傳教工作不符，但是它促使美國教會對中國傳教工作的積極參與，也為讀者提供豐富中國研究的材料，其貢獻則是不容置疑的。[12]

1836年，馬禮遜（Robert Morrison, 1782-1834）過世後不久，在裨治文、歐立芬（David W. C. Olyphant, 1789-1851）和馬儒翰（John Robert Morrison, 1814-1843）等人積極推動下成

---

9 尹文涓，〈《中國叢報》研究〉（北京：北京大學中國語言文學系博士論文，2003），頁37-41。

10 E. C. Bridgman, "Introduction," *The Chinese Repository,* 1.1（1832）, pp. 1-2.

11 Ibid., p. 4.

12 蘇精，〈《中華叢論》的生與死〉，收錄於蘇精，《上帝的人馬：十九世紀在華傳教士的作為》（香港：基督教中國宗教文化研究社，2006），頁26。

立了馬禮遜教育會，由裨治文擔任通訊秘書。該會宗旨以建立或資助學校為目的，並培育中國學子的英文的能力，使之學習西方的學術與知識。該會章程第二條：「本教育會之目的在於藉由學校與其他管道在中國提倡教育」。[13]此會作為媒介中西知識的目的非常明確。裨治文也參與了中國益智會（Society for the Diffusion of Useful Knowledge in China, 1834，廣州）的創建。這是一個以介紹西方科學、開啟華人實用性知識為目的，負責協調與規劃教會的教育與教材編纂等文化推廣的機構，[14]後來發展為中華基督教教育會（China Christian Educational Association）。[15]

裨治文對於教育的觀點，可以從他在1836年10月28日馬禮遜教育會成立大會上的公開演說看出來，他認為教育涵攝了

---

13 E. C. Bridgman, "Proceedings Relative to the Formation of the Morrison Education Society; Including the Constitution, Names of the Trustees and Members, with Remarks Explanatory of the Object, of the Institution," *The Chinese Repository,* 5.6（1836）, pp. 374-376.

14 張施娟，《裨治文與早期中美文化交流》（杭州：浙江大學出版社，2010），頁14-16。

15 E. C. Bridgman, "Proceedings Relative to the Formation of a Society for the Diffusion of Useful Knowledge in China," *The Chinese Repository,* 3.8（1834）, pp. 382. 中國益智會後續的發展可以參見裨治文在《中國叢報》刊載的幾篇的年度會議報告：E. C. Bridgman, "First Report of the Society for the Diffusion of Useful Knowledge in China, with the Minutes of the first Annual Meeting, held at Canton, October, 19th, 1835," *The Chinese Repository,* 4.8（1835）, pp. 354-361; E. C. Bridgman, "Second Report of the Society for the Diffusion of Useful Knowledge in China, Read Before the Members of the Society on the 10th of March, 1837, at 11AM, in the American Hong, No. 2," *The Chinese Repository,* 5.11（1837）, pp. 507-513.

人之所以為人的三個重要面向：生理、智能與道德文化。如此方能自幼訓練孩子當行之路，使之到老不偏離。因此他重申，馬禮遜教育會的創辦目的，正是透過學校使中國青少年具備閱讀與書寫英文的能力，藉此與西方世界聯繫，引導他們成為社會上有智慧的、勤勉素樸的有德之人，使其探索自己成長之路，扛起他為國家、上主應當承擔的責任。[16] 裨治文在演說中說道：「中國是他們的鄰舍，由同一天父所生。」[17] 在此基礎之上，他致力於提倡對中國青年學子的教育。在他的推動之下，布朗牧師（Samuel R. Brown, 1810-1880）夫婦前來中國，在澳門創辦了馬禮遜學校，初期招收了六名學生，其中之一是日後成為中國首位留美學生、積極提倡以西學改進中國的容閎（1828-1912）。[18] 換句話說，裨治文等西方傳教士透過西式學校與機構，引入西學和西方教育理念與制度，原始目的是提倡改進中國學子的知識，並且藉由英文訓練，使之成為中國認識西方的媒介。這同時也改善了中國學子對西方的印象，為往後中國大規模接受西方教育體制建立根基。[19]

1830年代英美新教傳教士在中國的使命，當是傳播福音使

---

16 E. C. Bridgman, "Proceedings Relative to the Formation of the Morrison Education Society," p. 378.

17 Ibid., p. 390.

18 李志剛，《容閎與近代中國》（台北：正中書局，1981），頁7-14、37-38。

19 S. R. Brown, "The Eighth Annual Report of the Morrison Education Society for the Year Ending September 30th, 1846," *The Chinese Repository,* 15.12（1846.12）, pp. 601-617. 另參見張施娟，《裨治文與早期中美文化交流》，頁11-12。

中國人歸信，但是對於完成使命的作法，則有不同意見，「教育」在當時多數傳教士心中則是箇中極為重要的一環。在1837年《中國叢報》中一篇有關中國人的文章，探討整合當時傳教士在亞洲地區包含英華書院（Anglo-Chinese College）、新加坡書院（Singapore Institution，或直譯為新加坡機構）與馬禮遜教育會在內的幾個教育機構的期待時，提到將「光與真理」（light and truth）傳布給中華帝國全體民眾的目標，教育扮演極為重要的角色。[20] 英華書院於1818年由馬禮遜和米憐在麻六甲創立。而1834年馬禮遜過世之後成立的馬禮遜教育會，以及其他由傳教士所創立的一些學校或機構，在各自運作的情況下，對提升中國人知識層面似乎效用不大。《中國叢報》中這篇文章透露，當時書院之間曾努力整合，但苦於傳教士人數不多以及資源分散的情況，並未成功。其中英華書院於1843年遷至香港，第一任校長由理雅各擔任；[21] 新加坡書院則維持在當地，且於1844年開始擴展並招收女學生；而馬禮遜教育會則於1839年在澳門創辦馬禮遜學校。[22] 十九世紀下半葉以後，西方傳教士在

---

20 1818年由馬禮遜和米憐共同創立，Cf. Anon., "Education: Defects of the Institutions for Educating the Chinese; Anglo-Chinese College; Singapore Institution; Morrison Education Society; the Desirableness of Uniting them and Founding a College," *The Chinese Repository,* 6.1（1837）, pp. 96-98; Bridgman, "The Singapore Institution: Its Origin and Design; with a Description of its Three Departments, 1st, Scientific, 2nd, Literary and Moral for the Chinese, and 3rd, the Same for the Malays, Bugis, Siamese, etc.," *The Chinese Repository,* 4.11（1836）, pp. 524-528.

21 Ibid., pp. 97-98.

22 丁偉，〈馬禮遜教育會學校英語教學歷史研究〉，《澳門理工學報》31期，頁 78-88。

亞洲的據點陸續從南洋轉向中國沿海，尤其往廣州與上海兩大口岸城市遷移，更是值得關注的轉變。

1877年在華新教傳教士於上海召開了第一屆大會，在該次大會中組織了益智書會（School and Textbooks Series Committee），專責以基督教立場編纂教科書。[23]不過參與該次大會的傳教士對於教育問題，主要有兩派不同的主張：一是以傳教為主，教育為輔；一是以教育為主，傳教為輔。主張前者的有黎力基（Rudolf Lechler, 1824-1908）和湯藹禮（E. H. Thomson, 1834-1917），主張後者的有狄考文（Calvin Wilson Mateer, 1836-1908）、丁韙良（William Alexander Parsons Martin, 1827-1916）等人。[24]大約在這個時期，新教傳教士提倡以教育來強國利民的呼聲，也越來越響亮，中國有識之士也逐漸意識到西方富強與西學的密切連動。例如1868年曾國藩創建江南製造局，內設翻譯館，延聘傅蘭雅（John Fryer, 1839-1928）主持西學翻譯事務。再例，林樂知（Young John Allen, 1836-1907）於1875年在《萬國公報》發表了〈明初學校貢舉事宜記〉，強調建立以科技為教育內容的新式學校，使中國富強為當務之急。1881年狄考文發表〈學校振興論〉，強調中國富強之路

---

23 王樹槐，〈基督教教育及其出版事業〉，《近代史研究所集刊》2（1971）。頁370。

24 狄考文等人對教育的意見，參見C. W. Mateer, "Relation of Protestant Mission to Education," in *Records of the General Conference of the Protestant Missionaries of China Held at Shanghai,* May 10-24, 1877（Shanghai: Presbyterian Press, 1878）, pp. 171-180.

惟有「廣興學問」。[25]晚清中國，尤其在十九世紀最後三十年間，西方傳教士透過出版與翻譯西書、創辦報刊、設立機構等方式，積極引入西方的新式教育體制與建立新式學校的努力，對晚清中國廢科舉建立新式學校等等具體的教育改革措施，發揮了直接的影響作用。

《中國叢報》這份在1832年5月至1851年12月間發行的期刊，是十九世紀西方認識中國的重要平臺，提供不同於一般書籍的中國本地觀察。裨治文的《孝經》英譯是他入華初期進行的工作，刊行在《中國叢報》初期階段的卷期中。從前文所鋪陳的鴉片戰爭前後，西方傳教士對於中國教育的評論和貢獻，以及他們逐漸將據點從東南亞轉向中國沿海移動的歷史背景，應更能夠看出裨治文在二次鴉片戰爭之前致力於譯介中國教育概況以及引進西式教育理念、體制與教材等等的各種努力及其前驅性角色。裨治文對教育問題的重視，身為《中國叢報》的主筆，他在中西教育脈絡中翻譯《孝經》之舉，便益發值得關注與研究。

二、裨治文的《孝經》譯本與晚清民間教材：版本的探索與比較

不同於近代中國之定位《孝經》為蒙書，裨治文將之定位

---

25 原見《萬國公報》334（1875），pp. 946和《萬國公報》656（1881），p. 8397。轉引自孫邦華，〈晚清來華新教士關於中國學校教育制度改革的思想及其影響〉，收錄於李金強、吳梓明、邢福增主編，《自西徂東——基督教來華二百年論集》（香港：基督教文藝出版社，2009），頁454-455。

為介於蒙書（童幼教育）與經典（高階教育）之間的教材。[26] 此外，除了位居廣州的地理因素之外，或者也因為他所依據的中文文本，屬於流傳民間的地區性文本，裨治文據以為翻譯的中文底本多是與其他書籍合併的版本而非單行本，並未如衛方濟之將《孝經》與《四書》合觀。裨治文在其《孝經》英譯本前言中具體說明了主要依據的底本有三種：

（一）"Heaou King, Seaou Heŏ, ching wăn"（孝經小學正文，"the plain text of the treatise on Filial Duty, and of the Easy Lessons"）；

（二）"Heaou King, Seaou Heŏ, tswan choo"（孝經小學纂註，"Treatise on Filial Duty, and the Easy Lessons, with notes"）；

（三）"Seaou Heŏ te choo ta ching"（小學體註大成，"a complete collection of notes on the Easy Lessons"）。[27]

當論到《小學》（簡易讀本，Easy Lessons）的性質時，他加註說明這是一種青少年的課本（Lessons for the Young）。另外他也注意到《小學體註大成》書後附了《忠經》（Book of Fidelity），他說這是為了提升政府當局和民眾的道德。[28] 裨治文在翻譯《孝經》時已經注意到上述三種中文底本中，《孝經》均非獨立存在，而是與《小學》或《忠經》等文本合併出版。

---

26 E. C. Bridgman, "Heaou King, or Filial Duty," p. 345.

27 在前言中，裨治文將《小學體註大成》的《小學》譯為 "Easy Lessons"，在《中國叢報》另一處《小學》一書的翻譯，他修訂為初級課本（Primary Lessons），參見*The Chinese Repository,* 5.1, p. 81.

28 E. C. Bridgman, "Heaou King, or Filial Duty," p. 345.

由於裨治文僅提供書名，並未明確指出他所參考的文獻之出版資訊，而且他所列出的《孝經》版本均屬罕見本，在進行文獻考據時難度也相對提高。以下說明考據結果：首先，裨治文所提及之《孝經小學正文》，應是指清乾隆三十九年（1774）荷經堂出版，由陸隴其編輯、朱熹註的《孝經小學正文》，總計六卷，第一卷為《孝經正文》，第二至六卷為《小學正文》。[29] 裨治文所根據的第二份文本：《孝經小學纂註》，應該是1821年出版，根據彭瓏（1613-1689）的《孝經纂註》和彭定求（1645-1719）的《小學纂註》兩書之合編。至於第三份底本《小學體註大成》，則與筆者發現藏於英國倫敦大學亞非學院圖書館之馬禮遜藏書[30] 中的一件老會賢堂藏板之八卷本《小學體註大成》相同。《小學體註大成》包含三部分：《小學集註》、《孝經集註》與《忠經集註》。另外，牛津大學Bodleian圖書館典藏了一份「清佛山老會賢堂」出版的《小學體註大成》，編號Sinica 2924。法國國家圖書館內亦藏有一相近版本，古朗氏（Courant）編號為3298，同樣有「內附孝忠經」字樣，也將《孝經》與《忠經》合刊。[31] 截至目前為止，中國和台灣的圖書館古籍典藏中，很少見到出版時間和出版單位與前述完全相同的版本，不過卻發現了幾本不同時間和出版

29 臺灣國家圖書館古籍特藏，編號Fv8104021。

30 Andrew C. West, ed., *Catalogue of the Morrison Collection of Chinese Books*（London: University of London, School of Oriental and African Studies, 1998）, pp. 77-78.

31 Maurice Courant, ed., *Catalogue des Livres Chinois, Coréens, Japonais, etc.*（Paris: E. Leroux, 1902）, vol. 1, pp. 289-290.

單位的版本在市場上流通。雖然康熙曾經開放東南沿海四個海關通商，但從乾隆二十四年（1759）左右到鴉片戰爭之前，西方傳教士在東南沿海僅有廣州一口通商。[32] 對於來華初期的新教傳教士，活動範圍大致僅有十三行夷館和館區附近一帶，並在此有限區域內學習中文、接觸中國文獻甚至採購書籍等等。現藏於倫敦大學亞非學院的馬禮遜中文藏書，許多是這個時期購置運送回英國。[33] 裨治文的《孝經》翻譯，乃至於整體發表在《中國叢報》裡有關民間教材的譯介作品，也大抵是這個時期在這樣的環境之下完成的。

雖然裨治文所根據的底本現在並不常見，但從前述所介紹的幾家歐洲圖書館均可發現相近版本的情況看來，或能合理推論這些版本在當時的民間相當普遍，有一定程度的市場需求，甚至在如十三行館區裡，應該是易於取得、閱讀與翻譯的。相關中文書籍也因此一歷史機緣被攜回、典藏於歐洲的圖書館。

至於裨治文譯本所根據的《小學體註大成》一書，也正是法國東方學者羅尼（Léon de Rosny, 1837-1914）翻譯出版《孝經》法譯本的底本之一。[34] 羅尼的譯本除了正文翻譯之外（詳後第六章），並於譯文之後提供注解。他參考了衛方濟、韓國

32 參〈乾隆二十四年英吉利通商案〉，頁307-310，轉引自李志剛，《基督教與中國近代文化》（香港：基督教文化學會文藝代理，2009），頁15。

33 參李志剛，〈馬禮遜牧師在廣州十三行遊學中國文化〉，《基督教與中國近代文化》，頁12-14。

34 筆者根據德國華裔學志研究所圖書館藏，1889年於巴黎出版的版本：Léon de Rosny, 孝經*Le Hiao-King: Livre Sacré de la Piété Filiale*, publié en Chinois avec une traduction Française et un commentaire perpétuel emprunté aux sources originales（Paris: Maisonneuve et Ch. Leclerc, 1889）.

英、理雅各以及諸多傳教士的漢學著作。儘管在章節安排上，裨治文和羅尼兩人並不相同，但他們所參考的中文底本有兩點共通性：一、出版單位均與老會賢堂有關，二、二人所用的底本均與《忠經》合刊。整體來說，裨治文與羅尼二人，一位是在十九世紀前半葉鴉片戰爭之前，當中國僅廣州一口通商的時期即已來華並出版《孝經》英譯本的傳教士；一位則是同世紀後半，時值日本明治維新之後、甲午戰爭之前，在巴黎出版譯本的法國東方學學者。透過觀察他們的譯本及其底本抉擇，看到在傳統文獻的出版與傳播過程中，書籍之中日旅行軌跡及其對西方譯本的影響。

三、裨治文《孝經》翻譯：文本與比較分析

裨治文的譯本正文有18章，均有英文標題。其譯本的結構也與今文孝經相同，並以「子曰」（*tsze yuĕ*）而非直接定位孔子的身分的方式展開每一章的翻譯。[35] 作為一篇刊登於期刊上的文章發表，礙於字數限制，這個譯本幾乎沒有注腳，僅包含簡短的前言小節，大約僅四千個英文字。唯一的文間註則附在譯本之末，僅兩小段文字。與其翻譯《孝經》的前輩法籍耶穌會士韓國英之有56個長篇幅腳註，或其後輩的理雅各之有47個長篇幅腳註相比，裨治文的譯本顯得非常輕薄短小。

35 E. C. Bridgman, "Heaou King, or Filial Duty," p. 353.

附表三：裨治文《孝經》譯本中英文章名對照

原文章名	裨治文英譯	中文直譯
1. 開宗明義章	Section I. Origin and nature of filial duty.	孝道（人子之責）的根源和屬性
2. 天子章	Section II. Filial duty as practiced by the son of heaven.	天之子的孝道實踐
3. 諸侯章	Section III. Filial duty exhibited on the part of nobles.	貴族所展現的孝道
4. 卿大夫章	Section IV. On the practice of filial duty by ministers of state.	州級官員的孝道實踐
5. 士章	Section V. On the attention of scholars to filial duty	學者對孝道的關注
6. 庶人章	Section VI. On the practice of filial duty by the people.	人民的孝道實踐
7. 三才章	Section VII. Filial duty illustrated by a consideration of the three powers.	藉由一種涵攝三股力量的思慮來闡明人子之責
8. 孝治章	Section VIII. The influence of filial duty on government.	孝道對政府的影響
9. 聖治章	Section IX. The influence of the sages on the government.	聖賢對政府的影響
10. 紀孝行章	Section X. The acts of filial duty enumerated.	孝道行為列舉
11. 五刑章	Section XI. Of crimes and punishments.	罪與罰
12. 廣要道章	Section XII. 'The best moral principles' amplified and explained.	最好的道德原理之闡發與解釋
13. 廣至德章	Section XIII. 'The greatest virtue' amplified and explained.	最高德性之闡發與解釋

原文章名	裨治文英譯	中文直譯
14. 廣揚名章	Section XIV. The principle of 'gaining reputation' illustrated.	闡明博取美名的原則
15. 諫諍章	Section XV. On remonstrance.	論諍諫
16. 感應章	Section XVI. On the retributive results of the performance of filial duty.	論實踐孝道的回報
17. 事君章	Section XVII. On serving the prince.	論服務親王
18. 喪親章	Section XVIII. On the death of parents.	論父母之喪

裨治文的《孝經》是一種依照字面意義簡述，向英文讀者的文化脈絡靠攏的翻譯手法，並將此書定位在介於經典和蒙書之間的民間教材，屬於民間中階教育程度的文本。他對《孝經》書名的翻譯也不同於理雅各之視為「孝道經典」（*Classic of Filial Piety*）或是羅尼之「神聖之書」（*Livre Sacré de la Piété Filiale*），而是譯為「人子之責」（*Filial Duty*）。他以「孝」的廣義，即作為人子應盡責任，在較具普世價值的層面上來解釋《孝經》內容，淡化了這個文本作為正統思想標準，或作為宗教性文獻的色彩。裨治文鼓勵讀者先從普遍的人倫關係來思考孝觀念，他並不直接強調其譯本與《聖經》或至高上帝有關，而是以世俗教育作為發展宗教情懷的必要基礎。

舉例來說：《孝經》之第一章「開宗明義」作為提綱挈領之章節，他譯為「孝道（人子之責）的根源和屬性」（Origin and nature of filial duty）。《孝經》之第二至六章分別討論從天子至庶人五個階級的孝道，除了「學者對孝道的關注」之外，針對其餘四個階級，裨治文均強調其孝道的實踐面；分別譯為「天之子的孝道實踐」（Filial duty as practiced by the son of heaven）、「貴族所展現的孝道」（Filial duty exhibited on the part of nobles）、「各部官員的孝道實踐」（On the practice of filial duty by ministers of state）、「人民的孝道實踐」（On the practice of filial duty by the people）。[36]《孝經》〈孝治章〉和〈聖治章〉裨治文分別譯為「孝道對政府的影響」（the influence of filial duty on government）和「聖賢對政府的影響」（the influence of the sages on the government）。[37]理雅各譯為「在政府中的孝道」（Filial piety in government）和「聖賢的政府」（the government of the Sages）。[38]裨治文與理雅各均將「聖」字解釋為「聖賢」"the sages"，但對聖賢與政府的關係解讀不同。值得再進一步深究的是，裨治文、理雅各和羅尼三人對於「孝治」與「聖治」的翻譯有一個共通點，均使用組織化、體系化的治理觀念，以government/gouvernement來翻譯「治」字。三位譯者對government作為「治」的內涵又有不同的理解。首先，裨治文的「孝治」（the influence of filial duty on government）與「聖治」（the influence of the sages on the government）含有「政府是受人的倫理及賢者的行動所影

36 E. C. Bridgman, "Heaou King, or Filial Duty," pp. 346-347.

37 E. C. Bridgman, "Heaou King, or Filial Duty," pp. 348-349.

38 James Legge, *The Hsiâo King, or Classic of Filial Piety, in The Sacred Books of China: The Texts of Confucianism. Part 1: The Shû King; The Religious Portions of the Shih King; The Hsiâo King*（Oxford: Clarendon Press, 1879）, p. 476.

響」的意義，暗示政府是通過政府外部那來自聖賢的制衡力量。這意味著，裨治文從人倫來詮釋與想像政府的組成，是一種孝道成就了政府的政治的詮釋。而理雅各的「孝治」（Filial piety in government）與「聖治」（the government of the Sages）強調由聖人所組成的政府裡之孝道實踐。這種翻譯體現政府的內在特質，建構了一種融合儒家與基督教的「神性政府」想像，以此形塑了儒家的正面形象。理雅各在他所著《中國人的上帝與神靈觀念》（*The Notions of the Chinese concerning God and Spirits*）這本記錄他與文惠廉（William Jones Boone, 1811-1864）〔詳第五章〕辯論上帝概念的書中指出他藉麥考士（James McCosh, 1811-1894）對於「神性政府」有關的的理論來定義God的四個屬性，其中之一是「神性政府的天賦安排」（the providential arrangements of the Divine government）。[39] 政府被視為有神性道德秩序的組織，其實融合了他的蘇格蘭教會背景和早期耶穌會所主張的單一統治理想政體概念（詳第一章）。可以看到理雅各翻譯《孝經》當中的聖治與孝治的神學基礎，就在於從神的屬性來理解理想的政府。而羅尼之翻譯可以直譯為「論依於孝道〔而治理〕的政府」（Du gouvernement par la piété filiale）和「聖人們〔王者們〕的政府」（Le-gouvernement des Saints〔Rois〕）。[40] 羅尼在翻譯《孝經》內容

39 James Legge, *The Notions of the Chinese concerning God and Spirits*（Hong Kong: Hongkong Register office, 1852）, pp. 96-109. James McCosh, *The Method of the Divine Government*: *Physical and Moral*（Edinburg: Sutherland and Knox, 1850）, p. 4.

40 Léon de Rosny, 孝經 *Le Hiao-King: Livre Sacré de la Piété Filiale*, p. 21.

的同時，也探討佛教和儒家對孝道的不同詮釋，譯介與書寫過程則與基督教的孝道概念對照，[41] 在宗教性概念下進行解釋，則作為受造物對於創造主的服從關係，如同父子關係一般，人類為上帝的子女（les hommes, qui sont les enfants de Dieu）。對於父母的孝道，則延伸至身後，甚至是終極的父母——造物主。羅尼對於中文的「孝」（le Hiao）的理解屬於政治與倫理的領域，與神學無涉（il n'a rien à faire avec la théologie）。[42] 裨治文的譯文視聖賢與政府／管理者的關係是間接的，僅具影響力。而同屬十九世紀後期的兩位《孝經》譯者，理雅各和羅尼二人均視之為直接關係，以聖賢（the sages）／聖王（Saints, Rois）為政府／管理者，以此為孝道的極致。在《孝經》各章中，有關聖治章的翻譯，常可以清楚呈現不同譯者對於此書的定位和對孝道的詮釋。

以下藉由整理幾個名詞為範例來做比較說明，透過對比凸顯出裨治文採取字面意義進行翻譯的特色。首先，我們發現前述已提及的「子曰」形式：裨治文將「子曰」的「子」字譯為「聖賢」（the sage），理雅各譯為「大師」（the Master），羅尼則譯為「哲學家」（le Philosophe），早期耶穌會士衛方濟與韓國英二人則譯為「孔夫子」（Confucius）。當孔子在十七世紀開始在歐洲出版品中被介紹時，「命名」是第一步。採用夫子、老師身分的音譯，並被拉丁文化（latinized）而成Confucius這個新名稱，已經成為歐洲語言的一部分，到了十九世紀的譯

41 Léon de Rosny, 孝經 *Le Hiao-King: Livre Sacré de la Piété Filiale*, pp. 35ff.

42 Ibid., pp. 21-22.

本，Confucius已經不再是陌生人名，這個西方熟悉的稱呼被直接使用在裨治文的譯本裡。而理雅各和羅尼則加入新詞「仲尼」的拼音："Kung-nî" 和 "Tchoung-ni"，[43] 兩人捨棄熟悉名詞Confucius，而直呼他的字，提供英文讀者一個新的視野，某種程度也強化了這個文本的異文化色彩。[44]

第二個關鍵詞是「一人」，出現在《孝經》〈天子章〉，引用了《尚書》〈甫刑〉「一人有慶，兆民賴之」作為論及「天子之孝」的結論，以及《孝經》〈卿大夫章〉引《詩經》：「夙夜匪懈，以事一人」作為卿大夫之孝的結論。兩處均面對「一人」的譯釋問題。如本書前面章節已經討論過的，衛方濟將此「一人」解作「一個人，國王」（*unius viri*〔scilicet Regis〕），韓國英則將之解作「獨一之人，亦即皇帝」（*l'homme unique*,〔c'est-à-dire, de l'Empereur〕）。[45] 裨治文譯為「殷勤地服務一個人」（And diligently serve the one man），[46] 理雅各的譯文則是「服務這一人」（In the service of the One man），與裨治文不同的是他使用大寫來表示特定

---

43 James Legge, *The Hsiâo King, or Classic of Filial Piety*, p. 465和Léon de Rosny, 孝經 *Le Hiao-King: Livre Sacré de la Piété Filiale*, p. 3.

44 理雅各以拼音方式Kung-ni，而非以拉丁化之Confucius，強化的異文化。我所謂的拉丁化，不是指拼音，而是指耶穌會士將Con-fu-ci拉丁化為第一人稱主詞單數之Confucius。這個字變成西方文字，一眼就知是第一人稱主詞單數。

45 Pierre-Martial Cibot, "Hiao-King, ou Livre Canonique sur la Piété filiale," *Mémoires concernant l'histoire, les sciences, les arts, les mœurs, les usages, etc., des Chinois* 4（1779）: 33-34.

46 E. C. Bridgman, "Heaou King, or Filial Duty," p. 347.

的「那一位」。[47] 衛方濟與韓國英直接指出這一個人是世俗國家的最高統治者，而裨治文則不特別標示這個「一人」的獨特性。理雅各的作法，則很容易朝向超越世俗之上、降生為人的那一位去做聯想，畢竟他將《孝經》視為宗教性的聖典。

值得申論的是在論及「卿大夫之孝」時，裨治文將「卿大夫」翻譯為「各部官員」或「國務大臣」（ministers of state）。十九世紀的美國與英國採取了不同的政治制度。也許他考量了美國的聯邦制，使美國讀者得以從自己的制度裡去想像中國政治制度中，不同階級官員的孝道。裨治文撰有《美理哥合省國志略》（新加坡，1838）一書，以相當中國化的行文風格，向中國讀者介紹了美國歷史、地理、制度與教育等等內容，例如卷4：「百姓自脫英吉利國之制」，卷13至17為「國政」、卷19為「辨教邪正」、卷25為「五倫」。此書後來分別在1846年的廣州，以及1862年的上海，兩次修訂再版。裨治文著作此書的目的，在於展現美國雖初創，從英國獨立，在文明的發展上，無論是國政、教育、宗教和倫理道德，均可與中國媲美。[48] 兩相對照之下，無論是向美國讀者介紹中國或向中國讀者介紹美國，裨治文的翻譯與書寫策略比較傾向於向一般讀者靠攏，淡化異文化的元素，在讀者熟悉的脈絡中譯釋文本的內容。如前文已經說明裨治文是馬禮遜教育會的重要成員，並實際負責業務執行工作，加上他在初期已經投入學校創建、提倡教育的種

47 James Legge, *The Hsiâo King, or Classic of Filial Piety*, p. 470.

48 張施娟，〈裨治文與他的《美理哥合省國志略》〉（杭州：浙江大學中國古代史博士論文，2005）。

種事蹟來看，《孝經》的翻譯當與裨治文著手研究與介紹中國教育系統的工作有關，並採用適應英語讀者的翻譯策略，使其理解中國的教材內容。

裨治文認為中華帝國整體亟需改革，第一步就是教育改革，因為傳統中國的教育體系和教材完全沒有任何足以協助中國人思考以及朝向「〔理性之〕光與真理的門徑」（the entrance of light and truth）之相關內容。[49] 被他定位在蒙書與經典之間的《孝經》，翻譯本身並非目的，而是探索中國教育體系的一個環節。這個目的相當程度地影響了他的翻譯態度；為其同儕出版一具相當可讀性、可理解性的版本，用以提升他們對中國教育體系的認識。在此前提之下，對裨治文而言，翻譯的精準度或者並非第一要務。

在裨治文翻譯《三字經》的部分內容，可以看到他譯介中國傳統教材的步驟：

> 所有青年人的教師們，應當給予清晰解釋，輔以闡釋與證據，清楚標示句讀。每一位學習者都必須有適切的起點，完成《小學》（簡易讀本）之後，著手《四書》的研讀⋯⋯。當《孝經》和《四書》都熟悉了，然後開始六經。[50]

---

49 E. C. Bridgman, "Education among the Chinese: Its Character in Ancient and Modern Times; In Its Present State Defective with Regard to Its Extent, Purposes, Means, and Results; Measures Necessary for Its Improvement," *The Chinese Repository,* 4.1（1835.5）: 9.

50 E. C. Bridgman, "Santsze King, or Trimetrical Classic," p. 108. 筆者中譯。

傳統中國教育之閱讀教材被分為不同等級，依序為《小學》、《孝經》和《四書》，最後方能開始研讀上古的經典。此外，裨治文在馬禮遜教育會第一次年度工作報告中，提出了有關中國教育18個待研究的項目：其中包括不同學校類別、教學方法、學習時數、初級教材。其目的在於探索中國人的童幼教育。[51] 在第八項有關中國初級教材，裨治文的評論如下：

> 初等教育的教材是《三字經》、《千字文》和《童蒙幼學詩》，以及部分四書五經的片段。為女孩子們，則選定了一套合適的課程。這些書籍包含了道德準則和一些卓越的聖賢語錄，收集了大量各種神秘的教條，和一些歷史事實。沒有任何一支科學，被納入這些初級教材。從一開始就不適合幼童心靈，大部分是難以理解的主題。完全迴避了能喚醒幼童心中興趣或能擴大其理解力的主題。[52]

初級教材僅訓練兒童學習識字和來自聖賢的言詞，而非那些被視為現代西方強大基礎的科學知識。根據《中國叢報》中一篇題為 "An Alphabetic Language for the Chinese" 的文章，[53] 裨治

---

51 E. C. Bridgman, "First Annual Report of the Morrison Education Society, Read before the General Meeting Convened in Canton, September 21st, 1837," *The Chinese Repository,* 6.5（1837）, pp. 229-244.

52 Ibid., pp. 234-235. 筆者中譯。

53 "An Alphabetic Language for the Chinese; Disadvantages of Their Present Written Character; Inconveniences and Difficulties of Introducing a New Language; with Remarks on the Importance of an Alphabetic Language, and Means of Introducing It," *The Chinese Repository,* 4.4（1835）, pp. 167-176. 吳

文可能也對漢字採取質疑態度。此文作者認為漢字不利幼童學習，也阻礙了心智發展，因為漢字太多太難，幼童必須花費非常多時間背誦學習單字，多年後仍無法閱讀完整書籍。這樣容易在幼童學習過程中產生挫折感，不易培養活潑的創意。中國學子也因為花費過多時間學習漢字，因此除了傳統的漢字學習之外，沒有太多時間學習新知識，主張以拼音取代漢字。此外，基於對中國學生的觀察，裨治文認為他們實際上並不喜歡此等學習，他說：

> 我們的讀者中，那些有耐性跟著文獻作者和注疏者讀完文獻的人，將會同意，這〔指閱讀這些教材〕很難達到教育的目的。孩子們，以及那些較成熟的孩子，永遠不會，或非常少拿起來讀。都是很勉強地情況下才做。他們多半視為畏途（an irksome task）。無論是原文或譯文，詳細檢視《千字文》，我們會發現此地的初級教育需要一些創新。當我們再進一步看高等經典考試時，這個創新的必要性將會越來越顯而易見。[54]

在他的眼裡，中國人是自我膨脹、自視甚高的，中國人主觀意識是「自給自足並自大地鄙視所有外來事物」。[55] 藉由譯介中

義雄推測此文作者應該是裨治文，參見吳義雄，《在華英文報刊與近代早期的中西關係》（北京：社會科學文獻出版社，2012），頁419。

54 E. C. Bridgman, "Tseën Tsze Wăn, or the Thousand Character Classic," p. 243. 筆者中譯。

55 E. C. Bridgman, "Education among the Chinese," p. 9.

國初級教育教材，裨治文向其英語讀者展示這些教材是如何無趣又毫無用處，暗示著中國教育體系的改革是無可避免的。[56]

裨治文雖然並未在其翻譯中提及自己是否參考任何前人譯本，我們也無法斷定其同時期是否有其他英文翻譯，不過筆者發現了一篇於1839年發表，題名為“The Heaou-King, or Book of Filial Obedience”的文章，可見除了裨治文之外，在十九世紀初，英語世界也有學者關注《孝經》翻譯。[57] 此文作者身分未知，發表時間比裨治文的《孝經》英譯本晚四年，卻更完整地介紹早期西方《孝經》的不同譯本。文章裡明確提到衛方濟的名字（P. Francis Noël），並且針對一個刊於“*Mémoires sur la Chine*”的法文譯本進行評論，指出其譯本出版背景為耶穌會和道明會士有關中國禮儀問題的爭議。該名作者似乎不清楚其文中所評論之法譯本譯者即為韓國英，但卻在韓國英的譯本基礎上，對於《孝經》中涉及的幾個關鍵或具爭議性的概念，例如：「配」（*pei*）、「明王」（*Ming-wang*）、「聖人」（*Shing-jin*）和「上帝」（*Shang-te*）相當關注。在這篇僅四頁的簡短文章中，他花費了兩頁篇幅討論前述概念。[58] 該文提及

---

56 Michael C. Lazich, *E. C. Bridgman（1801-1861）, America's First Missionary to China*（Lewiston: Edwin Mellen Press, 2000）, pp. 127-129. 近期有一文專論裨治文對中國教育的引介提供了完整的介紹，請參見周愚文，〈十九世紀首位美籍傳教士裨治文在華育事業與美國制度的引介〉《教育研究集刊》，第65輯第4期（2019），頁1-38。

57 Anon., “The Heaou-King, or ‘Book of Filial Obedience,’” *Asiatic Journal and Monthly Register for British and Foreign India, China and Australasia*, New Series, 29（1839）, pp. 302-305.

58 Ibid., p. 304.

一個英文譯本，題名"Heaou-king, or 'Book of Filial Duties'"，可能就是裨治文的英譯本，因為不僅篇名相同而且文中同時提到《忠經》。文中指出從韓國英譯本所示，雖然《孝經》「困難而且簡短」，卻是「作為青年指導的要件」與「中華帝國內政所仰賴的樞紐」。比起使用武力，此「教育的手段」可使「專制政府更加穩固」。[59] 不同於裨治文之處在於此文作者對《孝經》評價甚高，儘管他也主張透過教育手段的影響力更大。

觀諸不同譯本，筆者發現《孝經》〈聖治章〉可說是理解不同譯者之孝道翻譯的兵家必爭之地。對於這一章的翻譯分析，可以清楚掌握譯者們對於「孝道」的實質解釋，以及孝道在上下關係——從天以下，推至家庭中的父子關係，最終關注在天子之承受天命的聖人之德。譯者可以透過強化這段文字的神學性，使中國的孝道和至上神做一緊密連結；或者是透過淡化這段文字的神學性，將孝道視為一個純粹人與人之間的倫理原則。既然前文已經討論，裨治文的翻譯在中西教育脈絡，採字意的通俗解釋，以下先將十九世紀三種譯本，包括羅尼譯本中的相關文字並列比較，方便討論，然後再從文脈來理解，比較箇中的不同詮釋。[60]

中文經文：曾子曰：敢問聖人之德，無以加於孝乎？子曰：天地之性人為貴，人之行莫大於孝。孝莫大於嚴父，嚴父莫大於配天。周公其人也。昔者周公郊祀后稷，以配

59 Ibid., p. 302.

60 至於羅尼的譯本專論，請詳本書後面第六章。

天。宗祀文王於明堂，以配上帝。是以四海之內，各以其職來祭。夫聖人之德，又何以加於孝乎？（《孝經・聖治章》九）

Bridgman（裨治文）：“Concerning the virtues of the sages,” said Tsăng Tsan, “may I presume to ask whether there is any one greater than filial duty?” Confucius replied, “〔...〕there is nothing more important than to place him on an equality with heaven. Thus did the noble lord of Chow. Formerly, he sacrificed on the round altar to the spirits of his remote ancestors, as equal with Heaven; and in the open hall he sacrificed to Wan Wang, as equal with the Supreme Ruler. And hence all the nobles within the four seas, according to their respective ranks, sent to aid him in the sacrificial rites. Since such was the influence of filial duty, what virtue of the sages could surpass it ?[61]

Legge（理雅各）：The disciple Zăng said, “I venture to ask whether in the virtue of the sages there was not something greater than filial piety.” The Master replied, “〔...〕In the reverential awe shown to one’s father there is nothing greater than the making him the correlate of Heaven. The duke of Zhou was the man who（first）did this. ‘Formerly the duke of Kâu at the border altar sacrificed to Hâu-kî as the correlate of Heaven,

61 Bridgman, “Heaou King or Book of Filial Duty,” pp. 348-349. 底線為筆者所加。

and in the Brilliant Hall he honoured king Wăn, and sacrificed to him as the correlate of God. The consequence was that from（all the states）within the four seas, every（prince）came in the discharge of his duty to（assist in those）sacrifices. In the virtue of the sages what besides was there greater than filial piety?[62]

De Rosny（羅尼）：Tseng-tse dit: Oserais-je vous demander, si dans la vertu du saint homme, il n'y a rien qui surpasse la Piété filiale? Le Philosophe dit:〔...〕il n'y a rien de plus grand que le Respect pour le père. Dans le sentiment-de-crainte-respectueuse〔qu'on professe〕pour son père, il n'y a rien de plus grand que de le considérer comme-l'image du Ciel. Ainsi Tcheou-Koung était l'homme〔qui agissait de la sorte〕. Dans l'antiquité,〔lorsque〕le sage Tcheou-Koung faisait des sacrifices, Heou-tsi était-considérés-par-lui comme-l'image du Ciel.〔Lorsqu'il〕faisait des sacrifices à Wen-wang, dans la Salle Lumineuse, il le considérait comme-l'image du Suprême-Empereur. De la sorte, entre les Quatre mers, chaque〔prince〕jugeait de son devoir de venir l'assister dans ses sacrifices. Or, dans la vertu du saint homme, que pour-rait-on mettre encore au dessus de la Piété filiale ?[63]

---

62 James Legge, *The Hsiāo King*, p. 475. 底線為筆者所加。

63 Léon de Rosny, *Le Livre Sacré de la Piété Filiale*, pp. 21, 23. 原文每一段均以阿拉伯數字標示句序。於此引文中刪除之以顯語意之連貫性。底線為筆者所加。

經過比對裨治文、理雅各與羅尼對同一章文字的譯文，我們發現裨治文對〈聖治章〉「配天」與「配上帝」的英譯，並未如理雅各直接以Heaven 譯「天」、以God譯「上帝」，乃分別譯為Heaven 和the Supreme Ruler，而是就字面意義譯為「天」和「上帝」兩詞。既然裨治文的譯本中，「天」直譯為Heaven而「上帝」直譯為the Supreme Ruler，那麼當他將「配」字譯為as equal with，並不意味著他將人類的君主，如周公、文王等古代聖王，與基督教的至上神God等同視之。這種譯法在其同儕之中，不易引起神學上的爭議。反觀理雅各，雖然中文「天」字譯為Heaven，但是將「上帝」一詞譯為God，因此，他的中文譯本之「配」字，不譯為as equal with，而是as the correlate of。理雅各非常謹慎地面對「配」字的翻譯，他在此加註述明理由並點名批判韓國英未能明確解釋這個字，同時嚴厲批評裨治文對這個字的翻譯是基於錯誤認知。理雅各認為「配」字之譯為「同伴」（fellow），[64] 意指與天和上帝相伴。他認為裨治文翻譯為「等同」是誤解了經文原意，因為他將古聖王和天與上帝放在同等地位上。理雅各堅持「天」即是「帝」（Heaven〔Tien〕just is God〔Tî〕），基督教的God是一個表達感受的名詞。其中，「天」是絕對神性的名稱（the name for Deity in the absolute），就是《舊約》〈出埃及記〉所提到的耶和華（Jehovah），而「帝」（Tî）是God，是「我們在天上的父」，著重其關係性。因此，在討論中國上古聖王時，他將文王與此名詞做了連結，因為他與其相近（was nearer to），

64 James Legge, *The Hsiâo King, or Classic of Filial Piety*, p. 476, footnote 2.

是他的「父親」，是周公之父，強調他們之間的關係。[65] 與理雅各同為十九世紀後半葉的譯者，羅尼的《孝經》譯本也比較具有宗教性，但卻不像理雅各的詮釋那麼具神學性。從這三個觀念的翻譯我們可以做這樣的解釋，亦即：羅尼將「嚴父」、「配天」、「配上帝」譯為「對父親的尊敬」（le Respect pour le père）、「視為天的形象」（était- considérés-par-lui comme-l'image du Ciel）和「視為至高皇帝的形象」（le considérait comme-l'image du Suprême-Empereur）。相較於理雅各之與神學連結來做思考，以及裨治文之完全摒除其中的宗教性，在羅尼的翻譯裡，孝道被理解為「聖人美德」（la vertu du saint homme），其終極意涵及其在家族、國家的實踐或許有宗教意涵，卻與基督教神學裡的至上神無關。

裨治文在其《孝經》英譯本前言中解釋道，因為刊物的篇幅限制，他的譯本並不加註，而且他並不打算搬出主編權威在缺乏充足論據的情況下加入自己的詮釋。[66] 不過，雖然篇幅不算長，他還是在譯本最後提供了一段評論，指出自己傾向於藉此簡明的字面翻譯，提供其英文讀者一些中國文獻的資訊。至於如何理解與詮釋，就開放給讀者自己決定。從裨治文《孝經》英譯本結尾處的文字，可以觀察他對「天」與「上帝」之爭的意見，茲翻譯如下：

所謂「古代聖王」（the ancient kings），指堯、舜、禹

---

65 James Legge, *The Hsiâo King, or Classic of Filial Piety*, p. 477.

66 E. C. Bridgman, "Heaou King, or Filial Duty," p. 353.

> 及其後繼者，這些中國古代最早的幾位管理主宰者。經常被中國人引用作為神聖且完美的人，贏得所有的稱讚，並作為後世子孫學習模仿的對象。第七段所提到的「三才」（three powers，三股力量），指天、地、人……第九段的「天」（Teen, 'Heaven'）（前述所及三才之一）、「上帝」（Shang Te, the 'Supreme Ruler'），至高主宰者，似乎是完美的同義詞。無論中國人對其賦予任何理念，顯而意見的，周公視其先祖與其處於平等地位，因此給予相同的敬意。周公將必死凡人與此最高主等同的舉措受到支持並且被孔子認可，該國後世千萬子孫均效法之，直到今日亦然。[67]

這段文字顯示裨治文對於傳教士圈中幾個關鍵字詞的爭議是有所理解的。無庸贅言，他與馬禮遜之子馬儒翰（John Morrison, 1814-1843）負責第一次的《和合本聖經》修訂，[68] 對爭議的箇中關鍵當了然於胸。傳教士之間有關《聖經》翻譯的爭議爆發時間在1840年代的第二次修訂期間，但似乎在1830年代初期之第一次修訂期間已經意見不合。他的《孝經》翻譯之出版時間在其第一次修訂聖經翻譯同時期，之所以採取簡潔且按字面意義翻譯的作法，並非對爭議一無所知。如前文所述，裨治文發

---

67 E. C. Bridgman, "Heaou King, or Filial Duty," p. 353. 筆者中譯。

68 參見Jost Oliver Zetzsche, *The Bible in China: The History of the Union Version of the Culmination of Protestant Missionary Bible Translation in China*, Monumenta Serica Monograph Series 45（Sankt Augustin: Steyler, 1999）和蘇精，〈中文聖經第一次修訂與爭議〉，《編譯論叢》5.1（2012）: 1-40。

表在《中國叢報》中的幾件有關中國經典文獻的翻譯，諸多與其探求和介紹晚清中國教育體系有關。既然他將《孝經》定位為中介性的民間教材，並在中西教育脈絡中進行翻譯，他確實有理由以簡明易懂的風格將之譯為英文。後出的羅尼譯本，雖選取了部分相同中文底本，卻又以西方「聖徒」（saints）來詮解聖王，一則循著自韓國英以來的法國《孝經》翻譯路徑，卻也受到十九世紀中國沿海一帶中文《孝經》出版流傳影響，因而與裨治文譯本，既異又同。[69]

前述已及，裨治文的《孝經》英譯本發表於在他主編的《中國叢報》中，對於中國宗教的介紹與評論多數被歸入「異教類」，其中有兩個重點，一是評介中國政教關係，一是回應中文聖經翻譯當中有關上帝／神的譯名問題。[70]他認為中文的上帝並非英文的God。如果我們進一步考慮理雅各與裨治文在聖經翻譯中對於中文裡「上帝」與「神」的辯論，前者主張「上帝」，後者主張「神」，那麼我們就會發現，裨治文將《孝經》中的「上帝」譯為"the Supreme Ruler"（最高統治者），採取了與理雅各英譯本的"God"不同的翻譯名詞，也不會令人意外。十九世紀後期是比較宗教學興起的時代（詳第五章），無論是英國的理雅各或是法國的羅尼，似乎都傾向於從宗教面向來詮釋《孝經》中的相關經文。而裨治文屬於初期的傳教士，如前述討論裨治文對於引入西式教育、創辦學校等努力，

69 Michael C. Lazich, *E. C. Bridgman（1801-1861）, America's First Missionary to China*, pp. 254-292, esp. 290-291.

70 詳見吳昌峻，〈新教傳教士宗教觀：《中國叢報》的「異教」與「宗教」〉（臺大歷史系碩士論文，2021），頁46。

他對於中國儒家及其經典，則明顯採取與後期傳教士和漢學家不同的詮釋進路。在《孝經》譯文裡，裨治文採用一種字面意義去解釋「孝」的概念。在《孝經》翻譯的兵家必爭之地：有關終極者的譯名問題，就在他的字面解釋手法裡予以淡化處理，讓《孝經》就作為一部民間的教材而呈現在英語世界的讀者面前。可以這麼說，裨治文並非漠視儒教教材中的宗教議題，而是凸顯宗教情操來自對教育及世俗人倫議題的重視。當然，當我說裨治文在中西教育的脈絡中（the educational context between China and the West）翻譯《孝經》，其廣度超過宗教脈絡（religious context）。雖然在中文語境裡，「教育」和「宗教」兩個詞，都有「教」這個字，或許讀者會想提問裨治文是否對於兩者的見解有否不同。但是，他在中國活動的期間，中文的「宗教」尚未被視為英文religion的翻譯詞，因此，上述的提問就歷史時空來說，應該不是裨治文所關注的。[71] 這個問題必須等到十九世紀末，也就是理雅各的《孝經》翻譯，才能夠討論。中文世界裡「宗教」一詞來自日本學者西周翻譯，是十九世紀和製漢語。「宗教」傳入中國之前，尤其是「宗」與「教」二字合併作為religion漢譯詞之前，兩字其實已經在佛教

71 相關討論請詳見Anthony C. Yu, *State and Religion in China: Historical and Textual Perspectives*（Chicago: Open Court Books, 2012），以及Tim H. Barrett and Francesca Tarocco, "Terminology and Religious Identity: Buddhism and the Genealogy of the Term Zongjiao," in Volkhard Krech and Marion Steinicke（eds.）, *Dynamics in the History of Religions between Asia and Europe*（Leiden: Brill, 2012）, pp. 307-319. 當年審查裨治文與《孝經》翻譯這篇期刊論文的學者對此提供相當多寶貴意見，我們往返的意見超過萬言。他雖然是匿名，但其不藏私的學者風範令人感佩，本人於此表達誠摯謝意。

脈絡裡的流衍。英文的religion最初在中文脈絡中被首先被清朝駐美參贊彭光譽（生卒年不詳）在他的《說教》以音譯方式翻為「爾釐利景」，他說：「中國本有此異名，中國禮教一而已矣。余考英文字書解爾釐利景術，教人順神、拜神、愛神、誠心事真神之理也。……然則爾釐利景於華文當稱為巫……而預知未來事者，歐羅巴人譯為華文曰教者也……中國教及政，政即教，皆從天子出。帝教師教皆禮教也。禮教之外，別無立一教會號召天下者。」[72]「爾釐利景」指涉叫人愛神的基督教，字義更接近中文的「巫」，與做為學說之儒教的「教」並不相同。[73]

回到《孝經》翻譯的歷史，它是從中國禮儀之爭追究中國的「禮」到底是公民的或宗教的這樣的二分式辯論裡展開的。衛方濟將這種二元辯論轉移到「孝道」上，指出在中華帝國對於禮的理解並非二元對立，而是在倫理實踐當中密不可分。而韓國英則是從四重意義來解析，使孝道與禮多元化。理雅各是在比較宗教脈絡中翻譯《孝經》。與他們不同，裨治文是從中

---

72 彭光譽的《說教》（1896），頁2b-3a。原書藏於哈佛燕京圖書館，由谷歌圖書提供數位檔。根據中國哲學資料書資料庫，彭光譽的《說教》（1896）一書中「爾釐利景」出現了26次，此書是他參加芝加哥參加世界宗教大會（1893）的紀錄，詳見中國哲學書電子化計劃https://ctext.org/wiki.pl?if=gb&res=324929&searchu=%E7%88%BE%E9%87%90%E5%88%A9%E6%99%AF）2021年8月12日檢索。

73 另請參見葛兆光，〈孔教、佛教抑或耶教——1900年前後中國的心理危機與宗教興趣〉，收入王汎森編，《中國近代思想史的轉型時代》（台北：聯經，2007），頁206-207。Sun Jiang , "Representing Religion," *Oriens Extremus*, vol. 54（2015）, pp. 59-84 .

西教育脈絡來翻譯與詮釋《孝經》，而且他試圖不涉入繁瑣的神學與宗教辯論。這點可以在中文聖經翻譯論及譯名爭議觀察到。本章的討論，說明了裨治文的英文譯本一方面不同於早期耶穌會士衛方濟的《孝經》拉丁翻譯，為了回應中國禮儀之爭而轉化了「宗教」或「公民」之二元辯論，使中國孝道的核心地位凸顯，另一方面也不像韓國英在耶穌會被解散時所發表的《孝經》法譯本，標示著清朝前期從「文人儒學」轉向「帝國儒學」之政治倫理面向。作為在第一次鴉片戰爭之前前往中國、長期關注中西教育議題的傳教士，他採取了適應讀者處境的翻譯進路，藉此譯本向英文讀者展現中國人中級教育的內容，呼應了他所提出的透過教育改革去影響中國的成效可能更大的主張。或許正是因此，他的譯本既無需如衛方濟之高唱禮儀之爭，以孝道護衛禮儀的核心倫理價值，也無需如同韓國英之上綱為帝國文獻，強調皇帝孝道，鞏固帝位與皇權。

在裨治文發表《孝經》英譯本約半個世紀之後，理雅各和羅尼在翻譯同一文本時，卻又呈現了兩種不同的孝道詮釋。對理雅各來說，《孝經》是中國的一部聖書，「聖治」的終極圓滿在於以「上帝」為源頭的宇宙性大家庭為基礎，兼具宗教性與倫理性的孝道的實踐。他是在跨文化四海之內皆兄弟的關係裡，透過宗教比較來完成他的《孝經》翻譯。對羅尼來說，《孝經》也被視為「神聖之書」。他也像理雅各一樣，在對比儒教、佛教和基督教這樣的宗教比較脈絡中，提出對於孝道的不同觀念。但他卻視中國孝道屬於政治的與倫理的領域，和神學無關。儘管羅尼也像裨治文一樣，根據流傳東南沿海的今文《孝經》版本，但他兼採今古文《孝經》文本重組正文，並參考了日本出版的和刻本《孝經》在東方學脈絡中來翻譯。

從文本定位來看，裨治文將《孝經》定位在界於蒙書（初階教育）與經典（高階教育）中介位置。他在初階蒙書和高階經典兩者之間，再區分出一個階段，《孝經》是其中一種學習教材。整體學習的進程是：1. 初階教育，學習《三字經》、《小學》等，以文字的訓練與學習為主；2. 中級教育，學習《孝經》與《四書》，側重人倫關係與經世知識；3. 高階教育，開始學習六經，涉及了宇宙論、歷史、禮儀、美學等。裨治文的讀者的確可以透過他的介紹，認識中國傳統不同階段的教材內容，並理解《孝經》作為中階教材的角色。如裨治文對於中國教材的翻譯和教育體制的介紹，某種程度也導向對當時中國教育體制的反省。在《孝經》西譯史的發展進程中，此文本的定位相當多元，不同於《孝經》翻譯諸前輩之根據重要文人注釋本或是帝國文獻，裨治文的譯本主要依據三種清末流傳於東南沿海地區的民間教材，這些並非學界所熟悉、通行的權威性版本，而且是與《忠經》合訂的版本，顯示傳教士在經典選譯與翻譯策略上已經產生變化。此外，中國傳統的教育次序，從發蒙、童子試、縣學準備鄉試在進入太學這些階段，是否真的有此中階教育存在，以及裨治文在他的教育與教材的譯介過程，向英語世界所呈現的傳統中國教育樣貌，也是一個未來值得續論的問題。

另外，本章也在〈聖治章〉比較分析中發現，雖然三位十九世紀的譯者對「治」的詮釋均導向與政府相關聯的組織或體系，但是裨治文著眼世俗性的倫理面向，強調政府外部來自聖賢的制衡力量，不同於理雅各之強化由聖人所組織的政府，來執行治理的實踐層面，也不同於羅尼譯本所呈現出的在政教關係拉鋸之下，世俗政權建立在聖人（聖王）的管理與統治。在裨治文的《孝經》翻譯裡，可以察覺他對於世俗教育與政府制度的肯認，個人的宗教理想能透過教育來發展與實現。《孝經》這部從十八世紀開始受到西方關注且翻譯的中國經典，在學術、宗教和教育發展脈絡中提供了一個外部觀察點，識者得以對中西學術的互動與交流多了一層認識與理解。

值得再提的是，裨治文發表的這麼多漢學文章，並非意味著他不關心宗教與超越的精神層次，而是對於傳遞基督教理念的方法與內容有別於傳統的街頭布道或福音講座。他選擇了間接的，透過與與教育文化改革的方式，來轉變中國人的心靈。或許是他傳教的理念在於他肯定世俗教育是宗教傳播的基礎，聖與俗並非二分甚至牴觸的兩個世界，僅管裨治文譯本呈現出世俗性的外貌。作為英文世界第一份漢學刊物的《中國叢報》，是一次鴉片戰爭後不久西方認識中國的重要刊物。去中國之前，裨治文僅能透過文獻來認識或想像中國，然而他在廣州辦報的經歷，某種程度可以說是裨治文的顯示他很重視傳教士在廣州的實際經驗，嘗試把傳教士在當地的觀察與活動融入文獻報導裡。《中國叢報》所刊載對於中華帝國過去的漢學文獻譯介，也有大量與當時實際處境有關的資料。與他的前輩譯者耶穌會士們不同，裨治文選擇在《中國叢報》刊登其《孝經》翻譯，並且是在眾多中文教材的英譯脈絡中一併發表，也更突顯了他視此文本為銜接通俗教育和高等文化的橋梁。與其後輩譯者理雅各將《孝經》翻譯納入十三經翻譯的計畫裡，收入《東方聖書》的大部頭出版品當中，並在比較宗教脈絡來翻譯《孝經》有不同。如同導論中所提供的《孝經》翻譯與流傳圖示所說明的，不同譯本均有其翻譯的脈絡，不同時空背景，不同的學術傳統，影響了每一個譯本的產生。裨治文的譯本，一方面使我們觀察到耶穌會和晚清新教傳教史的緊密關係，一方面是啟發我們跨越東西來看西學與漢學的雙重奏。

第五章

比較宗教脈絡中的《孝經》翻譯

理雅各譯本（1879）

1880年，在出版了《孝經》英譯（*The Hsiāo King, Or Classic of Filial Piety,* 1879）的次年，理雅各（James Legge, 1815-1897）於*The Religions of China: Confucianism and Tâoism Described and Compared with Christianity*一書中，以「中國宗教」為題，比較了基督教與中國之儒道二教。[1]此書第一章並列了《中庸》與聖經《羅馬書》的文字做為論述的起點。理雅各所並列之文字如下：

郊社之禮，所以事上帝也。

"In the ceremonies at the altars of Heaven and Earth, they

1　「宗」與「教」在中國歷史中的詮釋與實踐傳統可參考Anthony C. Yu在其*State and Religion in China: Historical and Textual Perspectives*（2012）. 佛教脈絡中的宗教則可參考Tim H. Barrett and Francesca Tarocco, "Terminology and Religious Identity: Buddhism and the Genealogy of the Term Zongjiao," in Volkhard Krech and Marion Steinicke（eds.）, *Dynamics in the History of Religions between Asia and Europe*（Leiden: Brill, 2012）, pp. 307-319.

served God." Confucius, "*Doctrine of the Mean*," ch. xix.[2]

"They know God." Paul, *Romans*, 1: 21.

上述並列的文字，有一個共同重點：「上帝」就是God。主詞為「他們」，分別指中國人和羅馬人。[3]受詞為「上帝」。動詞有兩種：「事奉」與「認識」；「他們〔中國人〕事奉上帝」，以及「他們〔羅馬人〕認識上帝」。這位終其一生受同儕傳教士排擠卻仍堅持中國經典翻譯、比較基督教與中國宗教、創立牛津漢學的理雅各，面對異文化，採取了使徒保羅的原則做為起點。

理雅各的《孝經》英譯本與《書經》和《詩經》，以《中國聖書》（*Sacred Books of China*, 1879）為名同時出版，收入繆勒（Max Müller, 1823-1900）所編《東方聖書》（*The Sacred Books of the East*, 50 vols., 1879-1902）之第三卷。儘管就出版時間來說，理雅各的《孝經》翻譯並非歐洲語文首見，卻是西方《孝經》翻譯集大成之作，也是目前較廣為人知且常被引用的譯本，不過研究成果並不多見。理雅各以其經典翻譯奠立了英國牛津漢學的基礎，他的翻譯工作乃是在英國維多利亞女王

2 James Legge, *The Religions of China: Confucianism and Tâoism described and compared with Christianity*（London: Hodder and Stoughton, 1880）, p. 2. 理雅各所英譯這段出自《中庸》的文字，若就字面直譯為中文，可作「在天地祭壇前的禮儀中，他們事奉上帝」。

3 所引《羅馬書》一章21節中文和合本全文如下：「因為，他們雖然知道上帝，卻不當作上帝榮耀他，也不感謝他。他們的思念變為虛妄，無知的心就昏暗了。」

時期，基督教世俗化、獨一地位動搖的氛圍之中完成的。大約與此同時，牛津的東方學，在比較宗教學宗師繆勒領導下奠立了基礎。[4]比較宗教的精神，在於透過比較世界各地之不同宗教（Religions）現象及其歷史變遷，探詢宗教（The Religion）的演變過程。[5]與此一學術潮流一致，理雅各同時是在與中國宗教作比較的進路中，修訂了自己早期的《四書》、《詩經》與《書經》翻譯，同時也完成了《孝經》的英譯工作。

「孝」在中國傳統占據核心地位，中國禮儀之爭的核心正是在此。而「禮」的性質，尤其備具爭議的祭天、祭祖禮儀應當被理解為宗教行為或是家族倫理行為上，其爭議的方式與內容，在過去幾個世紀中，歷經不同階段。《孝經》翻譯實則牽涉到最核心的「孝道」與爭議不休的譯名問題。這譯名爭議不僅是一個翻譯問題，更是一個比較宗教的問題。對此，本章將從爭議的關鍵「郊社之禮，所以事上帝也」為中心，並對照《孝經》翻譯脈絡，探索理雅各如何奠基於近代早期中國耶穌會中所累積的成果，在十九世紀比較宗教的新學術脈絡中，提出他的新詮釋。

4　被譽為比較宗教學始祖的Müller 之名言是：「只知其一者，一無所知。」（He who knows one, knows none.）有關比較宗教學之發展請參見Eric J. Sharpe, *Comparative Religion: A History*（La Salle, Illinos: Open Court, 1975）, pp. 1-47.

5　詳見潘鳳娟，《西來孔子》，頁254-261。

一、譯名問題與《孝經》英譯：理雅各與耶穌會

在其英譯本《孝經》出版前約三十年，理雅各與文惠廉（William Jones Boone, 1811-1864）二人之間，針對如何翻譯《聖經》中之*Elohim*與*Theos*這兩個指涉基督教最高主宰者的名詞，展開論戰。理雅各主張以中國上古經典中之「上帝」，而非「神」來作為中文譯翻。他的主張與多位清末從事聖經翻譯的傳教士相左，譯名爭議再次出現。這爭議實為基督宗教入華以來，尤其明清耶穌會入華時，所引發有關*Deus*、上帝、天與天主的譯名爭議的延續。晚清新教傳教士譯名問題的爭論重點在「上帝」與「神」（或靈）的區別，以及這兩詞在中文脈絡中如何被理解。這問題始終是譯名爭議的關鍵。明清耶穌會在中國著名的禮儀之爭中列為首要核心爭議的癥結也是「神靈」（spirits）的定義。箇中影響最大的文本，是龍華民的〈論中國宗教的幾個問題〉（*Traité sur quelques points de la religion des Chinois*, 1701），文中龍氏主張中國人只知道某物是完全物質的（toute substance corporelle）或較少物質的（une substance moins matérielle）。[6]其間的區別僅止於所含物質的程度不同。龍華民主張「靈」必須是完全獨立於物質之上，不含任何一絲一毫物質成分，否則就不屬於靈界。因為儒家所述之神靈為氣化屈伸的結果，因此認定中國儒家，無論古今，不相信完全之靈體存

6　N. Longobardo, *Traité sur quelques points de la religion des Chinois*（1701）, reprinted in Gottfried Wilhelm Leibniz, *Discours sur la theologie naturelle des Chinois*, ed. Wenchao Li and Hans Poser（Frankfurt am Main: Klostermann, 2002）, pp. 47-48.

在，僅相信不同物質程度區分之實體，且因此有物質傾向而被排除在基督教一神信仰之外。身為耶穌會士的龍華民，他的論點卻成為反對耶穌會中國傳教策略者的重要論據。他所主張的中國無神論乃至物質主義，在十七至十八世紀前期，於歐洲爭議不下的中國禮儀之爭中，被用來抨擊耶穌會對中國禮儀的詮釋，以及認定中國傳統整體不相信基督教所信仰的至高主宰和非物質神靈的存在，進而認定中國哲學之異教性質。儘管如萊布尼茲等哲學家，[7]以及北京耶穌會士等意圖翻案或辯護，終究徒勞無功。

相關爭議雖然在教廷強力介入下暫時冷卻，然這一懸而未決的爭議到了晚清英美新教傳教士之間，為了《聖經》中譯的工作，捲土重來。《中國叢報》中刊登出理雅各與其同儕文惠廉，關於《聖經》翻譯中的譯名問題，長文辯論。至少兩派傳教士為了如何中譯《聖經》中那位至高者的名字，出現意見上的對立。與明清之際耶穌會關於中國禮儀之爭中，在「上帝」、「天」或「天主」之間如何選擇，不同意見僵持不下，清末新教傳教士則徘徊在「上帝」與「神」兩名詞之間，各派意見紛陳。[8]理雅各一生，追尋中國經典中上帝的足跡，透過翻

7　龍華民對於中國人是否相信存精神、不含一絲一毫物質成分的靈魂存在，詳細的討論請參見Feng-Chuan Pan, "The Interpretation and the Re-interpretation of Chinese Philosophy: Longobardo and Leibniz," in *A Lifelong Dedication to the China Mission*, ed. Sara Lievens and Noël Golvers, Leuven Chinese Studies 17（Leuven: F. Verbiest Institute, 2007）, pp. 491-514.

8　本章不涉入此論戰的全貌，文惠廉與理雅各的論點請參閱：William Jones Boone, "An Essay on the Proper Rendering of the Words *Elohim* and *Theos* into the Chinese Language," *The Chinese Repository,* 17, no. 1（1848）: 17-

譯，詮釋並傳播中國經典中上帝祭儀的奧秘。1877年在上海傳教士大會中的演講，理雅各主要探索「儒家典籍中，與基督教有關的宗教的與倫理的教訓」（the religious and moral teachings in the Confucian books in relation to Christianity），理雅各區分書中三個重點：（一）「有關上帝與其他被祭拜對象」、（二）「有關人與人性」、（三）「有關人的倫理與社會責任」三大部分。[9] 在此三者中，第一部分所涉及的問題與譯名爭議密切相關。理雅各清楚而明確地再次確認自己的主張：「中國經典中之『帝』和『上帝』就是God—our God—the true God」，而在儒學脈絡中，「天」與「帝」是同義詞，交互使用。不過理雅各不認為「天」字得以與前述「上帝」一詞一樣成為基督教所信仰的至高者名諱之中文翻譯。因為他認為中國的祭天儀式（the worship of God），自古以來與其他祭祀混雜。[10]理雅

53; William Jones Boone, "Defense of an Essay on the Proper Rendering of the Words *Elohim* and *Theos* into the Chinese Language," *The Chinese Repository,* 19, no.7（1850）: 345-385; no. 8（1850）:409-650; James Legge, *The Notions of the Chinese Concerning God and Spirits: With an Examination of the Defense of an Essay on the Proper Rendering of the Words Elohim and Theos into the Chinese Language*（Hong Kong: The Hongkong Register Office, 1852）. 中文研究請參見龔道運，〈理雅各與基督教至高神譯名之爭〉《清華學報》新37卷，第二期（2007），頁467-489。

9 James Legge, *Confucianism in Relation to Christianity: A paper read Before the Missionary Conference in Shanghai on May 11th 1877*（Shanghai: Kelly &Walsh, 1877）, p. 3.

10 James Legge, *Confucianism in Relation to Christianity*, pp. 3-4. 伊愛蓮認為理雅各這篇講稿使譯名問題更具爆炸性，此文雖在傳教士大會上宣讀，但未被收入會後論文集，見伊愛蓮，〈爭論不休的譯名問題〉，收入伊愛蓮等著，《聖經與近代中國》（香港：漢語聖經協會〔Chinese Bible

各的《孝經》英譯，就在此演講兩年之後出版。在這篇演講稿中，理雅各析論其對「上帝」與「天」兩詞的解釋，這區別與《孝經》的譯文翻譯標準完全一致。儘管譯名爭議中，天主教的「天主」一名，也成為晚清新教傳教士翻譯《聖經》時的選項之一。[11]費樂仁指出理雅各在1843年與何進善（1817-1871）等人從麻六甲進入香港不久，即與來自倫敦會、美部會等會的傳教士開會討論《聖經》翻譯之譯名問題。他認為因為何進善的緣故，理雅各認定選用古典儒家的用語「上帝」是較好的翻譯。何進善將古典儒家經典中的「上帝」一名與基督教的信仰對象等同，直接地影響理雅各的經典翻譯以及在譯名爭議中，對這名詞的堅持。[12]這堅持呼應十六至十七世紀利瑪竇一派的主張；堅持以古典儒家文本中的「天」或「上帝」作為*Deus*的中文翻譯。

從1711年衛方濟出版了《孝經》首見歐譯本，到 1879年，理雅各出版《孝經》翻譯，詳細注釋經文內容，成為《孝經》通行英譯本，其間歷經大約兩個世紀，都無法擺脫譯名爭議。目前觀察六個譯本，僅有羅尼譯本不涉入譯名問題。從理雅各

International Limited〕，2003），頁105-131。

11 如北京翻譯委員會的成員之一艾約瑟（Joseph Edkin, 1823-1905）即是一例。參見伊愛蓮，〈爭論不休的譯名問題〉，頁119。

12 參見Lauren Pfister, "A Transmitter But Not a Creator Ho Tsun-Sheen（1817-1871）: The First Modern Chinese Protestant Theologian," in *Bible in Modern China: The Literary and Intellectual Impact*, ed. Irene Eber, Sze-Kar Wen, and Knut Walf（Sankt Augustin: Steyler Verlag, 1999）, pp. 165-197. 中譯本請參見費樂仁，〈述而不作：近代中國第一位新教神學家何進善（1817-1871）〉，收入《聖經與近代中國》，伊愛蓮等著，頁147。

翻譯《孝經》全文並提供詳盡的注釋、其譯文內容以及對早期譯本的掌握來看，若說理雅各在諸多歐譯《孝經》譯者中，扮演集大成角色，應當之無愧。他對其前輩的譯本，有傳承性，也有開創性。從目前確定存世的六個《孝經》歐文譯本來看，理雅各英譯《孝經》的前置作業參考了清朝初期北京耶穌會士韓國英的法譯本，並從韓國英本之前言得知了衛方濟拉丁本的內容。理雅各自認為自己這個英譯本比韓國英的法譯本更準確更貼近原文。[13] 與韓國英之於「帝國文獻」的脈絡中翻譯《孝經》，並以「天子之孝」為核心，傳達一種以宇宙性大家族，天子為家族之長的「孝治天下」的中國意象不完全相同，理雅各的《孝經》翻譯則是在《中國聖書》脈絡中，在維多利亞時代的英國與繆勒的《東方聖書》一起出版了《孝經》英譯本，使《孝經》詮釋從政治與倫理脈絡，進入宗教脈絡；經典不再只是經典，而是具神聖性、宗教性之聖典，是東方幾種重要宗教聖典中的一種。

作為牛津漢學的創始者，理雅各返英期間，繆勒的東方宗教研究，已經逐漸成為牛津東方學的重點。理雅各返回牛津擔任漢學教授後的重要演說題目是「帝國儒學」（Imperial Confucianism），主張儒家是中國古代的國教（ancient state religion）。[14]或者受繆勒主張譯者就是一個解碼者；對東方聖

13 James Legge, "Note on the Translation," in *The Hsiāo King, Or Classic of Filial Piety*（Oxford: Clarendon Press, 1879）, p. 462-463.

14 演講全文請見James Legge, "Imperial Confucianism," *The China Review* 6, no. 3（1877）: 147-158; no. 4（1878）: 223-235; no.5（1878）: 299-310; no.6（1878）: 363-374.

書的翻譯指出一種以經解經的翻譯原則，從經典的內在體系去理解與翻譯經典影響，理雅各的經典翻譯，某種程度上說，是在中國經典當中發現蘊含其內的神聖性。既是如此，對理雅各來說，翻譯同時是以另一語言詮釋蘊含在經典文字中的深層意義。然而，蘊含其內的意義，如何藉翻譯被闡明？理雅各在翻譯《易經》的前言中，援引《孟子・萬章上》中，孟子與咸蒙丘談論關於閱讀和理解詩歌思想感情的一種解詩方法時所說：「故說詩者，不以文害辭，不以辭害志。以意逆志，是為得之」[15]來闡明自己的翻譯原則與方法。這「以意逆志，是為得之」的原則，他的翻譯是：

> We must try with our thoughts to meet the scope of a sentence, and then we shall apprehend it.（我們必須嘗試以我們的思想與句子的視野交會，如此便能理解之。）[16]

理雅各文中所說明的翻譯原則重點在於我們之「意」（our thoughts）與句子之志（the scope of a sentence）得以交會融通。其中，句子之「志」包含了：理解中文典籍與文獻之今昔與當下中國人之生活實況，理雅各自身在徹底翻譯與研究過中國典

15 James Legge, *The Works of Mencius*, *The Chinese Classics with a Translation, Critical and Exegetical Notes, Prolegomena, and Copious Indexes* 2（London: Trübner, 1861）, p. 353.

16 James Legge, *Yi-King*, ed. F. M. Müller, The Sacred Books of the East 16（Oxford: Clarendon, 1882）, p. xv.

籍與文獻後，如何在牛津學術圈中被理解與接受，[17]以及該經典在中國學術發展中如何被詮釋。對理雅各來說，除了典籍所呈現的書本的中國，在其個人實際遊歷中國的經驗中，他親自接觸了活生生且變遷中的中國人與中國文明。他所認識的中國，是活生生的中國；有過去、當下，並朝著未來前進；有上層菁英，也有平民百姓；有思想知識面，也有實務生活面。[18]我認為，理雅各之經典翻譯不僅是語言轉換，而是在翻譯中解碼文字所蘊含的文化深層奧秘，經典是一個文化重要依據，經典之翻譯實則深刻探入文化結構問題。從其中所涉及基督教譯名問題來看，可以說，翻譯成為宗教比較的工具，也是宗教對話的基礎。

以下，我們以「郊社之禮」的翻譯與討論，作為探討理雅各如何在「比較宗教」脈絡中，將儒家之孝道最深層意義，透過《孝經》翻譯，在英文圈中傳播，同時探討理雅各堅持以「上帝」中譯基督教至高者的論據與緣由。

---

17 Norman J. Girardot, *The Victorian Translation of China: James Legge's Oriental Pilgrimage*（Berkeley: University of California Press, 2002）, p. 337.

18 我對Girardot所指出的，理雅各翻譯中國經典的人生即是一種「中國朝聖之旅」，其目的不在「征服」而在「理解」深表認同。理雅各反對其同時期部分東方學者所主張之「研究為了征服」，相反地，如同「朝聖者」一般，他研究中國典籍的整體過程，是為了理解，全然投身中國文化的深層。在基督教與中國文化兩者之深層內涵中，深刻對話。Girardot同時指出，理雅各的經典翻譯是重新發現中國宗教史的關鍵，而且重新產生對「中國宗教」的欣賞，因而提倡一種透過理解式的比較方法研究予以「宗教性地」研究「宗教」與「中國」，中國文明的宗教面向因此浮現。參Girardot, *The Victorian Translation of China*, pp. 511-536.

二、郊社之禮，所以事上帝也：東方聖書中的孝道書寫

理雅各在其經典翻譯的前置作業過程中，曾參考極多耶穌會士和早期中國教友所撰、譯、述之出版品。在與文惠廉的辯論時所出版的文本中，理雅各長篇引用了晚明中國教友朱宗元科舉考試的論文：「郊社之禮，所以事上帝也」，並且逐一翻譯與解析。他指出中文「上帝」（*Shang-ti*）就是基督教徒所信仰的至高者。在正式討論理雅各如何翻譯與詮釋「郊社之禮」與基督教上帝這一關鍵前，我先將這段文字的脈絡引述如下，以便後文的分析：

> 《中庸》十九：「郊社之禮，所以事上帝也。宗廟之禮，所以祀乎其先也。明乎郊社之禮、禘嘗之義，治國其如示諸掌乎？」[19]
>
> 《中庸章句》右十八章：「郊，祀天。社，祭地。不言后土者，省文也。禘，天子宗廟之大祭，追祭太祖之所自出於太廟，而以太祖配之也。嘗，秋祭也。四時皆祭，舉其一耳。禮必有義，對舉之，互文也。示，與視同。視諸掌，言易見也。此與《論語》文意大同小異，記有詳略耳。」[20]
>
> 《天主實義》：「吾天主，乃古經書所稱上帝也。《中

---

19 James Legge, *The Chinese Classics with a Translation, Critical and Exegetical Notes, Prolegomena, and Copious Indexes 1*（Oxford: Clarendon Press, 1893）, p. 404.

20 朱熹，《四書章句集注》（北京：中華書局，1983），頁27。

> 庸》引孔子曰：『郊社之禮以事上帝也。』朱註曰：『不言后土者，省文也。』竊意仲尼明一之以不可為二，何獨省文乎？」[21]
>
> 朱宗元：「帝不有二，則郊社之專言帝者，非省文也。」[22]
>
> 《孝經‧聖治章》：「昔者，周公郊祀后稷以配天，宗祀文王於明堂以配上帝。是以四海之內，各以其職來祭。夫聖人之德，又何以加於孝乎。」[23]
>
> Legge, *The Hsiāo King*: "'Formerly the duke of Kâu at the border altar sacrificed to Hâu-kî as the correlate of Heaven, and in the Brilliant Hall he honoured king Wăn, and sacrificed to him as the correlate of God. The consequence was that from（all the states）within the four seas, every（prince）came in the discharge of his duty to（assist in those）sacrifices. In the virtue of the sages what besides was there greater than filial piety?"[24]

除了早期耶穌會士與中國教友撰述的文獻，以及何進善、王韜（1828-1897）等人的協助外，朱熹之《四書章句集注》是理雅

---

21 利瑪竇，《天主實義》，上卷，20a，收入《天學初函》，李之藻輯，第一冊（台北：學生書局，1965），頁404。

22 James Legge, *The Notions of the Chinese Concerning God and Spirits*, p. 71.

23 黃得時註譯，《孝經今註今譯》（台北：臺灣商務印書館，1972），頁16。

24 Max Müller, ed., *The Sacred Book of the East*, vol. 3（Oxford: Clarendon, 1879）, p. 477.

各之經典翻譯重要參考資料。上述所引五段文字，環繞一個核心：「郊社之禮」。延伸的問題是：「郊社」原為祭天和祭地兩種儀式，為何合稱？又如何以此支持唯一上帝的主張，且進而辯證此「上帝」即為基督教（天主教）的所信奉那位至高存有者。從利瑪竇到理雅各，為了「省文」所引申的「一與多」的問題，幾個世紀之後，仍是辯論核心。上述不同引文之間的延續性已不言而喻。1852年，譯名爭議前期，理雅各在其考察並反駁文惠廉主張以「神」一字中譯基督教至高者之名的文章中，[25]大篇幅徵引翻譯早期耶穌會士劉應（Claude de Visdelou, 1656-1737）與馬若瑟等人的作品。此外，他也大篇幅引用中國教友朱宗元（1616-1660）的文本，並予以英譯對照，以此中國教友的詮釋，申論「上帝」一名在中文脈絡中的意義。朱宗元是浙江鄞縣會元，教名葛斯默（Cosmos），熱心傳教，著有《答客問》、《拯世畧說》、《天主聖教豁疑論》，並為多位耶穌會士作序推廣天主教書籍。理雅各所引的文字出自朱宗元應試之作：「郊社之禮，所以事上帝也。」理雅各說他所見抄本是來自廣東的Dr. Hobson所提供。根據方豪，此文藏於法國國家圖書館，古郎氏（Courant）目錄編號7144。此文有評論曰：「初覽驚為異解，細玩亦平妥大道理耳！」方豪認為朱宗元此舉乃是「引儒入天」。[26]以下為朱宗元應試之作的部分內容：

---

25 James Legge, *The Notions of the Chinese Concerning God and Spirits*, pp. 64-73.

26 方豪，《中國天主教史人物傳》（香港：公教真理協會，1970），頁91-98。朱宗元這篇應試之作的全文〈郊社之禮所以事上帝也，十三科大題文徵，朱宗元〉，收入Dominic Sachsenmaier, *Die Aufnahme europäischer Inhalte in die chinesische Kultur durch Zhu Zhongyuan*（*ca. 1616-1660*），

朱宗元：「帝不有二，則郊社之專言帝者非省文也。[27]上帝者雖天之主也，為天之主則亦為地之主，故郊社雖異禮，而統之曰事上帝……夫論達孝而及上帝，蓋謂人之事帝，猶子之事親也。然郊之禮，夫人而知為事上帝也，社之禮而亦為事上帝何？上帝者，無所不在亦無所不主，在天則為天之主，在地則為地之主，在人身則為人身之主，在萬物則為萬物之主……則不必當為鬼神報，而應為上帝報也。……至一為上帝……且至尊為上帝……是故生人皆當事帝，而天子則以郊社之禮代人事帝。太上而降，不得用享之禮以事帝，而各得以其身心事帝，猶親也，若因郊社不同，而疑所事有異，亦可因禴、祀、蒸、嘗，[28]其禮不

Monumenta Serica Monograph Series XLVII（Sankt Augustin-Nettetal: Steyler, 2001）, pp. 447-452. 朱宗元之應試文標題前半段的英譯是根據Legge, *The Notions of the Chinese Concerning God and Spirits*, p. 70. 有關朱宗元這篇被方豪所謂的應試之作，另有一說這是一篇捉刀之作，參見王澤穎，〈明末天主教儒士朱宗元著作考綜述〉，《三峽論壇》，no. 230（2010），頁58。我認為王澤穎此言可信度不高。因為從標題「十三科大題文徵」來看，這篇文章來源的可能性之一是朱宗元的一篇大題文（五經文）應試之作，後被收入十三科應考生的大題文的範例。再者，朱宗元的祖父官至工部員外郎與江南按察僉祋，自己是順治三年（1646）貢生，順治五年（1648）舉人，應不至於淪落到犯法為人捉刀。

27 相關討論詳見方豪，〈明末清初天主教適應儒家學說之研究〉，收入《方豪六十自定稿》（台北：臺灣學生書局，1969），頁207。

28 「禴、祀、蒸、嘗」，指四季之祭。根據《周禮》〈王制〉：「天子諸侯宗廟之祭，春曰礿，夏曰禘，秋曰嘗，冬曰蒸。」周改春曰祠，夏曰礿。礿字同禴。請參見舒新城等編，《辭海》（香港：中華書局香港分局，1974重印），「四祭」條與「禴」條，頁296、986。

同，而疑所事有二親哉？」[29]

理雅各之英譯：

"There are no two Tes. When the text speaks simply of *Te*, in connection with both the celestial and terrestrial sacrifices, there is no elliptical mode of expression.〔...〕Confucius proceeds from discoursing of the universally acknowledged filial piety（of Woo and Chow-kung）to speak of *Shang-Te*, indicating that men's service of *Te*, is like the service which a son renders to his father.〔...〕*Te* is a perfect One〔...〕Moreover, *Te* is supremely honourable.〔...〕Men ought not to give thanks to the spirit; they ought to give thanks to Shang-Te.〔...〕Therefore all living men ought to serve *Shang-Te*, and the Emperor on their behalf serves Him by these two sacrifices. No one below the highest can serve *Te* with these ceremonies, but every man can serve Him with his body and his heart, as he sacrifices to his parents. If it be doubted, that the celestial and terrestrial sacrifices are different, there are different beings served by them, then because the seasonal sacrifices of the ancestral temple are different, it may be doubted whether there

---

29 James Legge, *The Notions of the Chinese Concerning God and Spirits*, pp. 70-73. 底線為筆者所加。

are not different sets of parents. [30]

請注意：朱宗元這段「帝不可二，則郊社之專言帝者，非省文也」，實與利瑪竇唱和。在利瑪竇之《天主實義》上卷第二篇，有關郊社之禮有如下敘述：「《中庸》引孔子曰：郊社之禮，所以事上帝也。朱註曰：不言后土者，省文也。竊意仲尼明一之以不可為二，何獨省文乎？」跟隨利瑪竇之回歸古典儒家的進路，朱宗元認定耶穌會士所傳播的信仰對象與古儒經典中的「上帝」為同一對象。理雅各在譯名之爭中，以耶穌會與朱宗元等明清天主教會的著作為論述基礎，不僅字裡行間表達崇敬之意，其經典翻譯也在早期教會的成果上進行。這段論述的重點在於，雖區分四季來進行祭祖，但其實僅有一種祭禮，來比喻天地之祭雖有二，天地實為一體，並非存在兩個主宰。在此理雅各論述中國有關上帝與鬼神的言論，援引了早期中國教友的文字作為論據，當時仍用*Te*和*Shang-Te*音譯方式處理，在翻譯《孝經》時，直接用God翻譯，這是極大轉變。

理雅各引用早期耶穌會士與中國教友言論的作法，展現出清末傳教士與明清耶穌會之間的密不可分的關係。理雅各繼承明清耶穌會對中國儒家的研究，確有延續性。不過，從上述文字來看，他也具備了開創性，在其時代脈絡中做出與其前輩耶穌會士不同的抉擇。經細查全文，上文中理雅各所引僅為朱宗元應試論文的上半部，下半部未被引用，茲引如下：

---

30 James Legge, *The Notions of the Chinese Concerning God and Spirits*, pp. 71-73. 底線為筆者所加。

禮異而所事者不異，尊無二上也。夫上帝之尊，至無對也。郊社二禮，事之以報其本焉。今夫萬物之生成也，莫不歸功于天地，而天地之所以生、所以成者，果孰主宰是？不禁穆然深思。乾坤之元，造化之宗，生人養人之大本原，而之上帝不可不事也。夫上帝之加恩于人也，寧有窮哉？其造生萬物也，原為予人，其造生人也，原為事己。況一粒一涓，莫非天恩，呼吸動靜，皆資帝佑。上帝實人人之大父母也。父母豈有一人可不事者。然尊卑有異，事上帝之禮亦異，天子固能享帝者也，仁人之事天也如事親，由達孝推之，蓋有郊之禮焉，有社之禮焉，圜丘方澤，地有不同，冬至夏至，時有不同，而所以事者，豈有不同哉？或曰：郊以祭天為其能生故，社以祭地為其能成故，嗟乎！人曰：載高履厚而忘兩大所以由來矣。生之者天，天不自生，必有生天者能令天生成之者，是故圭璧之設，犧牲之獻，小心翼翼，以昭事之者，非有形之天也、地也，乃未有天地之先、惟一自有純神，無形之體，無始而為萬有之根，無終而永遠不息，無所不在、無所不知、無所不能、絕超神靈之表，獨握化育之權，至尊無對、至高無上，所謂天之主宰，皇皇上帝非耶？奈何後世之論郊社者，大不明父天母地之禮，原以報本于一上帝大父母，而輒以后土與上帝並是，將謂天有二主也，亦獲罪彌重矣。[31]

---

31 Sachsenmaier, *Die Aufnahme europäischer Inhalte*, pp. 451-452.底線為筆者所加。

中國人論孝道尊親，不切分父與母。猶太教與基督宗教之獨尊父親的思維，在傳入中國之後，有了新的理解與詮釋。在上述這一大段未被理雅各引用的文字中，朱宗元以「大父母」和「上帝后土」類比，上帝之祭，乃是「父天母地之禮」，其禮唯一非二，所祭對象也是唯一非二。此一論述的重點，是以天主為「大父母」並以此作為大孝的根基，呈現出宗教與倫理合一的思維。這天主為大父母，普天自天主以下為一大家族之思想，在明清天主教會內部相當普遍，也成為天主教與儒家融合的關鍵論點。當然這樣的融合策略，也引來儒家的批駁。學界對於這個論題已經有相當多討論，本章不再贅述。[32]無論當年是何因素造成理雅各未引用朱宗元應試文的後半部，如果從出版時間先後來觀察，理雅各引用朱宗元之應試文時間在1852年，而1879年，理雅各完成了《孝經》翻譯，1880年接著出版*The Religions of China*一書，分別從宗教和倫理兩面向，評論儒家的轉變來看，似可說明理雅各在返回英國之後，對儒家的觀點有了轉變。

理雅各的《孝經》翻譯，是集前人之大成，並使孝道的詮釋，進入比較宗教脈絡。孝道所關連到的禮儀中最為關鍵的「郊社之禮」，也在《孝經》中以「聖人之德」的極致被尊崇。當代所區分的「宗教」和「倫理」在此成為一體兩面。理

---

32 筆者在法國國家圖書館所藏抄本（Courant 7144）發現確有這段文字，但是上海徐家匯藏書樓所藏的版本則沒有這一段文字。朱宗元，《朱宗元會元硃卷（郊社之禮所以事上帝也——破迷論）》，收入鐘鳴旦、杜鼎克、王仁芳主編，《徐家匯藏書樓明清天主教文獻續編》（台北：利氏學社，2013），第四冊，頁385-390。

雅各在重新認知儒家，不僅是一套倫理體系，同時也作為中國宗教，甚至是「東方宗教」的一部分後，完成了《孝經》翻譯。從前面引述之《孝經・聖治章》文字與英譯文，理雅各不僅主張儒教與基督教有一共同對象「上帝」，他同時藉此孝道翻譯，將上帝崇拜與「聖人之德」緊密連結。

三、比較宗教脈絡中的孝道：宗教與倫理之間

本章一開始，引用了1880年，理雅各所出版的《中國宗教》（*The Religions of China*）一書第一章的內頁標題：「郊社之禮，所以事上帝也」作為論述起點。這段文字被理雅各英譯為「在聖壇前的禮儀中，他們服侍上帝」（In the ceremonies at the altars of Heaven and Earth, they served God）[33]，他同時引用《聖經羅馬書》一章21節：「他們認識上帝」（"They know God."）作為對照文字。這對照的文字為凸顯《孝經》翻譯所涉及的信仰對象之譯名問題，以及中國禮儀之爭中的關鍵：中國祭天、祭祖與祭孔所涉及的禮儀性質、神靈屬性和孔子作為儒學宗師的地位。*The Religions of China*這本書，將儒道二教與基督教進行了比較。全書分四個部分：前兩部分論儒家，第三部分論道家／道教，[34]最後論中國諸宗教。[35]以儒家為主體的

33 James Legge, *The Religions of China*, p. 2.

34 James Legge, *The Religions of China*, p. 157. 此處理雅各的標題是 "Taoism: as a religion and a philosophy." 道教／道家：一種宗教與哲學。

35 論及中國諸宗教這一章，理雅各以〈康熙聖諭〉第七條：「黜異端以崇正學」（Discountenance strange principles in order to exalt the correct doctrine）

兩章，除了前引文字外，第二章的內頁文字則是取自〈康熙聖諭〉第一條：「敦孝弟，以重人倫」（“Esteem most highly filial piety and brotherly submission, in order to give their due importance to the social relations.”）。[36]此書出版不久，1877至1878年間，理雅各有關「帝國儒學」演說的重點，正是〈康熙聖諭〉十六條，正展現了倫理與宗教之不可切割。這一節的標題乃受此啟發。

儒家是否為一個宗教，在理雅各的時代曾經被熱烈地討論與爭辯。[37]理雅各認為中文「天」字，未曾被當成人物或名字使用，但是「帝」字則指涉一位至高存有（the Supreme Being as a person）。[38]「天」字可用來形容「帝」，如同「上」字與「帝」字合併，「上」形容此「帝」之至高至尊。而「氣」則是用來描述spirits（神）或spiritual things。理雅各主張，「神」（spirits）如雨神、雲神，僅是協助「上帝（Shang Tî）的臣僚

為內頁文字。

36 James Legge, *The Religions of China*, p. 68.

37 James Legge, *The Religions of China,* p. 5. 儒家之宗教性相關論文，研究成果不少，請參閱 Anna Xiao Dong Sun, “Confusions over Confucianism: Controversies over the religious nature of Confucianism, 1870-2007”（Ph. D. diss., Princeton University, 2008）; Hsi-yuan Chen, “Confucianism Encounters Religion: The Formation of Religious Discourse and the Confucian Movement in Modern China”（PhD diss., Harvard University, 1999）.

38 James Legge, *The Religions of China*, p. 9. 孔子之前，周公源於古禮制禮樂，五禮的存在早於儒家。儒家之哲學化使禮進入社會秩序，成為具哲學性的禮學，因此哲學的禮學並繼承宗教的禮學。有關西方傳教士對於禮經的翻譯，本人未來將對此深入研究探討。

（ministers）。[39]理雅各認為五千年前中國古代宗教是一神信仰，不是與理雅各同時代歐洲人所主張的精靈崇拜，不過卻有腐化的危機。[40]他例引《書》、《詩》等古代經典中所論「上帝」，並追溯「上帝」與「天」兩個如何在中國歷代被當作同義詞使用，指出在古代典籍中，似乎未曾得見孔教對生前死後的情況予以交代或討論。而第六世紀後，才開始出現因果報應思想。[41]理雅各認為，古代儒家確實存在對上帝的崇拜，而且這位「上帝」是一位具人格的至高主宰。[42]對理雅各而言，天壇祭天的這種帝國性宗教祭典，與基督教對上帝的敬拜行為可等同觀之。[43]儘管理雅各視儒家[44]為中國最古老的宗教（the most ancient or state religion of China），[45]但他認為孔子是一位宗教教導者，並非宗教的開創者，而是繼承與傳遞宗教的教師。或者說，中國傳統是一個集體共同傳統，並非由一人獨創，因此他只是傳承者，而非創立者。

理雅各對儒家是否事奉上帝的論據，在於「郊社之禮」的探索。藉由翻譯，他將蘊含於中國古代經典中，卻被後世儒者所誤解、被西方傳教士所排斥的「上帝」，藉由宗教比較方

---

39 James Legge, *The Religions of China*, p. 19.

40 Ibid., pp. 8-17.

41 Ibid., pp. 112, 116

42 James Legge, *Christianity and Confucianism Compared in their Teaching of the Whole Duty of Man*（London: Religious Tract Society, 1883）, p. 16.

43 Ibid., p. 17.

44 “Confucianism” 這個字從 “Confucius”而來，字面直譯應為孔門學說、孔子門生的主張，或某種因孔子而來的教條。

45 James Legge, *The Religions of China*, p. 122.

式，探索解碼之。理雅各認為比較宗教的方法是早期基督教使徒保羅所採用的策略，他認為這個方法也是抵擋當時不信基督教的風潮之關鍵武器。理雅各同意繆勒比較宗教的三點主張：（一）宗教在原始之初是最純淨的，只是後來敗壞了；（二）每個宗教都含有真理，最根本的真理隱藏在古代文獻裡，足夠讓人從中找到基督教的上帝；（三）經由宗教的比較研究，能更加領會自己的宗教。理雅各深信：以學者做研究的態度和虔誠的精神，大膽而小心地採用比較宗教的方法，可以掃除許多導致自己宗教日趨狹隘的疑惑和困境。這種方法會擴大「同理心」，讓思想超脫於當下那些枝節的爭議，在不久的將來會為基督教注入一股清流、開展出新生機。[46]從其《易經》翻譯的序言中可見，理雅各在《孝經》翻譯中所採用的原則其實相近。儘管受到同時期新教傳教士的責難，理雅各此一翻譯原則，實以普世啟示作為論述基礎。[47]

其次，理雅各認為，儒家不僅是一種宗教；[48]它像基督教一樣是宗教，並且同時也是一種倫理系統，下面所引理雅各文字清楚說明這點：

> Legge：“China does not owe its national religion to Confucius. He received it, as did others, from prehistoric time, both in its twofold worship and in its rules of social duty, and on

46 Norman Girardot, *The Victorian Translation of China,* pp. 244-245.

47 理雅各所提出的理念，實為近代宗教神學的討論焦點之一。宗教神學的問題與傳教士的東方學關係相當密切，請容以他文深述，此文不贅。

48 James Legge, *Christianity and Confucianism*, p. 19.

this point I need say nothing more... . He〔Confucius〕taught morality, but not a morality without reference to the will of God. He taught ceremonialism, but not for the sake of the ceremony merely."[49]

中文直譯：中國並非因孔子而有其國家宗教。如同其他中國人一樣，孔子從史前時代接受、繼承了它；包含了其二合一的崇拜與社會責任。就此而言，我無須贅言。他〔孔子〕教導倫理道德；但並非一種與上帝旨意無關的倫理道德。他教導禮，但並非僅僅為了禮的緣故。

不過，理雅各認為，從儒教經典所載人與人關係的教條來看，基督教遠比儒教更完備。孔子雖是儒教的宗教教導師，但與基督相比，並非一位完美教師。[50]而且，與基督教相比，他認為中國人基本上是在宗教上是啟蒙程度較低的民族。[51]首先，他舉出孔子的金律是：「己所不欲，勿施於人」（What you do not want done to yourself, do not do to others），[52]而孔子的銀律是所謂「以直報怨，以德報德」（Recompense injury with justice, and return good for good）。[53]儘管理雅各認為孔子並沒有創立儒

49 James Legge, *The Religions of China*, p. 123.

50 理雅各說，孔子僅用過一次帝，他認為也許是因為僅有天子（萬民代表）可以進行祭天儀式（worship of God），所以孔子避免適用「上帝」一名。James Legge, *The Religions of China,* pp. 139-140.

51 James Legge, *Christianity and Confucianism*, p. 34.

52 Ibid., pp. 137-138.

53 Ibid., p. 24.

教，而是上帝派遣到他的國家傳達信息的使者，後期理雅各對孔子的評價出現調整，[54]也受其成就感召，昇華孔子的「己所不欲，勿施於人」這個倫理金律為一種積極的、雙向的互動與彼此回饋的關係。他認為這金律是中國古經典中所沒有，是孔子對儒家的最大貢獻。[55]其次，相對於孔子的金律，基督的金律則是「愛上帝、愛人如己」[56]，明顯比孔子的主張屬於更高層次。理雅各主張這種愛是「人的責任」[57]，他認為這是「人的完備責任」（the whole duty of man），或者說，這是人的天職。理雅各認為，社會關係與社會責任是天或上帝所設立。[58]換句話說，在理雅各的詮釋下，前述的「人的完備責任」同時具備了垂直之天人關係，和水平之人倫關係。因為五倫建構了人其倫理本性，其中孝是首要五倫中關係，而這整體人的倫理本性則是人與上帝的關係。是故，《中庸》所言「天命之謂性，

---

54 根據吉瑞德和費樂仁的研究，理雅各經典翻譯有兩個主要階段，其最大區別是理雅各對中國傳統的態度，尤其是他對中國宗教的態度。不過惟二人在對造成此一轉變的原因和時間有不同見解。兩位學者的意見分別在下述研究中呈現：Girardot, *The Victorian Translation of China*和L. Pfister, "From Derision to Respect: The Hermeneutic Passage within James Legge's（1815-1897）Ameliorated Evaluations of Master Kong（Confucius）," *Bochumer Jahrbuch zur Ostasienforschung* 26（2002）: 53-88. 另請見費樂仁，陳京英譯，〈攀登漢學中喜馬拉雅山的巨擘——從比較理雅各（1815-1897）和尉禮賢（1873-1930）翻譯及詮釋儒教古典經文中所得之啟迪〉，《中國文哲研究通訊》15，no. 2（2005）: 23, n7。

55 Norman Girardot, *The Victorian Translation of China*, pp. 315, 327-328. 另請參見James Legge, *The Religions of China*, p. 137.

56 James Legge, *Christianity and Confucianism*, p. 21.

57 Ibid., pp. 5-6.

58 Ibid., p. 13.

率性之謂道，修道之謂教」，在理雅各那裡，這是「性」（the Nature）、「責任之路」（the path of duty）與「引導系統」（the system of instruction）。[59]

1852年，理雅各正與文惠廉辯論《聖經》中譯的問題，膠著於至高者名諱，以及一神或多神這類傳教士內部的神學爭辯。隨著時序向後發展，情況逐漸改觀。1876-1878年間，理雅各「帝國儒學」的演說，以及1879至1880年《孝經》英譯與*Religions of China*二書出版，標示著理雅各不僅是一位傳教士，中國經典的翻譯者，同時也是一位比較宗教學者；凸顯了譯名問題不僅是一個翻譯問題，也是一個比較宗教問題；經典的翻譯，其實也與跨文化和跨宗教對話息息相關。總而言之，對理雅各而言，經典翻譯過程，是他詮釋與再詮釋中國傳統的過程；儒家以及孔子定位，也在不同階段的翻譯過程中被重新調整與詮釋。《孝經》在其後期於比較宗教脈絡中翻譯，進入儒家文化的核心。孝道及其外環的相關禮儀，兼具了宗教性和倫理性。1852年所出版《中國有關上的與神靈的名詞》（*The Notions of the Chinese Concerning God and Spirits*）一書未引入的朱宗元應試文之後半段，其內涵其實涉及之「聖治」的終極完滿，仍是在於從天子以降以至庶民，以「上帝」為其最高生命源頭，以全民為普天之下共同兄弟姊妹，「上帝」實為全民之「大父母」，天地之祭與祭祖，差別僅在於負責祭祀的代表不同，「郊社之禮」乃祭全人類共同之生命源頭的禮儀，是「道之終極圓滿」。這未被引入的文字所要表達的意涵，卻在1879

59 Ibid., p. 14.

至1880年間，理雅各在基督教與儒家比較脈絡裡的詮釋中呈現出來。甚至在《孝經》英譯本出版之後的1882至1885年間，理雅各進行《易經》與《禮記》的翻譯，分別代表了理（moral）和禮（religious），最後核心歸結到「人的完備責任」，更進一步闡述前述理念。

THE HSIÂO KING

OR

CLASSIC OF FILIAL PIETY.

INTRODUCTION.

CHAPTER I.

THE NAME OF THE CLASSIC; ITS EXISTENCE BEFORE THE HAN DYNASTY; ITS CONTENTS, AND BY WHOM IT WAS WRITTEN.

Meaning of the character Hsiâo.

1. The Chinese character pronounced Hsiâo, which we translate by 'Filial Piety,' and which may also perform the part of an adjective, 'filial,' of a verb, 'to be filial,' or of an adverb, 'filially,' is one of the composite characters whose meaning is suggested by the meanings of their constituent parts combined together. It is made up of two others,—one signifying 'an old man' or 'old age,' and beneath it the character signifying 'a son.' It thus, according to the Shwo Wăn, the oldest Chinese dictionary (A.D. 100), presents to the eye 'a son bearing up an old man,' that is, a child supporting his parent. Hsiâo also enters as their phonetical element into at least twenty other characters, so that it must be put down as of very early formation. The character King has been explained in the Introduction to the Shû King, p. 2; and the title, Hsiâo King, means 'the Classic of Filial Piety.'

2. Many Chinese critics contend that this brief treatise was thus designated by Confucius himself, and that it received the distinction of being styled a King before

[1] G g

The Sacred Books of China: The Texts of Confucianism. Part 1: The Shû King; The Religious Portions of the Shih King; The Hsiâo King（Oxford: Clarendon Press, 1879）, p. 449. 來源：臺大特藏室 BL1851 S23z 1879 pt.1.

理雅各的《孝經》翻譯工作是在其經典翻譯的後期，也就是在比較宗教脈絡中完成，他的譯本與與其前輩衛方濟、韓國英的《孝經》翻譯有明顯區別。不過後期雅各對中國宗教的態度及其所捲入《聖經》翻譯對至高者名諱的辯論（譯名爭議），卻與明清耶穌會時代涉入之中國禮儀之爭今古呼應。十九世紀來自英國的新教傳教士理雅各的討論，實際上繼承明清耶穌會以來有關中國禮儀的世紀辯論的遺緒，所不同者在於在理雅各的時代，問題已經從祭天與祭祖儀式是「宗教」或「公民」行為，歷經清朝前期從「文人儒學」轉向「帝國儒學」之政治倫理面向，到理雅各的經典翻譯時，主張宗教性與倫理性兼具。我們可以藉由一特定經典的翻譯，看出明清天主教與新教傳教士之間緊密的關聯性與延續性；清末英美新教傳教士實際上是有意識地繼承明清耶穌會的漢學研究成果。再者，從歐美漢學發展史觀察，傳教士漢學與專業漢學是重疊的，從十六世紀歐陸漢學之初創開始，歷經十七至十八世紀傳教士在歐陸漢學研究的顛峰，延伸至十九世紀英美漢學之大興，均是如此。在兼具不同身分的同時，傳教士漢學家有時以傳教士身分展現、有時以學者專家身分呈現，不同身分並不互相排除。

第六章

和漢交流的法國視野
東方學者羅尼的《西譯孝經》
（1889/1893）

十九世紀即將結束之際，法國民族學與東方學者羅尼（Léon de Rosny, 1837-1914）出版了他的《西譯孝經》，為西方十八至十九世紀的《孝經》翻譯的壓軸之作。他不具備傳教士身分，而是一位東方學者。受教於儒蓮的中文課程，日後成為法國第一位日文教席。因為他與日本的關聯性，將《孝經》翻譯的視野，從中國學，帶向和漢交流的方向。同時也援引了許多日本江戶時期的和刻本《孝經》作為他的參考材料。他的詮釋，受到當時民族學的影響，引入了種族與孝道的相關性，使得他的譯本擺脫了幾百年的譯名爭議，與其前輩傳教士們相對照之下，顯得極具特色。

一、羅尼生平與研究概況

羅尼，1837年出生於今日法比邊界之里爾市，1914年歿於上塞納省之Fontenay-aux-Roses市。[1]他曾任教於法蘭西公學院（Collège de France）之民族學部門，和皇家東方特殊語言學校（l'*École* Impériale et Spéciale des langues orientales）。他同時亦曾為倫敦亞洲學會（Société asiatique de Londres）會員。羅尼的著作等身，出版品以日本和中國研究為大宗，此外，他亦出版關於朝鮮等東方宗教、文化和民族學的研究專著。根據法國國家圖書館提供的書目資料，羅尼名下總計91種著作，其中的34種是研究日本語言、文化和宗教，16種中國研究的作品。已經數位化的有56件，其中22件直接涉及日本。[2]羅尼一生雖然未曾到訪日本，但是透過自學方式，1854年年僅17歲時已經發表了《簡述學習日語所需的主要知識》（*Résumé des principales connaissances nécessaires pour l'étude de la langue japonaise*）以及《日語課程》（*Cours de langue japonaise*）等日語教材。[3]在1856年還未滿20歲時，他已經出版了《日本語考》

1　佐藤文樹，〈レオン・ド・ロニー——フランスにおける日本研究の先駆者〉，《上智大学仏語・仏文学論集》（Revue d'études françaises. Université Sophia），第7號（1972），頁1，以及松原秀一，〈レオン・ド・ロニ略伝〉，頁5引錄通報刊載的羅尼訃聞; 法國國家圖書館與相關機構均有他的生平與著作介紹。請參見https://gallica.bnf.fr/html/und/asie/leon-de-rosny?mode=desktop（2020.08.27）。

2　圖書資料的統計主要根據法國國家圖書館一般書目檢索結果，以及數位圖書館交叉比對統計，詳見Gallica.bnf.fr。

3　松原秀一，〈レオン・ド・ロニ略伝〉，頁47。根據法國國家圖書館的書目，該館有這兩本書的典藏，分別是（https://catalogue.bnf.fr/ark:/12148/cb31247912v.public）和Léon de Rosny, *Cours de langue japonaise*（Paris: Maisonneuve et Cie, 1854）。熊澤精次曾經針對這本書撰寫專論，題名為"Léon de Rosny *Résumé des principales connaissances necessaires pour l'étude*

（*Introduction à l'étude de la langue japonaise*）一書。也許出於自謙，此書的中文封面有「囉尼小儒輯著」，書影如下。[4]

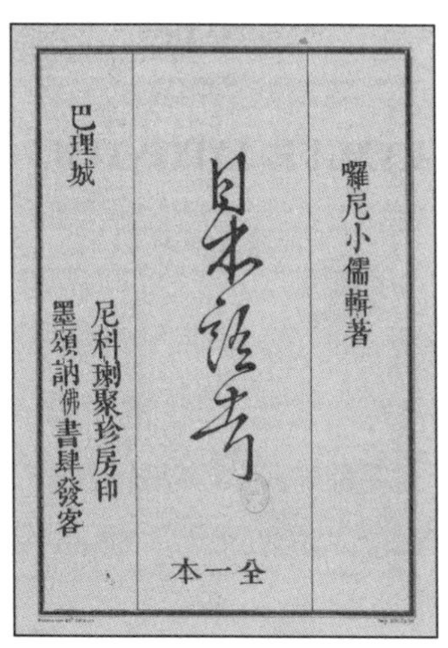

羅尼《日本語考》封面*Introduction à l'étude de la langue japonaise*
來源：法國國家圖書館（Bibliothèque nationale de France）ID/Cote :X-5281.

---

de la langue japonaise（1854年）について,"收入慶應義塾大学日本語・日本文化教育センター編，《日本語と日本語教育》（東京：慶應義塾大學日本語・日本文化教育センター，1987），頁14-20。1872年羅尼為此書增加一個大標題：Introduction au cours de japonais: *résumé des principales connaissances* necessaires pour l'étude de la langue japonaise，作為第二版出版，現仍在舊書市場流通。

4 Léon de Rosny, *Introduction à l'étude de la langue japonaise*（Paris: Maisonneuve et Cie, 1856）. https://gallica.bnf.fr/ark:/12148/bpt6k6128279j/f7.item（2021.01.19）

在法國漢學出版品封面以出現中文自稱「小士」或「小儒」等類似的學者，羅尼並非第一人。當雷慕沙在其《漢文簡要》（*Essai sur la langue et la littérature chinoises,* 1811）[5]一書的中文封面，自稱「阿伯而小子」，這一年他23歲。11年後，1822年，當他出版《漢文啟蒙》一書時，時年37歲，已經是漢學教授，該書作者欄位則署名「阿伯兒」，不再自稱「小子」。[6]繼任雷慕沙漢學教席的儒蓮（Stanislas Aignan Julien, 1797-1873），在他年輕時所出版的《西講孟子》（*Meng Tseu vel Mencium inter Sinenses philosophos*）一書的中文封面，[7]自己也是署名為「爾梁茹蓮小儒」，他出生於Orléans（爾梁），自稱是來自爾梁的小儒者。附帶一提，目前中文學界均以「儒蓮」稱呼他，雖然他早年出版品的中文書名頁使用「茹蓮」，本書順應常用名稱來稱呼他。

對於這樣的作法，一般會認為這是因為自己年輕而有此自謙的署名。不過雷慕沙的學生鋄鐵在1838年，雖然將屆中年，他所出版的《道德經》節譯本封面仍自稱「鋄鐵西小士」，[8]似

5 Jean-Pierre Abel-Rémusat, 漢文簡要：*Essai sur la langue et la littérature chinoises*（Paris: Chez Treuttel et Wurtz, 1811）.

6 Jean-Pierre Abel-Rémusat, 漢文啟蒙：Éléments de la grammaire chinoise（Paris: Imprimerie Royale, 1822）. 附帶一提：羅尼曾經在1857年再版了雷慕沙的《漢文啟蒙》，並於書末補入漢字、漢語發音規則表。

7 完整書目如下：Stanislas Julien, *Meng Tseu vel Mencium inter Sinenses philosophos, ingenio, doctrina, nominisque claritate Confucio proximum, edidit, Latina interpretatione, ad interpretationem Tartaricam utramque recensita, instruixit, et perpetuo commentario, e Sinicis deprompto*（Paris: Lutetiæ Parisiorum, 1824-1826-1829）.

8 Guillaume Pauthier, *Le «Tao-te-king», ou le Livre révéré de la raison suprême et*

儒蓮《西講孟子》封面*Meng Tseu vel Mencium, inter Sinenses philosophos ingenio, doctrina, nominisque claritate*
來源：法國國家圖書館（Bibliothèque nationale de France）ID/Cote: R-43590

乎年齡不是唯一判準，有個別差異。話說回來，羅尼譯本的封面出現「囉尼小儒」，目前尚不確定羅字有口字旁這種相對具貶抑的字眼，且自稱小儒的作法，是因為自己還年輕、自謙，或者是中國助手的因素使用這個字。

羅尼於1863年開始教授日語，並在1868年獲聘為法國東方語言學校（L'École des langues Orientales de Paris）第一任日文教席。幾年之後他的學術生涯逐步開展並獲得肯定，1884年獲得法國政府頒授的最高榮譽的法國國家榮譽軍團勳章（Chevalier

de la vertu, par Lao-Tseu（Paris: Firmin-Didot frères, 1838）.

dans l'Ordre de la Légion d'honneur）。1885年獲得法蘭西銘文與美文學術院儒蓮獎（Prix Stanislas Julien de l'Académie des Inscriptions et Belles-Lettres），[9]這是國際漢學界最高榮譽獎項之一。在羅尼成名、榮獲重要學術獎之後，本章所研究探討的他於1889年出版的一部法譯本《孝經》，題名為：孝經*Le Hiao-King: Livre Sacré de la Piété Filiale*，自訂中文書名為《西譯孝經》，書的封面未再出現「囉尼小儒」，而是「東學校羅尼」。[10]換句話說，在此書，羅尼以儼然大儒的身分出版了《孝經》譯本。1893年，他另外出版了此書的修訂摘要本，書名重訂為*La Morale de Confucius. Le Livre sacré de la piété filiale*，強調孔子的道德，刪除出版中所有漢字以及與和刻本有關的部分。研判主要是為了不通東方語言的一般讀者而出版的通行本。

法國與中日兩國在十九世紀的交流，其東方學在後來分化為漢學與日本學各自獨立的子學門，是一個值得關注的面向。法國學院首位漢學教席的創設，正當拿破崙一世與路易十八執政時期，而首位日文教席的創設，則是拿破崙三世執政的時代。兩位短暫終結法國共和的皇帝對於東方的興趣，各自發展出新的研究領域。不過，雖然羅尼是法蘭西學院第一位日文教

9 羅尼是近代東方學重要人物，法國國家圖書館與相關機構均有他的生平與著作介紹。請參見https://gallica.bnf.fr/html/und/asie/leon-de-rosny?mode=desktop。

10 Léon De Rosny, 孝經*Le Hiao-King: Livre Sacré de la Piété Filiale*, publié en Chinois avec une traduction Française et un commentaire perpetual emprunté aux sources orignales（Paris: Maisonneuve et Ch. Leclerc, 1889），第二部分，頁2。

授，但是法國的日文研究，並非始自羅尼。首位中文教授雷慕沙在1825年已經與透過亞洲學會會員M. C. Landresse從耶穌會士陸若漢（João Rodriguez, 1561-1633）1604年於長崎刊行的葡文本日文文法書（*Arte da Lingoa de Iapam*）翻譯而來的法文譯本，並由雷慕沙在書前加上日文音節解釋予以出版。[11] 羅尼曾在雷慕沙的學生儒蓮門下學習漢語，後來轉而專攻日語，並進而成為法國首位日文教席。綜觀其一生的成就，他是研究近代日本與歐洲交流的歷史，甚至明治維新的歷史不能忽略的東方學家。他曾經在1862-1864年間，兩次的文久遣歐使節團訪問歐洲的期間，擔任通譯工作。他與使節團成員，例如福澤諭吉（1835-1901）等人建立良好友誼。不久之後，日本就開始了著名的明治維新。[12]而羅尼的東方學也是在這之後逐步建立，成為法國涉日研究的重要學者。整體來說，作為十九世紀歐洲日本學的先驅，學界已經累積了不少有關羅尼的學術成果（詳後）。不過針對羅尼的著作，尤其是特定中國經典的翻譯，乃至於他在翻譯過程中可以觀察到的和漢交流，則是一個尚待開發的部分，未來擬針對羅尼的東方研究，另闢專題完整深入研究。本書僅處理他對於中國《孝經》的翻譯。

羅尼的《孝經》翻譯除了與裨治文選用了相同的中文底本之外，同時參考了至少六種和刻本，並且在古文《孝經》與今

---

11 João Rodriguez, *Elements de la grammaire japonaise*（Paris: *Librarie Orientale de Dondey*-Dupree Pere et Fils, 1825）.

12 松原秀一的文章對羅尼與訪歐團的交往有介紹，詳見〈レオン・ド・ロニ略伝〉，《近代日本研究》，第3號（東京：慶應義塾福沢研究中心，1986），頁1-56。

文《孝經》的基礎上，重新建構了一個融合了古文和今文的獨特《孝經》法譯本。他這獨特的視野和重構，是其前輩譯者未曾嘗試的工作。他為我們提供了十九世紀末西方有關《孝經》的新詮釋，也為譯本的研究者提供一個嶄新的觀看的視角。我們也能觀察到十九世紀法國東方學中日相關研究彼此之間的關聯性，也看見和刻本在西方《孝經》翻譯史上也扮演了一定的腳色。

目前學界對於羅尼這位近代歐洲的日本學先驅已有許多研究成果。近十多年來，有多場以羅尼為主題的學術會議。首先，由於羅尼晚年將他個人藏書寄贈家鄉、位於法國北部的里爾市的公立圖書館（Bibliothèque Municipale de Lille），[13]而非巴黎的國家圖書館。里爾位於法比邊界，曾經屬於比利時領土，十八世紀翻譯出版了《中華帝國六經》的耶穌會士衛方濟，晚年也是居住在這個城市。更值得注意的是，羅尼年輕時曾與當時執牛耳的權威漢學家儒蓮學習中文並且獲得後者遺贈，因此他的東方學收藏品應相當可觀，里爾市也因此成為以羅尼為中心之近代日歐關係的研究重鎮。此中心在2015年11月23-24日也曾獨立舉辦過一場國際學術會議，主題是「歐洲日本學的起源：以羅尼的收藏為中心」（Genèse des études japonaises en Europe - autour du fonds Léon de Rosny）。里爾是羅尼的出生地，目前任職里爾第三大學（University of Lille 3）的河野紀

13 松原秀一，〈レオン・ド・ロニ略伝〉，頁53。羅尼藏書相關介紹，請參見Bénédicte Fabre-Muller, Pierre Leboulleux, Philippe Rothstein（eds.）, *Léon de Rosny de l'Orient à l'Amérique: 1837-1914*（Paris: Presses Universitaires Du Septentrion, 2014）.他的《孝經》譯本介紹請參見頁166-171。

子（Noriko Berlinguez-Kōno）長年研究近代日歐外交關係，是幾次國際會議的重要推手。[14]例如2018年10月10-12日由法國里爾大學（Université de Lille）「文明、語言與外文學習中心」（Centre d'Etudes en Civilisations, Langues et Lettres Etrangères, CECILLE）、二松學舍大學和早稻田大學合辦的「羅尼時代亞洲和歐洲之間的知識傳播：江戶時代末／明治初期的中國作品以及機構，軍事和法律知識」（La circulation des savoirs entre l'Asie et l'Europe au temps de Léon de Rosny: les ouvrages chinois et les savoirs institutionnels, militaires, juridiques fin Edo / début Meiji）紀念明治維新150週年學術會議。[15]

除了里爾大學，二松學舍大學在2019年也舉辦了以羅尼的日本學為主題的學術文藝活動，包括學術會議：「羅尼與19世紀的歐洲東方研究（レオン・ド・ロニーと19世紀欧州東洋

---

14 除了里爾，2014年底在巴黎曾經舉辦了一場小型講座，由Patrick Beillevaire、François Macé和Philippe Rothstein三位學者講演。講座資訊如下：*Léon de Rosny, passeur de cultures "À la table du traducteur"*, Cycle de conférences du mardi 2 décembre 2014, de 18h30 à 20h30, à la Bibliothèque universitaire des Langues et Civilisations（BULAC）, par Patrick Beillevaire（EHESS）, François Macé（INALCO）et Philippe Rothstein（université de Montpellier III）: Patrick Beillevaire, "Rosny et le Japon qui s'ouvre"; Philippe Rothstein, "Léon de Rosny, traducteur-interprète-médiateur singulier et la science de la destinée humaine" 參見http://www.bulac.fr/conferences-rencontres/alatabledutraducteur/leon-de-rosny-passeur-de-cultures/（檢索日期：2019年12月20日）。

15 此會議介紹請見里爾大學「文明、語言與外文學習中心」的會議官網：https://cecille.univ-lille.fr/nc/detail-event/colloque-la-circulation-des-savoirs-entre-lasie-et-leurope-au-temps-de-leon-de-rosny/

学）」、展覽和相關的演講。與會者包括京都大學高田時雄、二松學舍大學町泉壽郎、比利時魯汶大學日本研究學系Willy F. Vande Walle，法國國家印刷局策展人*Lucile* Theveneau等多人發表論文。[16]

另外，日本資料專家歐洲協會年會（The European Association of Japanese Resource Specialists, EAJRS）也值得關注。2014年的年會於魯汶舉辦，會議論文當中有兩篇以羅尼為主題，一是里爾市立圖書館的Laure Delrue-Vandenbulcke所發表的："Léon de Rosny's Books Collection: A priceless treasure in Lille Public Library"一文，提供的羅尼藏書整理。[17]另一篇是他與河野紀子共同發表的 "The circulation of knowledge in the nineteenth century: some observations from the books in the Léon de Rosny Collection of Lille City Library〔十九世紀世界における知の交流の一類型―リール市図書館所蔵レオン　ド・ロニー文庫内の書物三冊に関する一考察〕"一文。[18]這些會議和典藏機構的文獻發布為我們理解羅尼文庫提供了基本的認識。同時，從這些

16 這幾場學術會議的論文初稿可以透過會議官網取得，但論文集定稿的出版則尚待時日。詳見該活動網址：https://www.nishogakusha-u.ac.jp/eastasia/higashiasia/ea_2019symposium06.html（檢索日期：2020年1月19日）Willy F. Vande Walle的文章剛剛正式發表，參見Willy F. vande Walle, "Between Sinology and Japanology: Léon de Rosny and Oriental Studies in France," *Journal of Cultural Interaction in East Asia*, vol. 12, no. 1（2021）, pp. 29-62.

17 文章請參見https://www.eajrs.net/files/happyo/delrue_vandenbulcke_laure_14a.pdf（檢索日期：2020年1月22日）。

18 此年會所有論文發表與摘要請見會議官網：https://www.eajrs.net/summaries-leuven-2014（檢索日期：2020年1月22日）。

會議主題也可以得知目前學界對於羅尼的研究重點，以及值得繼續深探的方向。

相關的學術性研究專著方面，已故佐藤文樹（1912-1987）於任職上智大學期間所發表的〈レオン・ド・ロニー——フランスにおける日本研究の先駆者〉一文，簡介了羅尼的生平，並條列簡介了羅尼的著作。[19]這篇文章是目前所見研究羅尼文章發表時間比較早的。上智大學是耶穌會創辦的大學，歐洲在日本的傳播後續在日歐關係扮演著不可或缺的角色。文章還提到，當1868年巴黎國立東方語言學校準備設立日本教席時，比羅尼資深的日本基督教研究學者兼任日本外交官Léon Pagès（1814-1886），未獲青睞，而是年輕的羅尼獲得聘任的概況。因此，上智大學的刊物也能查到一些研究成果。慶應義塾大學源自福澤諭吉所創立的蘭學塾，該校的刊物有多期陸續刊載有關羅尼的研究或是調查報告：其中慶應義塾大學教授松原秀一（1930-2014）的〈レオン・ド・ロニ略伝〉一文，則是詳細地考察且發布了許多原始資料，例如羅尼跟遣歐團成員福澤諭吉等人之間的通信，參考價值極高。[20]後繼學者如有論及羅尼生平者，大抵與這兩篇文章的內容相似。

根據前述日本學者的研究，我們可以看見羅尼參與了當時日歐國際外交關係的建立。日本文久元年底二年初（1862），第一回遣歐使節竹內保德（1807-1867）等人，包含福澤諭吉

19　此文刊登於《上智大学仏語・仏文学論集》，第7號（1972），頁1-15。

20　此文刊登於《近代日本研究》第3號（東京：慶應義塾福沢研究中心，1986），頁 1-56。

等人在內一行人到訪法國，當時由羅尼擔任翻譯，並隨行陪同。一行人拜會了拿破崙三世（Napoléon III, 1808-1873），還前往歐洲多國。此行他與福澤諭吉建立了私人友誼，旅歐期間從旅館往返通信多次，後者在他的《西航記》當中便記錄了他們的來往。當時的《倫敦新聞畫報》（*The Illustrated London News*）[21]也刊登了1862年日本遣歐使節團參觀在倫敦舉辦的萬國博覽會（The International Exhibition）的新聞與圖像。[22] 兩年之後（1864），日本第二回遣歐使節，也就是橫濱鎖港談判使節團再訪法國，禁止兩國人民交往。使節團大使池田長發（1837-1879）曾經建議江戶幕府聘任羅尼，惜未能成。不過，後來萬國博覽會於1867年在巴黎舉辦，羅尼擔任科學委員會委員，與當時駐留巴黎的日本幕府特使栗本鋤雲（1822-1897）有交往。[23]爾後也參與有關亞洲的國際級學術會議例如1873年舉辦

21 此圖刊登於1862年5月24日，第1146期的《倫敦新聞畫報》，現收錄於40卷，535頁。除了前述文獻之外，日本國立國會圖書館（National Diet Library, Toyko）整理了早期西方萬國博覽會的資料，詳見https://www.ndl.go.jp/exposition/e/s1/1862-1.html。英語世界有關日本遣歐使節團的歷史亦可參考Ian Nish（ed.）, *Japanese Envoys in Britain, 1862-1964*（Leiden: Brill, 2007）.

22 這次的萬國博覽會相關研究可參考 Angus Lockyer, "Japan and International Exhibitions, 1862-1910," In *Japan and International Exhibitions, 1862-1910*（Leiden, The Netherlands: Global Oriental, 2013）doi: https://doi.org/10.1163/9789004235427_005

23 佐藤文樹的〈レオン・ド・ロニー——フランスにおける日本研究の先者〉，頁5。此外，羅尼與德川幕府的儒家導師成島柳北之間也有不少往來，成島的日記和遊記有相關紀錄，可以參考Matthew Fraleigh, *Plucking Chrysanthemums: Narushima Ryūhoku and Sinitic Literary Traditions in Modern Japan*（Leiden: Brill, 2020）, pp. 256-262.

的國際東方學者大會（Congrès International des Orientalistes）等重要活動中。[24]這一年的大會確立了日文的拉丁拼音系統，此系統後來被巴黎中日學會所採用。羅尼在其1889年版譯本附錄所提供的《孝經》完整正文之日文，也是採用同一種拉丁拼音系統。[26]

二、羅尼的《孝經》翻譯：底本、和刻本、章節重構

羅尼兩次出版的《孝經》譯本書名和內容並不相同，新版內容刪除了漢字，書名增加了孔子的道德。不過書名的重點均是論孝的聖書，這個基調沒有變。書名分別是：

> 孝經*Le Hiao-King: Livre Sacré de la Piété Filiale*（Paris: J. Maison et Ch. Leclerc, 1889）.

---

24 "The Congress of Orientalists." *Illustrated London News*, 26 Sept. 1874, p. 304-305. *The Illustrated London News Historical Archive, 1842-2003*, https://link.gale.com/apps/doc/HN3100093189/ILN?u=twnsc183&sid=ILN&xid=a3bc3e07. Accessed 3 Feb. 2020.

25 "The Great Exhibition." *Illustrated London News*, 24 May 1862, p. 535. *The Illustrated London News Historical Archive, 1842-2003*, https://link.gale.com/apps/doc/HN3100444158/ILN?u=twnsc183&sid=ILN&xid=23248afe. Accessed 3 Feb. 2020.

26 Léon de Rosny, 孝經*Le Hiao-King: Livre Sacré de la Piété Filiale*, p.144.詳見Lucien Adam（1833-1918）, Congrès international des Orientalistes. Première session（tenue à Paris, en septembre 1873）. *Discours de réception à l'Académie de Stanislas*（Paris: impr. de Berger-Levrault, 1874）. 羅尼曾經出版日本語法專書*Éléments de la Grammaire Japonaise*（Paris: Maisonneuve, 1873），同時出版了超過二十卷日文教材。

Hiao-King: La Morale de Confucius. Le Livre Sacré de la Piété Filiale（Paris: J. Maisonneuve, 1893）.

此外，兩個版本的內容也有所差異。1889年版的《西譯孝經》的譯本結構，第一部分為導論，第二部分為正文翻譯，包含中文漢字、拼音對照和法文翻譯（Part II, pp. 2-47）。第二部分再區分為「經文」與「注解」（commentaire）兩個子項目，逐章針對經文中部分字詞提出解釋（Part II, pp. 48-105）。對經文中的一些關鍵字的注解，羅尼引用了許多前輩傳教士經典翻譯的成果，例如耶穌會士衛方濟、新教傳教士馬禮遜、衛三畏與理雅各等人的譯本與中國研究論著。在導論和譯文之間，羅尼提供一個「經文彙編」（Concordances）[27]來說明他所根據的底本，以及他如何重新建構他的十九章本《孝經》翻譯。書末提供了四個附錄：

一、「黃種人起源的宣言」（Le serment de la source jaune, Part II, pp. 107-132）。

二、「朝廷：黎明時刻」（L'audience impérial*:* À l'aube du jour, Part II, pp. 133-142）。[28]

三、他所參考的六個《孝經》和刻本（Traduction Japonaise

27 Léon De Rosny, 孝經*Le Hiao-King: Livre Sacré de la Piété Filiale*, pp. 66-68.

28 第二個附錄「朝廷：黎明時刻」介紹北宋王禹偁（Wang Yu-tching，1368-1644）的一份文本，經核對內文應是〈待漏院記〉，收入《王黃州小畜集》第十六卷。Léon De Rosny, 孝經*Le Hiao-King: Livre Sacré de la Piété Filiale*, p. 144.

du Hiao-King）、相關日文本書目以及中文索引（Part II, pp. 143-144）。

四、一個以拉丁字母拼寫（latinisée）日文發音的《孝經》經文的（Part II, pp. 145-160）。

此外，羅尼這兩個版本最大的差別在於和刻本介紹以及《孝經》拉丁字母拼寫的日文讀音並未納入新版。羅尼寫於1892年12月 22日的修訂版前言說明了此簡要本目的主要是為法國大眾讀者而出版。除了前述的結構性差異之外，正文的法譯也有修潤，漢字、和刻版本說明以及注釋全數刪除。因此，修訂版篇幅也比較短。由於本章的重點是和漢交流，因此將會以第一版為討論重點，必要時對照第二版說明。

底本考察

羅尼《孝經》翻譯所根據的底本為兩個中文版和六個日本版本。其中部分已經能夠確認版本，並取得該書，部分則尚待進一步檢索。茲說明如下：

（一）中文底本考察

羅尼參考的中文底本有二，分別是《孝經小學纂註》（*Hiao-king, Siao-hioh tsouan-tchu*）和《（孝經）小學體註大成》（*Hiao king Siao-hioh ti-tchu ta-tching*）。羅尼說他所使用的是唐元（玄）宗（l'empereur Youen-Tsoung, 685-762）、司馬光（Sse-ma Kouang, 1019-1086）、范祖禹（Fan Tsou-ya, 1041-

1098）注疏本。此為古文孝經。《（孝經）小學體註大成》則為1838年之老會賢堂（Lao-hoeï-hien-tang）刊本，[29]此為今文孝經。

法國國家圖書館中文部所收錄的一本乾隆年間芥子園刊行的六卷本，與清朝人高愈所編 ，陳榕門（宏謀）重校的《孝經小學纂註》（*Hiao-king, Siao-hioh tsouan-tchu*）版本相同。此本編號2975：版本說明的文字是：「芥子園（*Kiai tseu yuen*）刊行，梁溪（Liang-khi）的高愈（Kao Yu, 字紫超Tseu-tchao）奉命編纂，1736年跋」。[30]此書的第一部分是《孝經》注解，主要是司馬光（1009-1086）解，范祖禹註，第二部分是《小學》纂註，朱熹正文，1736年桂林的陳榕門（宏謀）。[31] 提及唐玄宗

---

29 此書另附有馬融（Ma-Young, 79-166）之《忠經》（*Tchoung-king, Livre Sacré du Devoir*）。Léon de Rosny,孝經 *Le Hiao-King: Livre Sacré de la Piété Filiale*, pp. 66-68. 因為此書的封面頁僅有《小學體註大成》，第二部分是《孝經體註大成》。所以本文寫做《（孝經）小學體註大成》。

30 版本說明的文字引用如下：“Edition du *Kiai tseu yuen* , publiée par order impérial par le soins de Kao Yu, surnom Tseu-tchao, de Liang-khi. Postface de 1736 sans signature. Réédition.” Maurice Courant, *Catalogue des livres Chinois , Coréens , Japonais*（Paris: Ernest Lerous, 1902）, p. 203.目前尚未取得數位檔，無法比對。

31 法國國圖所藏古文《孝經》尚有相似版本，編號3082所收計四個版本：《孝經注解》、《孝經大義》、《孝經定本（草廬孝經）》、《孝經句解（晦菴先生所定古文孝經句解）》，1251年納蘭成德（Na-lan Tchheng-te）刊行。其中的《孝經大義》與羅尼所參考的六個和刻本之一相同書名。Maurice Courant, *Catalogue des livres Chinois , Coréens , Japonais*, pp. 204, 232-233.中文書籍編號3269-3274、3275-3279均為《御定孝經衍義》，1680年康熙皇帝作序，韓國英曾經譯介這套書籍。另外，德國柏林國家圖館亦藏有一件1872年刊行的《孝經小學纂註》，編號44606。

時，羅尼的拼音顯示「元宗」，可能是他所使用的版本是康熙之後因避諱「玄」字而改為「元」字。就目前所檢索的結果，可能與下面這個版本相近或相同：清乾隆十二年據武英殿本重刊《孝經注疏九卷 坿考證》，即標示唐元宗明皇帝。[32]

至於羅尼所參考的老會賢堂的《（孝經）小學體註大成》，我所見版本為英國倫敦大學亞非學院圖書館所藏之馬禮遜藏書，編號RM c.64.h.3。[33]為八卷本之佛山老會賢堂藏板，吳門毛師鄭、沈明遠、李章美編輯，包含三部分：《小學集註》、《孝經集註》與《忠經集註》。另外，法國國家圖書館中文部也藏有一本《小學體註大成》，內附孝忠經，編號3298。[34] 可惜尚未取得此本以資比對。

（二）和刻底本考察

羅尼譯本所根據之六個和刻本，其中兩個於宮古島刊行的本子尚未能掌握，可能因為非屬日本主要領土所刊行，目前仍存世的日本古籍資料書目均未能得見。我僅能先就相關資料庫

---

32 日本東洋文庫藏有一部，編號 I-1-B-3，參見http://kanji.zinbun.kyoto-u.ac.jp/kanseki?record=data/FATOYO/tagged/101001012.dat&back=1（檢索日期：2019年11月18日）。

33 Andrew C. West（ed.）, *Catalogue of the Morrison Collection of Chinese Books*（London: University of London, School of Oriental and African Studies, 1998）, pp. 77-78.

34 根據圖書館的資訊，作者欄位是Ma Ki-teng（Chitcheng）和 Chen Jo-yu（Ming yuen）以及Li Tsong-tuen（Tchang-mei）。Maurice Courant, *Catalogue des livres Chinois , Coréens , Japonais,* pp. 289-291. 牛津大學Bodleian圖書館亦藏有「清佛山老會賢堂」出版的《小學體註大成》，中文圖書編號Sinica 2924。

查找相同或相近時代的版本。分別說明如下：[35]

A、冢田大峯（冢田虎，**1745-1832**）的《古文孝經和字訓》（江戶（**Yédo**），**1788**）**1**卷。

西元1788年為日本天明8年。根據日本所藏中文古籍數據庫「全國漢籍データベース（全國漢籍資料庫）」，此本相對罕見，僅有宮城縣圖書館伊達文庫藏有一個同年刊行的本子，編號 71039。根據圖書館提供的訊息：「冢田虎 撰天明八年江戶嵩山房小林新兵衛 刊本 1冊」。[36] 此本目前在古籍市場尚有流通，所以本人得以採購閱讀使用。

B、《孝經大義》之和刻本，**1676**年宮古島市（**Miyako**）出版，**1**冊。[37]

此本為（元）董鼎註的《孝經大義》，是以（宋）朱熹《孝經刊誤》為底本的注解本。該書提及：「朱文公作《孝經刊誤》以古文訂為經一章，傳十四章……」、「經一章，今文開宗明義章第一至庶人章第六合為一章。傳之首章，今文廣至德章第十三」。[38] 目前此書所留存的和刻本非常多，至少在「全國漢籍資料庫」檢索結果有158個典藏，日本各大圖書館均

35 Léon De Rosny, 孝經*Le Hiao-King: Livre Sacré de la Piété Filiale*, , pp. 143-144.

36 見http://kanji.zinbun.kyoto-u.ac.jp/kanseki?record=data/FA010744/tagged/6262009.dat&back=1（檢索日期：2019年11月18日）。

37 參見Léon de Rosny, 孝經 *Le Hiao-King: Livre Sacré de la Piété Filiale*, p. 144.

38 《孝經大義》，頁16a-b。

有此書，刊行版本也相當多，顯然在當時是廣為流傳的書籍。[39] 但目前尚未查得羅尼所使用的宮古島刊行本，僅有出版年相同的，即大阪大學石濱文庫所收之延寶四年（1676），京都伊兵衛尉刊本。[40]可惜尚未取得。我使用的是兩個相近版本，一是早稻田大學雲英末雄舊藏，明曆3年（1657）版本，雲英文庫31 E1846。題簽書名：「孝経大義頭書」，版心書名：「孝経新註」，有大德9年（1305），熊禾序；成化22年（1486），徐貫跋。這個版本與該館所藏另一個版本：江戶鈴木太兵衛同一年刊行版本同，此本遭蟲蛀食，多處缺字。另一是九州大學所藏，貝原篤信訓點本，元祿8年（1695）芳野屋刊行。[41]

C、《孝經》一卷（出版地點與年代不詳），作者是**"O-Bata Kau-kan"**。

經查考作者是小畑行簡（小畑詩山*Obata Kyokan,* オバタ, ギョウカン1794-1875），字居敬，號詩山。[42]根據日本全國漢籍資料庫，此本有兩個刊行本：一為弘化二年（1846）的版本，

39　法國國家圖書館中文部收錄董鼎（Tong Ting）的《孝經大義》（Hiao king ta yi），納蘭成德（Na-lan Tchheng-te, 1655-1685納蘭性德）刊行，編號3082。由於刊行時間比羅尼所用的版本晚，估計並非他所用底本。Maurice Courant, *Catalogue des livres Chinois , Coréens , Japonais, etc*（Paris: Ernest Lerous, 1902）, p. 232.

40　詳見下列網址 http://kanji.zinbun.kyoto-u.ac.jp/kanseki?record=data/FA002848/taggedIshihama/0100015.dat&back=1（檢索日期：2019年11月18日）。

41　感謝九州大學藤井倫明教授協助掃描寄贈。此書館藏地與圖書編號如下：六本松分館123.7Ko 54/5。

42　日本國會圖書館https://id.ndl.go.jp/auth/ndlna/00271267（檢索日期：2019年11月18日）。

小畑氏詩山堂刊行。由小畑行簡訂，太宰純（太宰春臺1680-1747）標音[43]。另外尚有元治元年（1864）的序，同為小畑氏詩山堂刊本。[44]不過羅尼重組經文時參考不多，目前尚未取得以資比對，[45]須待時日考證方能確認。

D、溪百年（Sanu-ki Kei-Hyaku-nen, 1754-1831）的《經典餘師（孝經）》（大阪，年代不詳）

溪百年的《經典餘師（孝經）》流傳甚廣，版本也不少。本人所使用的文本為根據小泉吉永所藏天明七年（1787）重印的版本。此為大阪河內屋太助板，由浪華書林群鶴堂刊行。[46]羅尼並不清楚他所使用的文本出版資訊。另外，日本福井縣文書館提供一個天保14年（1843）同為大阪浪華書林再刻本的數位檔，因刊行時間仍比羅尼譯本早，本人亦列為參考資料。[47]

---

43 目前查得兩個館藏處：東大総 B60-309和宮城県図 小西文庫 10287，參見http://kanji.zinbun.kyoto-u.ac.jp/kanseki?record=data/FA010744/tagged/1029013.dat&back=1（檢索日期：2019年11月18日）。

44 目前查得的典藏資訊如下：宮城県図 小西文庫 71044，參見http://kanji.zinbun.kyoto-u.ac.jp/kanseki?record=data/FA010744/tagged/6262014.dat&back=1（檢索日期：2019年11月18日）。

45 慕尼黑巴伐利亞邦立圖書館藏有兩種太宰純標音的《孝經》版本，分別是1789年與1829年，但並非小畑行簡所訂。前者為1732年刊，紫芝園藏版，寬政元年（1789）再版，江戶嵩山房（Sūzanbō）小林新兵衞發行，München, Bayerische Staatsbibliothek -- 4 L.jap. C 103。後者為文政12年（1829），東都嵩山房，小林新兵衞板，München, Bayerische Staatsbibliothek -- 4 L.jap. C 94。

46 此書收入《經典餘師集成》第三卷（東京：大空社，2009重印），頁170-223。此乃金培懿教授與藤井倫明教授所印贈，在此說明並致謝忱。

47 福井縣文書館吉川充雄家叢書，編號C0037/00571，詳見https://www.library-

根據金培懿的研究，《經典餘師》這部書主要以簡易的日文說明中國儒家幾部代表性經典，如《四書》、《易經》和《孝經》等等。屬於啟蒙性質的作品，為庶民階層自學儒家經典所用；只要具備閱讀能力的人，都有機會藉此接觸中國儒家的思想。《經典餘師》也因為符合民眾日常的需求，而得以普及並且被保存。此外，溪百年的經學注解儘管受到當局的猜忌，懷疑他「以和文玷污了聖人以和文所撰成的儒家經典」，但是這位被歸為朱子學者的日本經學家的詮釋卻主要是「尊崇日本萬世一系的之皇統，主張忠孝一本、大義名分與日本優於中華」。換句話說，他的跨文化經典詮釋，實際上已經將中國經典以日本的脈絡重建了一個實踐「人情義理與忠孝不二」的新意涵，普及當時庶民百姓當中。[48]現在可以確定的是，至少在十九世紀後期這樣的書籍也被傳播到法國，成為東方學家羅尼的參考書籍。如同溪百年以簡單平易的和文對中國經典重新詮釋，對於法國東方學家來說，是否也是相對容易理解呢？第四章有關十九世紀英國傳教士漢學家，例如裨治文，在翻譯《孝經》時選取普及於民間的版本作為參考，這樣的情況似乎可以

---

archives.pref.fukui.lg.jp/archive/da/detail?data_id=011-350866-0（檢索日期：2020年5月5日）。

48 金培懿，〈庶民經學到天朝正學——以溪百年《經典餘師．四書》為考察核心〉，《嶺南學報》復刊號第1-2合輯（2015），頁261-262、286。另外根據張文朝對他的介紹：「溪百年（1754-1831）たに-ひゃくねん TANI-HYAKUNEN（程朱學派）名世尊，字士達，稱大六，號百年、玉藻亭」，引自張文朝編輯，《江戶時代經學者傳略及其著作》（台北：萬卷樓，2014），頁42。

一併思考。

E、高井蘭山（Ranzan Takai, 1762-1838）的《繪本孝經》（江戶：須原屋新兵衛，1864）。圖像繪製者為葛飾北齋（1760-1849）。[49]

羅尼說此書應有兩卷，但可惜他未能掌握第二卷。[50] 在德國慕尼黑巴伐利亞邦立圖書館有兩個檔案，藏書編號分別是L.jap. K281和L.jap. K 285。前者僅短文和四幅浮世繪圖像。後者則為羅尼未能得見的《繪本孝經》第二卷。內容起於上卷終最後一頁，接續著是第11章「父母生績章」。根據圖書館資料，此為江戶（Edo）嵩山房（Sūzanbō）於 1849年刊行的版本。另外，透過The Met博物館提供的1850年嵩山房的《繪本古文孝經》完整書影，本人得以察看此書上卷。[51]

F、中村惕齋（之欽，1629-1702）的《孝經示蒙句解》（宮古島市，1703）。[52]

---

49 古籍拍賣會出現過一本1849年出版的高井蘭山的古文《孝經》，由江戶嵩山房出版，資訊徵引如下：「B-0635古文《孝經》，頭書講釋，全，古文孝経，高井蘭山先生，嘉永2年己酉5月」詳見https://page.auctions.yahoo.co.jp/jp/auction/v577829872（檢索日期：2019年11月15日）。

50 Léon de Rosny, 孝經*Le Hiao-King: Livre Sacré de la Piété Filiale*, p. 144.

51 Picture Book of The Kōkyō〔Ch. Xiao Qing〕, Canon of Filial Piety（Ehon kōkyō）1850,〔The Met Collection, New York〕Accession Number:2013.738a, b, 詳見https://www.metmuseum.org/art/collection/search/78640（檢索日期：2019年12月3日）

52 Léon de Rosny, 孝經*Le Hiao-King: Livre Sacré de la Piété Filiale*, pp. 143-144.

羅尼指出此本序文時間是元祿十六年（1703），作序者是I-kau-zi Tau-zau Suye-Kato。日本九州大學藏有寶永五戊子年（1708）「浪華小間物屋重彫」的刊行本，[53]書前有「伊蒿子滕臧季廉」寫於元祿癸未年（1703）的序。[54]，如果與同一年刊行本的序言作者相同的話，這位作序者「伊蒿子滕臧季廉」的日文讀音應該是Ikōshi Tōzō Sue Kado，與羅尼所拼寫的Suye-Kato接近。[55]因此，與羅尼所見和刻本的作序者相同。根據近藤春雄的《日本漢文學大事典》這位作序者是藤井懶斎（1628-1709），真名部忠庵。他擁有多個別名：臧、季廉、滕蔵、滕臧、伊蒿子。[56]

整體來說，上述羅尼所參考的和刻本均為古文《孝經》。

---

53 根據九州產業大學圖書館資料，該校藏有同一年刊行的京都菊屋七郎兵衛刊行的本子，附伊高子勝藏季廉序，收入《孝經漢籍集成》116冊，請求記號：123/Ko41/1-116 。另外，新發田市立圖書館藏有一京都武村新兵衛刊本 ，編號 7075。http://kanji.zinbun.kyoto-u.ac.jp/kanseki?record=data/FASHIBATA/tagged/2180001.dat&back=1（檢索日期：2019年11月18日）其他尚有八個圖書機構有重印本，詳見http://dbrec.nijl.ac.jp/infolib/meta_pub/CsvSearch.cgi 同日檢索。

54 感謝九州大學藤井倫明教授協助掃描寄贈。此書典藏處為該校座春風文庫，編號35/66。另外，九州產業大學圖書館《孝經漢籍集成》116冊（請求記號：123/Ko41/1-116）有同一年（京都菊屋七郎兵衛刊行）的版本。但尚未能取得。

55 感謝九州大學藤井倫明教授與師大華語系李育娟教授協助確認日文讀音。

56 我根據近藤春雄的《日本漢文學大事典》（明治書院，1985）。日本國立國會圖書館〔請求記號：KG812-1〕提供的據網路版檢索https://rnavi.ndl.go.jp/books/2009/04/000001736794.php（檢索日期：2019年12月5日）當代文本對於藤井懶齋的別號多寫作勝蔵，但是刊行的文本均做滕臧。

羅尼所有參考的八種文獻中，除了《孝經體註大成》為今文《孝經》之外，其餘七種均為古文《孝經》。

（三）《西譯孝經》的重構與翻譯

羅尼在書中提供了一個彙編（Concordances）[57]說明了他如何運用這些參考資料（參見附表四）重構《孝經》。羅尼所依據的底本，整理如後。從下表可以觀察到，羅尼《西譯孝經》如何依據底本來進行翻譯與詮釋。其中，第1-6章，主要是根據董鼎的《孝經大義》和中村惕齋的《孝經示蒙句解》兩個版本。第7到13章則是冢田大峯《古文孝經和字訓》、董鼎《孝經大義》和溪百年《經典餘師（孝經）》。第14到第19章，主要根據《（孝經）小學體註大成》、冢田大峯《古文孝經和字訓》、《孝經大義》和溪百年《經典餘師（孝經）》。而《孝經小學纂註》雖然納入介紹清單，但在翻譯時並未多加參考。

57 Léon De Rosny, 孝經*Le Hiao-King: Livre Sacré de la Piété Filiale*, , pp. 66-68, 143-144.

附表四：羅尼〈經文彙編〉（Concordances）[58]

	章標題	I. 孝經小學纂註 1736?	II. (孝經)小學體註大成 1838?	A. 冢田大峯《古文孝經和字訓》江戶 1788	B. 董鼎《孝經大義》宮古島 1676	C. 小畑行簡《孝經》(?)	D. 溪百年《經典餘師(孝經)》大阪	E. 高井蘭山《繪本孝經》江戶 1864	F. 中村惕齋《孝經示蒙句解》宮古島 1703
1	開宗明義章				Ch.1				Ch.1
2	天子章				Ch.2				Ch.2
3	諸侯章				Ch.3				Ch.3
4	卿大夫章				Ch.4				Ch.4
5	士章				Ch.5				Ch.5
6	庶人章				Ch.6				Ch.6
7	三才章			Ch.8（古文）	Ch.3		Ch.6 第4句		
8	孝治章			Ch.9	Ch.4		Ch.9		
9	聖治章			Ch.10	Ch. 15, Ch.16		Ch.10		
10	紀孝行章			Ch.13	Ch.7		Ch.13		
11	五刑章			Ch.14	Ch.8		Ch.14		
12	廣要道章			Ch.15	Ch.2		Ch.15		
13	廣至德章			Ch.16	Ch.1		Ch.16		
14	感應章		Ch.16	Ch.17	Ch.10		Ch.17		

58 Léon De Rosny, 孝經*Le Hiao-King: Livre Sacré de la Piété Filiale*, , pp. 66-68, 143-144.

	章標題	I. 孝經小學纂註 1736?	II. （孝經）小學體註大成 1838?	A. 冢田大峯《古文孝經和字訓》江戶 1788	B. 董鼎《孝經大義》宮古島 1676	C. 小畑行簡《孝經》（？）	D. 溪百年《經典餘師（孝經）》大阪	E. 高井蘭山《繪本孝經》江戶 1864	F. 中村惕齋《孝經示蒙句解》宮古島 1703
15	廣揚名章		Ch.14	Ch.18			Ch.18		
16	閨門章			Ch.19	Ch.12		Ch.19		
17	諫爭章		Ch.15	Ch.20	Ch.13		Ch.20		
18	事君章		Ch.17	Ch.21	Ch.9		Ch.21		
19	喪親章		Ch.18	Ch.22	Ch.14		Ch.22		
	父母生績章			Ch.11			Ch.11		
	孝優劣章			Ch.12			Ch.12		

從上表觀察，羅尼混用了中日文參考文獻，他的《西譯孝經》中文每一章根據那一底本，選擇標準並不明顯。後面討論到內容翻譯時，會更清楚看出，他混用資料的情況相當常見。也就是相當彈性自由地從這些中日文獻中選取他要的部分納入。以下我們進一步檢視羅尼《西譯孝經》的正文翻譯。根據目前初步的觀察，他是以混編今古的方式重構了經文，既非古文《孝經》的22章，也不是今文《孝經》的18章，而是19章。[59] 以下從章節的排序重組來觀察羅尼譯本的重構（詳附表五）。

59 Léon de Rosny,孝經 *Le Hiao-King: Livre Sacré de la Piété Filiale*, part II, pp. 24-27.

首先，在他的19章譯文當中，前13章與今文《孝經》相同。原第16〈感應章〉移至第14章。在第15〈廣揚名章〉之後插入古文《孝經》第19之〈閨門章〉。其次，古文《孝經》第7孝平章的文字置入庶人章結尾（與今文《孝經》同）。

附表五：羅尼《孝經》譯本的重構

	古文孝經章名[61]	今文孝經章名	羅尼西譯孝經	備註
1	開宗明誼章第一	開宗明義章第一	開宗明義章第一	
2	天子章第二	天子章第二	天子章第二	
3	諸侯章第三	諸侯章第三	諸侯章弟三	Pat II, p.6 弟作第
4	卿大夫章第四	卿大夫章第四	卿大夫章第四	
5	士章第五	士章 第五	士章第五	
6	庶人章第六	庶人章 第六	庶人章第六	「孝平章」正文置入「庶人章」結尾。與今文《孝經》同，僅少數幾字有異。
7	孝平章第七	三才章第七	三才章第七	
8	三才章第八	孝治章第八	孝治章第八	

60 根據大阪大學大學院文學研究科文學部網站，佐野大介教授求學期間依據中文底本輸入與校對。其底本為：享保十七年壬子仲冬朔旦東都紫芝園藏版，http://www.let.osaka-u.ac.jp/chutetsu/etext/xiaojing/guwen_u.htm（檢索日期：2019年11月25日）。

	古文孝經章名[61]	今文孝經章名	羅尼西譯孝經	備註
9	孝治章第九	聖治章第九	聖治章第九	與今文孝經同，僅少數幾個字有異。〔古文經第11-12之父母生績章與孝優劣章兩章的文字併入聖治章〕
10	聖治章第十	紀孝行章第十	紀孝行章第十	
11	父母生績章第十一	五刑章第十一	五刑章第十一	
12	孝優劣章第十二	廣要道章第十二	廣要道章第十二	
13	紀孝行章第十三	廣至德章第十三	廣至德章第十三	
14	五刑章第十四	廣揚名章第十四	**感應章第十四**	感應章被提前。
15	廣要道章第十五	諫諍章第十五	廣揚名章第十五	
16	廣至德章第十六	**感應章第十六**	**閨門章第十六**	羅尼加入「閨門章」，因此章序與今文《孝經》不同。
17	**應感章第十七**	事君章第十七	諫爭章第十七	
18	廣揚名章第十八	喪親章第十八	事君章第十八	
19	**閨門章第十九**		喪親章第十九	

	古文孝經章名[61]	今文孝經章名	羅尼西譯孝經	備註
20	諫爭章第二十			
21	事君章第二十一			
22	喪親章第二十二			

羅尼將十九章內容區分為經（King）與傳（Tchouen），其中第1-6章為經，照原次序。而第7-19章為傳。不過他並未依照原次序，[61]並且將〈閨門章〉列入排序，定為第十六章，因此章序與《孝經大義》不同。細節如下附表六：

附表六：《孝經》譯本與《孝經大義》章序

	羅尼本	孝經大義
經	Ch.1-Ch.6	今文開宗明義章第一至庶人章第六合為一章
傳 1	Ch.13廣至德章第十三	今文廣至德章第十三
2	Ch.12廣要道章第十二	今文廣要道章第十二
3	Ch.7三才章第七	今文三才章第七
4	Ch.8孝治章第八	今文孝治章第八
5	Ch.9聖治章第九 1-11句	今文聖治章第九上一節
6	Ch.9聖治章第九 12-14句	今文聖治章第九下一節
7	Ch.10紀孝行章第十	今文紀孝行章第十

61 Léon De Rosny, 孝經*Le Hiao-King: Livre Sacré de la Piété Filiale*, p. 68.

8	Ch.11五刑章第十一	今文五刑章第十一
9	**Ch.18事君章第十八**	今文事君章第十七
10	**Ch.14感應章第十四**	今文感應章第十六
11	**Ch.15廣揚名章第十五**	今文廣揚名章第十四
12	Ch.16閨門章第十六	古文閨門章
13	**Ch.17諫爭章第十七**	今文諫爭章第十五
14	**Ch.19喪親章第十九** （十四傳之終）	今文喪親章第十八

上表之黑體字部分目的是提示讀者注意原始章序與羅尼的譯本對各章次序的修改。從內容來看，羅尼的《孝經》譯本既非古文《孝經》，也非今文《孝經》。他取今文《孝經》十八章的正文，並在第十六章插入原本為獨立一章的〈閨門章〉內容，[62]致使原來的今文《孝經》章節，第十六章之後的次序順延，總計十九章。中文與法文翻譯的部分，基本上以上述章序排列。每一章則分節，逐節對應來翻譯。

羅尼在1889年所出之版本，其中第145-160頁是以拉丁字拼寫日文讀法之《孝經》經文。不過日文譯音部分僅有145節，比法文譯本之146節少一節。缺少庶人章第四節。不過，除此之外其餘日譯內容均與中文對應。缺漏的內容是：「故自天子以下至於庶人。孝亡終始而患不及者。未之有也。」這是古文經第七〈孝平章〉的內容。羅尼所依據溪百年《經典餘師（孝

62 Léon De Rosny, 孝經*Le Hiao-King: Livre Sacré de la Piété Filiale*, p. 38. 中文經文如下：「子曰：閨門之內具禮矣乎？嚴父嚴兄。妻子臣妾，猶百姓徒役也。」

經）》是古文《孝經》，此書確實提供了第七章孝平章的內容，包括漢字及日文讀法拼寫，而羅尼日文翻譯時缺漏這一段文字的原因，目前無法確認。是否與日本天皇並非中國天子？或是因為這段文字僅提到「天子以下至於庶人，孝亡終始而患不及者，未之有也」未論及「閨門」所關注的「妻妾僕役」，則不得而知。

總結上述的章節架構討論，羅尼的《孝經》譯本，選擇了中國與日本刻本作為參考對象，其章節安排混合今文經與古文經，章節次序也未依照原式的方式，重構了一個19章的法文本《孝經》。日文譯音部分的總節數比中文與法文少一節。從第四章的第一二兩節的漢字拼音與日譯文研判，羅尼應該是以《經典餘師》作為基礎來提供《孝經》正文的日文譯音：

漢字與拼音

1. 資於事父以事母。其愛同。

   Tse yu sse fou, i yu sse mou, eul ‘aï toung.

2. 資於事父以事君。其敬同。

   Tse yu sse fou, i yu sse kiun, eul king toung.[63]

日文拼音

1. Titi-ni tŭka‘uru-ni totte, motte haha-ni tŭka‘u sono ai onazi.

   〔父に事るに資て以て母に事其愛同じ〕[64]

---

63 Léon De Rosny, 孝經*Le Hiao-King: Livre Sacré de la Piété Filiale*, p. 10. 底線為筆者所加。

64 本文中所有提供譯文中日本漢字與假名，乃根據溪百年的《經典餘師（孝經）》所提供的讀法拼寫而成。辨識過程承蒙台師大華語系李育娟教授協

2. Titi-ni tŭka‘uru-ni totte, motte kimi-ni tŭka‘u sono kei onazi.〔父に事るに資て以て君に事其敬同じ〕[65]

從上述對照可以看到，羅尼提供的中文是「其」，但是漢字拼音處卻是「而」（eul）。他所參考的和刻本中，《孝經大義》與《孝經示蒙句解》作「而」字，《經典餘師》與《古文孝經和字訓》兩本是「其」字。他提供的日文拼音是sono（その），羅尼是依據《經典餘師》的版本翻譯日文，但是他的譯音也不一致。雖然羅尼提供了譯本內容相關章節所參考的版本，不過內容還是有一些出入，並未完全如他所提供的情況。

在與羅尼所參考的多種《孝經》版本比對觀察之後，我認為羅尼的譯本，無論是章節架構或是孝道義涵的詮釋，並非受特定單一底本影響。雖然從格式上我們可以判斷羅尼參考的不同中文版本以及和刻本，但全書包含法譯文、漢字與官話拼音、以及以拉丁字母處理的日文拼音，羅尼統整諸多不同底本時，有其自主性，以相對彈性的方式重組中文內文之外，在其翻譯時也受時代思潮的影響。從他的翻譯來觀察，雖然在重構《孝經》時他參考了多種和刻本，但從他《孝經》經文的翻譯和詮釋所提供了他從中國傳統字學書籍徵引摘要的大量注疏來觀察理解，他仍是依據中文（漢字）本身的意義為基礎來進行翻譯工作。

助，於此說明並敬致謝忱。

65 Léon De Rosny, 孝經*Le Hiao-King: Livre Sacré de la Piété Filiale*, p. 148.底線為筆者所加。

三、羅尼的孝道詮釋：幾個關鍵詞、黃種人與孝道

除了前述已經從格式、底本的選擇說明了日本的影響，羅尼的譯本既然將和刻本列入參考，但是他仍舊參考了大量前人譯者，包括西方傳教士的漢學文獻。此外，我們也需要關注日本元素對其翻譯有無影響，以及作為法國第一位日文教席的身分，在和漢交流脈絡下之視野的孝道詮釋是何種樣貌。

首先，從書名來看，羅尼將《孝經》視為「神聖之書」（*Le Livre Sacré de la Piété Filiale*），本書第四章也透過對照方式，討論了羅尼與同時期英美傳教士裨治文、理雅各的譯本。透過他們對於經典中幾個關鍵概念，試圖理解他對於中國禮儀當中關鍵的孝道詮釋，以及與西方概念下之宗教間如何提出新的詮釋。例如，他將「孝治章」翻譯為「論依於孝道而治理的政府」（Du gouvernment par la piété filiale）」，將「聖治章」翻譯為「聖〔王〕的政府」（Le Gouvernement des Saints〔Rois〕）。[66]從羅尼的《孝經》譯本的正文來觀察，當經文涉及宗教性的詮釋時，他會與基督教的孝道概念對照，來探討佛教和儒家對孝道的不同詮釋。[67]不過，雖然他和理雅各一樣，在宗教性概念下，以父子關係解釋受造物對於創造主的服從關係。將全人類視為上帝的子女。以此將造物主視為全人類的終極父母。藉此將對於父母的孝道，延伸至身後的崇拜。不過，雖然羅尼將《孝經》屬性定位為聖書，具有宗教性，不過強調

66　De Rosny, 孝經 *Le Livre Sacré de la Piété Filiale*, p. 21.

67　De Rosny, 孝經 *Le Livre Sacré de la Piété Filiale*, p. 35ff.

他對於中文的「孝」字的理解屬於政治的與倫理的領域，與神學無涉（詳第四章）。[68]整體觀察，羅尼雖然吸納部分前人的成果，但是他不涉入長年的譯名爭議，而是傾向於從經文脈絡與字義來詮釋孝字。

話說回來，羅尼的學識與思想畢竟是在特定時代培養的，雖然他的譯本跳脫教會或教條的框架，不捲入神學論爭，但是對於經文中的關鍵字詞，仍有一些宗教性的詮釋。尤其是他短短四年間再版，修訂了經文中的一些關鍵名詞，借此譯本對中國《孝經》中所蘊含的中華帝國古代聖人與禮儀提出了不同的詮釋。以下擬就羅尼譯本中對於「禮」、「聖人／之德」、「一人與明王」、「配天與配上帝」和「天下」幾個關鍵字詞來討論他的翻譯與詮釋。在本書前面幾章討論其他譯本的詮釋時，也是作為觀察譯者翻譯手法的指標性詞彙，因此本節選用相同關鍵詞來觀察羅尼的翻譯。[69]在對照分析時，如有必要會同時參照羅尼的兩個《孝經》譯本，以及前面傳教士們的譯本。

・禮字的翻譯：對女性弱勢者的關注[70]

羅尼對於經文中的禮字，有時候翻譯為禮儀（ les rites/

68 De Rosny, 孝經 *Le Livre Sacré de la Piété Filiale*, pp. 21-22.

69 由於羅尼也根據溪百年《經典餘師》的讀法提供日文拼音，後面所徵引的經文與譯文，也提供羅尼的日文拼音，以及溪百年《經典餘師》的日文作為對照，供讀者參照。

70 羅尼的兩個版本，除了刪除所有漢字與日文譯音內容之外，他對於《孝經》內容中幾個關鍵字的翻譯有些更動。

Rites）。禮的方式（moyen des rites），有時則是謙恭（La politesse），有時則兩者同時使用。最顯著差異是閨門章譯為社會原則（les principes sociaux）。在西方的《孝經》翻譯史，除羅尼之外，翻譯均以今文《孝經》作為中文底本依據。羅尼的翻譯同時參酌今文經和古文經，譯本的章節卻又不與古文經相同，採取今文經之十八章，另納入僅見於古文經的閨門章，這是非常獨特之處，也是羅尼的前輩譯者，亦即本書所研究的前五種譯本未曾出現的內容。以下引用中文與其譯文來討論他在這段落對孝道的說明，嘗試理解他對這一章的詮釋：

> 閨門章 1.子曰。閨門之內。具禮矣乎。嚴父嚴兄。2.妻子臣妾。猶百姓徒役也。
>
> DE L'APPARTEMENT PRIVÉ 1. Le Philosophe dit :N'est-ce pas de l'intérieur de l'appartement privé que les principes sociaux se produisent-à-l'état-accompli:〔on y professe〕la crainte-respectueuse du père, la crainte-respectueuse de l'ainé. 2. L'épouse et les enfants, les serviteurs et les concubines sont comme le peuple, comme les esclaves, les gens-de-service.[71]
>
> 〔中文直譯：論私寓。這位哲學家說：社會原則難道不是伴隨著國家在私寓內室產生呢：〔保持〕對父親的敬畏，對年長者的敬畏？2.妻子、子女、隨從、妾都與民眾、奴隸、服事的人一樣。〕

71 De Rosny, 孝經 *Le Livre Sacré de la Piété Filiale*, pp. 38-39，底線為筆者所加。1889年與1893年版對這段譯文是一致的。

> 日文拼音=1. Si-no notomavaku: Kei-mon-no uti, reiwo sona'uru ka? Sinwo gen-ni si, keiwo gen-ni su.（1889）〔溪百年《經典餘師》：子曰閨門之內礼を具る乎〕

首先，羅尼對的兩個法文版本對這段文字的翻譯是一致的。羅尼將「閨門」這個在中文脈絡一般指涉女性空間的字詞翻譯為「私寓」或「私人住所」（l'appartement privé），將中文的「禮」字翻譯為「社會原則」（les principes sociaux），他並非從宗族來討論公與私，而是從「社會原則」， 納入家中妻、妾、幼童與隨從。閨門章的翻譯，在西方翻譯史上是首見。羅尼並不依循今文《孝經》的章節規劃，他是不是對於古文經中所呈現篇幅極短、相對弱勢的族群，包括女性、奴僕和幼童有所關注，因此將這一章納入？如前述已經討論的，羅尼援引大量中文辭書中對於孝字的不同解釋，呈現出在中文世界對相同字詞的理解極其多元，為他提供相對大的詮釋空間。加上他參酌多種和刻本，以及來自十九世紀經歷過大革命之後的法國社會價值，是否因此在多元文化的脈絡中，使他對女性與弱勢相對到重視呢？這個問題將來需要繼續追索探究。當然，他所謂的社會原則不同於中國傳統的家族關係，並不是在家族範圍內討論公與私。[72]

至於其他段落出現「禮」字時，羅尼的翻譯與閨門章並

72 日文拼音部分，如下 1. Si-no notomavaku: Kei-mon-no uti, reiwo sona'uru ka? Sinwo gen-ni si, keiwo gen-ni su.（1889）〔溪百年《經典餘師》：子曰閨門之内礼を具る乎〕而他依據溪百年的讀音以拉丁字母拼寫中文經文的日文讀音，但就內容與意義來看，差異不大。

不相同。例如，第七章三才章第十節：「道之以禮樂而民和睦」，禮這個字被翻譯為禮的方式（moyen des rites），第九章第十四節：「不敬其親而敬他人者。謂之悖禮」中的悖禮則是譯為禮儀。第十二廣要道章，第二節：「安上治民。莫善於禮」，則是譯為謙恭、謙遜（la politesse），同一章第四節又同時使用禮儀和謙遜，1893年版甚至將禮儀和謙遜的第一個字母從小寫les rites（la politesse）改為大寫les Rites（la Politesse）。在第五節對於「禮者。敬而已矣」的翻譯也是從是1889年版從小寫的謙遜（la politesse），改為大寫的禮儀（Les Rites）。像這樣將一般名詞改為專有名詞的修訂，在羅尼譯本出現非常多次。大抵能觀察到的是，在論及禮樂時，他對經文中「禮」字的解釋採取了具宗教儀式性的意義。在描述屬於世俗世界中人際關係與往來過程時，他則是採取禮節和禮貌這一類的字義來詮釋。

・聖人／之德

在西方《孝經》翻譯史上，「聖人」與「聖人之德」是極關鍵的名詞與概念。十八到十九世紀間不同譯者在翻譯時均有自己的抉擇。前述有關禮字的翻譯，羅尼在論及禮樂時採取宗教性詮釋的做法，在他對於〈聖治章〉的翻譯，就更明顯。在羅尼之前的五個《孝經》譯者，未曾將中文的聖人翻譯為西方基督宗教的Saint，遑論給予同等地位。衛方濟翻譯〈聖治章〉的標題為「德性的治理」（Virtutis Regimen），而韓國英與普呂凱並未翻譯章名。從羅尼的兩個版本譯本對於〈聖治章〉的標題均翻譯為LE GOUVERNEMENT DES SAINTS〔ROIS〕，已經可以嗅出端倪。而他對於此章之第一、八、十、十一四節中的「聖人」一詞，不僅以saint homme來翻譯，甚至在修訂本中將小寫改為大寫，將la vertu du saint homme改為la vertu du Saint-Homme。在中國上古的「聖人」被以專有名詞方式譯為Saint-Homme。不過，他卻將「聖人的美德」（la vertu du saint homme）修訂為「聖人能夠獲得的美德」（la vertu que peut saint homme acquérie le saint homme）。以下先援引這段譯文，方便觀察與評論：

1. 曾子曰。敢問聖人之德其無以加於孝乎。

1. －Tseng-tse dit: Oserais-je vous demander, si dans la vertu du saint homme, il n'y a rien qui surpasse la Piété filiale ?（1889）

1. －Tseng-tse dit: Oserais-je vous demander, si dans *la vertu que peut acquérie le saint homme*, il n'y a rien qui surpasse la Piété filiale ?（1893）

日文拼音：1. Só-si-no ivaku: Ayete tó sei-zin-no tokŭ motte, kau-ni kwa'uru koto nasi ya?（1889）〔溪百年經典餘師：曾子の曰く敢て問聖人之德以て孝に加ると亡し乎〕

不同於羅尼在翻譯「聖者」一詞時，如「非聖者無法」（第十一章〈五刑章〉，第三節）：

Celui qui（ne reconnait）pas de <u>saints</u>, ne-veut-pas-avoir de loi-morale.[73]

〔中文直譯：那些不認識聖人的人，不願意擁有道德之法〕

這幾個段落的修訂，呈現出羅尼對於經典中的聖人，轉向使用歐洲讀者較容易納入對觀的具宗教性質聖人意象，且指涉特定單一對象。他在翻譯這裡的「聖者」則採小寫複數形式（de saints），上下文脈絡解釋，應該是指多數的聖賢或聖徒。但是當羅尼翻譯中文「聖人」二字，均為單數形式，1889年版一致使用小寫（saint homme），1893年版則全數改為大寫（Saint-Homme）。《孝經》經文出現過五次「聖人」，羅尼的譯法均是如此。當然，Saint 在文脈中也可以用在天主教的聖徒或是《聖經》與福音書。但是羅尼論及中華帝國中文的「聖人」這個關鍵詞的意義，從一般名詞改為專有名詞，箇中傳達了中國上古的聖人是指特定對象。在單一經典的譯文尚無法確定對羅尼來說，這位聖人指涉哪一位。論及中國古代聖王，實際上是不只一位，羅尼是否對這些聖王有區分，或者有高於這些聖王的唯一聖者，則尚待未來對羅尼個人的整體思想，尤其是他對於中國上古哲學、道家思想的著作進行系統化的梳理之後方能解答。而聖人之德，1889年版的意義是附屬於聖人的美德，1893年版則指出這樣的美德是獨立於聖人之外，連聖人也是後天被賦，或是去獲取的美德。這樣的美德，不是源於天性，而是後天的。此外，羅尼對於〈聖治章〉中這一關鍵詞的翻譯，

73　1889年與1893年兩個版本的譯文相同，不贅列。

在十七與十八世紀的六個譯本中（羅尼譯本視為一個），是唯一將中文的「聖人」對比西方宗教性聖人意象的翻譯方式。以下以對照方式，將不同譯本的翻譯條列，並標注底線，方便檢視與對照：

中文經文：曾子曰：敢問聖人之德，無以加於孝乎？

衛方濟：Discipulus Tsem: Ausim, inquit, te, Magister, rogare: Inviro omnibus numeris absolute, datúrne major virtus, quàm filialis observantia?

韓國英：— Mais quoi ! demanda *Tcheng-tzeu ;* est-ce que la vertu du Cheng-gin n'enchérit pas sur la Piété Filiale ?

普呂凱：Oserois-je vous demander, dit Tseng-Tsée, s'il y a quelque vertu au-dessus de la piété filiale?

裨治文："Concerning the virtues of the sages," said Tsăng Tsan, "may I presume to ask whether there is any one greater than filial duty ?"

理雅各：The disciple Zăng said, 'I venture to ask whether in the virtue of the sages there was not something greater than filial piety.'

羅　尼：1.－Tseng-tse dit: Oserais-je vous demander, si dans la vertu du saint homme, il n'y a rien qui surpasse la Piété filiale ?（1889）

1.－Tseng-tse dit: Oserais-je vous demander, si dans la vertu que peut acquérie le saint homme, il n'y a rien qui surpasse la Piété filiale ?（1893）

上述列出的對照譯文可以看見，經文中的「聖人」，在衛方濟譯本是大寫的老師，韓國英以拼音方式譯為*Cheng-gin*。普呂凱完全刪除不譯。裨治文與理雅各均以複數型的聖賢（the sages）來翻譯。唯有羅尼，使用了與西方聖人意象的le saint homme來翻譯。在1893年版甚至修訂為大寫的專有名詞來呈現。相對於前輩傳教士譯者採取的箇中迴避方式來翻譯中文的聖人一詞，羅尼的翻譯採取了直接而且強烈的將之與西方基督宗教的聖人類比的方式處理。換句話說，在羅尼的譯本中，中文的聖人形象反而被賦予了宗教性意涵。

・一人與明王

不同於早期譯本如韓國英翻譯「一人」之一致指向皇帝，羅尼譯本出現多樣譯法，在經文的詮釋不必然直接指涉皇帝。儘管所在章節是第二〈天子章〉和第四服事天子的卿大夫。這兩處經文提到「一人」時，他的翻譯是相同的，而且兩個版本的譯法也相同，均為「第一人」（ le Premier des hommes），萬人中的首位。

Ch2-s5.甫刑云。一人有慶。兆民賴之。
Dans les Châtiments de Fou, il est dit:〔Lorsque〕le Premier des hommes pratique le bien, les millions de peuples ont confiance en lui.

日文拼音：Ryo-kei-ni ivaku: Iti-nin yorokobu areba, teo-min kore-ni yoru. [74]

〔溪百年《經典餘師》：呂刑に云く一人慶こび有バ兆民之に賴〕。

Ch4. S9 詩云。夙夜匪解。以事一人。

9.－Le Livre-des-Poésies dit: Matin et soir, ne soyez pas indolent, pour servir le Premier des hommes.

日文拼音：Si-ni ivaku: Syukŭ-ya okotaru-ni arazŭ, motte iti-nin-ni tŭka'u.

〔溪百年《經典餘師》：詩に云く夙夜解たるに匪ず以て一人に事〕。

不過，當羅尼在翻譯〈廣要道章〉第六節，對比「一人」與「千萬人」時，則直譯為一個人（un homme），加括號說明這個人是皇帝（l'Empereur）。1893年的版本甚至將一人的定冠詞「一」（ un）改為大寫「壹」（Un），強調此為特定的那一人。茲引錄這句經文與譯文的對照如下：

6.敬一人而千萬人悅。

6. On respecte un homme（l'Empereur）, et mille myriades d'hommes se réjouissent. [75]

日文拼音：6. Iti-ninwo kei-site, sika'usite sen-man nin

74 羅尼在1889年與1893年版對這段譯文是一致的。

75 羅尼在1889年與1893年版對這段譯文是一致的。

yorokobu mono ohosi.〔溪百年《經典餘師》：一人を敬して而して千万人説こぶ〕[76]

討論到經文中對於「一人」的翻譯與詮釋，我們必須同時觀察「先王」、「昔者明王」與「明王」這三個相關關鍵詞。以下舉例，並以底線標注：

第一〈開宗明義章〉第二節：先王有至德要道的「先王」（Les anciens rois）
第八〈孝治章〉第三節：以事其先王（des anciens rois, leurs prédécesseurs）
第八〈孝治章〉第一節：昔者明王之以孝治天下也（Dans l'antiquité, les rois éclairés）
第十四〈應感章〉：昔者明王（Anciennement, les rois éclairés）

文字僅有「明王」二字，被翻譯為「古代的王」（les anciens rois）且使用複數形，其翻譯與「先王」（Les anciens rois）完全一致。昔者明王則直譯：「古時候，那些光亮之王們」。上述這些段落中的「先王」、「昔者明王」與「明王」，在羅尼的翻譯中，被視為同義詞，被強調是古代的王，意味著不是當代的。在羅尼的譯本中，明王一詞是在一定的時間距離上被理解與詮釋，是一個過去的歷史上的帝王形象。

76　溪百年的讀法沒有mono ohosi。

・配天與配上帝

第九〈聖治章〉第三節：「嚴父莫大於配天」。

Dans la Piété filiale, il n'y a rien de plus grand que le Respect pour le père. Dans le sentiment-de-crainte-respectueuse〔qu'on professe〕pour son père, il n'y a rien de plus grand que de le considérer comme-l'image du Ciel.[77]

日文拼音：Titiwo gen-ni sŭru-va, ten-ni hai sŭru-yori oho'i-naru-va nasi.

溪百年《經典餘師》：父を嚴にするハ天に配するより大なるハ莫

第九〈聖治章〉第五節：「昔者周公郊祀后稷。以配天。」

5.－Dans l'antiquité,〔lorsque〕le sage Tcheou-Koung faisait des sacrifices, Heou-tsi était-consi-dérés-par-lui comme-l'image du Ciel.（1889）

5.－Dans l'antiquité, lorsque Tcheou-Koung faisait des sacrifices, Heou-tsi（son ancêtre）était consi dérés par lui comme l'image du Ciel.（1893）

日文拼音：5. Mukasi, Siu-kó Kó-syokŭwo kau-si site motte, ten-ni kai-sŭ.（1889）

溪百年《經典餘師》：昔者周公后稷を郊祀して以て天に配す。

77 1893年版，將嚴父之敬改為小寫le respect pour le père，其餘譯文未修改。

在1889年版翻譯周公姓名時原加上聖人，在1893年版則刪去。配天之「配」字，解釋為「與天的形象一樣」（comme l'image du Ciel）。此處有商榷必要。蓋配字，指從祀，如孔廟中以孔子為主祀，旁有四配，即其四大弟子配祀。在家從祀、附祀，因此「配」字不能理解和翻譯為「等同」。羅尼的詮釋，不採取上述意義，反而解釋為「與……的形象一樣」。與衛方濟將之翻譯為「並列一起祭祀」的譯法相比之下，顯示羅尼的對這段經文的詮釋，趨向於探討中國上古的聖人和天與上帝之形象的關聯性。主軸從祭祀這個禮儀與相關配置，轉移到聖人的形象。不過，羅尼對於中文「上帝」的翻譯，卻有變化。在第九〈聖治章〉第六節：「宗祀文王於明堂。以配上帝。」羅尼將上帝之譯從「至上皇帝」（Suprême-Empereur, 1889年版）修改為「至上掌權者」（Suprême-Souverain, 1893年版）或「至上之主」（le Seigneur Suprême）。1893年版，封建帝王被一個相對中性的掌權者和主宰者取代，帝國的意味淡化。1889年羅尼譯本中的「上帝」指涉皇帝，上古的皇帝。在此，羅尼的詮釋轉向周公與古代帝王形象之間的關聯性，似乎也就迴避了譯名之爭中有關至上天主的爭議了。

・天下

羅尼對於「天下」的翻譯，有時直接翻譯字面意思，有時則譯為「帝國」。有時候依據字面意義翻譯為「在天之下」。

第一〈開宗明義章〉第二節：「子曰。參先王有至德要道。以訓天下。民用和睦。上下無卯。女知之乎。」

2.－Le Philosophe dit: Tsan! les anciens rois possédaient une suprême vertu et une doctrine parfait, à l'aide-de-laquelle ils-se-mirent-à l'unisson avec l'Empire.〔De la sorte〕le peuple jonissait de la concorde et de l'harmonie; les supérieurs et les inférieurs n'avaient point de sentiments-hostiles. O toi, savais-tu cela? [78]

羅尼把「以訓天下」譯為「與帝國合一」（l'unisson avec l'Empire）。

第八〈孝治章〉第一節：「子曰。昔者明王之以孝治天下也。」

1.－Le Philosophe dit: Dans l'antiquité, les rois éclairés gouvernaient〔ce qui est〕sous le Ciel（L'Empire）au moyen de la Piété filiale. [79]

日文拼音：1. Si notomavaku: Mukasi mei-wau-no Kauwo motte ten-kawo osamuru.〔溪百年《經典餘師》：子曰のたまわく昔者明王之孝を以て天下を治むる〕[80]

---

78 兩個版本譯文相同，不贅列。

79 兩個版本譯文相同，不贅列。

80 感謝李育娟教授協助辨識子曰的讀法：しのたまわく，另外根據《日本漢文の世界》，第一部，第四章，說明漢文訓讀的歷史時，有介紹子曰讀法，詳見https://kambun.jp/izanai/04-12rekishi.htm（檢索日期：2020年5月23日）。不過，羅尼當時使用的是東方學會的日文拼音系統，與當代系統有

第八〈孝治章〉第十節：「故明王之以孝治天下如此。」
10.－C'est pour〔arriver à ce résultat〕que les anciens rois gouvernaient ainsi le dessous du Ciel.[81]
日文拼音：10.Yŭye-ni mei-wan-no Kauwo motte, tenkawo osamuru kakŭ-no gotosi.〔溪百年《經典餘師》：故に明王之孝を以て天下を治むる此の如し〕

《孝經》經文總計出現11次「天下」二字，羅尼的翻譯中僅一次根據字面意義翻譯「天下」（sous le Ciel），四次僅根據意義譯為「帝國」（Empire），其餘六次是兼具兩者並翻譯為「天之下（帝國）」（sous le Ciel〔L'Empire〕）。他對於這個具政治制度性的詞彙，採取西方讀者能夠理解的方式去翻譯。另外，日文譯音的部分，即使我嘗試將日文對照觀察，尚未觀察到值得多加關注之處。目前研判，羅尼的翻譯仍然是在《孝經》的中文正文基礎之上去解釋，而他所提供的日文拼音用途，或者是做為西方學習日文的學生可以參照使用。

黃種人與孝道

羅尼的《孝經》譯本，在附錄之前提供了簡要說明，指出中國文獻當中有大量有關孝道的紀錄，他提供其中一些文獻的翻譯，目的是想讓歐洲讀者理解在黃種人建立的文明其

所差異，他的拼法是Si notomavaku，把た拼成to。

81　兩個版本譯文相同，不贅列。

基本教義所有原理中，孝道處於關鍵地位，而這些是歐洲人過去所未曾關注過的。[82]從〈黃種人的起源〉我們也可以觀察出羅尼在研究東方學的同時也對於人類學的興趣。他對於中文的孝字，在東方地區如此重要，甚至可以作為一種民族的統稱（dénomination ethnographique）感到興趣。[83]他花費了一些篇幅談論東方地區的膚色，包含日本、印度支那、暹羅等地。他說這些地區的居民膚色深淺不一，有些跟歐洲人一樣白。不過他並不同意這些分類。他嘗試先從語言學這個相對較窄的基礎，去研究中文孝字，以及作為堅實政治社會基礎、普遍存在於在亞洲與遠東地區數千年古老文明中的孝道。[84]之後再從民族學的視野，一併思考孝道與東方文化的關係。

羅尼也花費相當篇幅，參酌了許多中文的漢語資料來解釋「孝」字在中文脈絡中的意思。首先他引用了兩位傳教士的中文字典：方濟會士葉尊孝（Basile de Gemona, 1648-1704）以及美國來華傳教士衛三畏的漢字字典來詮釋中文的「孝」字。[85]葉尊孝的字典是《漢字西譯》，[86]這本字典是1694-1699年間在南京開始編纂，但並未出版。到十九世紀初，在拿破崙的命令之下，後來於1813年由小德經編輯出版。羅尼引用了這本字典中對於「孝」字的敘述如下：

---

82 De Rosny, 孝經*Le Hiao-King: Livre Sacré de la Piété Filiale*, p. 106.

83 De Rosny, 孝經*Le Hiao-King: Livre Sacré de la Piété Filiale*, p. 107.

84 De Rosny, 孝經*Le Hiao-King: Livre Sacré de la Piété Filiale*, pp. 110-111.

85 De Rosny, 孝經 *Le Livre Sacré de la Piété Filiale*, pp. 111-119.

86 書名與出版資料如下：漢字西譯. *Dictionnaire chinois, français et latin*（Paris: Imprimerie impériale, 1813）.

> Pietas in parentes, eis benè servire. Haec pietas est triplex: primus gradus est parentes honorare; secundus, non eis esse dedecori; tertius, eos alere. [87]〔筆者中文直譯：對父母的孝，始於服事他們。這責任有三重：一是光耀門楣，二是不使其蒙羞，三是提供援助。〕

同時羅尼也從衛三畏1856年出版的《英華分韻撮要》（*A Tonic Dictionary of the Chinese Language in the Canton Dialect*）一書中引了下面這段單字說明：[88]

> Duty, respect, and obedience to parents and senior, which *peh-hing hiao weï sien*, is regarded as the chief of virtues, and is made to include loyalty, official dignity, confidence in friends, self-respect, and bravery in battle.[89]〔筆者中文直譯：對父母和長輩的責任，尊重和服從，百行孝為先被認為是第一美德，並且被引申到包括忠誠，公務上的尊嚴，對朋友的信任，自尊以及在戰爭中的勇敢。〕

---

87 De Rosny, 孝經 *Le Livre Sacré de la Piété Filiale*, p. 112. 引自Basile de Glemona & Chrétien-Louis-Joseph de Guigne, 漢字西譯. *Dictionnaire chinois, français et latin*, p. 144.

88 De Rosny, 孝經 *Le Livre Sacré de la Piété Filiale*, p. 112.

89 De Rosny, 孝經 *Le Livre Sacré de la Piété Filiale*, p. 112. 引自Samuel Wells Williams, 英華分韻撮要. *A Tonic Dictionary of the Chinese Language in the Canton Dialect*（Canton: Printed at the Office of the Chinese Repository, 1856）, p. 77.

他特別注解了「百行孝為先」（peh-hing haio weï sien），指出其意義是「在所有的行文中，孝是第一優先」（De toutes les actions, le Hiao est la première）。[90]羅尼徵引衛三畏至少四次，除了上述的《英華分韻撮要》之外，《漢英韻府》（*A Syllable Dictionary of the Chinese Language*, 1874）[91]一書也在參考之列。衛三畏曾經數次前往日本，1853-1854年甚至參與了美國遠征日本的行動。與羅尼一樣，衛三畏的東方學並不局限於中國，也涉及日本。不僅是一位學者，也是外交官與教授。

除了這兩位傳教士的字典，羅尼也徵引許多傳教士的漢學作品。其中耶穌會士衛方濟、孫璋（Alexandre de la Charme, 1695-1767），以及蘇格蘭傳教士理雅各的《中國聖書》等人的著作，均在羅尼徵引書目之中。綜觀羅尼譯本的徵引情況，其中徵引衛方濟的譯本至少四次，理雅各多達11次。此外，羅尼藉中國字學書籍，例如《康熙字典》（*Kang-hi Tsze-tien*）、《正字通》（*Tching-tse-toung*）、《說文》（*Choueh-wen*）等等，來說明中國的祭祖和孝道。羅尼比對字學書籍和中文經典原文相當仔細謹慎。舉例來說，羅尼徵引了《康熙字典》子部（四）文字，還註明有一段段文字在天主教白冷（巴黎）外方傳教會士及漢學家加略利（Giuseppe Maria Calleri, Joseph-Marie Callery, 1810-1862）所翻譯的《禮記》（*Le Li-Ki, ou le*

---

90 De Rosny, 孝經 *Le Livre Sacré de la Piété Filiale*, p. 112.

91 Samuel Wells Williams, 漢英韻府. *A Syllable Dictionary of the Chinese Language; Arranged According to the Wu-fang Yuen Yin, with the Pronunciation of the Characters as Heard in Peking*（Canton, Amoy, and Shanghai: American Presbyterian Mission Press, 1874）.

mémorial des rites）[92]中被刪除。這段文字出自《祭義》（*Tsi-i*〔Signification des sacrifices〕），[93]茲引如下：

> Le philosophe *Tseng-tse,* disciple de Confucius, a dit: "Dans sa demeure, n'avoir pas une conduite correcte, ce n'est pas le *hiao,* servir son prince et ne pas être fidèle, ce n'est pas le *hiao;* exercer une magistrature et ne pas veiller sur soi-même, ce n'est pas le *hiao;* avoir des amis et ne pas être confiant, ce n'est pas le *hiao;* aller à la guerre et n'avoir pas de courage, ce n'est pas le *hiao.* Ces cinq choses ne sont-elles pas de nature à causer de la honte à vos aïeux"（*Kang-hi Tsze-tien*）〔中文直譯：哲學家曾子，孔子的門徒，說：在家中沒有正確的行為，不是孝（*hiao*）。服事君王而沒有忠誠，不是孝。行使管理權而不能自守，不是孝。交朋友而不能信實，不是孝。參與戰爭又缺乏勇氣，不是孝。上述五點，難道不會使祖先蒙羞嗎？（康熙字典）〕[94]
>
> 《禮記》原文是：《祭義》曾子曰：居處不莊非孝，事君不忠非孝，涖官不敬非孝，朋友不信非孝，戰陳無勇非

---

92 Joseph-Marie Callery, *Le Li-Ki, ou le mémorial des rites*（Turin: Imprimerie royale, 1853）. 加略利因為出生於今日義大利的杜林，姓名拼法有義大利文和法文兩種。他在中法《黃埔條約》簽署過程中扮演重要腳色。詳見〔法〕加略利（Joseph Marie Callery）著，謝海濤譯，《1844年法國使華團外交活動日記》（桂林：廣西師範大學出版社，2013）。

93 De Rosny, 孝經 *Le Livre Sacré de la Piété Filiale*, p. 114.

94 De Rosny, 孝經 *Le Livre Sacré de la Piété Filiale*, pp. 113-114. 請注意，羅尼也將曾子視為哲學家（Le philosophe *Tseng-tse*）。

孝。五者不遂栽，及於親，敢不敬乎。[95]

另外，羅尼也引用了《正字通》（*Tching-tse-toung*），指出那些沒有定期在祖廟裡舉行祭祀的人是不孝，君王無法使其尊貴。[96]另外引用了《說文解字》（*Choueh-wen*）來解說中文的孝字，是由老和子兩字的形象結合而成，說明了這是一個兒子照顧老人的理念。[97]《正字通》一書作者是明朝張自烈，是《康熙字典》出版之前的重要字學書籍。入清之後的西方傳教士，經常將這些書籍納入參考。羅尼既是儒蓮的學生，他同樣繼承了從早期天主教傳教士所累積的漢字相關文獻。他所徵引的傳教士著作尚有許多，本文不擬一一羅列。這主要在說明羅尼在翻譯《孝經》過程中，注意到漢學家與學者們對於中文的「孝」字意義的解釋越來越廣泛與多樣，不同背景下的著作，對於孝字的詮釋有所差異，也因此為他在融會和刻本時，提供相對大的詮釋空間。附錄所提供有關黃種人的起源的第二部分，他還翻譯了一份文件，從《古文淵鑑》（*Kou-wen-youen-kien*）[98]有

95 我使用「中國哲學書電子化計劃」全文檢索取得文字，詳見 https://ctext.org/dictionary.pl?if=gb&char=%E5%AD%9D（檢索日期：2020年4月14日）

96 De Rosny, 孝經 *Le Livre Sacré de la Piété Filiale*, p. 114："Ceux qui n'accomplissent pas les sacrifices〔réglementaires〕au temple des ancêtres, ne possèdent pas le *hiao;* le prince est dans l'impossibilité de les anoblir."（*Tching-tse-toung*）.

97 De Rosny, 孝經 *Le Livre Sacré de la Piété Filiale*, p. 114："Le caractère *hiao,* composé de l'image de la vieillesse et de celle du fils, exprime l'idée d'un fils qui prend soin d'un vieillard."《說文解字》的中文原文：《老部》孝：善事父母者。从老省，从子。子承老也。

98 De Rosny, 孝經 *Le Livre Sacré de la Piété Filiale*, pp. 120-132.

關「鄭莊公叔段本末」[99]這個有關兄弟相爭的故事。鄭莊公討伐弟弟共叔段，偏袒弟弟的母親武姜發誓不到黃泉不再與長子相見。最後由潁考叔提出建言，挖地道母子相見，關係恢復。羅尼在譯文的最後，以讚揚潁考叔身為純孝之人，並且將孝道推廣到鄭莊公的故事，引用《詩經》為孝子感化孝子的故事作結。他的譯文如下：

> Le Livre sacré des Poésies dit: Un fils dont la Piété filiale est inépuisable, éternellement recevra des hommages. Ce récit n'en est-il pas la preuve?〔中文直譯：一個孝順的兒子將永遠受到尊崇，這不就是這個故事所證明的嗎？〕[100]

羅尼在黃種人的起源這個附錄之後提供「鄭莊公叔段本末」的故事全文翻譯，並未明說目的，但是他選擇相對古典的故事，從兄弟相爭的反效果來證實孝道的重要性，指出家庭中因為不守長幼秩序而失和衝突，家國陷入危險的故事，證實家庭倫常、長幼秩序對於孝道的維繫與發揚的重要性。而孝道與家庭秩序、國家秩序的維繫的重要性，對於羅尼對於孝道在黃種人

---

99 即「鄭伯克段於鄢」，這段故事的中文原文請參見中國哲學書電子化計劃，古文淵鑑一，頁1ab-3ab，https://ctext.org/library.pl?if=gb&file=126966&page=24#%E6%AD%A6%E5%85%AC（檢索日期：2020年8月13日）。

100 De Rosny, 孝經 *Le Livre Sacré de la Piété Filiale*, p.132. 中文原文：詩曰：孝子不匱，永錫爾類，其是之謂乎！（中國哲學書電子化計劃，古文淵鑑一，頁3。）他強調孝子永受尊崇，並且對於家庭中因為母親的偏心所導致的兄弟失和的故事感到興趣，與他個人事母至孝的私生活不知是否有關係？

所建立的古老文明中占據如此重要地位，且產生研究的興趣，在近代西方的《孝經》翻譯中很獨特。他翻譯出版的時間是十九世紀末期，歐洲人對於東方有色人種的印象多屬負面。[101] 但是羅尼的詮釋，卻透露出一種不同於時代多數人的見解。

羅尼之所以探討黃種人的問題，在於他對於人種與孝道之間的關係有興趣。他在1893年修訂版將〈黃種人的起源〉標題改為〈從黃種人民族誌的角度來看孝道〉（*La Piété Filiale au point de vue de l'ethnographie des peuples se race jaune*）。[102] 從標題的更動，更確認他探討黃種人的起源之目的。不過兩個版本的內容除了將1889年版第119頁有關左丘明論孝道的四行文字刪除之外，其餘內容是相同的。如前文曾經提到，羅尼年輕時曾經擔任日本文久遣歐團成員的通譯，期間與多位明治維新重要人物建立良好關係之外，甚至互相通信。其中最著名的福

---

101 孟德衛在其《1500-1800：中西方的偉大相遇》書中曾經簡介了「中國人如何從白變黃」的歷史進程。他說道16-17 世紀歐洲視中國為白人為主流意見，十八世紀開始，以膚色區分種族，中國人逐漸被視為比白人低劣的種族。十九世紀的歐洲的中國形象急轉直下。這轉變對於我們理解、比較十八至十九世紀的西方譯本有助益。參見David E. Mungello, *The Great Encounter of China and the West, 1500-1800*（Lanham, Oxford: Rowman & Littlefield, 1999, 2005, 2009, 2013），此書目前有四個版本。更詳細的討論請參考Michael Keevak, *Becoming Yellow: A Short History of Racial Thinking*（Princeton, NJ: Princeton University Press, 2011）。此書之中譯本：奇邁可（Michael Keevak），《成為黃種人：一部東亞人由白變黃的歷史》（台北：八旗文化，2015）等相關研究。

102 1893年版的〈從黃種人民族誌的角度來看孝道〉一文置於頁159-174，後面同樣提供了「鄭莊公叔段本末」的法文翻譯，置於頁177-192。〈待漏院記〉置於頁193-205，全書最後提供目錄。在1889年，〈待漏院記〉之後有關和刻本的介紹相關內容則全數刪除。

澤諭吉，對於文明與種族的相關論點，某種程度也是將物質性的文明優劣和精神性的道德水準密切關聯的一種思想。1875年福澤諭吉出版了他的名著《文明論概略》，將世界從野蠻到文明分為三個階段：野蠻狀態、半開化狀態、文明狀態。不僅指出文明的相對性，也指出文明可提升，從野蠻晉陞到文明。並主張以西方文明為目標，半開化的日本必須學習西方，使日本擺脫亡國滅種的命運，晉陞文明的強國之列。[103]羅尼之以民族學的觀點來觀察詮釋黃種人與孝道，除了顯示他對於文明的觀點或者在與福澤諭吉交流過程中互相影響之外，也顯示出他嘗試跳脫宗教或倫理的角度觀察詮釋中國孝道，而且是擴大為從東方人民族性來詮釋，孝道被理解為一種內化於文明深層的特質。但話說回來，有趣的是，如果孝道在羅尼眼中是美德，這卻又與福澤諭吉之致力脫亞入歐、擺脫中國儒家主導的文明束縛的嘗試，背道而馳。也就是說，被福澤諭吉視為野蠻的中國文明深處卻蘊涵了羅尼所稱道的孝道。羅尼《孝經》譯本的兩個版本，第一次出版於1889年。羅尼首次出版《孝經》翻譯的這一年，正是法國大革命一百周年，當年在巴黎舉辦了世界博覽會以紀念攻占巴士底監獄的行動，不僅象徵路易十六舊式君主專制體制的滅亡，也是第二帝國的覆滅，第三共和建立，共和國再度誕生。四年之後， 1893年，羅尼則是出版了第二版也是一個簡要本，他在序言中說道《孝經》這本書是一本足以喚醒社會改革需求的一部經典，對照他所處惶惶不安需求社

103 詳（日）子安宣邦著，陳瑋芬譯，《福澤諭吉《文明論概略》精讀》（北京：生活・讀書・新知三聯書店，2009）。

會改革的時代，更顯啟發性。[104]這正顯示出羅尼採取社會民族學式的閱讀（la perspective de lecture, en quelque sorte socio-ethnologique）來翻譯與詮釋這部經典的深層背景。[105]值得注意的是，這一年，世界博覽會在美國芝加哥（1893）舉辦，[106]也正是這一年，在同一城市舉行了一場世界宗教議會，會中多位學者與宗教家倡議普世倫理，並開啟了宗教對話的全球性運動。也是這個時期，法國與日本結盟，在協助日本現代化的同時，強化擴大法國在亞洲的殖民勢力。[107]此前不久，作為首位日文教授的羅尼已經擔任了日本遣歐使節團的通事，並與多位後來成為明治維新重要人物的使節團成員建立了聯繫網絡。這樣的背景之下，羅尼的《孝經》譯本之採納和刻本作為底本，並且在翻譯與詮釋上，融入民族學觀點，也是有跡可循。

根據前文就格式、底本以及關鍵字的翻譯來觀察，羅尼的《孝經》譯本主要仍仰賴中文經文的詮釋，從漢字的意義來翻譯。他參考和刻本以及譯本中所提供的日文拼音，對於他的

---

104 Léon De Rosny, *La Morale de Confucius: Le Livre Sacré de la Piété Filiale*（1893）, p. vi .

105 詳見Pierre Leboulleux , Bénédicte Fabre-Muller, Philippe Rothstein, *Léon de Rosny De l'Orient à l'Amérique*（Villeneuve d'Ascq: Presses Universitaires du Septentrion, 2014）, pp. 166-171.

106 有關世界博覽會的資訊，詳見國際展覽局（BIE）官網，https://www.bie-paris.org/site/en/1889-paris，另外，un jour de plus a paris的官網提供許多歷史照片，詳見https://www.unjourdeplusaparis.com/paris-reportage/exposition-universelle-1889（檢索日期：2020年10月19日）。

107 有關法日的外交關係，詳見Richard Sims, *French Policy Towards the Bakufu and Meiji Japan 1854-95*（Hove , England: Psychology Press, 1998）, pp. 73-109（ch.4）.

詮釋影響不明顯。他的譯本呈現出的和漢文獻典籍的交流，呈現出一種視東方為一個整體的觀點，也就是說，他採取一種整體視野來對待中日不同的《孝經》版本。雖然在重構《孝經》為十九章時他參考了兩種中文刻本以及六種和刻本，但他對經文的理解仍是仰賴大量的漢語辭書，針對漢字部分進行理解。1889年與1893年兩個版本，在正文的翻譯上差異並不大，後者為前者節本，並刪除了東方文字的部分，他對這部經典的詮釋，在1889年出版時已經完成。

作為羅尼晚年的出版品之一，他的《孝經》翻譯相對於其他譯本，除了獨特的19章之外，值得關注的是他嘗試從民族學甚至人種特質來理解孝道之所以在東方文化占據如此核心地位的原因，如果真如他的假設，那麼他在對東方宗教的研究與翻譯史將中西文化價值體系與人種差異連結，亦即將精神性文明和氣質性血緣關係做這種連結的研究，將會喚起十九世紀相當流行的物種起源研究之於東西文明差異的見解。甚至將促使吾人反思十八至十九世紀以來歐洲透過文明理論的建構，為自己孕育出優越的文明使命，東方不再是與歐洲休戚與共的同儕文明，也不是神秘的高度文明，而是一個陷落在專制與迷信中需要歐洲去介入、去改變的清晰客體。亞洲成為歐洲白人的負擔，成為政治經濟上被利用，但文化上科學上被研究的對象。[108]不過，羅尼在《孝經》翻譯中對於孝道的正面評價，卻

108〔德〕于爾根·奧斯特哈默（*Jürgen Osterhammel*）著，劉興華譯，《亞洲的去魔化——18世紀的歐洲與亞洲帝國》（北京：社會科學文獻出版社，2016），尤其是頁526-529、548-552。左岸文化曾於2007年出版此中譯本，2016年本增列詳細書目。另外，請參考〔德〕于爾根·奧斯特哈默著，強

使他有別同時代的思想家，不輕率地將東方視為野蠻落後的文明，反而是更多的讚賞的肯定。從羅尼的《孝經》翻譯手法，尤其是採取民族學的路線來看，十九世紀的法國羅尼筆下的孝道論述，反而似乎已經從倫理層面跳脫出來，也擺脫了宗教與公民對立的刻板思維局限，轉而從民族學角度去理解，孝道變成一種烙印在民族之中的文化特質。羅尼的譯本，為十八到十九世紀《孝經》翻譯進程暫時畫下休止符，也為這部經典的翻譯與詮釋提出了一個新視野。與《孝經》早期譯本比較，尤其是受到中國禮儀之爭影響之下，早期耶穌會士掙扎在宗教與非宗教兩難之間，清末理雅各從宗教比較的脈絡詮釋了中國的孝道，羅尼的譯本顯然是擺脫了譯名問題，不從宗教權威來談論孝道，他開出一條經典翻譯的新路線，呈現一種獨立於傳教士詮釋之外的新視野，並且在和漢交流的脈絡中，提出一種東方民族學的詮釋進路。

話說回來，羅尼在1892年出版了一本道家研究專書，[109]為此書寫導論的Adolphe Franck（1810-1893）是全國打擊無神論聯盟主要成員。這是一個由多元宗教、立場等人士組成的聯盟，有新教徒、天主教徒、猶太人，有律師有學者有政治人物。主要是對抗十九世紀末法國政界受共產主義無神論者與唯物主義者影響的各種世俗化舉措，主要擔心他們所提倡的種族階級鬥

朝暉、劉風合譯，《世界的演變：19世紀史》（北京：社會科學文獻出版社，2016）。這是探討羅尼譯本時，必須同時關注的議題，也需要釐清與同為十九世紀《孝經》譯本的譯者：兩位新教傳教士裨治文與理雅各在面對東方文明的不同立場。

109 Léon de Rosny, *Le taoïsme*（Paris: E. Leroux, 1892）.

爭等運動將對法國社會的和平有所危害。1870年普法戰爭，法國落敗之後，歷經巴黎公社（la Commune de Paris）短暫的血腥統治，對法國社會影響甚鉅 ；巴黎的歷史文化建築和遺產遭到嚴重破壞，教會財產被充公，宗教教育被禁止等等。羅尼自己也是聯盟的成員之一，這樣的政治與社會時空背景之中，他出版了包括《孝經》翻譯與中國道家研究等著作。此外，在他的著作中，有一篇題名為〈中國宗教哲學中的上帝觀念〉（L'idée de Dieu dans la philosophie religieuse de la Chine）的文章。[110]這篇文章是羅尼於1899年3月23日在社會博物館（Musée Social）發表的演講稿，後來於1900年刊登在《全國打擊無神論聯盟公報》（*Bulletin de la ligue Nationale contre l'athéisme*）。他的演講以批判伏爾泰在其西方神學（théologaux d'Occident）一文中論定中國是無神論者，以及1700年巴黎索邦神學院對耶穌會宣稱中國皇帝可能相信上帝的說法是異端，作為演講的起點。他這篇對於中國的宗教哲學的演講，發表於兩個《孝經》譯本之後。羅尼對於歐洲過去自中世紀以來的歷史對於無神論者的論述提出質疑。他指出無神論至少有三種類型：宗教上不信神的懷疑論者、科學上尚有無法證實的知識，以及許多超越人類理解的未知部分。他從現代科學的立場指出過去對中國哲學整體的論斷，並未完整將東亞三個主要宗教：孔子之前有關太極的宇宙起源論、孔子的道德哲學，以及老子學說確實地向歐洲

110 Léon de Rosny, "L'idée de Dieu dans la philosophie religieuse de la Chine," *Bulletin de la ligue Nationale contre l'athéisme*, 12e année mars 1899（Paris: Joseph Andre, 1899）, pp. 165-186.

學界說明與介紹，他的演講內容就依此三點為主軸。羅尼的演講參考了大量中文經典文獻，包含《書經》、《禮記》、《道德經》、《史記》等中國經典與文獻，也引用了多位前輩漢學家，如雷慕沙、儒蓮、鮑鐵和von Strauss對於老子的研究，也參考理雅各等漢學家論中國宗教的著作。他認為歐洲過去對於中國一整個民族粗糙地歸入無神論者，並未清楚地剖析內在差異，隨意將特定一個人或一個民族歸入無神論者是錯誤的。在演講結尾，羅尼認為自己足以告訴聽眾中國不是無神論者，相反地，自古代以來「中國的有神論」（le Déisme de la Chine），已經高度發展到歐洲無法超越的程度。[111]前面曾經討論羅尼有關聖人與聖人之德的翻譯，有別於其他譯本，以西方聖人形象來翻譯的做法，應該與這些時空背景有關係。羅尼在這篇演講文章中質疑儒蓮將《道德經》翻譯為《道路與德性之書》（le Livre de la Voie et de la Vertu）的解釋，他說絕不同意儒蓮對於《道德經》的德字的翻譯。首先，對於中國的經典的經字，羅尼主張應該翻譯為聖書（Livre sacré），意指傳統著作（un écrit traditionnel）。至於德字，他認為，一般意義下是指德性，但在道家哲學的脈絡中，應該是指上帝的第二個屬性：不變性（l'immuabilité）。[112]有神論者的主要思想內涵源於其對自然理性的主張，例如主張像中國上古雖然沒有來自《聖經》的特殊啟示，因自然啟示仍保有至上神的知識。在我看來，他對於中國上古有神論思想以及宇宙生成論的見解，反對耶穌會的敵對

111 Léon de Rosny, "L'idée de Dieu dans la philosophie religieuse de la Chine," p. 186.

112 Léon de Rosny, "L'idée de Dieu dans la philosophie religieuse de la Chine," p. 183.

者將中國傳統整體視為無神論和唯物主義的指稱，相當程度與十八世紀索隱派耶穌會士與萊布尼茲等啟蒙思想家有一些關聯性。不過，如果要更深入這些有關羅尼其他著作及其所論述的問題、他所代表的十九至二十世紀之際的法國東方學，以及他對於東方民族的正面評論，筆者擬於另一本研究《道德經》翻譯的專書當中再詳細探究。

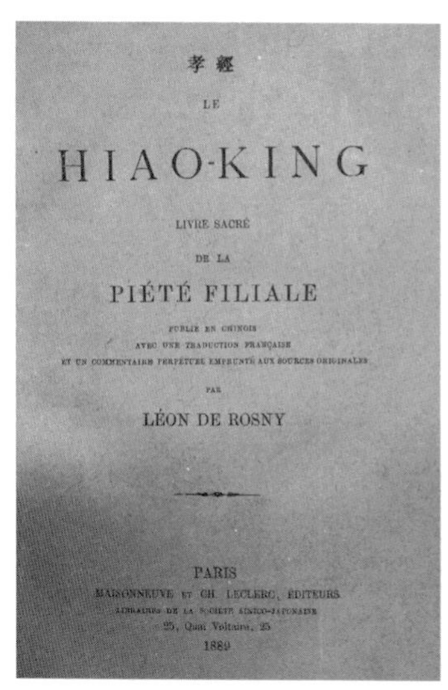

孝經

LE

HIAO-KING

LIVRE SACRÉ

DE LA

PIÉTÉ FILIALE

PUBLIÉ EN CHINOIS
AVEC UNE TRADUCTION FRANÇAISE
ET UN COMMENTAIRE PERPÉTUEL EMPRUNTÉ AUX SOURCES ORIGINALES

PAR

LÉON DE ROSNY

PARIS
MAISONNEUVE ET CH. LECLERC, ÉDITEURS
LIBRAIRES DE LA SOCIÉTÉ SINICO-JAPONAISE
25, Quai Voltaire, 25
1889

羅尼譯本書影（作者攝影）

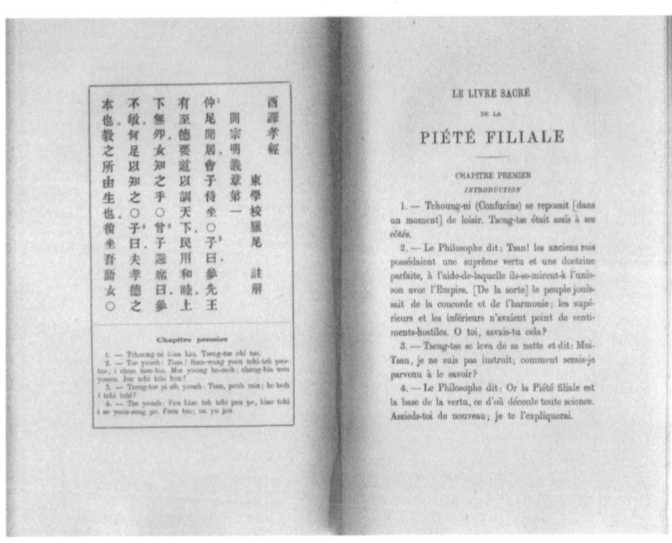
西譯孝經
東學校羅尼　註解
開宗明義章第一
仲[1]尼開居．會子侍坐○子[2]曰．參先王有至德要道以訓天下．民用和睦．上下無夘．女知之乎○曾[3]子避席曰．參不敏．何足以知之○子[4]曰．夫孝德之本也．教之所由生也．復坐吾語女○

Chapitre premier

1. — Tchoung-ni *kien* kiu. Tseng-tse *chi* tso.
2. — Tse youeh: *Tsan!* Sien-wang yeou tchi-teh yao-*tao*, i chun tien-hia. Min young ho-moh; chang-hia wou youen. Jou tchi tchi hou?
3. — Tseng-tse pi sih youeh: Tsan, pouh min; ho tsoh i tchi tchi?
4. — Tse youeh: Fou hiao teh tchi pen *ye*, kiao tchi i se yeou-seng *ye*. Feou tso; ou yu jou.

LE LIVRE SACRÉ
DE LA
PIÉTÉ FILIALE

CHAPITRE PREMIER
INTRODUCTION

1. — Tchoung-ni (Confucius) se reposait [dans un moment] de loisir. Tseng-tse était assis à ses côtés.

2. — Le Philosophe dit: Tsan! les anciens rois possédaient une suprême vertu et une doctrine parfaite, à l'aide-de-laquelle ils-se-mirent-à l'unisson avec l'Empire. [De la sorte] le peuple jouissait de la concorde et de l'harmonie; les supérieurs et les inférieurs n'avaient point de sentiments-hostiles. O toi, savais-tu cela?

3. — Tseng-tse se leva de sa natte et dit: Moi-Tsan, je ne suis pas instruit; comment serais-je parvenu à le savoir?

4. — Le Philosophe dit: Or la Piété filiale est la base de la vertu, ce d'où découle toute science. Assieds-toi de nouveau; je te l'expliquerai.

羅尼孝經（作者藏書攝影）

冢田大峯《古文孝經和字訓》書影
（作者藏書攝影）

第七章

結論

在本書的導論，筆者已經針對近代西方六部《孝經》譯本的傳承與衍異，提綱挈領說明。本書第二至六章也就個別譯本的細節予以討論。以上各章討論的人物涉及早期天主教耶穌會士、新教傳教士，以及法國漢學家與東方民族學家。時間範圍近兩個世紀，也是近代東西交流史上被視為相對大規模的文化、思想與文物交互影響的時代。更是近現代西方對於中國的研究發展逐漸成熟，進而成為一門專業學科的時代。本章作為結論性質，擬從三方面提出總結性反思：首先，以母子之間維繫生命的臍帶類比兩代傳教士在近代中西交流史的延續性。其次，以「被翻譯的孝道」，從當代文化翻譯理論反思近代早期《孝經》翻譯史與翻譯策略。第三，從漢學方法論的反思，倡議一種第二序的國際漢學研究。尤其是對於以中文為母語或以中華文化為文化上的母親的學者而言。

一、兩代傳教士漢學的臍帶關係

要討論這個問題，本人先提供一個例子：也就是法國耶穌會士馬若瑟、第一位漢學教授雷慕沙，以及新教傳教士所編輯的英文漢學刊物《中國叢報》作為起點。根據《中國叢報》的索引，此刊物所刊登的有關語言的文章將近一百篇，[1]而這些語言論著中有關馬若瑟與雷慕沙的文章當中，雷慕沙與其學生儒蓮扮演著介於馬若瑟與英語讀者之間的媒介角色。雷慕沙對馬若瑟的評論，則透過英譯被呈現在《中國叢報》的讀者面前。前文已及，巴黎人終究沒有實現馬若瑟的心願在巴黎出版他的手稿，而是英美傳教士在亞洲出版。而且，不僅出版其拉丁文手稿，同時出版了英文譯本；不僅印刷出版了文本，還透過刊物的發行廣為宣揚之。1832年，當馬若瑟《漢語劄記》的拉丁文出版後一年，《中國叢報》在廣州創辦，被譽為世界第一份專門英文漢學刊物。創刊的第一年，主編裨治文立即撰寫〈文學通告：馬若瑟的《漢語劄記》〉（Literary Notices: *Notitia linguae sinicae.* Auctore P. Prémare）一文，專門介紹了在麻六甲出版的《漢語劄記》拉丁本之基本內容。[2]1838年，馬禮遜之子馬儒翰（John Robert Morrison, 1814-1843）在〈重新檢視中國語言學習的工具〉（Review of the facilities existing for the study of the Chinese language）一文中，評論了多份漢語相關著作，馬若瑟的《漢語劄記》再次成為評論對象之一，但他卻是以雷慕沙

1 參見Elijah C. Bridgman & Samuel Wells Williams（eds.）, *General Index of Subjects Contained in the Twenty Volumes of the Chinese Repository: With an Arranged List of the Articles*（Canton, 1851）.

2 *The Chinese Repository*, 1:4（1832）, pp. 152-155. 緊接著這一篇文章之後，則是一篇從《亞洲期刊》（*Asiatic Journal*）1831年10月號摘引而來有關雷慕沙的佛教研究專論之預告。

的《漢文啟蒙》一書來襯托。馬儒翰指出，面對中文文法學習的困難，他（與其尊翁馬禮遜）推薦馬若瑟的《漢語劄記》。儘管此書以特定例句與成語作為漢語學習法門，並非歸納而來的通則（general rule），但他認為該書從中國文獻廣徵引句，為學習中文相當有用。尤其是對中文程度已經有相當深度的學習者而言更是如此。他同時指出雷慕沙的漢語著作，實則繼承了馬若瑟的漢語學習法。[3]而《漢語劄記》所列的例句中，〈中國諺語，從馬若瑟的《漢語劄記》英譯本選取匯集〉（Chinese proverbs, selected from a collection in the English version of P. Prémare's *Notitia Linguae Sinicae*）專文中，又被介紹討論。此文稱讚馬若瑟的《漢語劄記》一書是公認當時最好的學習漢語輔助材料。[4]似乎對《中國叢報》的編輯或作者而言，這種直接透過例句學習漢語的方法，相對值得重視。[5]

除了對書籍內容的介紹外，馬若瑟其人其事與思想，也在《中國叢報》中被長篇幅地介紹。1841年一篇從雷慕沙的《亞洲新雜纂》（*Nouveau Mélanges Asiatiques*）摘譯的文章：〈馬若瑟神父的傳記：從雷慕沙的《亞洲新雜纂》翻譯〉（Biographical notice of Père Joseph Prémare. Translated from Rémusat's *Nouveaux Mélanges Asiatiques*），[6]記述了馬若瑟生

---

3 *The Chinese Repository,* 7:3（1838）, pp. 113-121.

4 *The Chinese Repository,* 15:3（1846）, pp. 140-144.

5 我認為這種例句學習法可以說是一種「語境的」漢語學習法，在當代的外語學習方法中，頗受好評。馬若瑟的語言學習方法值得繼續追蹤。

6 Abel-Rémusat, *Nouveau Mélanges Asiatiques*, partly translated as "Biographical Notice of P. Prémare," *The Chinese Repository*, vol. X（1841）, pp. 668-675.

平事蹟以及漢語研究。雷慕沙對馬若瑟的所做極高的歷史評價與定位，在這裡被介紹給英語世界讀者。除了宋君榮（Antoine Gaubil, 1689-1759）之外，學界所熟知的耶穌會漢學家與經典翻譯者如柏應理、衛方濟、徐日昇、錢德明、韓國英等人，在雷慕沙眼中都無法和馬若瑟相提並論。而《漢語劄記》一書完全撇棄拉丁文法、從練習中學習而非從語言理論來學習漢語的新方式，則被高度讚揚。[7]在文末，雷慕沙一併介紹了馬若瑟的《六書實義》（1718-1719）這本討論漢字的書籍。漢字中的宗教義含，乃至馬若瑟所引漢字中存在著上帝遺跡的理念的文句，在比《六書實義》晚約十年後才完成的《漢語劄記》中被當作例句，成為漢語學習教材。[8]由此可見，雷慕沙似乎是了解馬若瑟的符象論與其撰寫《漢語劄記》的核心思想。至於這漢字所具宗教義含，有無成為雷慕沙《漢文啟蒙》的例句，則待後文討論。古代中國儒學經典或漢字是否具有宗教義含，而經典中的關鍵名詞如「上帝」、「天」等，是否能與基督宗教的至高者等同，這歷經幾世紀的譯名之爭，除了早期中國教友的言論，幾位符象論者的耶穌會士，後來成為英美傳教士在如何以中文翻譯《聖經》中指涉的那位至高者之名諱的爭辯中，時常出現的討論對象。《中國叢報》連載了多期有關譯名之爭的筆戰文章，馬若瑟、孫璋、錢德明、劉應均在引用討論之列。從《中國叢報》所刊的文章觀察，馬若瑟似乎是被置於歐洲本土自十六世紀以來，追索人類共同語言的脈絡之中來認識。這

7 同上註，頁672。

8 同上註，頁674。

現象從1849年所刊登的〈關於中國的作品清單，主要是英文和法文作品：1.與文學著作； 2. 翻譯； 3.一般性介紹、旅遊等文獻〉（List of Works upon China, principally in the English and French language: 1.Philological works; 2. Translations; 3.General accounts, Travels, &c.）這篇文章約略可以觀察得到。其中除了萬濟國之外，耶穌會士早期的古儒經典翻譯成果，如柏應理和《大學》拉丁文翻譯。另外，門多薩、曾德昭、衛匡國、李明和杜赫德等人的著作，甚至基歇爾（A. Kircher）的漢語論述也在引介之列。[9]

《中國叢報》不僅刊登如此多篇相關的評論，在1847年，《漢語劄記》英譯本，由裨治文的堂弟裨雅各（James G. Bridgman, 1820-1850）[10]翻譯出版。同年的《中國叢報》即刊登了〈馬若瑟《漢語劄記》註記，由裨雅各英譯，廣州中國叢報辦公室出版〉（Notices *Notitia Linguae Sinicae* of Prémare, translated into English by J. G. Bridgman. Canton: printed at the

9 *The Chinese Repository,* 18（1849）, pp. 402-444.

10 James Bridgman之中文姓名，或譯為裨雅各，譯為裨傑斯。前者例如何群雄與張西平，參見何群雄編著，《初期中国語文法学史研究資料——J・プレマールの『中国語ノート』》（東京：三元社，2002），頁310，與張西平，〈中譯本序〉，收入〔丹麥〕龍伯格著，李真、駱潔譯，《清代來華傳教士馬若瑟研究》（鄭州：大象出版社，2009），頁4。後者例如蘇精，見〈《中華叢論》的生與死〉，收入氏著《上帝的人馬：十九世紀在華傳教士的作為》（香港：基督教中國宗教文化研究社，2006），頁26-28。根據Michael C. Lazich 研究，兩人應為堂兄弟，James Bridgman與裨治文的關係，而非蘇精所謂的叔姪關係，參見Michael C. Lazich, *E. C. Bridgman*（*1801-1861*）*, America's First Missionary to China*（Lewiston: The Edwin Mellen Press, 2000）, p. 240.

office of the Chinese Repository）一文通告新書出版，[11]文中推薦所有期望學習漢語、掌握漢族語言的人，都應該利用馬若瑟的《漢語劄記》來達成。[12]儘管英譯本遭受諸多批評，直到今日，這英譯本仍然被重印與研究中。而且，我認為，從當代文化翻譯理論的精神來看，從這英譯本的刪增與誤譯之中，可以觀察出許多經翻譯而衍生的文化交流問題。並且，英語譯本所對後來學界對漢語的理解有何影響，也值得深究。綜合來說，《中國叢報》對馬若瑟與《漢語劄記》的評論，相當一部分出自雷慕沙等法國學界的言論與研究成果。若考慮馬禮遜透過儒蓮取得馬若瑟手稿的抄本，彷彿早期法國巴黎的漢學家，實際上扮演著早期歐陸天主教傳教士與十九世紀英美新教傳教士之間的橋梁。

過去學界討論傳教士與近代中國的關係，一般多以兩個階段來做區分：明末清初的耶穌會士，以及清末民初的新教傳教士。這兩個階段又分屬兩個主要地理區域：一為歐陸傳教士、一為英美傳教士。目前學界多以雍正禁教（1724）或教宗本篤十四（Benedict XIV）在1742年頒布的敕令作為分界點，認為以耶穌會為代表的天主教傳教工作即此而中斷。尤其在1773年耶穌會士遭到解散，以至到1814年復會以後，亦即正值新教傳教士開始入華時，中西之間的正式交流才重新開始。而在兩階段的西方傳教士之間，則多被視為斷裂的關係。

而清末新教傳教士實則有意識地繼承明清耶穌會士們的

---

11 *The Chinese Repository,* 16:5（1847）, pp. 266-268.

12 *The Chinese Repository*, vol. XVI（1847）, p. 268.

工作，而這也與歐洲漢學研究學院化的過程有著密不可分的關係。本書以《孝經》翻譯史為個案研究所追溯出來的歷程，證實了這點。以早期西方漢學領域中對於經典翻譯的發展來做觀察，我認為明清天主教耶穌會士與清末英美新教傳教士之間，存在著一種如同「臍帶關係」那樣緊密的延續性與傳承性。明清之際的交流以及認知，它們作為一種前驅模式，在清末民初西方勢力重新進入中國之後，深刻地發生了影響，後者實際上是延續著前者而再向前進。而且，與前述中西互動的發展相似，十七至十八世紀和十九至二十世紀階段的漢學之發展與演變，後者同樣也是延續著前者而來。中西文化交流史的過程中，中國經典的歐譯在中歐雙方文化傳播過程中所扮演的角色，譯本與翻譯行動在時空背景中的交互作用，以及雙方相遇後的效應歷史回響，值得學界重視並加研究。

二、被翻譯的孝道：《孝經》翻譯史與翻譯策略

回顧耶穌會在華數個世紀的文化事業，可說與翻譯相終始的。晚明入華的耶穌會士，在其適應策略下欲與廣大士人階層交流往來，經典是不能迴避的知識基礎。他們的翻譯工作主要有三個部分：譯名、譯經與譯書。「譯名」主要是後續引發幾百年爭議的中國禮儀之爭當中最關鍵的問題：如何將天主教至上信仰對象*Deus*之名翻譯為中文，以及如何將中文的「天」和「上帝」翻譯為歐洲語言。信仰對象的名字能不能被翻譯，甚至能不能被稱呼，在教會史始終是一個大難題。「譯經」則是有關《聖經》的中文翻譯，但這在當時是不被許可的高風險工

作。整體來說，他們的翻譯事業最具成就的部分是「譯書」：包括歐書中譯和中書歐譯。中書歐譯的部分，有兩個最著名的成果：一是柏應理主持的《中國哲學家孔子》。另外一個就是衛方濟的《中國六經》，當然，本書研究的《孝經》首見翻譯本就是在這個翻譯工作當中首次呈現在歐洲讀者眼前。

近代將近兩個世紀的《孝經》翻譯史，總結幾個重點。首先，《孝經》之歐譯首見於衛方濟的《中國六經》，該書之出版與中國禮儀之爭密切相關。為此耶穌會士多次透過翻譯和著述，介紹和辯護中國傳統及其傳教立場。《中國六經》在中國禮儀之爭的敏感時期被翻譯，在羅馬確認禁止耶穌會在中國傳教所採取的適應策略之後出版，有個值得注意的觀察，即，衛方濟在翻譯禮儀之爭中爭論不下的重要概念如「天」、「上帝」時所使用的對應名詞與柏應理等人的《中國哲學家孔子》並不相同。同為影響歐洲啟蒙深遠的哲學家萊布尼茲與伍爾夫二人，根據不同經典翻譯版本，對中國傳統的研究，卻得出截然不同結論。前者所見為柏氏譯本，後來撰文主張中國哲學內涵有一套自然神學，認為「理」應被看作第一原理，即上帝自身。[13]後者在其〈中國實踐哲學講錄〉中指出，當1721年他發表有關中國實踐哲學的演說時，只見到衛方濟之《中國六經》，

13 參見 Feng-Chuan Pan, "The Interpretation and the re-interpretation of Chinese philosophy: Longobardo and Leibniz," in Sara Lievens & Noël Golvers（eds.）, *A Lifelong Dedication to the China Mission: Essays presented in honor of Father Jeroom Heyndrickx, CICM, on the Occasion of His 75th Birthday and the 25th Anniversary of the F. Verbiest Institute K.U.Leuven*（Leuven Chinese Studies, vol. XVII）（Leuven: F. Verbiest Institute K.U.Leuven, 2007）, pp. 491-514.

未見柏應理之《中國哲學家孔子》。[14]伍爾夫還指出，在《中國六經》中，天主教信仰中至高者名稱*Deus*並未出現。在此基礎上，伍氏主張中國為不信神論，且無須基督教之神的恩典即能建立高度發展的倫理社會，藉此為他自己建立一套獨立於神學之外的倫理哲學。李文潮指出伍爾夫從衛方濟譯本所認識的中國實踐哲學，促進哲學從神學獨立的過程，是德國啟蒙運動的信號。[15]

目前確定存世的六種《孝經》歐文譯本，出版時間橫跨十八、十九兩個世紀：有時序上的發展性，也有內容上的延續性和衍異性。雖然程度上或有差異，但後來的譯本多參考前人的本子，進一步完成自己的翻譯。除了普呂凱根據衛方濟的拉丁本再翻譯，以及巴黎的民族學者、日文教席羅尼之外，其餘四位均為曾居住中國的傳教士。他們的譯本是根據中文原文、參考了不同注釋而譯，呈現出不同面貌。從韓國英與理雅各兩人為其翻譯所撰的序言，以及韓國英對康熙朝所出版的《御定孝經衍義》的討論，包括康熙序文的翻譯和該書的簡介來看，我發現他的翻譯與詮釋進路，明顯不同於其前輩衛方濟的文人傳統與其後輩理雅各的比較宗教進路。不過，韓國英與理雅各

---

14 秦家懿在其*Moral Enlightenment*一書中，指出伍爾夫發現在柏應理譯本與衛方濟譯本中，幾個重要概念的翻譯並不相同。詳見C. Wolff, *Discourse on the Practical Philosophy of the Chinese*（Text 1721, Notes 1726）, in J. Ching and W. Oxtoby（trans. & eds.）, *Moral Enlightenment: Leibniz and Wolff on China*（Sankt Augustin: Steyler Verlag, 1992）, pp. 162, note 42; pp. 172-173, note 68.

15 請參閱李文潮，〈自然神學問題：萊布尼茨與沃爾夫〉，頁287-288。此文原文收入 Wenchao Li and Hans Poser（eds.）, *Das Neueste über China: G. W. Leibnizens Novissima Sinica von 1697*（Stuttgart: Steiner, 2000）.

均採用長篇注腳方式補充說明所譯文本。根據我目前能掌握的資料顯示，他們的翻譯與中國本土《孝經》的詮釋脈絡和明清間中國學術變化密切相關。而透過經典翻譯，到十八世紀後期的歐洲對中國孝道討論，似乎已經不再是「宗教／公民（文化）」這種對立思維的辯論，而是以宇宙性大家族、天子是家族之長為基礎的「孝治天下」的倫理思維。[16]而理雅各的《孝經》之英譯以《中國聖書》之名，在比較宗教學宗師謬勒的《東方聖書》脈絡中出版，使此經典之地位，從其《孝經》譯者前輩衛、韓二人的「文人」與「帝國」之別，進入跨宗教領域。且從理雅各在其人生最後一階段改變了對中國宗教的態度及其所捲入聖經翻譯對基督教至高者名諱的中譯之辯論來看，可以說與明清耶穌會時代涉入中國禮儀之爭的情形今古呼應。[17]

我認為歐洲神學家所爭論的中國禮儀是否為宗教行為這種提問並不恰當。因為在中國，禮儀是一個倫理議題，而其核心是孝。早在耶穌會士入華初期面對晚明中國人的宗族社會時，已經開始思考討論中國人的祭祖與孝道相關問題。即使在

---

16 這其實呼應了《孝經》在明清學術脈絡的變化，詳見呂妙芬，〈清初河南的理學復興與孝悌禮法教育〉，收入高明士編，《東亞傳統教育與學禮學規》（台北：國立臺灣大學出版社，2005），頁177-224。

17 根據N. Giradot研究，理雅各經典翻譯有兩個主要階段，其最大區別是理雅各對中國傳統的態度。尤其是他對中國宗教的態度，見Norman J. Girardot, *The Victorian Translation of China: James Legge's Oriental Pilgrimage*（A Philip E. Lilienthal Book in Asian Studies, 2002）, 參見第 4~6章。理雅各的《孝經》翻譯工作在其經典翻譯的後期完成，也就是維多利亞時期基督教世俗化的潮流之中完成。理雅各也因此與衛方濟、韓國英的《孝經》翻譯有了明顯時代氛圍之區別。

其他修會的傳教士，例如道明會與方濟會修士也開始在福建建立傳教據點而與艾儒略等耶穌會士接觸之後，同樣注意到這個情況。這也是中國禮儀之爭之所以會越演越烈的關鍵轉折點。儘管對於宗教性的祭祀行為有所疑義，但是對於中國的孝道本身，則是不論耶穌會或其他修會的修士都予以讚賞與肯定。[18]衛方濟當年受派回羅馬，擔任中國禮儀辯護者的任務，他的經典翻譯之所以涵蓋《孝經》的箇中原因，也就很容易理解了。再者，衛方濟的經典翻譯，及其對中國哲學、禮俗的論述，是支持他身為中國耶穌會所派遣回歐的中國禮儀辯護者的重要文宣與論據。所以他篩選經典，並非任意或隨機抽樣。近代中國學術將《孝經》尊為六經總會，也是士人教育基礎文本，而晚明以降文人圈中對《孝經》之出版、閱讀與研究興趣再次復興，多種《孝經》版本和注釋在晚明出版。清順治朝《孝經》再度被正式納入科舉必試科目中。《孝經》在明清社會中，受陽明學影響，有其神秘性和宗教性，但是，清初之後《孝經》的詮釋採朱子學思想，回歸其政治教化的面向。[19]衛方濟與康熙朝的

---

18 雖然不是討論《孝經》的翻譯，不過梅歐金針對艾儒略與道明會修士有關孝道的討論，請參見Eugenio Menegon, *Ancestors, Virgins, and Friars: Christianity as a Local Religion in Late Imperial China*（Leiden: Brill, 2009）, 尤其是第七章："Filial Piety, Ancestral Rituals, and Salvation", pp. 260-300. 包曉鷗也發現早期西班牙傳教士高母羨和閔明我對於中國孝道給予高度評價，詳見 José Eugenio Borao Mateo, "La piedad filial en la literatura del Siglo de Oro y en algunos autores de la China Ming," in Jesús María Unsunariz（ed.）, *Padres e hijos ante el matrimonio: España y el mundo hispánico. Siglos XVI y XVII,* Visor, Madrid, pp. 89-108.

19 《孝經》在中國，尤其明清的學術發展，詳參呂妙芬相關論著：呂妙芬，〈晚明《孝經》論述的宗教性意涵：虞淳熙的孝論及其文化脈絡〉，《中

關係密切，他將《孝經》列入翻譯項目，與四書小學合觀，成為中國六本經典，向歐洲介紹中國的政治、倫理和教育，除了前述禮儀之爭背景，此舉應該是與中國學術變化互動的結果。

在十七世紀的中國，這批耶穌會翻譯文學的作者題辭，用語非常多樣。李奭學對於晚明耶穌會翻譯文學的研究裡，對此做了整理，[20] 包含「授」、「述」、「口授」、「口譯」、「口說」、「譯述」、「演」、「譯義」、「議敘」、「達辭」、「創譯」、「譔」、「撰述」十多種，都是當代概念中的翻譯行動。可以說幾乎所有譯者是在中文世界裡的作者角色方式出場，與他們合作的中國共同作者參與的方式也說明了他們的翻譯不僅涉及口語和書寫，也涉及了「譯」和「釋」。其中，「譯述」（Transwriting）一詞的意義是「跨寫」、「改寫」或「超寫」，李奭學這個研究發現某種程度算是對韋努提（Lawrence Venuti）的「隱身的譯者」（translator's invisibility）提出了歷史的反證。他從班雅明（Walter Benjamin, 1892-1940）的理論反思晚明被翻譯的文學，說：「『翻譯』永遠處於意義匱乏的狀態中，只有『夾譯夾述』或……『譯述』，才能使『譯』或『述』補足彼此的匱乏。也唯有『譯述』式的書寫，才是翻譯的『今生』（this life）和 其『繼起的生命』

央研究院近代史研究所集刊》，第48期（2005），頁1-46；呂妙芬，〈晚明士人《孝經》與政治教化〉，《臺大文史哲學報》，第61期（2004），頁223-260。

20 李奭學，《譯述：明末耶穌會翻譯文學論》（香港：香港中文大學，2012）。

（afterlife）結合整併的唯一管道。」[21]所以，根據李奭學的研究，「晚明耶穌會士的翻譯文學，實質上是 一種跨語言文化的改寫。同一個故事或寓言，以另一個語言重構之後的意義，一經超越文本本身，就有如蝴蝶昇華一般而獲得了新生命。」因此李氏之書英文標題時從翻譯學的角度，說明這些「被翻譯的文學」（translated literature）實則為「晚明耶穌會士們」（late-Ming Jesuits）的改寫或「番異」——在異文與異語中的再現——的成果」。[22]換句話說，在晚明這些被翻譯的文學作品看到，「隱身」的不是譯者，而是「作者」。從他的晚明翻譯文學研究得出一個重要結論：「翻譯成為一個文化交流的方法，一個合作的結果。『譯者』地位不再屈居『作者』之下，某種程度可以說是『共同作者』。」[23]

實際上「譯述」一詞，主要出現在艾儒略（Giulio Aleni, 1582-1649）名下出版的《天主降生言行紀畧》一書的作者署名。他不承認這是《聖經》翻譯，當然這確實還算不上嚴格意義上的《聖經》翻譯，但這本書確實在Ludolphus de Saxonia（ca.1295-1378）所著《基督生平》（*Vita Christi*, 1474）一書的基礎上，把《聖經》四部福音書的內容，夾帶著許多教會歷史的內容翻譯為中文。但是艾儒略卻又如同孔子之「述而不

21 李奭學，《譯述：明末耶穌會翻譯文學論》，頁19。

22 潘鳳娟，〈析論晚明首見文學翻譯的第一本書：評李奭學《譯述：明末耶穌會翻譯文學論》〉，《中國文化研究所學報》，第57期（2013），頁368。

23 潘鳳娟，〈析論晚明首見文學翻譯的第一本書：評李奭學《譯述：明末耶穌會翻譯文學論》〉，頁372。

作」，也像耶穌僅「身教口授」並未「著譔」。[24]受限於教會禁令，最後他更退一步，說自己僅是「會撮要畧，粗達言義……雖不至隕越經旨，然未敢云譯經也」。筆者曾經指出，被譽為「西來孔子」的艾儒略，雖然署名「譯述」實際上是效法了孔子和耶穌，堅持了「述而不譯」的原則，採取「以譯為述」的敘事策略，將不被教廷許可翻譯的《聖經》相關文字，在另一個語言的脈絡中重寫，並且因地制宜地精心重構一個跨語言天主降生敘事。[25]雖然是「譯述者」，但是艾儒略卻以作者之姿，面對中國讀者。

從嚴復翻譯《天演論》在譯例言建立的信、達、雅翻譯三難之後，當代對於翻譯這檔事，都不得不思考這個翻譯原則。天演論譯例言說到：

> 譯事三難，信、達、雅。求其信已大難矣。顧信矣。不達。雖譯猶不譯也。則達尚焉……譯文取明深義。故詞句之間。時有所傎到附益。不斤斤於自比句次。而意義則不倍本文。題曰達恉。不云筆譯。取便發揮。實非正法……西文句中名物字。多隨舉隨釋……假令仿此為譯。恐必不可通。而刪消取徑。又恐已譯有漏。此在譯者將全文神聖。融會於心。則下筆抒詞。自善互備。至原文詞理本深。難於共喻。則當前後引襯。以顯其意。凡此經營，皆

24　艾儒略，〈萬日略經說〉，同前註，卷首，頁3b。

25　相關的完整討論詳見潘鳳娟，〈述而不譯？艾儒略《天主降生言行紀略》的跨語言敘事初探〉，《中國文哲研究集刊》，第34期（2009），頁111-167。

> 以為達。為達即所為以信也。[26]

當然，嚴復所提出的翻譯原則：信、達、雅；他認為信達之外求其爾雅，是翻譯的楷模。但是，不同於耶穌會士們使用「譯述」等新詞來為自己的翻譯作品署名，嚴復在他名下的赫胥黎《天演論》譯本，自己署名為「達恉」，並非以一般理解下的譯者來自我定位。在忠於原文與傳達讀者理解的信與達的兩難之間，嚴復看來更重視達的原則，向讀者傳達文本的意義。當代理解下的翻譯一詞，在中文世界裡已有一段形成的歷史。孔慧怡在其《重寫翻譯史》提到中文翻譯一詞出現在佛教文獻，早在六世紀之前已經出現。逐漸從佛教用語，轉化為常用語言，最後在清代確立為與外國駐華使館內的譯者頭銜，以及轉化語言的動詞使用。[27] 拋開關注的「原文」／「譯文」對應的翻譯觀念，那麼，應該如何理解譯本與原本的關係？班雅明在他的「譯者的天職」這麼說：

> 任何一個翻譯，即使再好，也不能對原文本身產生任何意義，這是很明顯的。但是，透過作品的可譯性，翻譯和作品之間有密切的關係。甚至可以說，當這個關係對原文本身一點意義也沒有的時候，這個關係就變得更為緊密。這個關係，可以說是一種自然的關係，更確切地說，是一

26 轉引自劉靖之主編，《翻譯論集》（台北：書林，1989），頁1。底線為筆者所強調。

27 孔慧怡，《重寫翻譯史》（香港：香港中文大學，2005），頁22-23。

> 個生命的聯繫。就好像生命的各種表現和生命本身有密切的關係，但是對生命本身卻沒有意義可言，翻譯也是這樣從原文裡面產生的。而且，與其說來自原文的生命，不如說來自原文「後來的生命」（Überleben）〔Survival〕。因為，翻譯不都是要比原文出現得晚？而且，對著名的作品來說，由於它們從未在其問世的年代就找到選中的譯者，翻譯標誌著作品後繼生命（Fortleben）〔afterlife〕的階段。[28]

在班雅明那裡，純語言是不可掌握的。在文本迻譯的歷史當中，像個別細胞生滅延續整體生命一般，一個接著一個後起的生命。《孝經》翻譯如同一個生機體活化延續，新舊譯本接棒迻譯，串聯成為翻譯史，形成了一段中國孝道概念與實踐的歷史。

上世紀七〇年代以來，在Susan Bassnett與André Lefevere等學者的倡導之下，翻譯研究出現了「文化轉向」（the culture turn of translation studies）。此後不久，他們面對新的發展，進一步提出所謂的「文化研究的翻譯轉向」（the translation turn in cultural studies），文化研究與翻譯研究之間的界線越來越模糊。而文化研究也出現「翻譯轉向」。擺脫如原文和譯文的對等（equivalence）這類型的傳統翻譯理論的價值觀，不糾結於譯文是否與如何忠實於原著的翻譯技巧與價值判斷。研究關注

28　引文為胡功澤所譯，相關比較詳見胡功澤，〈班雅明〈譯者天職〉中文譯文比較研究〉，《編譯論叢》，第二卷，第一期（2009），頁189-247。

的重心，轉向目的語所承載的文化，他們認為翻譯是「對原文的改寫」，在改寫過程中，翻譯是因應新的社會處境而生的創作，翻譯行動也就成為了文化建構的行動。[29] 跨文化的研究，也不可迴避地必須正視翻譯問題。當代的翻譯研究與文化研究之間的相遇和交互影響，就文學研究理論的層面自有其學術發展的必然性。人文學科之間跨領域的互相啟發對不同學門也自有其深層省思的助益。儘管無法在尚未全面研究一部分翻譯文獻，就宣告耶穌會研究或是傳教士漢學研究出現了翻譯的轉向。但是他們對於翻譯理論的貢獻，應當獲得更多關注，而當代翻譯理論也可以提供這個研究更多啟示。

本書已經就衛方濟以來六種《孝經》譯本的具體翻譯脈絡與內涵進行詳細的討論，並於第一章說明了經典翻譯的研究模式。在長達兩個世紀的時空裡，這個翻譯史具備了多重時空脈絡，譯者身分也愈來愈多元。他們不僅是譯者，也具有讀者與作者的多重身分。以下圖示說明之：

---

29 Susan Bassnett, André Lefevere, *Constructing Cultures: Essays on Literary Translation*（Clevedon: Multilingual Matters,1998）.相關研究請參閱Susan Bassnett, “The Translation Turn in Cultural Studies,” in *Constructing Cultures: Essays on Literary Translation*, ed. Susan Bassnett & André Lefevere（Clevedon: Multilingual Matters, 1998）, pp. xxi, 123-140 和Mary Snell-Hornby, *The Turns of Translation Studies: New Paradigms or Shifting Viewpoints?*（Amsterdam; Philadelphia: John Benjamins Publishing Company, 2006）, pp. 164-169. Susan Bassnett & André Lefevere, “General Editor’s Preface,” in *Translation/History/Culture: A Source Book*, ed. André Lefevere（London and New York: Routledge, 1992）. Cristina Marinetti, “Cultural approaches,” *Handbook of Translation Studies*, vol.2（2011）, pp. 26-30.網路版網址Handbook of Translation Studies Online https://benjamins.com/online/hts/articles/cul1（檢索日期：2021年8月20日）。

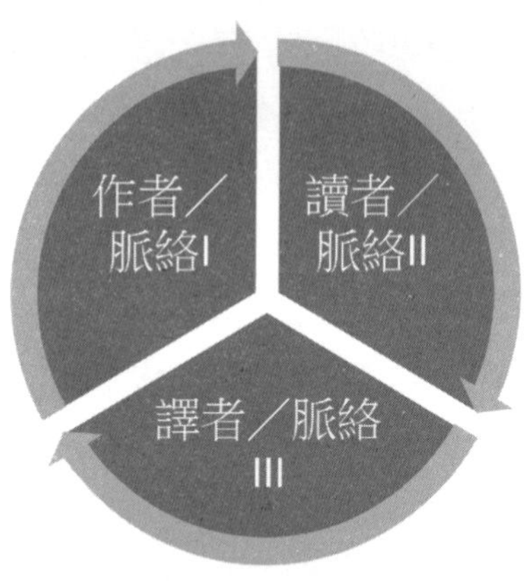

附圖二：翻譯的多重脈絡與譯者的多重身分詮釋循環

在這個多重翻譯脈絡的翻譯進程，承擔翻譯工作的譯者，同時是中國經典的讀者，翻譯者，也在詮釋過程中以作者身分賦予新的意義，甚至在新的語言文化脈絡中建立新的知識體系。也可以說，他們一方面是前輩譯本的讀者，但卻成為新譯本的作者，一方面參酌中國學術的新注疏本，一方面也在新的脈絡當中，透過他的新譯本重新詮釋同一部經典，並在另一個語言文化中以新作之姿延續了文本的生命。這六位譯者，兼具讀者、譯者與作者身分，並且在新的脈絡中，傳承了前輩的譯本，且不但因應新的脈絡出版新譯作，並提出新詮釋。這個過程一代接續一代，他們的身分也在過程中往返輾轉。如下所示：

A. 作者→原文→讀者

↘

讀者 → 譯者→譯文

B. 作者→原文→讀者

↘

讀者 → 詮釋者→注疏

在翻譯手法與策略部分，本書各章針對特定譯本的研究與討論已經詳述了個別譯者面對《孝經》主旨，以及關鍵的字詞的翻譯方式。在不同的思想與神學背景影響下，在不同時空處境之中，每位譯者有不同處置方式。有的選擇相近的西方詞彙予以意譯，有的則選擇拼音方式置入。當中涉及到的不僅是中國儒學傳統與制度、至上神信仰與祖先崇拜相關宗教層面的爭議，也包含中華帝國政體的介紹。本書附錄一提供了《孝經》不同譯本中對相同關鍵字詞的翻譯對照，相應的上下文脈則請參見書末附錄二「《孝經》原文與譯本全文對照表」。

當代翻譯研究理論性反思的成果中，劉禾從翻譯的歷史條件以及翻譯的跨語言實踐，考察了現代中國的新語詞、新話語從興起到被納入語言系統成為本國語言的過程中，提出了幾個在跨文化翻譯研究裡必須面對的重要問題，包括不同語言之間不可通約嗎？人如何在不同語言和意義之間建立假設性對等（hypothetical equivalence）?以及在認可的價值關係上，一文化翻譯為另一文化的語言時其意義為何？如何在不使一方屈從於另一方的情況下討論跨東西方文化的問題？劉禾的研究關鍵成就在於為英文的Modernity在翻譯過程中逐漸成為中文世界的合法語言「現代性」一詞提出獨到的見解。他撤換當代翻譯理論中「源語」（source language）和「目的語」（target language）這種具有價值優劣、受翻譯對等性牽絆的概念，進而主張Modernity這個字在中文語境中以「現在性」表達，其意義實由譯者中文主方語言（Host Language）語境中發明產生，而Modernity在英文客方語言（Guest language）之意義則會由譯者在主方語言脈絡中予以重新詮釋。因此，在此跨語言的實踐當中，譯者成為中介新語詞並賦予意義的主體，在此基礎上製造一個新的合法性話語。翻譯活動是一種主方語言與客方語言之會遇，在過程中，譯者實質上是跨文化轉介者、新語言的製作者以及意義賦予者。[30]當韋努提提出異化翻譯做為抵抗英語霸權與帝國主義策略的時候，是在同為西方語言的脈絡當中提出的。劉禾的主客語言理論，則是在英文翻譯中文的語境中建立的，主方語言（此處是漢語）的譯者雖然具有意義賦予的權威性，但異化翻譯，例如不用「現代性」而用「摩登性」，是否反而保留了帝國主義文化進入中文語境呢？

回到本書主題：近代西方的《孝經》翻譯史，在將中文經

30 Lydia Liu, *Translingual Practice: Literature, National Culture, and Translated Modernity-China, 1900-1937*（Stanford, California: Stanford University Press, 1995）. Wang Ning, *Globalization and Cultural Translation*（Singapore: Marchall Cavendish, 2004）, chs.2, 6-8（esp. pp.16-27, 70-104）. 劉禾著，宋偉杰等譯，《跨語際實踐——文學、民族文化與被譯介的現代性》（北京：三聯書店，2002），頁1-71。同時請參見書評：談火生，〈林中空地：翻譯中生成的現代性〉，《二十一世紀》，2002年10月號總第73期（網頁版網址：http://www.cuhk.edu.hk/ics/21c）。

典翻譯為西方語言的語境中，韋努提的異化翻譯和劉禾的跨語際實踐如何幫助我們理解中西文化之間的主客關係與文化消長如何影響這些譯本的翻譯？在韓國英的譯本，我們看見他採取多種翻譯策略，雖然更可能的理由是他藉由音譯迴避中國禮儀之爭以及避免觸犯教廷禁令，但就手法來說接近於當代翻譯理論的異化翻譯。我們是否可以說此等翻譯策略實際上也抵擋了中華帝國的對於至上神信仰、對於祖先崇拜與祭祀這種宗教禮俗衝擊歐洲文化呢？普呂凱重新翻譯衛方濟的譯本，讓這個被限制的譯本，在法國大革命前夕重新被翻譯、詮釋與出版，可以說是作為主方語言譯者的普呂凱賦予了中華帝國孝道一種當時法國逐漸流行的共和思想成分。

雖然時代或有差距，翻譯的數量與種類在比例上也不同，但是劉禾在西學傳入中國的歷史當中探問這些問題，其實也適用於反思本書所關注的，近代早期西方翻譯中國經典的歷史過程。以「孔夫子」被翻譯為 Confucius或Kong fu zi為例，從耶穌會翻譯孔子的著作與中國儒家文獻之後，歐洲語言陸續納入從中國漢字音譯而來的 Confucius這個單字，並成為諸多當代不同歐洲語言的名詞。[31]這個單字是第一人稱單數的拉丁名詞，對於當時的歐洲讀者，閱讀過程的異化感相對於Kong fu zi這樣的拼音名詞來說是比較弱的。如果接著劉禾的問題意識來反思並「接著講」的話，我們能否說前述Confucius進入歐

31 因為不同語言拼法或有不同，但是發音相近。法語、荷蘭語和英語的拼法與拉丁文相同，義大利語和西班牙語是Confucio，德語和捷克語等等則是Konfuzius 和Konfucius。基本上以相近發音作為譯詞。

洲語言系統的具體實例，是歷經翻譯此等跨語際實踐之後的漢化（sinicization）結果呢？歐洲的漢學在耶穌會大規模譯介中國傳統語文獻之後逐步建立，我們能否說這是「被翻譯的漢學」（translated sinology）呢？漢學以外來者姿態，透過翻譯進入了歐美的文化與學術體系。除了《孝經》的翻譯，實際上早自十七世紀初，透過傳教士與漢學家，大規模的漢語文獻也被翻譯傳入歐洲，甚至進入西方學術傳統建立漢學學門，部分語言也進入歐洲語言系統。個人認為重新檢視近代傳統中國元素如何透過翻譯與西方文化匯流，應該是接下來學術與文化交流必須著手的項目之一。比現代性的翻譯更顯複雜的是，本書所討論的《孝經》翻譯的譯者們跨越了更長的時代，而這部經典在中國自身也具有歷史時代的複雜注疏傳統，也因此向我們展示出一個更長時段、更廣大的文化時空間的交會。孟德衛說十七世紀耶穌會的適應策略是歐洲漢學的起源。十八世紀歐洲漢學學院化，是要歸功耶穌會大量翻譯中國經典與文獻。十九世紀，中西方的勢力前消後長，更大量的西學傳入中華帝國之際，裨治文、理雅各與羅尼三人還是持續將《孝經》翻譯為西方文字，傳入美英法等強勢國家，不過十八世紀天主教會內部關心的禮儀問題還是懸而未決。此時無論是從教育、宗教面向來翻譯與詮釋《孝經》的內涵，中國經典相關的翻譯與研究已經是西方學術圈裡體制化的漢學甚至東方學的一環。《孝經》在翻譯與傳承過程中，藉此向歐洲的宗教界、政治界、知識界重要人物介紹了中華帝國的文人傳統與帝國傳統，不僅自此建構了一套有關中國的知識體系，同時也影響了十八世紀歐洲啟蒙時期以後的思想與學術轉變，甚至啟發了十九世紀之後新教傳教士對中國傳統的理解。更廣更深的影響是，如孟德衛所言，耶穌會對中國的研究與出版，催生了歐洲漢學，自十九世紀之後，漢學正式進入歐洲學術傳統。本書對於《孝經》的翻譯與傳承之研究，不僅證實了他的說法，更進一步地還發掘出至少就漢學領域而言，兩代傳教士之間如母子間不容否認的是，這一段曾透過臍帶相連的緊密關係。

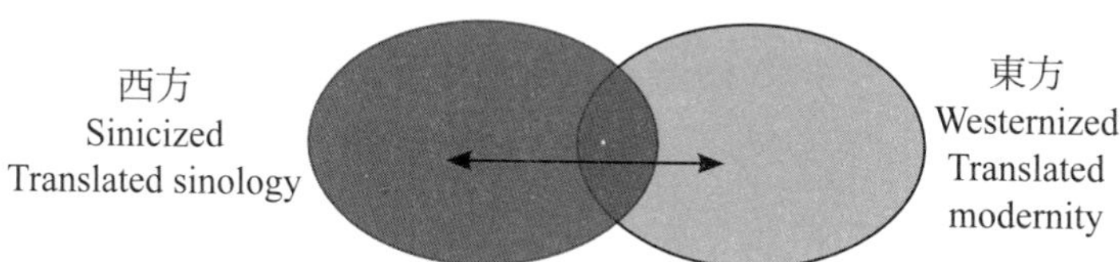

附圖三：被翻譯的漢學

三、漢學學科方法論的再思

1814年，雷慕沙獲任命為法蘭西公學院（Collège de France）首位漢語教席，正式成為法國第一位學院的漢學教授，使得漢學在歐洲的學術地位正式得到確立。他的漢學研究可以說是完全奠立在早期耶穌會士的基礎之上。同一年，耶穌會重新恢復，而被譽為世界第一份專門英文漢學刊物的《中國叢報》，也在法國正式設立漢學教席之後不久創辦於廣州。主編者正是第四章所討論到第一位英譯《孝經》的美籍傳教士裨治文。據我們目前統計結果，《中國叢報》至少刊載了一百多篇與耶穌會有關的文章。並且，從文章內容來看，晚清新教傳教士將明清來華的耶穌會視為整體基督教入華史的初期階段。我們同時也發現，在此刊物出版大約一個世紀之前，亦即當耶穌會為了辯護其中國傳教和中國禮儀而紛紛著作和翻譯書籍並在歐陸廣為流傳的同一時期，已有相當多數量的作品已經被譯為英文出版了。換句話說，雖然當時英國尚未取得直接與中國往來的管道，但已經透過英譯的歐陸漢學文獻，間接地認識了中國。[32] 從數量如此龐大的英譯漢籍來看，我認為英美傳教士來中國之前，應有相當高機會取得耶穌會的漢學研究資訊，以便事先充實他們對中國的認識。並藉由法國的漢學教授所提供的奧援，得以開創英文世界的漢學研究。歷觀十八至十九世紀西方譯介中國典籍者，從歐陸人、英國人到美國人，以及出版地從中國、歐陸、英國又回到中國廣州，無論從歷時性與共時性來看，兩代傳教士的延續性，極為明顯。西方對於中國知識的建構，從初期耶穌會士翻譯中國典籍，經由十九世紀法國漢學家與英美傳教士的繼承與開新，歷經三個世紀，逐漸在西方學術圈確立起它作為一個學科的地位。

自二十世紀末以來，學界對於逐漸升溫的「漢學熱」展

---

32 例如曾德昭（Alvaro Semedo, 1585-1658）的《大中國志》（*The History of That Great Renowned Monarchy of China,* London, 1655）、李明（Louis Lecomte, 1655-1728）的《中國現勢新志》（*Memoirs and Observations Topographical, Physical, Mathematical, Mechanical, Natural, Civil, and Ecclesiastical Made in Late Journey through the Empire of China*, London, 1698）、Juan González de Mendoza, *The Historie of the Great and Mightie Kingdome of China,* Translated out of Spanish by R. Parke（London: Wolfe for Edward White, and are to be sold at the little north doore of Paules, at the signe of the Gun, 1588），以及1781年在法國再版的《耶穌會士書簡集》（*Lettres edifiantes et curieuses*, 1702-1766）等等書籍。

開了許多討論。其中有關漢學知識的合法性，非常關鍵；不以漢學為一套一成不變的知識或學問，而是以漢學作為一個「方法」，或者說「中國」作為方法而非對象。這引伸出一些必須思考的問題。首先，「漢學究竟是一個科學學科，還是一種帶有意識形態的敘事？漢學究竟是知識，是一門學問，還是一種方法，或者一種工具？」[33]這些問題值得深思。這個問題也逐漸地從西方漢學圈擴及中國學術界。在前述西方《孝經》翻譯史的個案研究基礎之上，以下我們回顧與討論幾位學者的言論，來重新反思漢學本質與定位。

荷蘭學者顧樸（Hans Kuijper）曾經撰文針對「漢學」（Sinology）是否堪稱得上科學，對中國之獨特性是否足以成為一門學科的研究對象，大加撻伐。顧樸定義下的科學（Science）指系統化知識（systematised knowledge），配合一般可接受的原則與組織而成的知識。他認為追尋系統化知識是一個不斷前進的過程；追溯源始、蒐集資料、整理歸納、找出原理、進行解釋，形成理論。他認為，如果漢學家僅扮演翻譯者角色，「沒有發展出與中國作為中國本身有關的一套系統性概念和通則」，其工作內容無法被稱之為科學。他的意思是，除非漢學具備一個「漢學原理」（*principia sinologica*），否則無法被視為一門獨立學科。[34]另一個問題是，有關「漢學」以

33 錢林森，〈漢學作為方法與西方漢學傳統的顛覆——從弗朗索瓦·于連說開去〉，《跨文化對話》，第28輯（2011），頁252。另參見周寧：〈"漢學主義"：反思漢學的知識合法性〉，《跨文化對話》，第28輯（2011），頁205-209。

34 參見〔荷〕Hans Kuijper（顧樸），"The Study of China, A Critical

一個國家作為研究對象，首先要質問的是，為何是中國？中國有何獨特性得以成為一門科學？即使中國如此獨特（unique），西方漢學家是否有能夠避免運用西方詞彙和概念的束縛而如其所是的來研究中國呢？前述顧樸所謂的「漢學」並非與「宋學」相對的漢學，而是指今日通稱之西方「漢學」——亦即與中國「國學」相對應，或說亦即是泛指西方學者對中國的研究而言。然而，「漢學」的實質內容應該是什麼呢？其發展的歷史又是如何？為要回答這類問題，德國漢學家傅海波（Herbert Franke, 1914-2011）首先針對所謂的「歐洲漢學」（European Sinology）發展歷史提出了評論。他質疑所謂的「歐洲傳統」，並追問道：「有特定國家特質的漢學嗎？」他的回答是否定的。就傅海波自己而言，漢學就其起源和本質，就是國際化的產物。他主張漢學研究必定是跨國的（International），儘管漢學研究者不可避免地在選擇研究主題和研究方法時，會受到計畫補助者、政府和政治立場等因素的影響，但是，由國家政治社會背景決定的特定「國家模式」（national style）的漢學型態並不存在。[35]雖然我們或可勉強地以不同語言區的漢學研究進行

Assessment,"〔對中國研究的批判性分析〕，收入林志明、魏思齊（Zbigniew Weso owski）編，《第二屆漢學國際研討會論文集：「其言曲而中」—漢學作為對西方的新詮釋：法國的貢獻》（台北：輔仁大學出版社，2005），頁313-405 。此文前身為Hans Kuijper, "Is Sinology a Science?" *China Report*, Vol. 36, No. 3（2000）, p. 331.

35 Herbert Franke, "In Search of China: Some General Remarks on the History of European Sinology," in Wilson, Ming & John Cayley（eds.）, *Europe Studies China: Papers from an International Conference on the History of European Sinology*（Taipei: The Chiang Ching-Kuo Foundatoin for International Scholarly

區分，但是無法主張除語言的區別之外，不同國家之漢學研究有其方法上甚至本質上的差異。以上所論，是針對漢學的國別性格來說的。

另一個值得探問的問題是：歐洲漢學是否可以被視為歷史上不同時代研究中國的學者／漢學家，藉由遠離歐洲迂迴並進入中國同時是回歸且凸顯其自身文化與思想底蘊的知識旅行？[36]以本文所討論長達兩世紀的歐美《孝經》翻譯史為例，不同譯者作為同一部文獻的譯者與釋者，雖然在行動上與思想上遠離自身文化傳統，繞行中國古典文獻，實質上，卻在其譯文之中，仍還是透露出了其身分與深層的思想內涵。如此一來，《孝經》從作為翻譯與研究對象，就轉變為一個進路、一個方法；從歷時性發展，串連了兩個世紀不同傳統的傳教士之間的「跨國的」思想傳承，並從共時性脈絡，將中國與歐洲之間的差異性凸顯，建構了多元的統一性。如果顧樸所言可以成立，亦即缺乏「漢學原理」的漢學就不具備學科性的話，如果漢學是一種方法，那又何需多此一舉的原理呢？

這「漢學作為方法」（sinologie comme méthode）的提出

Exchange, Han-Shan Tang Books, 1995）, pp. 11-25.

36 F. Jullien, *Le Détour et l'Accès*（Paris: Grasset, 1995）；英譯本：*Detour and access: strategies of meaning in China and Greece*, trans. Sophie Hawkes（New York: Zone Books, 2000）.中譯本：〔法〕弗朗索瓦・于連著，杜小真譯，《迂迴與進入》（北京：三聯書店，1998）。另參見楊煦生，〈為何迂迴，從何進入：漢學的范式迷宮〉，《博覽群書》，2007年5期，頁7-9。

者，[37]是法國學者朱利安（于連, François Jullien）。[38] 他在《（經由中國）從外部反思歐洲》一書中，警告漢學研究者不要陷入「中國化」——重複中國人的敘述和故紙堆中——罹患所謂的「漢學綜合症」，封閉在毫無邊際的沙畹症候群。[39]因此，他主張：漢學「應該是我們的一個理論工具（漢學也從一個研究對象轉變為一種方法）」。[40]對他來說，漢學的他者性（l'altérité）、差異性足以成為歐洲漢學家的一個「途徑」，做為其思考時的外延道路——在走出自己的同時，回到自身。中國與歐洲「之間」因其差異而有建構一「共同」（commun）的可能，兩造「之間做為工具」（L'entre comme outil），成為對話的路徑。[41]朱利安（于連）原為研究希臘哲學的學者，他之

37 〔法〕弗朗索瓦・于連，狄艾里・馬爾塞斯著，張放譯，《（經由中國）從外部反思歐洲——遠西對話》（鄭州：大象出版社，2005），頁168以下；原書參見François Jullien, Thierry Marchaisse, *Penser d'un dehors*（*la Chine*）*: Entretiens d'Etrême-Occident*（Paris: Seuil, 2000）, pp. 245ff .

38 François Jullien的中文姓名目前有多種不同翻譯，由於其本人取用朱利安為名，以其願望為準。由於現有中譯本與相關會議有採用于連、余蓮，故於本文中一同並列。

39 〔法〕弗朗索瓦・于連，狄艾里・馬爾塞斯著，張放譯，《（經由中國）從外部反思歐洲——遠西對話》，頁120-121。

40 杜小真著，《遠去與歸來：希臘與中國的對話》（北京：中國人民大學出版社，2004），頁29-30。

41 參見François Jullien, *L'écart et l'entre: Leçon inaugurale de la Chaire sur l'altérité, 8 décembre 2011* （Paris: Éditions Galilée, 2012）.法文節本參見http://halshs.archives-ouvertes.fr/docs/00/67/72/32/PDF/WP-2012-03_Jullien.pdf （檢索日期：2012年10月15日）。中譯本：〈間距與之間：如何思考中歐之間的文化他者性〉（*L'écart et l'entre :Ou comment penser l'altérité culturelle entre la Chine et l'Europe*），卓立（Esther Lin）譯，於2012年9月

所以轉向中國，是為了另闢一條可能的思想道路。他是這麼說的：

> 為什麼是中國？關鍵是從歐洲出發，從印—歐的偉大語言——梵文除外——中脫離出來，也就是從歷史、影響和交流的關係中脫離出來——這也就排除了阿拉伯世界和希伯來世界……惟有中國構成了這樣一種對於歐洲文化的外在性，並且提供了同等重要的一種知識傳統。我喜歡在我的書中特別提到的帕斯卡爾的話，因為它已經露出了這種思想輪迴的萌芽：「兩者之中哪一個才是更為可信的呢，摩西還是中國？」[42]

這個「摩西或中國？」是巴斯卡（Blaise Pascal, 1623-1662）提出的，他在論及中國歷史時提問：「此兩者那個更為可信呢？摩西或中國？」（Lequel est le plus croyable des deux ? Moïse ou la Chine ?）他說：「中國隱晦，但仍有清晰可尋，去尋找！」[43] 對朱利安來說，對於「為什麼是中國？」這個問題的回答，乃是因為其與歐洲的他者性，使之得以從遠處閱讀，其漢學研

27日於國立中央大學舉辦之「當代儒學國際學術會議：儒學之國際展望」國際學術會議主題演講，會議手冊第164-196頁。

42 弗朗索瓦・于連，〈序〉，收入杜小真著，《遠去與歸來：希臘與中國的對話》（北京：中國人民大學出版社，2004），頁1-3。

43 參見Blaise Pascal, *Pensées,* Section IX, 593, édition Brunschvicg（Paris, 1897）, p. 132. 魯保祿也以此討論西方漢學起源，參見Paul Rule, "The Jesuit and the Beginning of Scientific Sinology," in *K'ung-tzu or Confucius*, pp. 183-194.

究，以中國為進路，回歸自身傳統的最初階段——歐洲思想源頭——希臘哲學。

也許，如同畢來德（Jean F. Billeter）所批評的，朱利安（于連）過度誇大了中國的異質性，或如程艾藍所質疑的，無論是拿希臘比中國，或是中國比希臘，都是過度簡化了問題。[44] 不過，在與法國朱利安（于連）相同研究進路基礎上，德國的漢學家顧彬（Wolfgang Kubin）針對當代在美國漢學界強勢英語霸權主導之下，漢學研究中強烈的歐洲主義提出警告。他以「老歐洲」和「少年美國」來形容西方漢學的中心之從歐陸轉向美國，同時以研究方法的不同，來批判美國漢學所主導的單一西方標準，追求普遍化的潮流此等「政治正確」的研究與詮釋進路。他認為如果學者仍舊執迷於以西方意識形態和一貫的思考模式來論斷中國，例如主張：古代中國沒有上帝啟示的概念、存在的概念等等，注定走向「漢學的死胡同」（l'impasse de la sinologie）。他主張學者應該重新學習巴黎漢學對中國古典哲學、語言的精細研究，「確切掌握各種語言知識和語言背後的歷史，只有這樣，漢學才能成為知識性的對話」。[45]漢學研究

44 根據錢林森，〈漢學作為方法與西方漢學傳統的顛覆——從弗朗索瓦·于連說開去〉，頁255-256。甚至我們也許也可以假設，朱利安（于連）此種以中國為歐洲之對立面極端化之後 可能會演變成堅持以中西間巨大鴻溝而隔絕了彼此認識之可能性。另外，程艾藍也在他所出版有關法國當代有關中國思想的著作，主張「終結相異性的神話」，參見Anne Cheng, *La Pensée en Chine aujourdhui*（Paris: Gallimard, 2007）.

45 〔德〕顧彬（W. Kubin），〈漢學，何去何從？試論漢學現況（Sinologia, quo vadis? Polémique sur la sinologie actuelle）〉，收入林志明，魏思齊編，《輔仁大學第二屆漢學國際研討會「其言曲而中：漢學作為對西方的新詮

不可能迴避其整體文化發展過程中的脈絡性，不能被硬套入西方學術的框架之中。

不同於歐洲漢學家的研究進路，日本學者溝口雄三（1932-2010）在其《方法としての中国》一書中則對比法國漢學反省了日本學界中所謂的「沒有中國的中國學」（中国なき中国学）相關問題。日本對中國古代的研究，並非來自對中國關心，而是對日本自身的關心。溝口嚴厲地批判過去的日本中國學（漢學）缺乏外國意識，骨子裡是一種「沒有中國的中國學」，研究重點在中國古典，忽略其當代（近現代）的中國現況，與現實脫節，想像一個存在於過去的理想中國。因此他建議：「應在於超越中國的中國學，換言之，應是以中國為方法的中國學。」也就是說，溝口主張：將中國學當作一門「外國學」，以中國作為進入世界的進路、途徑、方法。[46]他這種對域外的研究，實則源自對本身的興趣。溝口雄三的核心主張是「以中國為方法，以世界為目的」，強調中國的特殊性，世界各國各自之特殊性，共同建構出一個多元世界觀，建立漢學為一外國學。[47] 漢學發展至二十世紀，中國作為異質的他者是域

釋 法國的貢獻」》（台北：輔仁大學出版社，2005），頁288-311。

46 溝口雄三，《方法としての中国》（東京：東京大學出版会，1989）。中譯本：〔日〕溝口雄三，孫軍悅譯，《作為方法的中國》（北京：三聯書店，2011）。

47 孫歌，〈中國如何成為方法〉，頁293-305。葛兆光將中國「域外」的「中國論述」當作中國的鏡子，反觀溝口之於日本中國學的建議，他認為此建議有利於中國學者反思在「中國的外國學」，例如外國哲學、外國文學等。參見葛兆光，〈重評90年代日本中國學的新觀念——讀溝口雄三《方法としての中國》〉，《二十一世紀》網絡版，2002年12月號，總第 9 期

外漢學界共同的肯認，不論是對歐洲或是東亞的日本學者而言。

而如果我們同意前揭孟德衛所言，西方漢學根源於十七至十九世紀入華耶穌會士們的中國研究，那我們或許可以進一步說，這種漢學乃是源自中國本土然後向歐陸發展，於十九世紀在法國學術中奠立基礎。[48]這個外擴的西方漢學可定位為歐美學者的第一序漢學研究。其路徑卻是自歐洲迂迴通過中國而再度歸返於歐洲，並在十九世紀開始時成為歐洲學術的一部分，大學中的一門學科。我們還可以繼續追問：作為西方漢學者的對立面，如果中國學者（以漢語為母語的學者）採取和朱利安（于連）對立的觀察點，當朱利安（于連）之「從外部反思歐洲」（Penser d'un dehors），以中國與歐洲的差異性足以成為迂迴的路徑，使漢學成為方法的話，[49]歐洲的漢學研究為漢語母語者而言，也可以扮演具有足夠異質性的他者，成為一種「作為方法的第二序漢學研究」。在二十世紀後半葉伴隨著中國崛起，而在主動與被動因素交織之下近年在國際上出現的「漢學熱」，似乎在迂迴經行歐美後，又繞回到了中國本土。當我們從西方漢學史出發，以其對孔子和儒家經典的翻譯、詮釋進程作為個案來加以分析與反思，我們可以說，這是一種本土學者對於西方漢學進行的「第二序研究」（the second order

---

（http://www.cuhk.edu.hk/ics/21c/supplem/essay/0209009.htm）。

48 詳見潘鳳娟，〈從「西學」到「漢學」：中國耶穌會與歐洲漢學〉，《漢學研究通訊》，第27卷，第2期（2008），頁14-26。

49 François Jullien, Thierry Marchaisse, *Penser d'un dehors*（*la Chine*）*: Entretiens d'Etrême-Occident*（Paris: Seuil, 2000）.

research），亦即對作為一種知識學問體（corpus scientiarum）的「漢學研究」（studium sinologicum）的研究。當歐洲學者將「漢學作為一種方法」以用來反思歐洲的同時，中國學者也可將「西方漢學作為一種方法」，進行第二序的反思。

誠如孟德衛所說：「耶穌會士的適應法建構了近代漢學（modern sinology）的根基」，所謂「利瑪竇規矩」（Ricci's formula）並未被歷史所「拒絕」，而僅是被「塵封」。[50]耶穌會士的中國研究，尤其是他們對經典文獻的翻譯與詮釋，奠立了歐陸漢學的基礎。其成果如同潛流一般，在歷史的進程中逐漸從歐陸向英美傳播。近年大陸與台灣對國際漢學的研究逐漸產生極大興趣，我認為這是一種「回歸本位」的第二序研究和發展，與歐美中國學的潮流成為互相輝映的一體兩面現象。儘管西方漢學的發展可看成是中國傳統在域外傳播的歷史，但在過去中西文化交流史研究中卻是受忽略的一環。《歐洲霸權之前》（*Before European Hegemony*）一書的作者Janet Abu-Lughod（1928-）在為《西方文明的東方起源》（*The Eastern Origins of Western Civilisation*）一書作評論時說：「世界歷史需要重寫，而我們正處於這項工作的初級階段。」[51]從本書對於西方《孝經》翻譯史的研究所觀察到的兩代傳教士之延續性，說明了傳教士與近代中西關係的歷史也需要重寫。

漢學，就其本質來說，是一個跨語言、跨文化與跨學科

50 D. E. Mungello, *Curious Land*：*Jesuit Accommodation and the Origins of Sinology*, p. 358.

51 John M. Hobson, *The Eastern Origins of Western Civilisation*（Cambridge: Cambridge University Press, 2004）, cover page.

的研究領域。《孝經》西譯史六個不同階段的代表譯者，在此進程中所投入的翻譯與詮釋貢獻，建構了西方漢學界對此部經典的知識體系和詮釋史。我們在其中看見同一部經典在不同時代與社會脈絡中，形成多元的譯文樣貌，並且形構出一個譯本間的傳承和衍異的翻譯進程。這個西方《孝經》翻譯史為我們提供了不同時期西方傳教士作為中國觀察家對當時中國的理解與詮釋，並且提供了一種在同一語言中所無法察覺的閱讀方式。另一方面，這些譯本作為一個新生命，幾個世紀以來生生不息，綿延不絕。孝道的意涵，也就在這不同時代的再翻譯與再詮釋之中，不斷地被重新書寫與閱讀。翻譯作為西方漢學起源的要素，在此一超越中西二元的學科裡，漢學家的另一個身分是譯者；作為中國文化的譯者，同時是西方漢學的作者，站在共時與歷時的交會點，上承來自其前輩積累的知識，在不同語言、文化與社會脈絡的會遇與交互作用之下繼續遞傳下去。從前述傳教士對孔子的研究和《孝經》之兩世紀的翻譯史的討論，我們可以看出耶穌會對中國的研究成果被新教傳教士繼承下來。中國經典翻譯成為一種對中國的詮釋與再詮釋方法，漢學變成知識交流的路徑。在此基礎之上所建構的中國知識，伴隨著知識主體與客體的協商關係，向彼此呈現與揭露自身。不同知識主體所建構之知識體系，也在時間之流的演進中，漸層累積。到底漢學是否為一門科學？或者，漢學是一個方法？西方漢學應該被視為「西學」的一部分？或是「漢學」的一部分呢？當我從《孝經》的翻譯與流傳這個範例反思西方漢學，不僅看出耶穌會對中國的研究成果被新教傳教士繼承下來，也在文化交流與早期歐美漢學史的脈絡之中，重新定位了研究序位，並再思研究者身分、對象與方法之間的交織關係。歐美學者之對中國研究的第一序研究，中國學者之對歐美漢學的第二序研究，也是一種向彼此揭露自身的對話，如同光照亮物體的同時，也揭露了光源之所在。當作為文化際學科（Intercultural-discipline）的西方漢學成為學術的一環時，對於以漢語為母語與和文化母親的學者而言，在這第二序研究裡，人為操縱的中西之分，已沒有存在的空間。如本人曾在〈傳教士漢學方法論的反思〉（Reflections on the Methodology of the Studies on Missionary Sinology）一文中說到：

> 當我們回顧漢學史的發展，會發現當代學科分類將我們認識的世界切割為研究主體、研究對象、人文學與自然科學的分門別類等等，最後落入單向度思考的困局，誤將側面視為全面，落入將特化視為通則的迷思。因此，從近代以降傳教士漢學對於當代漢學方法的啟示，在於提示我們這是一個超越中西對立的全球性領域，同時也提供了一種全景式的思維與研究方法。此中西文化交流的歷史，並未因政治分割而中斷，中國作為被研究的對象的同時也是研究的方法，在與不同文化背景的研究者在互動與對話過程中，文化在歷史時空中彼此交融。[52]

52 Feng-Chuan Pan, "Reflections on the Methodology of the Studies on Missionary Sinology," *Monumenta Serica. Journal of Oriental Studies*, 68:2（2020）, p. 438.引自中文摘要。

從本書的研究個案，我們可以看見耶穌會士的漢學與新教傳教士的漢學之間存在緊密的，如臍帶一般的關係。母與子之間曾經是一體，透過臍帶傳承生命。即使子代成長為獨立個體之後，這個關係仍不可抹滅。近代的學院漢學起源，也是奠基在耶穌會士的漢學基礎上，後來獨立為學術專科，在研究方法上也開始分化多元。早期法國學院的漢學家，因為掌握了耶穌會傳承下來的龐大漢學資源，在天主教與新教傳教士漢學研究之間，扮演了中介者角色，提供相關漢學資料。他們之間的關係，擬以如下之附圖來說明：[53]

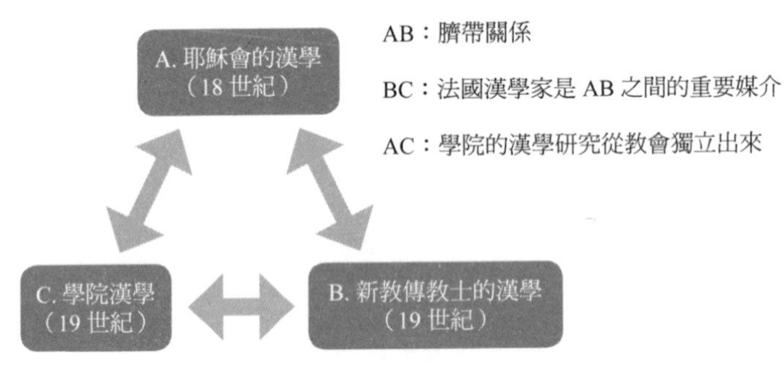

附圖四：耶穌會士、學院漢學家與新教傳教士的關係圖

在過去的研究裡我曾經提問：「耶穌會士與中國傳統之間的交流，果否在禮儀之爭後煙消雲散？」以及「十九世紀的

53 此圖與說明曾經在下面文章提出〈其事好還——19世紀法國漢學界有關《道德經》的鬩牆論戰〉，《漢學研究》，第39卷2期（2021），頁277，以及拙文："Reflections on the Methodology of the Studies on Missionary Sinology," *Monumenta Serica. Journal of Oriental Studies*, 68: 2（2020）, p. 434.

新教傳教士在中西交流『中斷』了近一個世紀之後再度叩關入華，這在西方漢學史上是一個全新的起點，或者其實與耶穌會士密不可分？」這兩個提問來自於以往研究中西交流的一個斷點，也就是誤以為兩代傳教士因禁教而中斷。近年陸續研究傳教士中西方文獻裡的中國知識，逐漸意識到學界對於耶穌會如何影響學院漢學，箇中具體的內容仍舊所知不多，隱約之間看見這當中又出現一個斷點。上面的示意圖說明兩代傳教士的漢學研究，有著直接且密不分的關係。儘管在中國與西方國家政治外交關係中斷的年代，因為耶穌會士留下的龐大漢學資料，廣布於歐洲重要的圖書館檔案館當中，十七、十八世紀歐陸的出版品有有大兩的英文翻譯於倫敦出版，因而也在英語世界裡流傳。當十九世紀新教傳教士前來亞洲，嘗試進入中國之前，已經透過這些文獻對東方尤其中國的知識有相當的掌握。在《中國叢報》當中介紹、翻譯大量天主教耶穌會士的漢學著作可以證實這點。而十九世紀法國首位漢學教授雷慕沙同樣受惠於圖書館檔案館中傳教士累積的漢學文獻與檔案，在耶穌會的故紙堆中自學，開啟了學院的漢學研究。在他之後的法國漢學教授與同時期英美的新教傳教士之間，時有往來，也扮演著提供資料的角色。耶穌會士不僅如孟德衛所言是西方漢學的根源，他們的中國研究遺產直接促成十九世紀法國漢學的學院化，同時也是晚清新教傳教士認識中國的起點。

行文至此，如果要繼續追問：到底十八世紀耶穌會因應中國禮儀之爭所出版的漢學文獻，對於十九世紀法國漢學學院化所扮演的角色，箇中關鍵的內容到底是什麼？第一位漢學教授雷慕沙面對耶穌會的漢學，又是如何抉擇？在學院漢學的方向尚未完全確立之前，他不幸英年早逝，在他身後漢學在學院的生命又是如何延續下去？雖然現有的研究成果顯示大部分學者對於初代法國學院雷慕沙、哿鐵、羅尼及其後繼漢學家所知不多，大部分仍環繞在他們的生平和漢語相關研究，極少注意到其他面向，更少深入探索法國漢學進入學院之後具體是如何傳承耶穌會士的中國論著，以及對於後續學院漢學的不同研究路線又是如何開展，仍有相當大的研究空間。接續著《孝經》翻譯與流傳的研究，以及從當中所建構的研究模式，欲理解上述有關雷慕沙師生，以及後繼漢學家們如羅尼等東方學者在研究進路的變化，《道德經》翻譯與流傳將是解開箇中論題的關鍵。這將會是筆者下一本書的主題。

後記

研究傳教士與中國，是本人信仰的實踐。從學生時代迄今三十年多來，對中西文化交流的研究始終不離開傳教士。隨著傳教士的腳蹤一路走來，主要關注交流兩端的主角與活動：傳教士對儒家經典的翻譯與詮釋，以及中國教友的受容與再詮。近十多年則開始嘗試從相對制高點，以共時性與歷時性兩個視角來反思近代早期中西交流史。共時性的視角使我將研究觸角向西方漢學史的發展脈絡延伸，而歷時性的視角使我從明末清初的耶穌會跳脫出來，開始探索晚清新教傳教士在華工作的內容。近年的研究發現，無論是西方漢學史或近代中西交流史，耶穌會士都是不可迴避的基石。而且不僅如孟德衛（David E. Mungello）所言是西方漢學的根源，他們的中國研究遺產更直接影響了十九世紀法國漢學的學院化，並且是眾多晚清新教傳教士認識中國的起點。跟雷慕沙一樣，個人近年的研究也是在耶穌會的故紙堆中探索，集中在他們對《孝經》與《道德經》的翻譯與翻譯史的建樹，並旁及相關的議題，亦即從耶穌會士的經典翻譯及其出版於歐洲的外文漢學著作的研究，延伸到對十九世紀新教傳教士名下的漢學著作與刊物的研究。在這過程中，我看見「傳教士中外文著作裡的中國知識」、「經典的翻譯」和「中國教友的思想內容」三者，這都是重建西方漢學史的工作裡不可忽略的重要環節。前述三者目前雖然分屬不同學科，但卻是一個整體。這正是近年來我致力於凸顯這些環節之間的聯繫性，努力開闢跨領域統合性研究的目的。

本書是本人十多年來逐步累積針對西方《孝經》翻譯史階段性的研究成果。由於過去未曾有人對西方的《孝經》翻譯進行系統性研究，對於此一經典翻譯的概況、首譯本出現的時空背景、總計多少譯本、每個譯本的出版概況，甚至不同譯本之間是否有關，一切都屬未知，從零開始，摸索前進。整個研究過程彷彿一段探險的旅程。研究的緣起必須回溯到2001年正準備前往荷蘭進修博士學位之時，比利時南懷仁協會主任韓德力神父（J. Heyndrickx）建議我對衛方濟（François Noël, 1651-1729）的貢獻進行研究。唯當時對衛方濟的認識不多，未理解其重要性，也未以此為博士論文主題。然而在撰寫博論過程中開始涉及相關研究專著，我逐漸對他以及耶穌會士的中國經典翻譯如何影響歐洲啟蒙與思想家產生了極大興趣。當時大量閱讀了有關萊布尼茲相關的研究，尤其秦家懿與李文潮兩位教授的著作對我啟發極大，他們都指出中國思想對萊布尼茲、伍爾夫甚至德國哲學得以從神學獨立出來的關鍵性影響。在我重新釐清中國禮儀之爭的不同階段發展的過程中，從耶穌會士多次透過翻譯和著述，介紹和辯護中國傳統，確認前述學者的主張，而且意識到，衛方濟所翻譯的《中國六經》對歐洲啟蒙思想家的影響力並不亞於柏應理的《中國哲學家孔子》。不過，衛方濟的著作卻長期淹沒在浩瀚學海的底層，相關文章頂多在概述耶穌會經典翻譯時提上一筆，且談論方式相似性極高，新意卻是不多。然而，衛方濟的《中國六經》翻譯相關論題已經超出本人博士論文的主軸，因此當時並未對此著墨太深。

在完成萊頓大學的博士論文寫作等候畢業口試之間半年多的時間裡，我移居比利時法語魯汶大學，一方面加強法語能力，一方面開始為中國經典的翻譯和研究蒐集資料。期間陸續發現不同於耶穌會早期的翻譯，衛方濟所挑選的六部中國經典中，除了延續柏應理所挑選歸屬於孔子名下的《大學》、《論語》和《中庸》三書之外，他更加入《孟子》、《小學》和《孝經》。其中，他將《孝經》納入《中國六經》的決定，吸引了我的注意。理由是什麼？在我的博士論文中已經指出歐洲神學家所爭論的中國禮儀是否為宗教行為是一個錯誤提問，因為在中國，禮儀是一個倫理議題，而其核心是孝。衛方濟作為奉旨返回歐洲為中國禮儀辯護的使者，為什麼會認為需要將《孝經》介紹給歐洲讀者呢？尤其是介紹給當時負責決斷耶穌會在華工作的宗教裁判所與神學家們呢？這些問題一直縈繞在我的腦海中，隨著我返回台灣，持續醞釀著。於是一邊教書，一邊透過國科會（科技部）計畫的研究，逐步將問題癥結釐清。

十多年前，全球對於古籍數位化的成果還不像現在這麼豐碩，當時我幾乎遍尋不著衛方濟的著作。不用說台灣的圖書館，歐洲圖書館也尚未將他的書籍數位化，連google books的數位古籍書目也付之闕如。雖然法國國家圖書館書目有註記此書的收藏，但仍未數位化，於是開啟了我透過電郵通訊向該館申請衛方濟書籍檔案數位化的蒐集。後來勉強找到一份印刷極為模糊的《中國六經》，過去這十多年的《孝經》翻譯探索漫長旅程，就從模糊的書頁、隱約的知識中展開了。2009年下半年，透過比利時魯汶大學研究員高華士教授（N. Golvers）的引薦，聯繫了捷克科學院研究員李世佳博士（V. Liščák），獲知布拉格國家圖書館前身是耶穌會院，衛方濟曾經在此居留並出版書籍，確實典藏了部分衛方濟著作。同年9月，藉已故馬雷凱（R. Malek, SVD）教授的邀請前往波蘭克拉克夫開會之便，於會議結束之後立即動身轉往捷克布拉格。在羅然教授（O. Lomová）的協助下，終於獲准進入國家圖書館並得以親炙衛方濟名下幾本重要著作。由於時間很緊迫，我僅能盡力手寫抄錄資料，無法抄錄者立即申請掃描，付了費用後先行回國等候。我訂購的書籍圖像檔是當年11月底才寄來，接著就全心投入解讀與整理衛方濟著作文獻的工作，並設法在最短時間內，釐清並分類他的著作特質與論述重點，也因此才得以展開對西方首見《孝經》譯本的初步研究。

本書所討論的六個《孝經》譯本，出版時間橫跨兩個世紀，但我對它們的理解，卻不是依循它們出版年份的先後順序進行的。蒐集資料過程很像探險和尋寶，無法預期會發現甚麼。理雅各的譯本是其中最容易取得的，他提供的注疏和注腳像藏寶圖一樣，指引我認識他的前輩譯者何在。受惠於理雅各，我陸續發現韓國英、裨治文所出版的譯本。十八至十九兩個世紀之間的譯本之發行方式也各不相同。有的是專書中的一部分（如衛方濟），有的是叢書中的一冊（如韓國英），還有的是期刊中的一篇（如裨治文），在蒐集所有譯本的過程當中，歷經多次挫折，從起初以為僅有四個譯本，後來發現第五個，即普呂凱譯本。最後在一次前往德國華裔學志研究所進行移地研究時，江日新先生從圖書館書庫深處挖出了第六個譯本，賓果！1889年羅尼的譯本被我們找到了！這也是唯一將《孝經》以獨立專書方式出版的譯本。多年輾轉，反覆推敲，終於確定了這兩個世紀《孝經》譯本的數量與相關細節。

2019年，我開始彙整過去曾發表的系列文章，發現不少因為這麼多年研究過程中陸續蒐集資料，以及逐步釐清問題與設定研究方向時，經常受限於各種主客觀條件無法及時取得資料，因此出現了一些詮釋的誤解和時空錯置的情況。探索的過程中，常常需要摸著石頭過河，一步一步去探索。舊文章寫作的時空背景各不相同；有多篇是在受邀而先於研討會發表初稿，之後再修訂改寫完成後投稿期刊，有的則收入會議論文集。有時也因為受邀而將研究成果摘錄重點，用以在一般性刊物或雜誌發簡要版，藉普及化方式向一般讀者介紹學術性成果。這次為了撰寫專書，為學界提供一個完整且具體系的西方《孝經》翻譯研究，發現了許多需要強化與改進的問題：包括不同期刊有不同格式與規定，改寫過程需要統一格式，有些書名的中文翻譯不一致等等。由於不同譯本之間具有相當緊密的關聯性，例如韓國英的譯本會評論衛方濟，理雅各的譯本則有必須交代他對於前人譯本的批評，普呂凱的譯本晚於韓國英，卻又是衛方濟譯本的再譯本，寫作過程中重複交代敘述相似的背景。十多年來的研究過程，有時因為出版時間較早的譯本取得的時間反而較晚，因此在寫作與出版時，反而會出現出版時間較晚的譯本，我卻因為資料較充足而先發表研究成果，而對於較早的譯本卻反而在後來才處理的情況。因此現在回頭整理所有單篇論文時，發現了相當多資訊的錯漏，重複敘述的情況。這些問題都在專書改寫過程中盡量予以排除。但有些屬背景交代或脈絡說明的重複性文字，我則選擇保留，方便讀者閱讀時的順暢度和可理解性，以免前後翻閱困擾。

雖然我對於西方的《孝經》翻譯研究，起點是衛方濟譯本，但礙於關鍵原始資料的取得相對較晚，因此對於正式的成果發表卻是以2009年初探耶穌會士韓國英的《孝經》翻譯做為起點，爾後陸續掌握了西方各諸譯本之後，才逐漸深化對此經典翻譯的中西學術、譯者的各諸時代背景與翻譯進路的細部討論。最後，我才能夠系統地從共時性與歷時性的面向而觀察知道中西學術如何可以透過一部經典翻譯而產生動態的效應史。本書之撰寫是奠立在過去曾經發表過多篇有關《孝經》譯本的學術性論文增刪修訂改寫而成，其各篇原刊資訊條列如下:

1. 〈國王數學家筆下的康熙：以法國耶穌會士白晉與李明的著作為中心〉，收入楊雅惠主編，《「垂天之雲：歐洲漢學與東／西人文視域的交映」學術研討會論文集》（高雄：國立中山大學人文研究中心，中山大學文學院，2018），頁127-164。

2. 〈介於經典與蒙書之間的民間教材：裨治文與中西教育脈絡中的《孝經》翻譯〉，《漢學研究》，34卷4期（2016），頁235-262。

3. 〈翻孔子、譯孝道：以早期的《孝經》翻譯為例反思西方漢學的定位〉，《編譯論叢》，8卷2期（2015），頁57-88。

4. 〈孝道、帝國文獻與翻譯：法籍耶穌會士韓國英與《孝經》翻譯〉，《編譯論叢》，第5卷第1期（2012），頁71-99。

5. 〈清初耶穌會士衛方濟的人罪說與聖治論〉，《新史學》，第23卷1期（2012），頁9-59。

6. 〈馬若瑟、雷慕沙與《中國叢報》〉，收入魏思齊編，《輔仁大學第六屆漢學國際研討會「西方早期（1552-1814年間）漢語學習和研究」論文集》（台北：輔仁大學，2011），頁603-642。

7. 〈郊社之禮，所以事上帝也：理雅各與比較宗教脈絡中的《孝經》翻譯〉，《漢語基督教學術論評》，第12期（2011），頁129-158。

8. 〈中國禮儀之爭脈絡中的孝道：衛方濟與《孝經》翻譯初探〉，《道風：基督教文化評論》，第33期（2010），頁67-95。

9. 〈衛方濟的經典翻譯與中國書寫：文獻介紹〉，《編譯論叢》，第3卷第1期（2010），頁189-212。

10. 〈皇帝的孝道：法國耶穌會士韓國英譯介《御定孝經衍義》初探〉，《漢語基督教學術論評》，第8期（2009），頁147-187。

值此彙編改寫成書之際，謹向上述期刊與出版單位致上最深謝意。其他因應知識普及化之需求而摘錄的簡要版或英文版本則不納入本書。

另外，本書撰寫過程中，新增了羅尼與普呂凱的兩譯本的研究論述，這部分未曾於期刊發表，而是在中研院近代史研究所短訪期間（2020/2-2020/9）所寫。這兩譯本是過去有關《孝經》翻譯的研究中因客觀因素而始終未能著手探索的。雖然曾幾度因譯本和部分中文底本的取得發生困難而擱置撰寫，甚至考慮放棄，終於在發現了羅尼的譯本而出現曙光才又持續。由於羅尼參考了六種不容易尋得的和刻本，但也使得這個《孝經》的西方翻譯史，不僅是一個連結歐洲與中國之間的學術活動，更是擴大成一個為東西方知識交流的結晶。因此，也藉此後記，表達個人由衷感謝，感謝中研院近史所，特別是呂妙芬所長，所提供豐富的研究資源與寬敞的研究空間，使我專心寫作這兩部分。

而本書的完成，絕非一己之力能夠達到。因此我也願意藉此機會向學界先進獻上誠摯的感謝：除前揭協助資料尋找的學者和神父之外，尚有鐘鳴旦（N. Standaert）教授、已故的馬雷凱（R. Malek）教授、李奭學教授、祝平一教授、伊麗（E. Corsi）教授、魏思齊（Z. Wesolowski）教授、梅歐金（E. Menegon）教授、傅熊（Bernhard Fuehrer）教授、關子尹教授、王宏志教授、曾淑賢館長、黃渼婷教授、顧孝永（P. Adamek）教授、戴德中 （A. Dell'Orto）教授、趙宏濤神父、馬諾（E. Raini）博士、李育娟教授、藤井倫明教授、井川義次教授等多位學界先進多年來的學術性交流，激發我不斷反思這個這個議題的內涵。感謝澄定堂分享所藏拿破崙終生執政文件啟發本人將研究延伸至法國共和時期的東方學研究。正是這種學術氛圍所提供的開放討論與思想交流的空間，我才得以在漫長的歲月裡，逐漸將《孝經》的西方翻譯史拼圖完成，進而提出一個具完整體系的論述與研究模式並匯輯寫作此書。感謝科技部（國科會）在這個主題研究過程中，對於多個專題計畫和移地研究在經費上給予了慷慨的補助。移地研究過程獲得多所圖書館與檔案館的協助，感謝德國華裔學志圖書館、羅馬中央圖書館、梵諦岡烏爾班大學歷史檔案館、海德堡大學圖書館、倫敦亞非學院中文圖書館、香港中文大學圖書館、香港大學圖書館、浸會大學圖書館、日本上智大學圖書館、天理大學圖書館等機構與館員在蒐集資料時的協助。特別感謝法國國家圖書館（Bibliothèque de France）、德國慕尼黑巴伐利亞邦立圖書館（Bayerische Staatsbibliothek）以及法國里爾大學圖書館（Bibliothèque de l'Université de Lille）無償授權使用書中多幅書影與插圖。另外尚有來自國家圖書館、臺灣大學圖書館特藏室的書影，經申請後亦獲得授權使用，感謝其複製部門的協助。與本書主題相關的單篇論文撰寫過程中，部分初稿曾經於學術性會議中宣讀，得以獲得諸多學者專家們的建議而加以修訂，在此也一併致謝！本人也要感謝每一個主辦學術會議的機構與補助單位，每一單篇期刊論文匿名審查人的寶貴建議。感謝聯經出版公司、編輯委員會以及兩位匿名審查人的推薦與修訂建議，感謝編輯群在聯繫、編輯、文字、書名與圖像設計上的鼎力協助，方能使本書的出版付諸實踐。

最後，感謝我的人生伴侶江日新，這些年來陪伴我一起出國移地研究，做知識之旅的探險，陪伴我勇闖捷克的國家圖書館與衛方濟相遇。他甚至神奇地從華裔學志圖書館深處挖出羅尼譯本，記得那一次正好遇上隔壁銀行接到恐攻威脅的電郵，所有人被警察「請」出圖書館，所幸後來有驚無險，我們才得以返回書庫繼續賞析羅尼的翻譯。他也經常在我腸枯思竭時從旁提供學術性建議，並在成書最後階段協助修訂。謹將這本書獻給他。

寫於唭哩岸

徵引書目

一、一手資料

〔明〕利瑪竇，《天主實義》，收入李之藻輯，《天學初函》（台北：學生書局，1965），第一冊。

〔明〕利瑪竇等，《聖經約錄》，收入鐘鳴旦、杜鼎克主編，《耶穌會羅馬檔案館明清天主教文獻》（台北：利氏學社，2002），第一冊，頁 87-116。

〔明〕劉宗周，《人譜類記》（台北：廣文書局重印，1971）。

〔明〕呂維祺輯，《孝經大全》，收入《續修四庫全書》，經部孝經類，第 151 卷，據天津圖書館藏清康熙二年呂兆璜等刻本影印（上海：上海古籍出版社 , 1995）。

〔明〕王豐肅，《天主教要》，收入鐘鳴旦、杜鼎克主編，《耶穌會羅馬檔案館明清天主教文獻》（台北：利氏學社，2002），第一冊，頁 117-306。

〔明〕葉向高，〈西學十誡初解序〉，《蒼霞餘草》卷五，頁 22-25，收入福建省文史研究館編，《蒼霞草全集》（南京：江蘇廣陵古籍刻印社，1994），第八冊，頁 334-337。

〔明〕陽瑪諾，《天主聖教十誡直詮》（1642, 1659, 1814），法國國家圖書館藏，中文書目編號 7192。梵諦岡圖書館亦藏，編號 Borg. Cin. 348（1-2）。

Abel-Rémusat, Jean—Pierre, *Mélanges Asiatiques*（Paris: Dondey-Dupré, père et fils, 1826）.

Abel-Rémusat, Jean—Pierre, *Nouveaux Mélanges Asiatiques*（Paris: Dondey-Dupré, père et fils, 1829）.

Amiot, Joseph Marie, et al., *Mémoires concernant l'histoire, les sciences, les arts, les mœurs, les usages, & c. des Chinois: Par les Missionnaires de Pékin*, vol. 4（Paris: Nyon aîsné, 1779）.

Amiot, Joseph Marie, *Vie de Confucius: VIE de KOUNG-TSÉE, appelé vulgairement CONFUCIUS*, in *Mémoires concernant l'histoire, les sciences, les arts, les mœurs, les usages, & c. des Chinois: Par les Missionnaires de Pékin*, vol. 12（Paris: Nyon aîsné, 1786）, pp. 1-508, vol. 13（1788）, pp. 1-38; vol. 14（1789）, pp. 517-521.

Anon., "An Alphabetic Language for the Chinese; Disadvantages of Their Present Written Character; Inconveniences and Difficulties of Introducing a New Language; with Remarks on the Importance of an Alphabetic Language, and Means of Introducing It," *The Chinese Repository,* 4.4（1835）, pp. 167-176.

Anon., "Education: Defects of the Institutions for Educating the Chinese; Anglo-Chinese College; Singapore Institution; Morrison Education Society; the Desirableness of Uniting them and Founding a College." *The Chinese Repository,* 6.1（1837）, pp. 96-99.

Anon., "The Heaou-King, or 'Book of Filial Obedience,'" *Asiatic Journal and Monthly Register for British and Foreign India, China and Australasia,* New Series, 29（1839）, pp. 302-305.

Anon., *General Index of Subjects Contained in the Twenty Volumes of the Chinese Repository: With an Arranged List of the Articles*（Shanghai:〔s.n.〕, 1940 reprint）.

Boone, William Jones. "An Essay on the Proper Rendering of the Words *Elohim* and *Theos* into the Chinese Language," *The Chinese Repository*, 17. 1（1848）, pp. 17-53.

Boone, William Jones. "Defense of an Essay on the Proper Rendering of the Words *Elohim* and *Theos* into the Chinese Language," *The Chinese Repository,* 19, no. 7（1850）, pp. 345-385.

Boone, William Jones. "Defense of an Essay on the Proper Rendering of the Words *Elohim* and *Theos* into the Chinese Language," *The Chinese Repository,* 19, no. 8（1850）, pp. 409-650.

Bouvet, Joachim, *L'Estat Present de la Chine, en Figures: Dedié A Monseigneur Le Duc De Bourgogne*（Paris: Pierre Giffart, 1697）.

Bouvet, Joachim, *Portrait Historique de l'Empereur de la Chine*（Paris: E. Michallet, 1697）.

Bouvet, Joachim, *The History of Cang-Hy The Present Emperour of China Present to the Most Christian King*（London: Print for F. Coggan, in the Inner-Temple-Lane, 1699）.

Bridgman, Elijah C., "First Annual Report of the Morrison Education Society, Read before the General Meeting Convened in Canton, September 21st, 1837," *The Chinese Repository,* 6.5（1837）, pp. 229-244.

Bridgman, Elijah C., "Keënyun Yewheŏ Sheteĕ, or Odes for Children in Rhyme, on Various Subjects, in Thirty-Four Stanzas," *The Chinese Repository,* 4.6（1835）, pp. 287-291.

Bridgman, Elijah C., "Santsze King, or Trimetrical Classic: Its Form, Size,

Author, Object, and Style; A Translation with Notes; The Work Ill Adapted to the Purposes of Primary Education," *The Chinese Repository,* 4.3（1835）, pp. 105-118.

Bridgman, Elijah C. "Education among the Chinese: Its Character in Ancient and Modern Times; In Its Present State Defective with Regard to Its Extent, Purposes, Means, and Results; Measures Necessary for Its Improvement," *The Chinese Repository,* 4.1（1835）, pp. 1-10.

Bridgman, Elijah C. "First Report of the Society for the Diffusion of Useful Knowledge in China, with the Minutes of the first Annual Meeting, held at Canton, October, 19th, 1835." *The Chinese Repository* 4.8（1835）, pp. 354-361.

Bridgman, Elijah C. "Heaou King, or Filial Duty: Author and Age of the Work; Its Character and Object; A Translation with Explanatory Notes," *The Chinese Repository,* 4.8（1835）, pp. 345-353.

Bridgman, Elijah C. "Introduction." *The Chinese Repository,* 1.1（1832）, pp. 1-5.

Bridgman, Elijah C. "Pih Keä Sing Kaou Leŏ, or A Brief Enquiry Concerning the Hundred Family Names: Character and Object of the Work; Variety of Names in China, and the Manner of Writing Them; Degree of Consanguinity, with the Terms Used to Express Them," *The Chinese Repository,* 4.4（1835）, pp. 153-160.

Bridgman, Elijah C., "Proceedings Relative to the Formation of a Society for the Diffusion of Useful Knowledge in China,"*The Chinese Repository,* 3.8（1834）, pp. 378-384.

Bridgman, Elijah C., "Proceedings Relative to the Formation of the Morrison Education Society; Including the Constitution, Names of the Trustees and

Members, with Remarks Explanatory of the Object, of the Institution," *The Chinese Repository,* 5.6（1836）, pp. 373-381.

Bridgman, Elijah C., "Second Report of the Society for the Diffusion of Useful Knowledge in China, Read Before the Members of the Society on the 10th of March, 1837, at 11AM, in the American Hong, No. 2," *The Chinese Repository,* 5.11（1837）, pp. 507-513.

Bridgman, Elijah C., "Tseën Tsze Wăn, or the Thousand Character Classic: Its Form, Size, Author, Object, and Style; A Translation with Notes; New Books Needed for Primary Education of the Chinese," *The Chinese Repository*, 4.6（1835）, pp. 229-243.

Bridgman, Elijah C., "The Singapore Institution: Its Origin and Design; with a Description of its Three Department, 1st, Scientific, 2nd, Literary and Moral for the Chinese, and 3rd, the Same for the Malays, Bugis, Siamese, etc," *The Chinese Repository,* 4.11（1836）, pp. 524-528.

Brown, S. R., "The Eighth Annual Report of the Morrison Education Society for the Year Ending September 30th, 1846," *The Chinese Repository,* 15.12（1846）, pp. 601-617.

Cibot, Pierre-Martial, "Hiao-King, ou Livre Canonique sur la Piété filiale," *Mémoires concernant l'histoire, les sciences, les arts, les mœurs, les usages, etc., des Chinois* vol. 4（1779）, pp. 28-77.

Cibot, Pierre-Martial, "Avant-Propos," *Mémoires concernant l'histoire, les sciences et les arts des Chinois*, 4（1779）, pp. 1-5.

Cibot, Pierre-Martial, "D'une Déclaration de Kang-hi de l'an 1663," *Mémoires concernant l'histoire, les sciences et les arts des Chinois*, vol. 4（1779）, pp. 220-227.

Cibot, Pierre-Martial, "Réflectios et Considérations sur la *Doctrine de la*

Piété filiale," *Mémoires concernant l'histoire, les sciences et les arts des Chinois*, vol. 4（1779）, pp. 286-298.

Cibot, Pierre-Martial, "Détails sur la Piété Filiale, tirés du Cheng-hium de Kang-hi," *Mémoires concernant l'histoire, les sciences et les arts des Chinois*, vol. 4（1779）, pp. 113-126.

Cibot, Pierre-Martial, "Extraits du Li-ki," *Mémoires concernant l'histoire, les sciences et les arts des Chinois*, vol. 4（1779）, pp. 6-28.

Cibot, Pierre-Martial, "Piété filiale de l'Empereur," *Mémoires concernant l'histoire, les sciences et les arts des Chinois*, vol. 4（1779）, pp. 77-100.

Cibot, Pierre-Martial, "Placet *Tseou-y*." *Mémoires concernant l'histoire, les sciences et les arts des Chinois*, vol. 4（1779）, pp. 100-112.

Confucius, *The morals of Confucius, a Chinese philosopher who flourished above five hundred years before the coming of our Lord and Saviour Jesus Christ: Being one of the most choicest pieces of learning remaining of that nation*（London: Randal Taylor, 1691）.

Couplet, Philippe, *Confucius Sinarum Philosophus*（Paris: Danielem Horthemels, 1687）.

De Rosny, Léon, 孝經 *Le Hiao-King: Livre Sacré de la Piété Filiale*（Paris: Maisonneuve et Ch. Leclerc, 1889）.

De Rosny, Léon, *Hiao-King: La Morale de Confucius. Le Livre Sacré de la Piété Filiale*（Paris: J. Maisonneuve, 1893）.

Du Halde, Jean-Baptiste, *Description géographique, historique,chronologique, politique et physique de l'Empire de la Chine et de laTartarie chinoise*（Paris: P.-G. Le Mercier, 1735）.

Du Halde, Jean-Baptiste, *Description géographique, historique, chronologique, politique, et physique de l'empire de la Chine et de la Tartarie chinoise, enrichie des cartes générales et particulieres de ces pays, de la carte générale et des cartes particulieres du Thibet, & de la Corée; & ornée d'un grand nombre de figures & de vignettes gravées en tailledouce*（La Haye: H. Scheurleer, 1736）.

Eber, Irene, "The Interminable Term Question," In Irene Eber, Sze-kar Wen, and Knut Walf eds., *Bible in Modern China: The Literary and Intellectual Impact*（Sankt Augustin: Steyler, 1999）, pp. 135-161.

Girardot, Norman J., *The Victorian Translation of China: James Legge's Oriental Pilgrimage*（Berkeley: University of California Press, 2002）.

Glemona, Basile & Chrétien-Louis-Joseph de Guigne, 漢字西譯. *Dictionnaire chinois, français et latin*（Paris: Imprimerie impériale, 1813）.

LeComte, Louis, *Nouveaux mémoires sur l'état présent de la Chine*（Paris: 1696）.

Legge, Helen Edith, and Religious Tract Society, *James Legge, Missionary and Scholar*（London: The Religious tract society, 1905）.

Legge, James, "Note on the Translation," In *The Hsião King, or Classic of Filial Piety*（Oxford: Clarendon Press, 1879）, pp. 462-463.

Legge, James, "Imperial Confucianism," *The China Review* 6, no. 3（1877）: 147-158; no. 4（1878）: 223-235; no. 5（1878）: 299-310; no. 6（1878）: 363-374.

Legge, James, *The Hsiâo King, or Classic of Filial Piety.* In *The Sacred Books of China: The Texts of Confucianism. Part 1: The Shû King; The Religious Portions of the Shih King; The Hsiâo King*（Oxford: Clarendon Press, 1879）, pp. 449-488.

Legge, James, *Christianity and Confucianism Compared in their Teaching of the Whole Duty of Man*（London: Religious Tract Society, 1883）.

Legge, James, *Confucian Analects, the Great Learning, and, the Doctrine of the Mean*. The Chinese Classics with a Translation, Critical and Exegetical Notes, Prolegomena, and Copious Indexes 1.（Oxford: Clarendon Press, 1893）.

Legge, James, *Confucianism in Relation to Christianity: A Paper Read Before the Missionary Conference in Shanghai on May 11th 1877*（Shanghai: Kelly &Walsh, 1877）.

Legge, James, *The Notions of the Chinese Concerning God and Spirits with an Examination of the Defense of an Essay on the Proper Rendering of the Words Elohim and Theos into the Chinese Language, by William J. Boone, D.D., Missionary Bishop of the Protestant Episcopal Church of the United States to China*（Hong Kong: The Hongkong Register Office, 1852）.

Legge, James, *The Religions of China: Confucianism and Tâoism Described and Compared with Christianity*（London: Hodder and Stoughton, 1880）.

Legge, James, *The Sacred Books of China*, vol. 3（Oxford: Clarendon Press, 1879）.

Legge, James, *The Works of Mencius*, *The Chinese Classics with a Translation, Critical and Exegetical Notes, Prolegomena, and Copious Indexes* 2.（London: Trübner, 1861）.

Mallet, Alain Manesson, *Description de l'univers contenant les differents systeme du monde*, vol. 2（Paris: D. Thierry, 1683）.

Mateer, Calvin Wilson, "The Relation of Protestant Mission to Education," In *Records of the General Conference of the Protestant Missionaries of China: Held at Shanghai, May 10-24, 1877*（Shanghai: American

Presbyterian Mission Press,1878）, pp. 171-180.

Mendoza, Juan González, R. Parke（transl.）, *The Historie of the Great and Mightie Kingdome of China*（London: Wolfe for Edward White, 1588）.

Michaud, Joseph & Louis Gabriel Michaud, *Biographie Universelle, Ancienne et Moderne*, vol. 35（Paris: Michaud frères, 1823）.

Nieuhof, Johannes, John Ogilby transl., *An Embassy from the East-India Company of the United Provinces to the Grand Tartar Cham, Emperor of China*（London: J. Macock, 1669）.

Nieuhoff, Jean, *L'ambassade de la Compagnie orientale des Provinces Unies vers l'empereur de la Chine, ou grand cam de Tartarie, faite par les Srs. Pierre de Goyer, & Jacob de Keyser*（Leyde: Pour J. de Meurs 1665）.

Noël, François & Casparo Castner, *Responsio ad libros nuper editos sub nomine illustriss DD. Episcoporum Rosaliensis & cononensis super controversies Sinensibus oblata Sanctissimo Domino Nostro Clementi PP. XI*（Rome, 1704）. 法國國家圖書館藏版本， FRBNF31021852。

Noël, François & Casparo Castner, *Summarium Nouorum Autenticorum Testimoniorum tam Europaeorum, quam Sinensium novissime è China allatorum.*（Rome, 1703）. 法國國家圖書館， FRBNF31021854。

Noël, François, *Historica Notitia Rituum et Ceremoniarum Sinicarum in colendis Parentibus ac Benefactoribus defunctis, ex ipsis Sinensium authorum libris desumpta. A P. Francisco Noël, Societatis JESU Missionario. De speciali Licentia SS.D. N. D. CLEMENTIS PAPÆ XI ET SUPERIORUM PERMISSU*（Prague: typis Universit: Carlo-Ferdinandeae, in Collegio Soc. Jesu ad S. Clementem, per Joachimum Joannem Kamenicky Factorem, Anno 1711）. 捷克布拉格國家圖書館，編號 B IV 262。法國國家圖書館亦藏，編號為 FRBNF31021846。

Noël, François & Casparo Castner, *Memoriale circa veritatem et subsistentiam facti, cui innititur decretum... Alexandri VII, editum die 23 Martii 1656 et permissiuum Rituum Sinensium itemque circa usum vocum Tien et Xamti, ac tabellae Kim Tien...*（Rome, 27 martii 1703）. 法國國家圖書館 FRBNF31021847。

Noël, François, *Philosophia Sinica: Tribus Tractatibus, Primo Cognitionem Primi Entis, Secundo Ceremonias erga Defunctos, Tertio Ethicam, Juxta Sinarum Mentem complectens, Authore P. Francisco Noël Societ Jesu Missionario, De speciali Licentia SS.D. N. D. CLEMENTIS PAPÆ XI ET SUPERIORUM PERMISSU*（Prague: typis Universit: Carlo-Ferdinandeae, in Collegio Soc. Jesu ad S. Clementem, per Joachimum Joannem Kamenicky Factorem, Anno 1711）. 捷克布拉格國家圖書館藏 49 E18。

Noël, François, *Sinensis imperii libri classici sex*（Pragae: J. J. Kamenicky, 1711）.

Noël, François. *Mémoire sur l'état de la Mission de Chine en 1702*, in *Lettres édifiantes et curieuses écrites des missions étrangères,* vol. 3, pp. 70-73.

Noll, Ray R.（ed.）, Donald F. St. Sure, S.J.,（trans.）, *100 Roman Documents Concerning the Chinese Rites Controversy, 1645-1941*（San Francisco: The Ricci Institute for Chinese-Western Cultural history, 1992）.

Pluquet, François-André-Adrien, *Les livres classiques de l'empire de la Chine*, 7 vols.（Paris: De Bure, Barrois aîné & Barrois jeune, 1784-1786）.

Ricci, Matteo & Nicolas Triguault, *De Christiana expeditione apud Sinas suscepta ab Societate Jesu*（Augsburg: Christopher Mangius, 1615）.

Spitzel, Gottlieb, *De re literaria Sinensium commentarius*（Lugd. Batavoru :

ex Officina Petri Hackii, 1660）.

Wells Williams, Samuel, 漢英韻府. *A Syllable Dictionary of the Chinese Language; Arranged According to the Wu-fang Yuen Yin, with the Pronunciation of the Characters as Heard in Peking*（Canton, Amoy, and Shanghai: American Presbyterian Mission Press, 1874）.

Wells Williams, Samuel, 英華分韻撮要. *A Tonic Dictionary of the Chinese Language in the Canton Dialect*（Canton: Printed at the Office of the Chinese Repository, 1856）.

何高濟，王遵仲譯，《利瑪竇中國札記：傳教士利瑪竇神父的遠征中國史》（北京：中華書局，1983；桂林：廣西師範大學出版社，2001）。

康熙，《聖諭十六條》，（清）紀昀。景印文淵閣四庫全書，子部，717冊（台北市：臺灣商務。1983-1986影印），頁589-610。

杜赫德（Jean-Baptiste du Halde）編，鄭德第、朱靜、耿昇，呂一民等譯，《耶穌會士中國書簡集》（I）（鄭州：大象出版社，2001）。

無名氏，《十誡原本》、《天主十誡》、《十誡本意》，收入鐘鳴旦、杜鼎克、蒙曦合編，《法國國家圖書館明清天主教文獻》（台北：利氏學社，2009），第十四冊，頁561-565。

無名氏，《天主教要》，收入鐘鳴旦、杜鼎克主編，《耶穌會羅馬檔案館明清天主教文獻》（台北：利氏學社，2002），第一冊，頁307-374。

《聖祖仁皇帝聖訓》，卷一聖孝，《大清十朝聖訓》（台北：文海出版社，1965影印），頁1-29。

〔義〕艾儒略，《性學觕述》，收入鐘鳴旦、杜鼎克主編，《耶穌會羅馬檔案館明清天主教文獻》（台北：利氏學社，2002），第六冊，頁45-378。

〔比〕衛方濟，《人罪至重》（1698年北京初版，上海慈母堂，1873年版）。

二、研究論著

Bassnett, Susan & André Lefevere, *Constructing Cultures: Essays on Literary Translation*（Clevedon: Multilingual Matters,1998）.

Bassnett, Susan, "The Translation Turn in Cultural Studies," in *Constructing Cultures: Essays on Literary Translation*, ed. Susan Bassnett & André Lefevere（Clevedon: Multilingual Matters, 1998）, pp. xxi, 123-140.

Belouad, Chris, "Léon de Rosny et la constitution d'un savoir français sur le Japon," *Historiens et geographes: revue de l'Association des Professeurs d'Histoire et de Géographie de l'Enseignement Public*（APHG）, no. 444（2018）, pp. 137-141.

Belouad, Chris, "Léon de Rosny et la spiritualité de l'Orient: Une dernière incarnation du paradigme philologique de la ≪ Renaissance Orientale≫?," *Gallia* 50（2011）, pp. 23-32.

Berlinguez-Kono, Noriko（河野紀子）, "Léon de Rosny, ses livres dans le fonds lillois: sa vision des études japonaises, orientalisme, ethnographie," *Symposium international: Genèse des études japonaises en Europe: Autour du fonds Léon De Rosny*, Laboratoire CECILLE, Nov 2015, Villeneuve d'Asq, France. ⟨hal-01753361⟩

Berlinguez-Kono, Noriko, "Léon de Rosny（1837-1914）and 19th Century Japan Studies in Europe," *Symposium international Modernizing Japan: the Belgian Connection*（*1830-1945*）, Nov 2015, Leuven, Belgium. pp.87-92. ⟨hal-01753375⟩

Berlinguez-Kono, Noriko, "Genèse des études japonaises en Europe: Autour du fonds Léon de Rosny," Patrick Beillevaire（dir.）; Willy Vande Walle（dir.）. France. Presses universitaires du Septentrion, 2018. ⟨hal-

01753239〉

Borao Mateo, José Eugenio, "La piedad filial en la literatura del Siglo de Oro y en algunos autores de la China Ming," in Jesús María Unsunariz（ed.）, *Padres e hijos ante el matrimonio: España y el mundo hispánico. Siglos XVI y XVII*（Madrid: Visor Libros, 2008）, pp. 89-108.

Brokaw, Cynthia J., *The Ledgers of Merit and Demerit: Social Change and Moral Order in Late Imperial China*（New Jersey: Princeton University Press, 1991）.

Burke, Peter, *The Fabrication of Louis XIV*（New Haven and London: Yale University Press, 1992）.

Chen, Hsi-yuan, "Confucianism Encounters Religion: The Formation of Religious Discourse and the Confucian Movement in Modern China,"（PhD diss., of Harvard University, 1999）.

Cheng, Anne. *La Pensée en Chine aujourdhui*（Paris: Gallimard, 2007）.

Ching, Julia and W. Oxtoby（trans. & eds.）, *Moral Enlightenment: Leibniz and Wolff on China*（Sankt Augustin: Steyler Verlag, 1992）.

Courant, Maurice, *Catalogue des livres Chinois, Coréens, Japonais*（Paris: Ernest Lerous, 1902）.

Davy, Jacques, "La condemnation en Sorbonne des *Nouveaux memoires sur la Chine de P. Le Comte*," *Recherches de science religieuse*, 37（1950）, pp. 366-397.

Dehergne, Joseph, *Répertoire des Jésuites de Chine de 1552 à 1800*（Rome: Institutum Historicum S. I. ; Paris: Letouzey et Ané, 1973）.

Dijkstra, Trude & Thijs Weststenijn, "Constructing Confucius in the Low Countries," *De Zeventiende Eeuw*, Vol. 32, Issue 2（2016）, pp. 137-164.

Edstrom, Bert, *The Japanese and Europe: Images and Perceptions*（London: Routledge, 2013）.

Elman, Benjamin A., "Sinophiles and Sinophobes in Tokugawa Japan: Politics, Classicism, and Medicine During the Eighteenth Century," *East Asian Science, Technology and Society,* Volume 2, Issue 1（2008）, pp. 93-121.

Fabre-Muller, Bénédicte & Pierre Leboulleux et Philippe Rothstein（dir.）, Léon de Rosny de l'Orient à l'Amérique: 1837-1914（Villeneuve d'Ascq: Presses universitaires du Septentrion, 2014）.

Ferrier, Michaël, "L'art du repiquage: présences du Japon de Léon de Rosny à Dany Laferrière," *D'après le Japon, actes du Colloque international de l'École Normale Supérieure*,（Nantes: Éd. Cécile Defaut, 2012）, pp. 55-82.

Franke, Herbert, "In Search of China: Some General Remarks on the History of European Sinology," in Wilson, Ming & John Cayley（eds.）, *Europe Studies China: Papers from an International Conference on the History of European Sinology*（Taipei: The Chiang Ching-Kuo Foundatoin for International Scholarly Exchange, Han-Shan Tang Books, 1995）, pp. 11-25.

Gallaghe, Louis Joseph, *China in the Sixteenth-century*（New York: Random House, 1953）

Harro Höpfl, *Jesuit Political Thought: The Society of Jesus and the State*（Cambridge University Press, 2004）.

Jensen, Lionel M., *Manufacturing Confucianism: Chinese Traditions & Universal Civilization*（Durham, N.C.: Duke University Press, 1997）.

Jullien, François & Thierry Marchaisse, *Penser d'un dehors（la Chine）: Entretiens d'Etrême-Occident*（Paris: Seuil, 2000）.

Jullien, François, *Le Détour et l'Accès*（Paris: Grasset, 1995）.

Jullien, François, *L'écart et l'entre: Leçon inaugurale de la Chaire sur l'altérité, 8 décembre 2011*（Paris: Éditions Galilée, 2012）.

Jullien, François，卓立譯，〈間距與之間：如何思考中歐之間的文化他者性（L'écart et l'entre: Ou comment penser l'altérité culturelle entre la Chine et l'Europe）〉。國立中央大學主辦，當代儒學國際學術會議：「儒學之國際展望」國際學術會議。中壢:中央大學，(2012年9月)。

Keevak, Michael, *Becoming Yellow: A Short History of Racial Thinking*（Princeton, NJ: Princeton University Press, 2011）.

Kuijper, Hans, "Is Sinology a Science? ," *China Report*, 36:3（2000）, pp. 331-354.

Lach, Donald F. "The Sinophilism of Christian Wolff（1679-1754）," *Journal of the History of Ideas*, vol. 14, no. 4（1953）, pp. 563-564.

Landry-Deron, Isabelle, *La Preuve par la Chine. La "Description" de J.-B. Du Halde, Jésuite, 1735*（Paris: Editions de l'Ecole des Hautes Etudes en Sciences, 2002）.

Lazich, Michael C., *E. C. Bridgman（1801-1861）: America's First Missionary to China*（Lewiston: Edwin Mellen Press, 2000）.

Leboulleux, Pierre et Bénédicte Fabre-Muller et Philippe Rothstein, *Léon de Rosny De l'Orient à l'Amérique*（Villeneuve d'Ascq: Presses Universitaires du Septentrion, 2014）.

Lee, Chao Ying, "Integration of Foreign Culture with Local Culture: The Icons of Confucius in *Mémoires concerant les Chinois*（1776-91）in France," *Sino-Christian Studies*, 4（2007）, pp. 109-135.

Lefevere, André（ed.）, *Translation/History/Culture: A Source Book*（London and New York: Routledge, 1992）.

Leibniz, Gottfried Wilhelm, Wenchao Li, and Hans Poser, eds. *Discours sur la theologie naturelle des Chinois*（Frankfurt am Main: Klostermann, 2002）.

Li Wenchao, "Un commerce de lumière - Leibniz' Vorstellungen von kulturellem Wissensaustausch," in Friedrich Beiderbeck, Irene Dingel &Wenchao Li（eds.）, *Umwelt und Weltgestaltung: Leibniz' politisches Denken in seiner Zeit*（Göttingen, Germany: Vandenhoeck & Ruprecht, 2015）.

Li, Wenchao and Hans Poser（eds.）, *Das Neueste Über China: G. W. Leibnizens Novissima Sinica von 1697*（Stuttgart: Steiner, 2000）.

Li, Wenchao, *Die christliche China-Mission im 17. Jahrhundert*（Stuttgart: Steiner, 2000）.

Lievens, Sara, and Noël Golvers, eds. *A Lifelong Dedication to the China Mission*. Leuven Chinese Studies 17（Leuven: F. Verbiest Institute, 2007）.

Lippiello, Tizianz and Roman Malek（eds.）, *Scholar from the West: Giulio Aleni S. J.（1582-1649）and the Dialogue between Christianity and China*（Brescia: Foundazione Civiltà Bresciana, Sankt Augustin: Institut Monumenta Serica, 1997）.

Liu, Lydia, *Translingual Practice: Literature, National Culture, and Translated Modernity-China, 1900-1937*（Stanford, California: Stanford University Press, 1995）.

Lundbaek, Knud, *Joseph de Prémare（1666-1736）, S.J.: Chinese Philology and Figurism*（Aarhus: Aarhus University Press, 1991）.

Lundbaek, Knud, "The Establishment of European Sinology, 1801-1815," in Søren Clausen et al.（eds.）, *Cultural Encounters: China, Japan and the*

West（Aarhus, Denmark: Aarhus University Press, 1995）, pp. 15-54.

Menegon, Eugenio, *Ancestors, Virgins, and Friars: Christianity as a Local Religion in Late Imperial China*（Leiden: Brill, 2009）.

Meynard, Thierry, *Confucius Sinarum Philosophus（1687）: The First Translation of the Confucian Classics*（Rome: Institutum Historicum Societatis Iesu, 2011）.

Minamiki, G., *The Chinese Rites Controversy: from Its Beginning to Modern Times*（Chicago: Loyola University Press, 1985）.

Mungello, David E., "Confucianism in the Enlightenment: Antagonism and Collaboration between the Jesuits and the Philosophers," in Thomas H. C. Lee,（ed.）, *China and Europe: Images and Influences in Sixteenth to Eighteenth Centuries*（Hong Kong: The Chinese University Press, 1991）, pp. 99-128.

Mungello, David E., "Some Recent Studies on the Influence of Chinese and Western Intellectual History," *Journal of the History of Ideas*, vol. 40, no. 4（1979）, pp. 649-661.

Mungello, David E., "The First Complete Translation of the Confucian Four Books in the West," *International Symposium on Chinese Western Cultural Interchange in Commemoration of the 400th Anniversary of the Arrival of Matteo Ricci, S. J.*（Taipei: Fu-Jen Catholic University, 1983）, pp. 516-539.

Mungello, David E., "The Seventeenth Century Jesuit Translation Project of the Confucian Four Books," in Charles E. Ronan and Bonnie B. C. Oh（eds.）, *East Meets West: The Jesuit in China, 1582-1773*（Chicago: Loyola University Press, 1988）, pp. 264-265.

Mungello, David E., *The Chinese Rites Controversy: Its History and Meaning*

（Nettetal: Steyler Verlag, 1994）.

Mungello, David E., *The Great Encounter of China and the West, 1500-1800*（Lanham, Oxford: Rowman & Littlefield, 1999, 2005, 2009, 2013）.

Mungello, David. E., *Curious Land: Jesuit Accommodation and the Origins of Sinology*（Honolulu: University of Hawaii Press, 1985）.

Pan, Feng-Chuan, "Reflections on the Methodology of the Studies on Missionary Sinology," *Monumenta Serica. Journal of Oriental Studies*, 68:2（2020）, pp. 423-438.

Pan, Feng-Chuan, "The Interpretation and the re-interpretation of Chinese philosophy: Longobardo and Leibniz", in Sara Lievens & Noël Golvers（eds.）, *A Lifelong Dedication to the China Mission: Essays presented in honor of Father Jeroom Heyndrickx, CICM, on the Occasion of His 75th Birthday and the 25th Anniversary of the F. Verbiest Institute K.U.Leuven*, Leuven Chinese Studies, vol. XVII（Leuven: F. Verbiest Institute K.U.Leuven, 2007）, pp. 491-514.

Pan, Feng-Chuan, *The Burgeoning of a Third Option: Re-Reading the Jesuit Mission in China from a Glocal Perspective*, Leuven Chinese Studies 27（Leuven, Belgium: Ferdinand Verbiest Instituut KU Leuven, 2013）.

Pfister, Lauren F. "A Transmitter But Not a Creator Ho Tsun-Sheen（1817-1871）: The First Modern Chinese Protestant Theologian," in Irene Eber, Sze-kar Wen, and Knut Walf（eds.）, *Bible in Modern China: The Literary and Intellectual Impact*, edited by（Sankt Augustin: Steyler, 1999）, pp. 165-197.

Pfister, Louis, *Notices biographiques et bibliographiques sur les Jésuites de l'ancienne Mission de Chine, 1552-1773*（Shanghai: Imprimerie de la Mission catholique, 1932）.

Popa, Anisoara, "Franco-Romanian Cultural Interference in the Second Half of the Nineteenth Century: Léon De Rosny and VA Urechia," *Acta Universitatis Danubius. Relationes Internationales,* 11.2（2018）, pp. 211-218.

Rivale, Pascal, "L'américanisme français à la veille de la fondation de la Société des Américanistes," *Journal de la Société des Américanistes*, 81（1995）, pp. 207-229.

Rule, Paul, "François Noël S.J. and the Chinese Rites Controversy," in W.F. Vande Walle & Noël Golvers（eds.）, *The History of the Relations between the Low Countries and China in the Qing Era*（*1644-1911*）（Leuven: Leuven University Press/Ferdinand Verbiest Foundation: Leuven Chinese Studies XIV, 2003）, pp. 137-165.

Rule, Paul, *K'ung-tzu or Confucius?: The Jesuit Interpretation of Confucianism*（Sydney, Boston and London: Allen and Unwin, 1986）.

Sachsenmaier, Dominic. *Die Aufnahme europäischer Inhalte in die chinesische Kultur durch Zhu Zhongyuan*（*ca. 1616-1660*）, Monumenta Serica Monograph Series XLVII（Sankt Augustin-Nettetal: Steyler Verl., 2001）.

Sharpe, Eric J. *Comparative Religion: A History*（La Salle, Illinos: Open Court, 1975）.

Snell-Hornby, Mary, *The Turns of Translation Studies: New Paradigms or Shifting Viewpoints?*（Amsterdam; Philadelphia: John Benjamins Publishing Company, 2006）, pp. 164-169.

Standaert, Nicolas & Ad Dudink（eds.）, *Forgive Us Our Sins: Confession in Late Ming and Early Qing China*（Nettetal: Steyler Verlag., 2006）.

Standaert, Nicolas（ed.）, *Handbook of Christianity in China, 635-1800.*

（Leiden: Brill, 2001.）

Standaert, Nicolas, "The Jesuits Did NOT Manufacture 'Confucianism'," *East Asian Science, Technology and Medicine*, 16（1999）, pp. 115-132.

Standaert, Nicolas, "The Making of 'China' out of 'Da Ming'," *Journal of Asian History*, vol. 50, no. 2（2016）, pp. 307-328.

Standaert, Nicolas, *Chinese Voices in the Rites Controversy: Travelling Books, Community Networks, Intercultural Arguments* (Roma: Institutum Historicum Societatis Iesu, 2012).

Sudre, Florence Yoko, "Léon de Rosny, pionnier des études japonaises en France, "《慶應義塾大学日吉紀要・人文科学》，33（2018）, pp. 109-130.

Sun, Anna Xiao Dong, "Confusions over Confucianism: Controversies over the Religious Nature of Confucianism, 1870-2007,"（Princeton: Ph. D. diss., Princeton University, 2008）.

Vande Walle, Willy F. , "Between Sinology and Japanology: Léon de Rosny and Oriental Studies in France," *Journal of Cultural Interaction in East Asia*, vol. 12, no. 1（2021）, pp. 29-62.

Venuti, Lawence（ed.）, *The Translation Studies Reader*（London and New York: Routledge, 2000）.

Venuti, Lawence, *The Translator's Invisibility: A History of Translation*（London and New York: Routledge, 1995）.

Venuti, Lawence（ed.）, *Rethinking Translation: Discourse, Subjectivity and Ideology*（London & New York: Routledge, 1992）.

Von Collani, Caludia（ed.）, *Eine wissenschaftliche Akademie für China. Briefe des Chinamissionars Joachim Bouvet SJ. an Gottfried Wilhelm Leibniz*（Stuttgart: Franz Steiner Verlag, 1989）.

Von Collani, Caludia（ed.）, *Joachim Bouvet, S. J. Journal des Voyages*（Taipei: Taipei Ricci Institute, 2005）.

Wang, Ning, *Globalization and Cultural Translation*（Singapore: Marchall Cavendish, 2004）.

West, Andrew C.（ed.）, *Catalogue of the Morrison Collection of Chinese Books*（London: University of London, School of Oriental and African Studies, 1998）.

Wu, Pei-Yi, "Self-Examination and Confession of Sins in Traditional China," *Harvard Journal of Asiatic Studies*, Vol. 39, No. 1（1979）, pp. 5-38.

Wu, Pei-Yi, *The Confucian Progress: the Autobiographical Writings in Traditional China*（Princeton, New Jersey: Princeton University Press, 1990）.

Zetzsche, Jost Oliver, *The Bible in China: The History of the Union Version of the Culmination of Protestant Missionary Bible Translation in China*, Monumenta Serica Monograph Series 45（Sankt Augustin: Steyler, 1999）.

〔日〕井川義次，《宋学の西遷：近代啓蒙への道》(京都：人文書院，2009)。

〔日〕佐藤文樹，〈レオン・ド・ロニー——フランスにおける日本研究の先駆者〉《上智大学仏語・仏文学論集》（*Revue d'études françaises.* Universite Sophia），第7号（1972），頁1-15。

〔日〕松原秀一，〈レオン・ド・ロニ略伝〉《近代日本研究》第3号（慶應義塾福沢研究センター，1986），頁1-56。

〔日〕近藤春雄，《日本漢文学大事典》（東京：明治書院，1985）。

〔日〕宮原温子，〈Leon de Rosny" Elements de la Grammaire Japonaise（Language Vulgaire）"の一考察〉《目白大学人文学研究》11（2015），

pp. 285-305.

〔日〕溝口雄三，孫軍悅（譯），《作為方法的中國》（北京：三聯書店，（2011）。〔原文〕溝口雄三，《方法としての中国》（東京：東京大学出版会，1989）。

〔以〕伊愛蓮（Irene Eber）著，〈爭論不休的譯名問題〉，收入伊愛蓮等著，蔡錦圖譯，《聖經與近代中國》（香港：漢語聖經協會，2003），頁 105-131。

〔法〕François Jullien，杜小真譯，《迂迴與進入》（北京：三聯書店，1998）。

〔法〕François Jullien，張放譯，《（經由中國）從外部反思歐洲——遠西對話》（鄭州：大象出版社，2005）。

〔法〕伏爾泰著，吳模信等譯，《路易十四時代》（北京：商務印書館，1997）。

〔法〕李明著，郭強、龍雲、李偉譯，《中國近事報導》（鄭州：大象出版社，2004）。

〔法〕梅謙立，〈《孔夫子》：最初西文翻譯的儒家經典〉，《中山大學學報（社會科學版）》，2008 年第 2 期，頁 131-142。

〔法〕梅謙立，〈萊布尼茨的《中國近事》及其學術思想的價值〉，《澳門歷史研究》，第 5 期（2006），頁 160-171。

〔法〕梅謙立，〈論語在西方的第一個譯本（1687 年）〉，《中國哲學史》2011 年第 4 期，頁 101-112。

〔法〕程艾藍，〈「漢學」：法國之發明？〉，《視域交會中的儒學：近代的發展——第四屆國際漢學會議論文集》（台北：中央研究院，2013），頁 15-41。

〔法〕費賴之（Louis Pfister）著，馮承鈞譯，《在華耶穌會士列傳及書目》（北京：中華書局，1995）。

〔法〕榮振華（Joseph Dehergne）著，耿昇譯，《在華耶穌會士列傳及書目補編》（北京：中華書局，1995）。

〔法〕藍莉著，許明龍譯，《請中國作證》（北京：商務印書館，2015）。

〔美〕包筠雅著，杜正貞、張林譯，《功過格：明清社會的道德秩序》（杭州：浙江人民出版社，1999）。

〔美〕奇邁可，《成為黃種人：一部東亞人由白變黃的歷史》（台北：八旗文化，2015）。

〔美〕彼得 · 柏克著，許綬南譯，《製作路易十四》（台北：麥田，1997）。

〔美〕費樂仁，陳京英 譯，〈攀登漢學中喜馬拉雅山的巨擘——從比較理雅各（1815-1897）和尉禮賢（1873-1930）翻譯及詮釋儒教古典經文中所得之啟迪〉，《中國文哲研究通訊》15，no. 2（2005）: 21-57。

〔荷〕顧樸（Hans Kuijper），謝蕙英譯，〈對中國研究的批判性分析（The Study of China, A Critical Assessment），收入林志明，魏思齊（主編），《輔仁大學第二屆漢學國際研討會「其言曲而中：漢學作為對西方的新詮釋 法國的貢獻」》（台北：輔仁大學出版社，2005），頁313-405。

〔義〕文努迪著，吳兆明譯，《翻譯再思》前言，載於陳德鴻、張南峰編，《西方翻譯理論精選》（香港：城市大學出版社，2000）。

〔德〕G·G·萊布尼茨著，梅謙立、楊保筠等譯，《中國近事：為了照亮我們這個時代的歷史》（鄭州：大象出版社，2005）。

〔德〕萊布尼茲（G. Leibniz）著，梅謙立（Thierry Meynard）等譯，《中國近事：為了照亮我們這個時代的歷史》（鄭州：大象，2005）。

〔德〕顧彬，張穗子譯，〈漢學，何去何從？試論漢學現況（Sinologia,

quo vadis? Polémique sur la sinologie actuelle）〉，收入林志明，魏思齊（主編），《輔仁大學第二屆漢學國際研討會「其言曲而中：漢學作為對西方的新詮釋 法國的貢獻」》（台北：輔仁大學出版社，2005），頁 288-311。

丁偉，〈馬禮遜教育會學校英語教學歷史研究〉，《澳門理工學報》31（2008），頁 78-88。

孔慧怡，《重寫翻譯史》（香港：香港中文大學，2005）。

尹文涓，〈《中國叢報》研究〉（北京：北京大學中國語言學系博士論文，2003）。

方豪，《天主教史人物傳》（香港：公教真理協會，1970）。

方豪，《方豪六十自定稿》（台北：臺灣學生書局，1969）。

王汎森，〈明末清初的一種道德嚴格主義〉，收入《近世中國之傳統與蛻變：劉廣京院士七十五歲祝壽論文集》（台北：中央研究院近代史研究所，1998，頁 69-81。

王汎森，〈明末清初的人譜與省過會〉，《中央研究院歷史語言研究所集刊》第六十三本，第三分（台北，1993），頁 679-712。

王寧，《文化翻譯與經典闡釋》（北京：中華書局，2006）。

王爾敏，〈清廷《聖諭廣訓》之頒行及民間之宣講拾遺〉，《中央研究院近代史研究所集刊》，22（1993），頁 255-276。

王慶節，〈孔夫子："舶來品"還是"本土貨"〉，《深圳大學學報》（人文科學版），第 30 卷第 4 期（2013），頁 38-42。

王樹槐，〈基督教教育及其出版事業〉，《近代史研究所集刊》，2（1971）: 365-396。

石之瑜，《戰後日本的中國研究：口述知識史》（台北：國立臺灣大學政治學系中國大陸暨兩岸關係教學與研究中心，2011）。

朱宗元，〈郊社之禮，所以事上帝也，十三科大題文徵，朱宗元〉，收入 Dominic Sachsenmaier, *Die Aufnahme europäischer Inhalte in die chinesische Kultur durch Zhu Zhongyuan*（*ca. 1616-1660*）, Monumenta Serica Monograph Series XLVII（Nettetal: Steyler, 2001）, pp. 447-52.

朱熹，《四書章句集注》（北京：中華書局，1983）。

朱龍興，〈描繪荷蘭人——從謝遂〈職貢圖〉看荷蘭繪畫在中國的可能影響〉，《故宮文物月刊》，336 期（2011），頁 100-109。

吳義雄，《在華英文報刊與近代早期的中西關係》（北京：社會科學文獻出版社，2012）。

呂妙芬，〈晚明士人論《孝經》與政治教化〉，《臺大文史哲學報》，期 61（2004），頁 223-260。

呂妙芬，〈晚明《孝經》論述的宗教性意涵：虞淳熙的孝論及其文化脈絡〉，《中央研究院近代史研究所集刊》，第 48 期（2005），頁 1-46。

呂妙芬，〈晚明到清初《孝經》詮釋的變化〉，收入林維杰、邱黃海編，《理解、詮釋與儒家傳統：中國觀點》（台北：中央研究院中國文哲研究所，2010），頁 137-191。

呂妙芬，《孝治天下：《孝經》與近世中國的政治與文化》（台北：中央研究院、聯經出版公司，2011）。

呂妙芬，《陽明學士人社群：歷史、思想與實踐》（台北：中央研究院近代史研究所出版，2003）。

李文潮、波塞爾編，李文潮等譯，《萊布尼茨與中國》（北京：科學出版社，2002）。

李志剛，〈馬禮遜牧師在廣州十三行遊學中國文化〉，收錄於李志剛，《基督教與中國近代文化》（香港：基督教文化學會文藝代理，2009）。

李志剛，《容閎與近代中國》（台北：正中書局，1981）。

李招瑩，〈異文化與在地化的圖像融合 ：以法國出版『中國文化歷史及風情叢刊（1776-1791）』的孔子生平圖為例〉，《漢語基督教學術論評》，第 4 期（2007），頁 109-135。

李招瑩，〈異文化與在地化的圖像融合：以法國出版「中國文化歷史及風情叢刊（1776-1791）」的孔子生平圖為例〉，《文化研究月報》，第 112 期（2011），頁 7-34，文化研究學會出版品電子期刊。請參閱：http://csat.org.tw/pdf/112%E6%9C%9FPDF.pdf（檢索日期：2014 年 6 月 6 日）。

李奭學，〈西秦飲渭水，東洛薦河圖——我所知道的「龍」字歐譯始末〉《漢學研究通訊》26:4（2007），頁 1-11。

李奭學，《譯述：明末耶穌會翻譯文學論》（香港：香港中文大學出版社，2012）。

杜小真，《遠去與歸來：希臘與中國的對話》（北京：中國人民大學出版社，2004）。

依納爵著，侯景文譯，《神操》（台北：光啟，1990）。

周寧，〈漢學主義：反思漢學的知識合法性〉《跨文化對話》，28（2011），205-209。

林月惠，《良知學的轉折：聶雙江與羅念菴思想之研究》（台北：國立臺灣大學出版中心，2005）。

林虹秀，〈龍之英譯初探〉（新莊：輔仁大學翻譯研究所碩士論文，2007）。

林素英，《古代祭禮中之政教觀：以《禮記》成書前為論》（台北：文津，1997）。

邱凡誠，〈清初耶穌會索隱派的萌芽：白晉與馬若瑟間的傳承與身分問題〉（台北：國立臺灣師範大學國際漢學研究所碩士論文，2011）。

金培懿，〈庶民經學到天朝正學——以溪百年《經典餘師．四書》為考察核心〉，《嶺南學報》，復刊號第1-2合輯（2015），頁259-288。

胡功澤，〈班雅明〈譯者天職〉中文譯文比較研究〉，《編譯論叢》第二卷，第一期（2009），頁189-247。

計東，〈孝經大全序〉，收入《續修四庫全書》，經部孝經類，vol.151，據天津圖書館藏清康熙二年呂兆璜等刻本影印（上海：上海古籍出版社，1995），頁344。

孫邦華，〈晚清來華新教士關於中國學校教育制度改革的思想及其影響〉，收錄於李金強、吳梓明、邢福增主編，《自西徂東——基督教來華二百年論集》（香港：基督教文藝出版社，2009），頁453-469。

祝平一，〈身體、靈魂與天主：明末清初西學中的人體知識〉，《新史學》7卷2期（1996）：47-98。

祝平一，〈劉凝與劉壎—考證學與天學關係新探〉，《新史學》23卷1期（2012），頁57-104。

秦曼儀，〈絕對王權下貴族的書寫與出版〉，《臺大歷史學報》，第55期（2015），頁1-65。

康樂，《從西郊到南郊——國家祭典與北魏政治》（台北：稻鄉出版社，1995）。

張文朝編輯，《江戶時代經學者傳略及其著作》（台北：萬卷樓，2014）。

張施娟，〈裨治文與他的《美理哥合省國志略》〉（杭州：浙江大學中國古代史博士論文，2005）。

張施娟，《裨治文與早期中美文化交流》（杭州：浙江大學出版社，2010）。

張璉，〈歷代帝王祭祀中的帝王意象與帝統意識——從明代帝王廟的祭祀思維談起〉，《東華人文學報》，10（2007），頁 319-366。

陳秀鳳，〈神聖性王權「世俗化」: 中世紀晚期法學思想與法蘭西王權關係的探討〉，《新史學》18 卷 3 期（2007），頁 131-132。

陳德鴻、張南峰編，《西方翻譯理論精選》（香港：城市大學出版社，2000）。

舒新城等編，《辭海》（香港：中華書局香港分局，1974 重印）。

黃一農，〈印象與真相—清朝中英兩國的覲禮之爭〉，《中央研究院歷史語言研究所集刊》78.1（2007）: 35-106。

黃得時註譯，《孝經今註今譯》（台北：臺灣商務印書館，1972）。

黃進興，《聖賢與聖徒：歷史與宗教論文集》（台北：允晨文化，2001）。

黃進興，《優入聖域：權力、信仰與正當性》（台北：允晨文化，1994）。

葛兆光，〈重評 90 年代日本中國學的新觀念——讀溝口雄三《方法としての中國》。二十一世紀網絡版（2002 年 12 月）總第 9 期 ，取自 http://www.cuhk.edu.hk/ics/21c/supplem/essay/0209009.htm

董鐵柱，〈從“Confucian”到“Ru”: 論美國漢學界對上古儒家思想研究的新趨勢〉，《文史哲》，第四期（2011），頁 48-54。

廖鎮旺，〈「萬歲爺意思說」試論十九世紀來華新教傳教士對《聖諭廣訓》的出版與認識〉，《漢學研究》26 卷 3 期（2008），頁 225-262。

劉禾著，宋偉杰等譯，《跨語際實踐——文學、民族文化與被譯介的現代性》（北京：三聯書店，2002）。

劉俊餘、王玉川合譯，《利瑪竇中國傳教史》（台北：光啟出版社，1986）。

劉耿，〈從王國到帝國——十七世紀傳教士中國國體觀的演變〉，《新史學》，28 卷，1 期（2017），頁 57-114。

劉靖之主編，《翻譯論集》（台北：書林，1989）。

潘鳳娟，〈述而不譯？艾儒略《天主降生言行紀略》的跨語言敘事初探〉，《中國文哲研究集刊》，第 34 期（2009），頁 111-167。

潘鳳娟，〈中國禮儀之爭脈絡中的孝道：衛方濟與《孝經》翻譯初探〉，《道風：基督教文化評論》，第 33 期（2010），頁 67-95。

潘鳳娟，〈介於經典與蒙書之間的民間教材——裨治文與中西教育脈絡中的《孝經》翻譯〉，《漢學研究》，34 卷 4 期（2016），頁 244-248。

潘鳳娟，〈孝道、帝國文獻與翻譯：法籍耶穌會士韓國英與《孝經》翻譯〉《編譯論叢》，第 5 卷第 1 期（2012），頁 71-99。

潘鳳娟，〈析論晚明首見明清翻譯文學的第一本書：評李奭學《譯述：明末耶穌會翻譯文學論》〉，《香港中文大學中國文化研究所學報》，第 57 期（2013），頁 367-373。

潘鳳娟，〈皇帝的孝道——法國耶穌會士韓國英譯介《御製孝經衍義》初探〉，《漢語基督教學術論評》，第 8 期（2009），頁 147-187。

潘鳳娟，〈郊社之禮，所以事上帝也：理雅各與比較宗教脈絡中的《孝經》翻譯〉，《漢語基督教學術論評》，12（2011），頁 129-158。

潘鳳娟，〈馬若瑟、雷慕沙與《中國叢報》〉，收錄於魏思齊編，《輔仁大學第六屆漢學國際研討會「西方早期（1552-1814 年間）漢語學習和研究」論文集》，（台北：輔仁大學，2011），頁 603-642。

潘鳳娟，〈國王數學家筆下的康熙——以法國耶穌會士白晉與李明的著作為中心〉，收入楊雅惠主編，《「垂天之雲：歐洲漢學與東／西人文視域的交映」學術研討會論文集》（高雄：國立中山大學人文研究中心，中山大學文學院，2018），頁 127-164。

潘鳳娟，〈清初耶穌會士衛方濟的人罪說與聖治論〉，《新史學》，第 23 卷 1 期（2012），頁 9-59。

潘鳳娟，〈無神論乎？自然神學乎？中國禮儀之爭期間龍華民與萊布尼茲有關中國哲學的詮釋與再詮釋〉，《道風：基督教文化評論》，第 27 期（2007），頁 51-77。

潘鳳娟，〈衛方濟的經典翻譯與中國書寫：文獻介紹〉，《編譯論叢》，第 3 卷第 1 期（2010），頁 189-212。

潘鳳娟，〈翻孔子、譯孝道：以早期的《孝經》翻譯為例反思西方漢學的定位〉，《編譯論叢》8.2（2015）: 57-88。

潘鳳娟，《西來孔子》（台北：基督教橄欖基金會 · 聖經資源中心，2002）。

談火生，〈林中空地：翻譯中生成的現代性〉，《二十一世紀》2002 年 10 月號總第 73 期（網頁版網址：http://www.cuhk.edu.hk/ics/21c）

蘇　精，〈《中華叢論》的生與死〉，收錄於蘇精，《上帝的人馬：十九世紀在華傳教士的作為》，（香港：基督教中國宗教文化研究社，2006），頁 1-32。

蘇　精，〈中文聖經第一次修訂與爭議〉，《編譯論叢》5 卷 1 期（2012），頁 1-40。

龔道運，〈理雅各與基督教至高神譯名之爭〉，《清華學報》新 37 卷第二期（2007），頁 467-489。

附錄

附錄一：《孝經》不同譯本關鍵字詞翻譯對照表

字詞	衛方濟	韓國英	普呂凱
仲尼	Confucius	Confucius	Confucius
先王	illa priscorum Imperatorum	nos anciens Monarques	des anciens empereurs/ les anciens souverains
至德要道	summa virtus & postissima disciplina	la vertu suréminente et la doctrine essentielle	la haute vertu & l'excellente doctrine
天子之孝	Imperatorem decet, filialis observantia.	la Piété Filiale du Souverain	Quoi de plus glorieux pour un empereur que de porter par son exemple tous les peuples à aimer leurs parents, à les honorer, à s'occuper de leur bonheur?
一人有慶	*Unius, qui virtutem sequitur*	*Un seul cultive la vertu*	un seul homme vertueux
諸侯之孝	Regulum decet, filialis observantis	la Piété Filiale d'un Prince	la piété filiale dans le roi
卿大夫之孝	Regni Praefectum decet, filialis observantia	la Piété Filiale d'un Grand.	la piété filiale qui convient au minister
士之孝	litterarum Alumnum decet, filialis observantia	la Piété Filiale du Lettré	la piété filiale qui convient à l'homme de letters
庶人之孝	virum plebeium decet, filialis observantia	la Piété Filiale de la multitude	la piété filiale à laquelle le simple citoyen doit tendre
三才	Tres causae	未譯章名	未譯章名

裨治文	理雅各	羅尼
Confucius	Kung-nî	Tchoung-ni
the ancient kings	the ancient kings	les anciens rois
the greatest virtue and the best moral principles	a perfect virtue and all-embracing rule of conduct	une suprême vertu et une doctrine parfait
the influence of filial duty when practiced by the son of heaven	the filial piety of the Son of Heaven	la Piété filiale pour le Fils du Ciel （l'Empereur）.
When the one man is virtuous	The One man will have felicity	le Premier des hommes pratique lebien
the influence of filial duty when practiced by the nobility	this is the filial piety of the princes of states	la Piété filiale pour les princes feudataires
the influence of filial duty when exhibited by ministers of state	this is the filial piety of high ministers and great officers	la Piété filiale pour les hauts fonctionnaires-publics
the influence of filial duty when performed by scholars	this is the filial piety of inferior officers	la Piété filiale des fonctionnaires publics
is what filial duty requires of the people	this is the filial piety of the common people	les hommes du peuple la Piété filiale
Filial duty illustrated by a consideration of the three powers.	Filial piety in Relation to the three powers	Des Trois Puissance

字詞	衛方濟	韓國英	普呂凱
孝治章	Filialis Observantiae regimen	未譯章名	未譯章名
昔者明王之以孝治天下也	Olim sapientes Imperatores filialis observantiae subsido totum suum Imperium bellissimè administrabant	comme c'était d'après la Piété Filiale que les plus sages de nos anciens Empereurs gouvernaient l'Empire	Comme les sages empereurs gouvernoient admirablement l'empire par le moyen de la piété filiale
故明王之以孝治天下也如此	Hinc sapientes Imperatores, qui filialis observantiae subsidio Imperium regunt	Hélas ! ces heureux temps recommenceraient encore sous un Prince éclairé qui gouvernerait l'Empire par la Piété Filiale.	Les sages empereurs qui voudront gouverner l'empire par le moyen de la piété filiale, produiront toujours ces effets.
聖人之德	major virtus	la vertu du *Cheng-gin*	la piété filiale dans un homme accompli
嚴父莫大於配天	inter omnes patris venerationes nulla est excelsior, quàm patrem caeli Domino comitem adjungere	*Pei* son père avec le *Tien,* est ce qu'il y a de plus sublime dans le respect filial.	ce qu'il y a de plus sublime dans le respect filial, c'est de voir dans son père l'image du maître du ciel

裨治文	理雅各	羅尼
The influence of filial duty on government	Filial piety in government	Du gouvernment par la Piété Filiale
In ancient times, said the sage, the illustrious kings governed the empire on the principles of filial duty	Anciently, when the intelligent kings by means of filial piety ruled all under heaven	Dans l'antiquité, les rois éclairés gouvernaient 〔ce qui est〕sous le Ciel（l'Empire）au moyen ede la Piété filiale.
It was thus the ancient kings ruled the empire on the principle of filial piety.	未譯出	C'est pour〔arriver à ce résultat〕que les anciens rois gouvernaient ainsi le dessous du Ciel.
the virtues of the sages	the virtue of the sages	la vertu du saint homme
there is none greater than filial obedience: nor in performing this, is there anything so essential as to reverence the father: and as a mark of reverence, there is nothing more important than to place him on an equality with heaven.	In the reverential awe shown to one's father there is nothing. greater than the making him the correlate of Heaven .	Dans la Piété filiale, il n'y a rien de plus grand que le Respect pour le père. Dans le sentiment-de-crainte-respectueuse〔qu'on professe〕pour son père, il n'y a rien de plus grand que de le considérer comme-l'image du Ciel.

字詞	衛方濟	韓國英	普呂凱
周公郊祀后稷，以配天。	Olim Princeps *Cheu Kum*, cùm litando caeli Domino antiquissimum suum Avum & Familiae Conditorem, *Heu Cie* comitem ei in litamine adjunxisset	*Tcheou-kong*... Quand il offrait les sacrifices pour les moissons, il *Pei* son ancêtre *Heou-tsi* avec le *Tien*...	L'usage de regarder son père comme l'associé ou comme l'assesseur du maître du ciel commencé sous le prince Cheu-Kum, qui, en offrant un sacrifice au maître du ciel, fit placer la tablette de son père à côté de la tablette du maître du ciel.
宗祀文王於明堂以配上帝	patrem suum *Ven Uam* etiam caeli Domino in litamine comitem adjunxit;（id est, parentalem patris Tabellam ad latus Tabelae caeli Domini adjunxit;）	...quand il offrait les sacrifices des Solstices, il *Pei Ouen-ouang* son père avec le *Chang-ti.*	
五刑章	Quinque poenarum genera	未譯章名	未譯章名
廣要道章	Potissimae disciplinae explanatio	未譯章名	未譯章名
廣至德章	Summae virtutis explanatio	未譯章名	未譯章名

裨治文	理雅各	羅尼
Thus did the noble lord of Chow. Formerly, he sacrificed on the round altar to the spirits of his remote ancestors, as equal with Heaven; ...	Formerly the duke of Kâu at the border altar sacrificed to Hâu-kî as the correlate of Heaven, ...	Dans l'antiquité, 〔lorsque〕le sage Tcheou-Koung faisait des sacrifices, Heou-tsi était-consi-dérés-par-lui comme-l'image du Ciel. 1889= Dans l'antiquité, lorsque le sage Tcheou-Koung faisait des sacrifices, Heou-tsi（son ancêtre）était consi dérés par lui comme l'image du Ciel.
... in the open hall he sacrificed to Wan Wang, as equal with the Supreme Ruler.	... and in the Brilliant Hall he honoured king Wăn, and sacrificed to him as the correlate of God.	〔Lorsqu'il〕faisait des sacrifices à Wen-wang, dans la Salle Lumineuse, il le considérait comme-l'image du Suprême-Empereur. 1889= Lorsque dans la Salle Lumineuse, il faisait des sacrifices à Wen-wang（son père）, il considérait celui-ci comme l'image du Suprême-Souverain（le Seigneur Suprême）.
Of crimes and punishments	Filial piety in relation to the five punishments	De cinq châtiments
The best moral principles' amplified and explained	Amplification of the all-embracing rule of conduct in Chapter one	Développement relatif à la doctrine parfaite
'The greatest virtue' amplified and explained	Amplification of the perfect virtue in Chapter one	Développement relatif à la suprême vertu

字詞	衛方濟	韓國英	普呂凱
感應章十六	Respondens effectus	未譯章名	未譯章名
子曰：昔者明王事父孝，故事天明。事母孝，故事地察。	Rursus sic Confucius: Olim sapientes Imperatores sua filiali observantia inserviebant patri, ceu Caelo: idircò suo servitio Caelum perspicuè noscebant; matri, ceu terrae: idircò suo servitio terram accurate examinabant	Les plus sages Empereurs de l'an tiquité servaient leur père avec une vraie Piété Filiale; voilà pourquoi ils servaient le *Tien* avec tant d'intelligence: ils servaient leur mère avec une vraie Piété Filiale ; voilà pourquoi ils servaient le *Ti* avec tant de religion	Autrefois les sages empereurs servoient leur pere comme le ciel, voilà pourquoi ils servorient le ciel avec tant d'intelligence; ils servoient leur mere comme la terre, & voilà pourquoi ils servoient la terre avec tant de religion; ils faisoient régner une bienveillance réciproque entre les parents plus âgés, voilà pourquoi ils gouvernoient avce tant de facilité les supérieurs & les inférieurs.
天地明察，神明彰矣。	Rite autem & Caelo cognito & terrâ examinatâ, tunc intelligens Spiritus suos effectus prodebat	Le *Tien* et le *Ti* étant servis avec intelligence et avec religion, l'esprit intelligent se manifestait.	Le ciel & la terre étant bien connus, l'esprit intelligent se manifestoit par ses effets.
事君章第十七	Regis Ministerium	未譯章名	未譯章名

裨治文	理雅各	羅尼
On the retributive results of the performance of filial duty.	The influence of filial piety and the response to it.	感應章第十四 Influence et consequences de la piété filiale 閨門章十六
"The ancient kings,"said the sage, "served their parents with true filial respect; hence they could serve heaven intelligently. In the same way they honored their mothers; and hence could honor the earth with an understanding mind.	'The Master said, 'Anciently, the intelligent kings served their fathers with filial piety, and therefore they served Heaven with intelligence; they served their mothers with filial piety, and therefore they served Earth with discrimination .	Le Philosophe dit: Anciennement, les rois éclairés servaient leur père avec Piété filiale; de la sorte, en servant le Ciel ils étaient éclairés . Ils servaient leur mère avec Piété filiale; de la sorte, en servant la Terre, ils étaient diligents.
To them, who understand clearly the principles of serving heaven and honoring earth, the spiritual intelligences will manifest themselves.	'When Heaven and Earth were served with intelligence and discrimination, the spiritual intelligences displayed（their retributive power）.	〔Du moment où〕le Ciel et Terre〔étaient servis avec〕et diligence, les Lumières spirituelles（c'est-à-dire les Esprits）se rendaientmanifestes.
On serving the prince.	The service of the ruler	事君章第十八 Des devoirs envers le prince

字詞	衛方濟	韓國英	普呂凱
喪親章第十八	Parentum Justa	未譯章名	未譯章名
為之宗廟，以鬼享之。春秋祭祀，以時思之。	... erigitur parentale aedificium ad faiendas parentationes; vere & autumno illis parentatur ad renovandam istis temporibus illorum memoriam.	on élève un *Miao* pour *Hiang* son âme, on fait des *Tsi* au printemps et en automne, et on conserve chèrement le souvenir des morts auxquels on rougirait de ne pas penser souvent.	pour laquelle on choisit un lieu convenable pour y rendre aux morts au printemps &à l'automne les devoirs qu'on leur rendoit pendant la vie.

裨治文	理雅各	羅尼
On the death of parents	Filial piety in Mourning for parents	喪親章第十九 Du deuil à la mort des parents
Then an ancestral temple is erected, and offerings are there made to the departed spirit. And in spring and autumn, sacrificial rites are performed in order to keep the dead in perpetual remembrance	They prepare the ancestral temple（to receive the tablet of the departed）, and there present offerings to the disembodied spirit. In spring and autumn they offer sacrifices, thinking of the deceased as the seasons come round.	On consulte-la-carapace-de-tortue sur〔le lieu où sera〕la tombe et ses alentours, et en paix on l'y dépose. 8.－On prépare pour lui le temple des Ancêtres, pour à son âme faire-des-offrandes. 9.－Au printemps et en automne, on fait des sacrifices pour, à ces époques, penser à lui.

附錄二：《孝經》原文與譯本全文對照表

孝經	**Noël (1711)** ***Liber quintus classicus dictus filialis observantia, sinicè Hiao Kim***	**Cibot (1779)** ***Hiao King, Le livre de la Piété Filiale***	**Pluquet (1786)** ***Le Livre de la Piété Filiale***	**Bridgman (1835)** ***Heaou King, or Filial Duty***
開宗明義章第一	CAPITULUM I. Totius argumenti explanatio		Chapitre Premier	SECTION I. Origin and nature of filial duty.
仲尼居，曾子侍。 子曰：「先王有至德要道，以訓天下，民用和睦，上下無怨，汝知之乎？」曾子避席曰：「參不敏，何足以知之？」子曰：「夫孝，德之本也，教之所由生也。復坐，吾語汝。」「身體髮膚，受之父母，不敢毀傷，孝之始也。立身行道，揚名於後世，以顯父母，孝之終也。」「夫孝，始於事親，中於事君，終於立身。」大雅曰：「無念爾祖，聿修厥德。」	Cum domi feriaretur Confuius, sic Discipulum suum *Tsem* sive *Tsem Tsu*, qui ad latus sedebat, interrogavit: Audivistíne aliquando, quænam fuerit illa priscorum Imperatorum summa virtus & postissima disciplina, qua totum Imperium ita suis jussis subjectum habebant, ut mutua inter omnes concordia, nullá que Superiores inter & Inferiores ira aut querela intercederet ? Mox *Tsem* assurgens : Tuus ego rudis *Sen* (*nomen loquentis*) unde, quæso, potuissem illam audivisse ? Tum Confucius : Filialis observantia, inquit, est omnium virtutum basis, ex qua omnis recta exurgit disciplina. Sede, ut priùs ; ego id tibi	Confucius étant assis avec *Tcheng-tzeu,* il lui dit : — Savez-vous quelle fut la vertu suréminente et la doctrine essentielle qu'enseignaient nos anciens Monarques à tout l'Empire, pour entretenir la concorde parmi leurs sujets et bannir tout mécontentement entre les supérieurs et les inférieurs ? — D'où pourrais -je le savoir, répondit *Tcheng-tzeu*, en se levant par respect, moi qui suis si peu instruit ? — La Piété Filiale, reprit Confucius, et la racine de toutes les vertus et la première source de l'enseignement. Remettez-vous, je vous développerai cette importante vérité. « Tout notre corps, jusqu'au plus mince épiderme et aux cheveux, nous vient	Confucius, étant sans affaire & pour ainsi dire oisif chez lui, dit à Tseng-Tsée : Savez-vous quelles furent la haute vertu & l'excellente doctrine par le moyen des quelles les anciens souverains s'acquirent & conserverent sur les peuples une telle aurorité, que leurs ordres ne rencontroient jamais de résistance, & que l'on n'appercevoit dans tout l'empire ni colere, ni plaintes, ni querelles entre les supérieurs & les inférieurs ? D'où pourrois-je le savoir? dit Tseng-Tsée en se levant par respect. La piété, lui dit Confucius, est la base de toutes les vertus & le principe de toute bonne discipline. Asseyez-	Confucius sitting at leisure, with his pupil Tsăng Tsan by his side, said to him, "Do you understand how the ancient kings, who possessed the greatest virtue and the best moral principles, rendered the whole empire so obedient, that the people lived in peace and harmony, and no ill-will existed between superiors and inferiors?" Tsăng Tsan, rising from his seat, replied, "Destitute as I am of discernment, how can I understand the subject? " "Filial duty," said the sage, "is the root of virtue, and the stem from which instruction in moral principles springs forth. Sit down and I will explain this to you. The first thing which filial duty requires of us

Legge (1879) ***The Hsiâo King, Or Classic of Filial Piety***	**de Rosny (1889)** ***Livre Sacré de la Piété Filiale***	**西譯孝經 (1889)** **東學校羅尼 注解**	**de Rosny (1893)** ***La Morale de Confucius: Le Livre Sacré de la Piété Filiale***
CHAPTER I. THE SCOPE AND MEANING OF THE TREATISE.	CHAPITRE PREMIER INTRODUCTION	開宗明義章第一	CHAPITRE PREMIER INTRODUCTION
(ONCE), when Kung-nî was unoccupied, and his disciple Zăng was sitting by in attendance on him, the Master said, 'Shin, the ancient kings had a perfect virtue and all-embracing rule of conduct, through which they were in accord with all under heaven. By the practice of it the people were brought to live in peace and harmony, and there was no ill-will between superiors and inferiors. Do you know what it was?' Zăng rose from his mat, and said, 'How should I, Shan, who am so devoid of intelligence, be able to know this?' The Master said, '(It was filial piety). Now filial piety is the root of (all) virtue, and (the stem) out of which grows (all moral) teaching. Sit down again, and I will explain the subject to you. Our bodies--to every hair and bit of skin--are received by us from our parents, and we must not presume to injure or wound them: --this is the beginning	1.－Tchoung-ni (Confucius) se reposait [dans un moment] de loisir. Tseng-tse était assis à ses côtés. 2.－Le Philosophe dit : Tsan! les anciens rois possédaient une suprême vertu et une doctrine parfait, à l'aide-de-laquelle ils-se-mirent-à l'unisson avec l'Empire. [De la sorte] le peuple jonissait de la concorde et de l'harmonie ; les supérieurs et les inférieurs n'avaient point de sentiments-hostiles. O toi, savais-tu cela? 3.－Tseng-tse se leva de sa natte et dit: Moi Tsan, je ne suis pas instruit; comment serais-je parvenu à le savoir? 4.－Le Philosophe dit : Or la Piété filial est la base de la vertu, ce d'où découle toute science. Assieds-toi de nouveau; je te l'expliquerai. 5.－Notre corps et nos membres, nos cheveux et la peau nous les avons reçus de notre père et de notre mère; nous [ne devons] pas oser les détruire ou les mutiler:	1.仲尼閒居。會子侍坐。 2.子曰。參先王有至德要道。以訓天下。民用和睦。上下無卯。女知之乎。 3.曾子避席曰。參不敏。何足以知之。 4.子曰。夫孝德之本也。教之所由生。復坐吾語女。 5.身體髮膚。受之父母。不敢毀傷。孝之始也。	1.－Tchoung-ni (Confucius) se reposait [dans un moment] de loisir. [Son disciple] Tseng-tse était assis à ses côtés. 2.－Le Philosophe dit : «Tsan! les anciens rois possédaient une suprême vertu et une doctrine parfait, à l'aide-de-laquelle ils-se-mirent-à l'unisson avec l'Empire. [De la sorte] le peuple jonissait de la concorde et de l'harmonie; les supérieurs et les inférieurs n'avaient point de sentiments-hostiles. O toi, savais-tu cela? » 3.－Tseng-tse se leva de sa natte et dit: Moi Tsan, je ne suis pas instruit; comment serais-je parvenu à le savoir? 4.－Le Philosophe dit : Or la Piété filial est la base de la vertu, ce d'où découle toute science. Assieds-toi de nouveau; je te l'expliquerai. 5.－Nous avons reçus de notre père et de notre mère notre corps et nos members, nos cheveux et la peau; nous ne devons pas oser les détruire ou

孝經	**Noël (1711)** ***Liber quintus classicus dictus filialis observantia, sinicè Hiao Kim***	**Cibot (1779)** ***Hiao King, Le livre de la Piété Filiale***	**Pluquet (1786)** ***Le Livre de la Piété Filiale***	**Bridgman (1835)** ***Heaou King, or Filial Duty***
	exponam. Filialis observantiæ initium, est non audere corpus & membra à Parentibus accepta lædere aut labesactare ; consummatio seu finis, est mores suos ritè perficere & virtutem colere, relictâ post se magni nominis famâ, qua Parentes decorentur. Filialis Observantiæ initium à Parentum obsequio, medium à Regis servitio, finis à morum perfectione procedit. Hinc liber Carminum tom. *Ta Ya* sic ait : *Numquid debes assiduè Majores tuos mente recolere, & eroum virtutes imitatioine subsequi* ?	de nos parents ; se faire une conscience de le respecter et de le conserver, est le commencement de la Piété Filiale. Pour atteindre la perfection de cette vertu, il faut prendre l'effort et exceller dans la pratique de ses devoirs, illustrer son nom et s'immortaliser, afin que la gloire en rejaillisse éternellement sur son père et sur sa mère. La Piété Filiale se divise en trois sphères immenses : la première est celle des soins et des respects qu'il faut rendre à ses parents ; la seconde embrasse tout ce qui regarde le service du Prince et de la patrie ; la dernière et la plus élevée, est celle de l'acquisition des vertus, et de ce qui fait notre perfection. *Pouvez-vous oublier vos ancêtres,* dit le *Chi-king, faites revivre en vous leurs vertus* .	vous, je vais vous l'expliquer. Le commencement de la piété filiale consiste à respecter & à conserver dans toute leur intégrité & dans toute leur force le corps & les membres que l'on a reçus de ses parents; la perfection, à cultiver la vertu, à bien régler ses moeurs, & à mériter une reputation qui honore la mémoire de ses parents. On peut distinguer comme trois parties dans la piété filiale : la premiere renferme tout ce qui concerne les devoirs de soumission & d'amour pour ses parents; la seconde, tout ce qui a rapport au service du roi; la troisieme, tout ce qui conduit à la perfection des moeurs. Le livre des poésies le dit : "Ne devez- vous pas penser souvent à vos ancêtres & vous efforcer de faire revivre en vous leurs vertus? "	is that we carefully preserve from all injury, and in a perfect state, the bodies which we have received from our parents. And when we acquire for ourselves a station in the world, we should regulate our conduct by correct principles, so as to transmit our names to future generations, and reflect glory on our parents: this is the ultimate aim of filial duty. Thus it commences in attention to parents; is continued through a course of services rendered to the prince; and is completed by the elevation of ourselves." It is said in the Book of Odes: "Think always of your ancestors; Talk of and imitate their virtues."

Legge (1879) ***The Hsiâo King, Or Classic of Filial Piety***	**de Rosny (1889)** ***Livre Sacré de la Piété Filiale***	**西譯孝經 (1889)** **東學校羅尼 注解**	**de Rosny (1893)** ***La Morale de Confucius: Le Livre Sacré de la Piété Filiale***
of filial piety. When we have established our character by the practice of the (filial) course, so as to make our name famous in future ages, and thereby glorify our parents:-- this is the end of filial piety. It commences with the service of parents; it proceeds to the service of the ruler; it is completed by the establishment of the character. 'It is said in the Major Odes of the Kingdom, "Ever think of your ancestor, Cultivating your virtue ."'	tel est le commencement de la Piété filiale. 6.－Èlever notre personne, pratiquer la morale, transmettre notre nom aux générations futures, pour illustrer notre père et notre mère : telle est la fin de la Piété filiale. 7.－Or la Piété filiale commence par le service des parents; elle a pour milieu le service du Prince; elle a pour fin l'élévation de soi-même. 8.－Dans [la section] *Ta-ya* [du Livre-canonique des Poésies,] on dit: Ne manquez pas de songer à vos ancêtres; attachez-vous à imiter leurs vertus.	6.立身行道。揚名於後世。以顯父母。孝之終也。 7.夫孝。始於事親。中於事君。終於立身。 8.大雅云。無念爾祖。聿修厥德。	les mutiler: tel est le commencement de la Piété filiale. 6.－Èlever notre personne, pratiquer la morale, transmettre notre nom aux générations futures, pour glorifier notre père et notre mère : telle est la fin de la Piété filiale. 7.－Or la Piété filiale commence par le service des parents; elle a pour milieu le service du Prince; elle a pour fin l'élévation de soi-même. 8.－Dans la section *Ta-ya* du Livre-canonique des Poésies, on dit: Ne manquez pas de songer à vos ancêtres; attachez-vous à imiter leurs vertus.

孝經	**Noël (1711)** ***Liber quintus classicus dictus filialis observantia, sinicè Hiao Kim***	**Cibot (1779)** ***Hiao King, Le livre de la Piété Filiale***	**Pluquet (1786)** ***Le Livre de la Piété Filiale***	**Bridgman (1835)** ***Heaou King, or Filial Duty***
2. 天子章第二 子曰：愛親者不敢惡於人，敬親者不敢慢於人。愛敬盡於事親，而德教加於百姓，刑於四海，蓋天子之孝也。甫刑云：「一人有慶，兆民賴之。」	CAPITULUM II. Imperator. Sic pergit Confucius : Dum Imperator ita & amat & veneratur suos Parentes, ut neminen in toto Imperio aut oderit aut despiciat : tunc exhibito hoc & amoris & venerationis erga Parentes excellenti specimine, ejus virtus & exemplum ita omnes populos commovet, ut unusquisque suos Parentes nec odisse nec despicere audeat. Commovere autem suo exemplo omnes populos, quatuor inter maria ubique dispersos, ad amandos & colendos suos Parentes, presectò illa est quæ Imperatorem decet, filialis observantia. Hinc liber Imperialium Annalium cap. *Liu Him* seu *Fu Him*, sic ait : *Unius, qui virtutem sequitur, exemplum innumeros post se populos trahit.*	« Qui aime ses parents, continua Confucius, n'oserait haïr per -sonne ; qui les honore, n'oserait mépriser qui que ce soit. Si un Souverain sert ses parents avec un respect et un amour sans bornes, la vertu et la sagesse des peuples croîtront du double, les barbares mêmes se soumettront à ses arrêts. Voilà sommairement ce qui concerne la Piété Filiale du Souverain : *Un seul cultive la vertu*, dit le Chou-king, *et des millions de coeurs volent vers elle.*	Chapitre II Lorsqu'un empereur aime & respecte tellement ses parents qu'il ne hait ou ne méprise personne dans tout l'empire, son exemple & sa vertu entraînent tous les peuples, & l'on ne voit personne qui ose haïr ou mépriser ses parents. Quoi de plus glorieux pour un empereur que de porter par son exemple tous les peuples à aimer leurs parents, à les honorer, à s'occuper de leur bonheur? Le livre des annales le dit : "L'exemple d'un seul homme vertueux entraîne une infinité de peuples. "	SECTION II. Filial duty as practiced by the son of heaven. The sage said, "If he loves his parents, he cannot hate other people; and if he respects his parents, he cannot treat others with neglect. When, therefore, his love and respect towards his parents are perfect, the virtuous instructions will be extended to the people, and all within the four seas will imitate his virtuous example. Such is the influence of filial duty when practiced by the son of heaven." In the Book of Records it is said; "When the one man is virtuous, The millions will rely upon him."

Legge (1879) ***The Hsiâo King, Or Classic of Filial Piety***	**de Rosny (1889)** ***Livre Sacré de la Piété Filiale***	**西譯孝經** **(1889)** **東學校羅尼 注解**	**de Rosny (1893)** ***La Morale de Confucius: Le Livre Sacré de la Piété Filiale***
CHAPTER II. FILIAL PIETY IN THE SON OF HEAVEN. He who loves his parents will not dare (to incur the risk of) being hated by any man, and he who reveres his parents will not dare (to incur the risk of) being contemned by any man. When the love and reverence (of the Son of Heaven) are thus carried to the utmost in the service of his parents, the lessons of his virtue affect all the people, and he becomes a pattern to (all within) the four seas :--this is the filial piety of the Son of Heaven . It is said in (the Marquis of) Fû on Punishments , 'The One man will have felicity, and the millions of the People will depend on (what ensures his happiness).'	CHAPITRE SECOND DE L'EMPEREUR 1.－Le Philosophe dit : Celui qui aime ses parents, n'ose pas avoir-de-l'aversion pour les [autres] hommes. 2.－Celui qui respecte ses parents, n'ose pas avoir-du-mépris pour les [autres] hommes. 3.－[Quand] par l'amour et par le respect il s' épuise à servir ses parents, ensuite l'enseignement de la vertu est répandu dans les Cent familles, et [il devient] la règle-de-conduite entre les Quatre Mers. 4.－Or telle est la Piété filiale pour le Fils du Ciel (l'Empereur). 5.－Dans les Châtiments de Fou, il est dit : [Lorsque] le Premier des hommes pratique le bien, les millions de peuples ont confiance en lui.	天子章第二 1.子曰。愛親者。不敢惡於人。 2.敬親者。不敢慢於人。 3.愛敬盡於事親。然後德教加於百姓。刑於四海。 4.蓋天子之孝也。 5.甫刑云。一人有慶。兆民賴之。	CHAPITRE SECOND DE L'EMPEREUR 1.－Le Philosophe dit : Celui qui aime ses parents, est incapable d'avoir-de-l'aversion pour les autres hommes. 2.－Celui qui respecte ses parents, est incapable d'avoir-du-mépris pour les autres hommes. 3.－Quand par l'amour et par le respect on s' épuise à servir ses parents, l'enseignement de la vertu est ensuite répandu dans les Cent familles, et cet enseignement devient la règle-de-conduite entre les Quatre Mers (c'est-à-dire dans l'univers) . 4.－Or telle est la Piété filiale en ce qui concerne le Fils du Ciel (l'Empereur). 5.－Dans les *Châtiments de Fou*, il est dit : «[Lorsque] le Premier des hommes pratique le bien, les millions de peuples ont confiance en lui. »

孝經	**Noël (1711)** ***Liber quintus classicus dictus filialis observantia, sinicè Hiao Kim***	**Cibot (1779)** ***Hiao King, Le livre de la Piété Filiale***	**Pluquet (1786)** ***Le Livre de la Piété Filiale***	**Bridgman (1835)** ***Heaou King, or Filial Duty***
3. 諸侯章第三	CAPITULUM III. Regulus.		Chapitre III	SECTION III. Filial duty exhibited on the part of nobles.
在上不驕，高而不危。制節謹度，滿而不溢。高而不危，所以長守貴也。 滿而不溢，所以長守富也。富貴不離其身，然後能保其社稷，而和其民人，蓋諸侯之孝也。詩云：戰戰兢兢，如臨深淵，如履薄冰。	Regulus, utpote in alta dignitate constitutus, si non superbiêrit, quamvis sit altus, non tamen cadet; si in magna divitiarum abundantia noverit temperantiam & honestatem servare, quamvis sit plenus, non tamen redundabit. Altus non cadendo, potest diu tueri suam dignitatem; plenus non redundando, potest diu tueri suas divitias: dignitate & divitiis persistentibus, tunc poterit & suum Regnum conservare, & suum populum mutuâ concordiâ beare. Conservare autem suum Regnum, & suum populum mutuâ concordiâ beare, profectò illa est, quæ Regulum decet, filialis observantia. Hinc liber Carminum tom. *Siao Ya* sic ait: *Cave, cave, time, time aut*	« Si celui qui est au-dessus des autres est sans orgueil, son élévation sera sans péril ; s'il dépense avec économie et avec mesure, quelque riche qu'il soit, il ne donnera pas dans le luxe. En évitant les périls de l'élévation, il en perpétuera la durée ; en se préservant du luxe, il jouira continuellement de l'abondance. Sa grandeur et ses richesses assurées, elles assureront son rang suprême à sa famille et la paix dans ses États. Voilà sommairement ce qui regarde la Piété Filiale d'un Prince : *Craignez, trem blez, soyez sur vos gardes*, dit le *Chi-king, comme si vous étiez sur le bord du précipice, comme si vous m archiez sur une glace peu épaisse*.	Un roi possede une dignité éminente: mais s'il est sans orgueil, quelque élevé qu'il soit, il ne tombera pas; si, au milieu des richesses & de l'abondance, il conserve la tempérance & l'honnêteté, il ne donnera point dans le luxe. Évitant ainsi l'orgueil, il pourra long-temps conserver sa dignité; en se garantissant du luxe, il pourra conserver long-temps ses richesses : alors il pourra régner long-temps avec gloire, & rendre ses peuples heureux par leur concorde & par leur bienveillance réciproque. Voilà les effets de la piété filiale dans le roi, & c'est pour cela que le livre des poésies dit : " Craignez & soyez sur vos gardes comme si vous étiez sur le penchant d'un préci-pice, ou comme si vous	When those who are above all others are free from pride, they are not in danger from exaltation. When those who form rules of economy abide by them, nothing will be wasted of all their abundance. To be elevated, and yet secure from danger, is the way in which continually to maintain nobility: and of an abundance to have nothing wasted, is the method by which riches are to be continually secured. Thus preserving their nobility and riches, they will be able to protect their ancestral possessions with the produce of their lands, and to keep their subjects and people in peace and quietude. Such is the influence of filial duty when practiced by the nobility." In the

Legge (1879) ***The Hsiâo King, Or Classic of Filial Piety***	**de Rosny (1889)** ***Livre Sacré de la Piété Filiale***	**西譯孝經** **(1889)** **東學校羅尼 注解**	**de Rosny (1893)** ***La Morale de Confucius: Le Livre Sacré de la Piété Filiale***
CHAPTER III. FILIAL PIETY IN THE PRINCES OF STATES. Above others, and yet free from pride, they dwell on high, without peril; adhering to economy, and carefully observant of the rules and laws, they are full, without overflowing. To dwell on high without peril is the way long to preserve nobility; to be full without overflowing is the way long to preserve riches. When their riches and nobility do not leave their persons, then they are able to preserve the altars of their land and grain, and to secure the harmony of their people and men in office :--this is the filial piety of the princes of states. It is said in the Book of Poetry , Be apprehensive, be cautious, As if on the brink of a deep abyss, As if treading on thin ice!	CHAPITRE TROISIÈME DES PRINCES FEUDATAIRES 1.－Placés en haut [de l' édifice social], sansêtre orgueilleux, [ils jouissent de] l'élévation et ne périclitent pas. 2.－Ils pratiquent l' économie et gardent la juste-mesure : [de la sorte, ils jouissent] de l'opulence, et évitent la prodigalité. 3.－Être-haut-placés et ne pas péricliter, c'est le moyen de conserver longtemps leur dignité ; êtredans l'abondance et éviter la prodigalité, c'est le moyen de conserver longtemps leur fortune. 4.－(Du moment ou) la fortune et la dignité ne se séparent pas de leur personne, il en résulte qu'ils peuvent garder les sacrifices à la terre et à l'agriculture, de façon à maintenir-la-concorde parmi les hommes de leur peuple. 5.－Or telle est la Piété filiale pour les princes feudataires. 6.－Le Livre-canonique-des-Poésies (*Chi-king*) dit ; Soyez craintif, effrayé ! comme si vous-étiez- à- côté d'un précipice profond, comme si vous marchiez	諸侯章弟三 1.在上不驕。高而不危。 2.制節謹度。滿而不溢。 3.高而不危所以長守貴也。滿而不溢所以長守富也。 4.富貴不離其身。然後能保其社稷。而和其民人。 5.蓋諸侯之孝也。 6.詩云。戰戰兢兢。如臨深淵。如履薄冰。	CHAPITRE TROISIÈME DES PRINCES FEUDATAIRES 1.－Placés en haut de l' édifice social, si les princes feudataires sont sans orgueil, ils jouissent de l'élévation et ne périclitent pas. 2.－S'ils pratiquent l' économie et gardent la juste-mesure : ils jouissent de l'opulence, et évitent la prodigalité. 3.－Être au haut de l'édifice social et ne pas péricliter, c'est pour eux le moyen de maintenir longtemps dans leur dignité; vivre dans l'abondance sans étre prodigues, c'est pour eux le moyen de conserver longtemps leur fortune. 4.－Du moment ou la fortune et la dignité ne se séparent pas de leur personne, il en résulte qu'ils peuvent accomplirles sacrifices à la terre et à l'agriculture, de façon à maintenir-la-concorde parmi les hommes de leur peuple. 5.－Or telle est la Piété filiale pour les princes feudataires. 6.－«Le Livre canonique des Poésies (*Chi-king*) dit ; Soyez craintif, effrayé! comme si

孝經	**Noël (1711)** ***Liber quintus classicus dictus filialis observantia, sinicè Hiao Kim***	**Cibot (1779)** ***Hiao King, Le livre de la Piété Filiale***	**Pluquet (1786)** ***Le Livre de la Piété Filiale***	**Bridgman (1835)** ***Heaou King, or Filial Duty***
	instar appellentis ad profundissima abyssi clivum, aut instar calcantis subtilem glaciem.		marchiez sur une glace mince."	Book of Odes it is said: "Be watchful, be very watchful, As though approaching a deep abyss, Or as when treading upon thin ice."

Legge (1879) ***The Hsiâo King, Or Classic of Filial Piety***	**de Rosny (1889)** ***Livre Sacré de la Piété Filiale***	西譯孝經 (1889) 東學校羅尼 注解	**de Rosny (1893)** ***La Morale de Confucius: Le Livre Sacré de la Piété Filiale***
	sur de légers glaçons.		vous-étiez- à- côté d'un précipice profond, comme si vous marchiez sur de légers glaçons. »

孝經	**Noël (1711)** ***Liber quintus classicus dictus filialis observantia, sinicè Hiao Kim***	**Cibot (1779)** ***Hiao King, Le livre de la Piété Filiale***	**Pluquet (1786)** ***Le Livre de la Piété Filiale***	**Bridgman (1835)** ***Heaou King, or Filial Duty***
4. 卿大夫章第四	CAPITULUM IV. Primarius Præfectus seu Toparcha.		Chapitre IV	SECTION IV. On the practice of filial duty by ministers of state.
非先王之法服，不敢服。非先王之法言，不敢道。非先王之德行，不敢行。是故非法不言，非道不行。口無擇言，身無擇行，言滿天下無口過，行滿天下無怨惡。三者備矣，然後能守其宗廟，此卿大夫之孝也。詩云：夙夜匪懈，以事一人。	Primarius Præfectus nec veste gerere, nec verba proferre, nec gesta moliri, quæ priscorum Imperatorum normæ non respondeant, ausit. Si verò nec loqui, nec operari ausit nisi juxta illorum normam, tunc nec verba, nec gesta, quæ eligat, habebit. Si nec verba, nec gesta eligat, tunc quamvis & verbis & gestias mundum impleverit, non tamen pravioris, nec odiosi facti culpam incurret. His tribus ritè servatis, tum demum poterit parentale ædificium cum sua avita sepellectili conservare ; parenteale autem ædificium cum sua avita sepellectili conservare, profectò illa est,	Ne vous émancipez point jusqu'à porter d'autres habits que ceux que vous permettent les ordonnances des anciens Empereurs ; ne vous hasardez jamais à rien dire qui ne soit conforme aux lois qu'ils ont faites ; n'osez rien faire dont leur vertu ne vous ait donné l'e xemple. Alors, comme la règle de vos discours et de votre conduite(ne) sera pas de votre choix, vos paroles, fussent-elles trompetées dans tout l'Empire, on ne pourra point les blâmer et votre conduite attirerait-elle tous les regards, vous n'aurez ni	Un premier ministre ne doit point s' écarter des loix des anciens empereurs, ni dans ses habits, ni dans ses discourse, ni dans ses actions: alors, ni sa conduite, ni ses paroles, ni ses habits, ne sont de son choix, & il ne peut encourir ni blâme, ni haine, ni reproche; il peut conserver la salle de ses ancêtres; & voilà la piété filiale qui convient au ministre. Voilà pourquoi le livre des poésies dit : "Ne négligez en aucun temps le service de l'homme unique, c'est-à-dire du roi. "	"Robes other than those which were allowed by the laws of the ancient kings should not be worn: language opposed to their usage should not be employed: nor should any presume to act except in accordance with their virtuous conduct. If therefore, ministers of state speak only according to the rules, and act only in harmony with the principles, of those ancient kings, their words will be unexceptionable, and their conduct irreproachable. Then their language, free from erroneous words, will pervade the

Legge (1879) ***The Hsiâo King, Or Classic of Filial Piety***	**de Rosny (1889)** ***Livre Sacré de la Piété Filiale***	**西譯孝經** **(1889)** **東學校羅尼 注解**	**de Rosny (1893)** ***La Morale de Confucius: Le Livre Sacré de la Piété Filiale***
CHAPTER IV. FILIAL PIETY IN HIGH MINISTERS AND GREAT OFFICERS.	CHAPITRE QUATRIÈME DES MINISTRES ET DES GRANDS-OFFICIERS	卿大夫章第四	CHAPITRE QUATRIÈME DES MINISTRES ET DES GRANDS OFFICIERS
They do not presume to wear robes other than those appointed by the laws of the ancient kings; nor to speak words other than those sanctioned by their speech; nor to exhibit conduct other than that exemplified by their virtuous ways. Thus none of their words being contrary to those sanctions, and none of their actions contrary to the (right) way, from their mouths there comes no exceptionable speech, and in their conduct there are found no exceptionable actions. Their 'words may fill all under heaven, and no error of speech will be found in them. Their actions may fill all under heaven, and no dissatisfaction or dislike will be awakened by them. When these	1.－Les vêtements qui n' étaient pas [conformes] aux règles [prescrites] par les anciens rois, [les hauts fonctinnaires publics] n'osaient pas les revêtir.	1.非先王之法服。不敢服。	1.－Les vêtements qui n' étaient pas conformes aux règles prescrites par les anciens rois, les hauts fonctinnaires publics (de l'antiquité) n'osaient pas les revêtir.
	2.－Les paroles qui n' étaient pas [conformes] aux règles des anciens rois , ils n'osaient pas les prononcer.	2.非先王之法言。不敢道。	2.－Les paroles qui n' étaient pas conformes aux règles des anciens rois , ils n'osaient pas les prononcer.
	3.－Les actions qui n'étaient pas [conformes] aux règles des anciens rois, il n'osaient pas les mettre-en-pratique.	3.非先王之德行。不敢行。	3.－Les actions qui n'étaient pas conformes aux règles des anciens rois, il n'osaient pas les mettre en pratique.
	4.－C'est pourquoi, contrairement aux règles, ils ne parlaient pas ; contrairement à la droite-voie, ils n'agissaient pas.	4.是故。非法不言。非道不行。	4.－C'est pourquoi, contrairement aux règles, ils ne parlaient pas ; contrairement à la droite-voie, ils n'agissaient pas.
	5.－Leur bouche n'avait pas [d'hésitation dans] le choix des mots; leur corps n'avait pas [d'hésitation dans] le choix des actions.	5.口亡擇言。身亡擇行。	5.－Leur bouche n'avait pas d'hésitation dans le choix des mots; leur corps n'avait pas d'hésitation dans le choix des actions.
			6.－Leurs paroles remplissaient l'empire,

孝經	**Noël (1711)** ***Liber quintus classicus dictus filialis observantia, sinicè Hiao Kim***	**Cibot (1779)** ***Hiao King, Le livre de la Piété Filiale***	**Pluquet (1786)** ***Le Livre de la Piété Filiale***	**Bridgman (1835)** ***Heaou King, or Filial Duty***
	quæ primarium Regni Præfectum decet, filialis observantia. Hinc liber Carmin tom. *Ta Ya* sic ait : *Amane usque ad vesperam, nè sis negligens in unius viri* (scilicet Regis) *servitio.*	reproche, ni haine à craindre : ces trois choses conserveront la salle de vos ancêtres. Voilà sommairement ce qui est particulier à la Piété Filiale d'un Grand. Il est dit dans le *Chi-king* : *Ne vous relâchez ni jour ni nuit dans le service de l'homme unique,* [c'est -à-dire, de l'Empereur].		whole empire; and their conduct will everywhere be manifest, without one occasion of complaint, and unattended by any evil consequences. When their dress, language, and conduct, are all well regulated, they will be able to preserve the temples of their ancestors. So great is the influence of filial duty when exhibited by ministers of state." In the Book of Odes it is said: "Morning and evening be watchful: And diligently serve the one man."
5. 士章第五	CAPITULUM V. Litterarum Alumnus.		Chapitre V	SECTION V. On the attention of scholars to filial duty.
資於事父以事母，而愛同。資於事父以事君，而敬同。故母取其愛， 而君取其敬，兼之者父也。故以孝事君則忠，以敬事長則順，忠順不失， 以事其上，然後能保其祿位，而守其祭	Vir litterarũ ope ad dignitatem promotus; ut probè patri inserviat, uatur suo erga matrem affectu, & pari amore patrem prosequartur; ut autem probè Regi inserviat, utatur suo erga patrem affect, & pari honore Regem	Servez votre père avec l'affection que vous ayez pour votre mère, et vous l'aimerez également ; servez votre père avec la vénération que vous avez pour votre Prince, et vous le respecterez également. Ayant	Un homme qui s'est élevé à une dignité par le moyen des lettres doit remplir les devoirs de la piété filiale envers son pere avec l'affection qu'il a pour sa mere, servit le roi avec l' affection qu'il a pour son pere,	"With the same love that they serve their fathers, they should serve their mothers likewise; and with the same respect that they serve their fathers, they should serve their prince: unmixed love, then, will be the offering they make to their

Legge (1879) ***The Hsiâo King, Or Classic of Filial Piety***	**de Rosny (1889)** ***Livre Sacré de la Piété Filiale***	**西譯孝經 (1889)** **東學校羅尼 注解**	**de Rosny (1893)** ***La Morale de Confucius: Le Livre Sacré de la Piété Filiale***
three things--(their robes, their words, and their conduct)--are all complete as they should be, they can then preserve their ancestral temples :--this is the filial piety of high ministers and great officers. It is said in the Book of Poetry ,'He is never idle, day or night, In the service of the One man.'	6.－Leurs paroles remplissaient l'empire, et ils ne faisaient pas de faute avec leur bouche ; leurs actions remplissaient l'empire, et il ne faisaient pas [naître] la haine et le mal. 7.－Ces trois choses [vêtements,paroles et conduite corrects], étaient accomplies ; ils pouvaient ensuite garder le temple des ancêtres. 8.－Or-telle-est la Piété filiale pour les hauts fonctionnaires-publics. 9.－Le Livre-des-Poésies dit : Matin et soir, ne soyez pas indolent, pour servir le Premier des hommes.	6.言滿天下亡口過。行滿天下亡怨惡。 7.三者備矣。然後能保其祿位而守其宗廟。 8.蓋卿大夫之孝也。 9.詩云。夙夜匪懈。以事一人。	et ils ne faisaient pas de faute avec leur bouche ; leurs actions remplissaient l'empire, et il ne faisaient pas naître la haine et le mal. 7.－Ces trois choses [vêtements,paroles et conduite corrects], étaient accomplies ; ils pouvaient ensuite garder le temple des ancêtres. 8.－Or-telle-est la Piété filiale pour les hauts fonctionnaires-publics. 9.－Le Livre des Poésies dit : «Matin et soir, ne soyez pas indolent, pour servir le Premier des hommes. »
CHAPTER V. FILIAL PIETY IN INFERIOR OFFICERS. As they serve their fathers, so, they serve their mothers, and they love them equally. As they serve their fathers, so they serve their rulers, and they reverence them equally. Hence love is what is chiefly rendered to the mother, and reverence is what is chiefly rendered to the	CHAPITRE CINQUIÈME DES FONCTIONNAIRES PUBLICS 1.－Ils s'attachent à servir leur père, pour [apprendre à servir leur m ère, et ils les aiment également. 2.－Ils s'attachent à servir leur père, pour [apprendre à] servir leur prince, et ils les respectent également. 3.－De la sorte, leur mère prend leur amour	士章第五 1.資於事父以事母。其愛同。 2.資於事父以事君。其敬同。 3.故母取其愛。而君取其敬。兼之者父也。	CHAPITRE CINQUIÈME DES FONCTIONNAIRES PUBLICS 1.－Ils s'attachent à servir leur père, pour apprendre à servir leur m ère, et ils les aiment également. 2.－Ils s'attachent à servir leur père, pour apprendre à servir leur prince, et ils les respectent également. 3.－De la sorte, leur mère prend leur amour

孝經	**Noël (1711)** ***Liber quintus classicus dictus filialis observantia, sinicè Hiao Kim***	**Cibot (1779)** ***Hiao King, Le livre de la Piété Filiale***	**Pluquet (1786)** ***Le Livre de la Piété Filiale***	**Bridgman (1835)** ***Heaou King, or Filial Duty***
祀，蓋士之孝也。詩云：夙興夜寐，無忝爾所生。	prosequatur. Filii in mattrem affectus est amor; Præfecti in Regem affectus est honor; patris cultus hunc utrumque complectitur. Idcircò qui filiali in patrem affectus Regi inservit, fidus; qui fraternâ in fratres seniores reverentiâ Magnistraibus inservit, obtemperans est; fidus autem & obtemperans; cùm in Superiorum obsequio culpas non soleat committere, hic potest suam dignitatem tueri: tuenndo dignitatem, tunc poterit perenni erga Parentes defunctos cultu Ritus parentales sine difficultate servare. Posse verò perenni erga Parentes defunctos cultu Ritus parentales servare, profectò illa est, quæ litterarum Alumnum decet, filialis observantia. Hinc liber Carm. Tom. *Siao Ya* sic ait : *Seu Mane surgas, seu vespere dormias, noli eos, qui te genuerunt, probro afficere.*	pour votre père l'amour que vous sentez pour votre mère le respect dont vous êtes pénétré pour votre Prince, vous servirez le Prince par Piété Filiale, et serez un sujet fidèle ; vous déférerez à ceux qui sont au-dessus de vous par respect filial, et vous serez un citoyen soumis : or, la fidélité et la soumission préviennent toutes les fautes vis-à-vis des supérieurs. Quel moyen plus sûr, soit de garantir ses revenus et dignités, soit de conserver le droit de *Tso-ki* à ses ancêtres ? Voilà sommairement ce qui caractérise la Piété Filiale du Lettré : Il est dit dans le *Chiking*: *Q ue la crainte de flétrir la m ém oire des auteurs de vos jours, occupe les prem ières pensées de votre réveil, et que le sommeil m êm e de la nuit ne vous ôte pas*.	& avoir pour lui le même respect: ainsi celui qui sert le roi avec les sentiments d'un fils pour son pere est un sujet fidele; celui qui obéit aux magistrats avec le respect d'un frere cadet pour ses aînés est soumis. Un homme fidele & obeissant ne manqué point dans son service à ce qu'il doit à ses supérieurs, & peut conserver sa dignité; celui qui conserve sa dignité peut conserver le droit de faire avec plus de pompe & de solemnité les cérémonies de ses ancêtres: & voilà la piété filiale qui convient à l'homme de lettres. Le livre des poésies le dit: "Que la crainte de flérrir la mémoire des auteurs de vos jours occupe les premieres pensées de votre réveil, & que le sommeil de la nuit ne vous les ôte pas. "	mothers; unfeigned respect, the tribute they bring to their prince; and towards their fathers both these will be combined. Therefore, they serve their prince with filial duty and are faithful to him: they serve their superiors with respect and are obedient to them. By constant faithfulness and obedience towards those who are above them, they are enabled to preserve their stations and emoluments, and to offer the sacrifices which are due to their deceased ancestors and parents. Such is the influence of filial duty when performed by scholars. "As it is said in the Book of Odes: "From the hour of early dawn till late retirement at night, Always be careful not to dishonor those who gave you birth."

Legge (1879) ***The Hsiâo King, Or Classic of Filial Piety***	**de Rosny (1889)** ***Livre Sacré de la Piété Filiale***	**西譯孝經** **(1889)** **東學校羅尼 注解**	**de Rosny (1893)** ***La Morale de Confucius: Le Livre Sacré de la Piété Filiale***
ruler, while both of these things are given to the father. Therefore when they serve their ruler with filial piety they are loyal; when they serve their superiors with reverence they are obedient. Not failing in this loyalty and obedience in serving those above them, they are then able to preserve their emoluments and positions, and to maintain their sacrifices :--this is the filial piety of inferior officers. It is said in the Book of Poetry , 'Rising early and going to sleep late, Do not disgrace those who gave you birth.'	et leur prince prend leur respect ; [ces deux choses] ils les rèunissent dans [la personne de] leur père.		et leur prince prend leur respect . Ces deux choses ils les rèunissent dans la personne de leur père.
	4.－De la sorte,[quand] avec la Piété filiale ils servent leur prince, alors ils sont loyaux.	4.故以孝事君則忠。	4.－De la sorte, quand avec la Piété filiale ils servent leur prince, alors ils sont loyaux.
	5.－[Quand] avec la-soumission-d'un-cadet [pour son ainé] ils servent leurs supérieurs, alors ils sont obéissants.	5.以弟事長則順。	5.－Quand avec la-soumission-d'un-cadet pour son ainé ils servent leurs supérieurs, alors ils sont obéissants.
	6.－[Du momment où avec] loyauté et obéissance ils ne manquent pas dans le service de leurs supérieurs, ensuite ils peuvent conserver leur position et leur traitement, et garder leurs sacrifices.	6.忠順不失。以事其上。然後能保其爵祿。而守其祭祀。	6.－Du momment où avec loyauté et obéissance ils ne manquent pas dans le service de leurs supérieurs, ensuite ils peuvent conserver leur position et leur traitement, et accomplir leurs sacrifices.
	7.－Or telle est la Piété filiale des fonctionnaires publics.	7.蓋士之孝也。	7.－Telle est la Piété filiale des fonctionnaires publics.
	8.－Le Livre-des-Poésies dit : De bonne heure levé, tard counché, ne causez-pas-d'humiliation à ceux vous ont engendré.	8.詩云。夙興夜寐。亡忝爾所生。	8.－Le Livre-des-Poésies dit : «De bonne heure levé, tard counché, ne causez-pas-d'humiliation à ceux vous ont engendré. »

孝經	**Noël (1711)** ***Liber quintus classicus dictus filialis observantia, sinicè Hiao Kim***	**Cibot (1779)** ***Hiao King, Le livre de la Piété Filiale***	**Pluquet (1786)** ***Le Livre de la Piété Filiale***	**Bridgman (1835)** ***Heaou King, or Filial Duty***
6. 庶人章第六 用天之道，分地之利，謹身節用，以養父母，此庶人之孝也。故自天子至於庶人，孝無終始，而患不及者，未之有也。	CAPITULUM VI. Vir plebeius. Quas in diversis terræ locis juxta varias anni tempestates, Cælum produducit utilitates, has & diligenter procurare & temperanter expendere ad sustentandos Parentes, profectò illa est, quæ virum plebeium decet, filialis observantia. Itaque ab Imperratore ad infimum usque è plebe hominem, in servanda filiali observantia non datur primi & ultimi nobilis & ignobilis gradûs aut conditionis discrimen, nec ullus est, qui possit conqueri ad eam servandam vires sibi non sufficere.	Mettre à profit toutes les saisons, tirer parti de toutes les terres, s'appliquer à ses devoirs et économiser avec sagesse pour nourrir son père et sa mère, c'est là sommairement en quoi consiste la Piété Filiale de la multitude. La Piété Filiale embrasse tout depuis l'empereur jusqu'au dernier de ses sujets ; elle ne commence ni ne finit à personne. Quelque difficulté qu'on trouve à en remplir tous les devoirs, il serait insensé de dire qu'on ne le peut pas.	Chapitre VI Ne négliger rien pour se procurer dans toutes les saisons les productions quele ciel bienfaisant accorde aux hommes, les economiser avec sagesse pour nourrir ses parents, voilà certainement la piété filiale à laquelle le simple citoyen doit tendre, & la plus avantageuse pour son bonheur. La piété filiale s' étend donc depuis l'empereur jusqu'au moindre des citoyens, & ses devoirs sont les même s pour tous. La difference des rangs ou des conditions n'en met point dans les obligations qu'elle impose; elles sont les même s pour le premier & pour le dernier, & personne ne peut dire qu'il n'a pas la force de les remplir.	SECTION VI. On the practice of filial duty by the people. "To observe the revolving seasons, to distinguish the diversities of soil, to be careful of their persons, and to practice economy, in order that they may support their parents－is what filial duty requires of the people. "Therefore, from the son of heaven down to the common people, whoever does not always conform entirely to the requirements of filial duty, will surely be overtaken by calamity: there can be no exception. "

Legge (1879) ***The Hsiâo King, Or Classic of Filial Piety***	**de Rosny (1889)** ***Livre Sacré de la Piété Filiale***	**西譯孝經 (1889)** **東學校羅尼 注解**	**de Rosny (1893)** ***La Morale de Confucius: Le Livre Sacré de la Piété Filiale***
CHAPTER VI. FILIAL PIETY IN THE COMMON PEOPLE. They follow the course of heaven (in the revolving seasons); they distinguish the advantages afforded by (different) soils 1; they are careful of their conduct and economical in their expenditure;--in order to nourish their parents:--this is the filial piety of the common people. Therefore from the Son of Heaven down to the common people, there never has been one whose filial piety was without its beginning and end on whom calamity did not come.	CHAPITRE SIXIÈME DES HOMMES DU PEUPLE 1.－Le Philosophe a dit : Se conformer aux [lois qui réglent les] saisons du Ciel ; suivre les [règles qui président aux] productions de la terre ; 2.－Veiller sur sa personne, restreindre ses besoins, de façon- à pouvoir-nourrir son père et sa mère. 3.－Telle est pour les hommes du peuple la Piété filiale. 4.－En effet, [si] depuis le Fils du Ciel, en descendant jusqu'à l'homme du peuple, la Piété filiale n'a pas [aussi bien] sa fin [que] son commencement, il n'y a personne que le malheur n'atteigne.	庶人章第六 1.子曰。因天之時。就地之利。 2.謹身節用。以養父母。 3.此庶人之孝也。 4.故自天子以下至於庶人。孝亡終始而患不及者。未之有也。	CHAPITRE SIXIÈME DES HOMMES DU PEUPLE 1.－Le Philosophe a dit : Se conformer aux lois qui réglent les saisons du Ciel ; suivre les règles qui président aux productions de la terre ; 2.－Veiller sur sa personne, restreindre ses besoins, de façon- à pouvoir-nourrir son père et sa mère. 3.－Telle est pour les hommes du peuple la Piété filiale. 4.－En effet, si depuis le Fils du Ciel, en descendant jusqu'à l'homme du peuple, la Piété filiale n'a pas aussi bien sa fin que son commencement, il n'y a personne que le malheur n'atteigne.

孝經	**Noël (1711)** ***Liber quintus classicus dictus filialis observantia, sinicè Hiao Kim***	**Cibot (1779)** ***Hiao King, Le livre de la Piété Filiale***	**Pluquet (1786)** ***Le Livre de la Piété Filiale***	**Bridgman (1835)** ***Heaou King, or Filial Duty***
7. 三才章第七	CAPITULUM VII. Tres causæ		Chapitre VII	SECTION VII. Filial duty illustrated by a consideration of the three powers.
曾子曰：甚哉！孝之大也。子曰：夫孝，天之經也，地之義也，民之行也。天地之經，而民是則之，則天之明，因地之利，以順天下。是以其教不肅而成，其政不嚴而治。先王見教之可以化民也，是故先之以博愛，而民莫遺其親。陳之以德義，而民興行。先之以敬讓，而民不爭。道之以禮樂，而民和睦。示之以好惡，而民知禁。詩云：赫赫師尹，民具爾瞻。	Tum Discipulus *Tsem* seu *Tsem Tzu* exclamans: Proh! quàm vasta inquit, filialis observantiæ extensio ! Deinde sic illi Confucius: Filialis, ait, observantia versatur circa assiduum cæli motum, variam terræ utilitatem communes hominis actiones. Homo enim ad colendos Parentes debet assiduum cæli motum imitari, & variam terræ utilitatem quærere. Imitari verò assiduum Cæli motum, & variam terræ utilitatem quærere ad conciliandos sibi populorum animos, est illos felicissimo successu absque pœnarum minis instruere, & optimum Imperii regimen absque rigore ac severitate consqui. Idcircò antiqui Imperatores rati, se populos hac docendi arte	— O immensité de la Piété Filiale, s'écria *Tcheng-tzeu,* que tu es admirable ! Ce qu'est la régularité des mouvements des astres pour le firmament, la fertilité des campagnes pour la terre, la Piété Filiale l'est constamment pour les peuples. Le ciel et la terre ne se démentent jamais ; que les peuples les imitent, et l'harmonie du monde sera aussi continuelle que la lumière du ciel et les productions de la terre : Voilà pourquoi la doctrine de la Piété Filiale n'a pas besoin de reprendre pour corriger, ni sa politique de menacer pour gouverner. Aussi les anciens Empereurs ayant compris qu'il n'appartient qu'à cette doctrine de réformer les mœurs,	OH ! que l' étendue de la piété filiale est vaste ! s' écria Tseng-Tsée. Que la piété filiale, reprit Confucius, se propose pour modele la constante régularité des corps célestes, & pour but de procurerl'utilité de la terre & de régler les actions communes des hommes. En effet, l'homme, pour remplir les devoirs de la piété filiale, doit imiter la marche continuelle des astres & les différentes operations utiles de la terre. La piété filiale est, par rapport à la société, ce que la constante régularité des mouvements célestes & l'inépuisable fécondité de la terre sont par rapport à l'harmonie du monde. Les anciens empereurs, persuades de cette vérité crurent qu'ils	Tsăng Tsan exclaimed, "How great is filial duty." Upon which the sage remarked, "It is the grand law of heaven, the great bond of earth, and the capital duty of man. The people ought to conform to the ordinances of heaven and earth. The wise man, by acting in accordance with this light of heaven, and this harmonizing principle of earth, easily reduces the empire to obedience: hence his instruction is perfect, without being severe; and his government completely effective, without being rigorous. "The ancient kings saw that such a mode of instruction was calculated to reform the people: therefore they placed before them an example

Legge (1879) ***The Hsiâo King, Or Classic of Filial Piety***	**de Rosny (1889)** ***Livre Sacré de la Piété Filiale***	**西譯孝經 (1889)** **東學校羅尼 注解**	**de Rosny (1893)** ***La Morale de Confucius: Le Livre Sacré de la Piété Filiale***
CHAPTER VII. FILIAL PIETY IN RELATION TO THE THREE POWERS.	CHAPITRE SEPTIÈME DES TROIS PUISSANCES	三才章第七	CHAPITRE SEPTIÈME DES TROIS PUISSANCES
The disciple Zăng said, 'Immense indeed is the greatness of filial piety!' The Master replied , 'Yes, filial piety is the constant (method) of Heaven, the righteousness of Earth, and the practical duty of Man . Heaven and earth invariably pursue the course (that may be thus described), and the people take it as their pattern. (The ancient kings) imitated the brilliant luminaries of heaven, and acted. in accordance with the (varying) advantages afforded by earth, so that they were in accord with all under heaven; and in consequence their teachings, without being severe, were successful, and their government, without being rigorous, secured perfect order. 'The ancient kings, seeing how their teachings could transform the people, set before them therefore an example of the most extended love, and none of the people neglected their parents;	1.－[Le disciple] Tseng-tse dit : Qu'elle est excellente, la grandeur de la Piété Filiale! 2.－Le Philosophe (Confucius) dit : En effet, la Piété Filiale est [la loi] constante du Ciel ; la droiture de la Terre ; la [ligne de] conduite du peuple. 3.－Constante au Ciel et sur la Terre, alors le peuple la prend pour règle. 4.－En suivant les lumières du Ciel, et en se conformant aux intérêts de la Terre, [les anciens-Rois] se mettaient en accord avec ce qui est Sous le Ciel (l'Empire). 5.－De la sorte, leurs enseignements n' étaient point rigoureux, et ils atteignaient- à-leur-but ; leur administration n'était-pas sevère, et [l'empire était bien] gouverné. 6.－Les anciens rois virent comment leur enseignement pouvait transformer le peuple. 7.－En conséquence, plaçant [ces principes] en première ligne, ils pratiquèrent un amour	1.曾子曰。甚哉孝之大也。 2.子曰。夫孝天之經也。地之誼也。民之行也。 3.天地之經而民是則之。 4.則天之明。因地之利。以訓天下。 5.是以其教不肅而成。其政不嚴而治。 6.先王見教之可以化民也。 7.是故。先之以博愛而民莫遺其親。	1.－Le disciple Tseng-tse dit : Qu'elle est excellente, la grandeur de la Piété Filiale! 2.－Le Philosophe (Confucius) dit : En effet, la Piété Filiale est la loi constante du Ciel ; la droiture de la Terre ; la ligne de conduite du peuple. 3.－Constante au Ciel et sur la Terre, alors le peuple la prend pour règle. 4.－En suivant les lumières du Ciel, et en se conformant aux intérêts de la Terre, les anciens-Rois se mettaient en accord avec ce qui est Sous le Ciel (l'Empire). 5.－De la sorte, leurs enseignements n' étaient point rigoureux, et ils atteignaient à leur but ; leur administration n'était pas sevère, et l'empire était bien gouverné. 6.－Les anciens rois virent comment leur enseignement pouvait transformer le peuple. 7.－En conséquence, plaçant ces principes en première ligne, ils pratiquèrent un amour

孝經	**Noël (1711)** ***Liber quintus classicus dictus filialis observantia, sinicè Hiao Kim***	**Cibot (1779)** ***Hiao King, Le livre de la Piété Filiale***	**Pluquet (1786)** ***Le Livre de la Piété Filiale***	**Bridgman (1835)** ***Heaou King, or Filial Duty***
	posse optimè sibi devincire & ad meliorem frugem reducere, priùs ipsimet largissimo erga suos Parentes amore illis prælucebant, & mox in toto Imperio nullum, qui Parentes suos negligeret, videre erat. Deinde æquitatem, qua documenta excipi convenit, exponebant; & mox illa avidissimè omnes excipiebant. Præthereà fraterna erga fratres seniores reverentia ac demissione illis præibant; & mox, qui turbas & contentiones exciret, neminem deptehendisses. Insuper Rituum & Musicæ documenta suo exemplo illis dabant, & mox mutuam inter se concordiam omnes servabant. Denique virtutis præmia ac virtii pœnas illis ostendebant ; & mox illam absque jussu prosequi, & hoc absque prohibitione fugere	ils commencèrent par enseigner l'amour filial, et le peuple ne s'oublia plus visà-vis de ses parents. Pour faire sentir ensuite les charmes de la vertu et de la justice, et en persuader la pratique au peuple, ils s'attachèrent d'abord à préconiser le respect pour les aînés, la complaisance pour les cadets, et toute querelle fut bannie parmi le peuple. Ils établirent ensuite le cérémonial et la musique, et la concorde réunit tous les cœurs. Enfin ils publièrent des lois, soit de récompense, soit de châtiment, et le peuple fut contenu dans le devoir. Il est dit dans le *Chi-king :* *Que de majesté et de grandeur environnent le Premier ministre ! Le peuple par respect n'ose pas élever ses regards jusqu'à l*ui.	n'avoient point de moyen plus sûr pour ramener les peuples à l'ordre & à la vertu que de leur donner l'exemple de l'observation des devoirs de la piété filiale, & personne bientôt ne les négligea dans tout l'empire. Ils enseignerent ensuite les principes de l' équité ; on écouta avec empressement leur doctrine, & l'on fut charmé de sa beauté : ils donnerent l'exemple de la déference & du respect des freres cadets pour leurs aînés, & l'on ne vit plus dans l'empire ni rixes ni querelles: ils établirent ensuite les rites & la musique; ils les observerent, & la concorde unit tous les citoyens: enfin ils décernerent des récompenses pour la vertu & des peines contre le vice , le peuple se porta à la vertu & évita le vice comme de lui méme, & sans réfléchir ni sur	of universal love, and the people never cast off their parents; they laid open to them the principles of virtue, and the people hastened to put them in practice; they showed an example of respectful and yielding conduct, and the people lived without contentions; they led them in the paths of propriety and amid the delights of music, and the people enjoyed peace and harmony; they instructed them how to choose the good and avoid the evil, and the people understood the prohibitions. " It is said in the Book of Odes: "How glorious was the good master E Yin, All the people anxiously looked up to him."

Legge (1879) ***The Hsiâo King, Or Classic of Filial Piety***	**de Rosny (1889)** ***Livre Sacré de la Piété Filiale***	**西譯孝經** **(1889)** **東學校羅尼 注解**	**de Rosny (1893)** ***La Morale de Confucius: Le Livre Sacré de la Piété Filiale***
they set forth to them (the nature of) virtue and righteousness, and the people roused themselves to the practice of them; they went before them with reverence and yielding courtesy, and the people had no contentions; they led them on by the rules of propriety and by music, and the people were harmonious and benignant; they showed them what they loved and what they disliked, and the people understood their prohibitions. 'It is said in the Book of Poetry , "Awe-inspiring are you, O Grand-Master Yin, And the people all look up to you."'	universel, et parmi le peuple il n'y eut personne qui négligeât ses parents. 8.－En établissant-avec-soin [ces principes], ils pratiquèrent la vertu et la justice, et le peuple éleva sa conduite. 9.－En plaçant [ces principes] en première ligne, ils pratiquèrent le respect [d'autrui] et la courtoisie, et le peuple n'eut point de disputes. 10.－Ils le conduisirent au moyen des rites et de la musique, et le peuple [vécut] dans la concorde et dans la paix. 11.－Ils montrèrent le bien le bien et le mal, et le peuple comprit leurs prohibitions. 12.－[Le Livre] des Poésies dit : Que tu es éblouissant, ô maître Yin ! Le peuple tout entier a les yeux sur toi.	8.陳之以德誼而民興行。 9.先之以敬讓而民不爭。 10.道之以禮樂而民和睦。 11.示之以好惡而民知禁。 12.詩云。赫赫師尹民具爾瞻。	universel, et parmi le peuple il n'y eut personne qui négligeât ses parents. 8.－En établissant-avec-soin ces principes, ils pratiquèrent la vertu et la justice, et le peuple éleva sa conduite. 9.－En plaçant ces principes en première ligne, ils pratiquèrent le respect d'autrui et la courtoisie, et le peuple n'eut point de disputes. 10.－Ils le conduisirent au moyen des rites et de la musique, et le peuple vécut dans la concorde et dans la paix. 11.－Ils mirent le bien le bien et le mal, et le peuple comprit leurs prohibitions. 12.－Le Livre Canonique des Poésies dit : Que tu es éblouissant, ô maître Yin ! Le peuple tout entier a les yeux sur toi.

孝經	**Noël (1711)** ***Liber quintus classicus dictus filialis observantia, sinicè Hiao Kim***	**Cibot (1779)** ***Hiao King, Le livre de la Piété Filiale***	**Pluquet (1786)** ***Le Livre de la Piété Filiale***	**Bridgman (1835)** ***Heaou King, or Filial Duty***
	omnes noverant. Hinc liber Carm. tom. *Siao Ya* sic ait : *Supremus ille Imperii Minister Yn excelsa sua dignitate & auctoritate spectabilis, timidos omnium oculos longè latéque in se convertit, omnésque populi tremente aspectu illum suspiciunt.*		les peines , ni sur les récompenses, ni sur les loix. Le livre des poésies dit: " Lorsqu'Yu, ce premier ministre de l'empire, recommandable par sa dignité & par son autorité, parut, tous les peuples porterent respectueusement sur lui leurs regards timides. "	
8. 孝治章第八	CAPITULUM VIII. Filialis Observantiæ regimen.		Chapitre VIII	SECTION VIII. The influence of filial duty on government.
子曰：昔者明王之以孝治天下也，不敢遺小國之臣，而況於公、侯、伯、子、男乎?故得萬國之歡心。以事其先王。治國者不敢侮於鰥寡，而況於士民乎，故得百姓之歡心，以事其先君。治家者不敢失於臣妾，而況於妻子乎，故得人之歡心，以事其親。夫然，故生則親安之，祭則鬼享之。是以天下和平，災害不生，禍亂不作。故明王之	Deinde sic rursus pergit Confucius: Olim sapientes Imperatores filialis observantiæ subsidio totum suum Imperium bellissimè administrabant; hinc nè vel unum exiguissimi Regni Legatum audebant sine honore excipere; quantò minùs ipsosmet Regulos sive Ducis, sive Principis, sive Comitis, siv Marchionis, sive Baronis titulo donatos. Idcircò omnes Reguli hac	En effet, reprit Confucius, comme c'était d'après la Piété Fi liale que les plus sages de nos anciens Empereurs gouvernaient l'Empire, ils n'auraient osé faire peu d'accueil à l'Envoyé du plus petit Royaume, à plus forte raison, aux grands princes de l'Empire, les *Kong*, les *Heou*, les *Pé* et les *Nan*. Aussi les dix mille Royaumes concouraient-ils avec joie à tout ce qu'ils faisaient	Comme les sages empereurs gouvernoient admirablement l'empire par le moyen de la piété filiale, ils n'osoient pas faire une réception peu honorable à l'envoyé du moindre des rois, ni à plus forte raison aux rois qui avoient le titre de duc, de prince, de comte, de marquis ou de baron: tous les rois , touchés & gagnés par cette humanité, se rendoient avec plaisir à la cour de	"In ancient times," said the sage, "the illustrious kings governed the empire on the principles of filial duty. They would not treat with disregard even the ministers of the small countries, how much less the dukes, counts, and barons of every grade: hence all the state gladly served the ancient kings. The nobles who ruled the nation would not slight even the widows and widowers,

Legge (1879) ***The Hsiâo King, Or Classic of Filial Piety***	de Rosny (1889) ***Livre Sacré de la Piété Filiale***	西譯孝經 (1889) 東學校羅尼 注解	de Rosny (1893) ***La Morale de Confucius: Le Livre Sacré de la Piété Filiale***
CHAPTER VIII. FILIAL PIETY IN GOVERNMENT.	CHAPITRE HUITIÈME DU GOUVERNEMENT PAR LA PIÉTÉ FILIALE	孝治章第八	CHAPITRE HUITIÈME DU GOUVERNEMENT PAR LA PIÉTÉ FILIALE
The Master said, 'Anciently, when the intelligent kings by means of filial piety ruled all under heaven, they did not dare to receive with disrespect the ministers of small states;--how much less would they do so to the dukes, marquises, counts, and barons!' Thus it was that they got (the princes of) the-myriad states with joyful hearts (to assist them) in-the (sacrificial) services to their royal predecessors . 'The rulers of states did not dare to slight wifeless men and widows;--how much less would	1.－Le Philosophe dit : Dans l'antiquité, les rois éclairés gouvernaient [ce qui est] sous le Ciel (l'Empire) au moyen de la Piété filiale. 2.－Ils n'osaient pas traiter-sans- façon les fonctionnaires des petits états, et à-plus-forte-raison ne devait-il pas en être de même des Seigneurs de premier, de second, de troisième, de quatrième et de cinquième ordre ? 3.－De la sorte, ils obtenaient dans les dixmille Royaumes un cœur content avec lequel on servait [dans les sacrifices] la mémoire	1.子曰。昔者明王以孝治天下也。 2.不敢遺小國之臣。而況於公侯伯子男乎。 3.故得萬國之懽心。以事其先王。	1.－Le Philosophe dit : Dans l'antiquité, les rois éclairés gouvernaient ce qui est sous le Ciel (l'Empire) au moyen de la Piété filiale. 2.－Ils n'osaient pas traiter-sans- façon les fonctionnaires des petits états, et à-plus-forte-raison ne devait-il pas en être de même des Seigneurs de premier, de second, de troisième, de quatrième et de cinquième ordre ? 3.－De la sorte, ils parvenaient à donner au peuple, dans les dixmille Royaumes un cœur content avec lequel on servait dans les sacrifices la mémoire des anciens rois.

孝經	**Noël (1711)** ***Liber quintus classicus dictus filialis observantia, sinicè Hiao Kim***	**Cibot (1779)** ***Hiao King, Le livre de la Piété Filiale***	**Pluquet (1786)** ***Le Livre de la Piété Filiale***	**Bridgman (1835)** ***Heaou King, or Filial Duty***
以孝治天下也如此。詩云：有覺德行，四國順之。	humanitate devincti lubentissimo animo confluebant ad adjuvandas parentationũ solemnitates, quas ipsi suis prædecessoribus Imperatoribus ac Progenitoribus celebrabant. Simili modo Reguli Imperatorum imitatore effecti, nè vel unam viduam, aut viduum pauperculum audebant spernere; quantò minùs viros aut litteris aut virtute claros. Idcircò omnes eorum populi hac humanitate devincti lubentissimo animo eos adjuvanbant ad cultus parentatales erga prædecessores suos Regulos exhibendos. Prætereà primarii Præfecti Regulorum imitatores effecti, nè vel uni domûs suæ famulo aut famulæ urbanitate deesse audebant ; quantò minùs suis uxoribus ac liberis. Idcircò omnes domestici hac humanitate devincti	pour honorer leurs ancêtres. Les Princes dans leurs États n'auraient pas osé mépriser un vieillard ou une veuve, à plus forte raison un des chefs du peuple ; aussi leurs vassaux concouraient-ils avec joie et de coeur à tout ce qu'ils faisaient pour honorer leurs ancêtres. Un chef du peuple n' aurait osé s'oublier vis-à-vis de l'esclave d'un autre, à plus forte raison vis-à-vis d'une épouse légitime ; aussi les concitoyens concouraient-ils avec joie et de coeur à tous ses bons soins pour ses parents. Il arrivait de là que les pères et mères étaient heureux pendant la vie, et après leur mort leurs âmes étaient consolées par des *Tsi*. L'Empire jouissait d'une paix profonde, il n'y avait ni fléaux, ni calamités ; on ne	l'empereur pour les cérémonies que l'on célébroit en l'honneur des empereurs précédents. Les rois, imitateurs fideles des empereurs, n'auroient pas osé mépriser dans leurs états une veuve ou un vieillard , ni à plus forte raison les hommes distingués par leurs lumieres ou par leur vertu: aussi leurs vassaux, gagnés par cette humanité, concouroient-ils volontiers & avec joie à ce que les rois faisoient pour honorer leurs ancêtres. Les préfets, imitateurs des rois, n'auroient pas osé manquer aux devoirs de l'urbanité envers le moindre de leurs domestiques, & à plus forte raison envers leurs femmes & lcurs enfants; & tous les domestiques, gagnés par cette urbanite, concouroient avec joie pour les	much less the scholars and people: hence all the people joyfully served the ancient rulers. The masters of families would not neglect even their servants and concubines, much less their wives and children: and hence the members of the families were delighted to wait upon their relatives. When the various duties of society were thus carefully performed, parents enjoyed tranquillity while they lived, and after their decease sacrifices were offered to their disembodied spirits. And hence the whole empire was gladdened with perfect peace and quiet; no distressing calamities arose; and the horrors of rebellion were unknown. It was thus the ancient kings ruled the empire on the principle of filial piety." As it said in the Book of Odes: "They exhibited a

Legge (1879) ***The Hsiâo King, Or Classic of Filial Piety***	**de Rosny (1889)** ***Livre Sacré de la Piété Filiale***	**西譯孝經 (1889)** **東學校羅尼 注解**	**de Rosny (1893)** ***La Morale de Confucius: Le Livre Sacré de la Piété Filiale***
they slight their officers and the people! Thus it was that they got all their people with joyful hearts (to assist them) in serving the rulers, their predecessors . 'The heads of clans did not dare to slight their servants and concubines;--how much less would they slight their wives and sons! Thus it was that they got their men with joyful hearts (to assist them) in the service of their parents. 'In such a state of things, while alive, parents reposed in (the glory of) their sons; and, when sacrificed to, their disembodied spirits enjoyed their offerings . Therefore all under heaven peace and harmony prevailed; disasters and calamities did not occur; misfortunes and rebellions did not arise. 'It is said in the Book of Poetry , "To an upright, virtuous conduct, All in the four quarters of the state render obedient homage."'	des anciens rois (leurs prédécesseurs). 4.－Ceux qui gouvernaient des états, n'osaient pas faire-injure aux veufs et aux veuves, et à plus-forte-raison à leurs fonctionnaires publics et à leur peuple ! 5.－De la sorte, ils obtenaient dans les cent familles un cœur content, avec lequel ils servaient [par des hommages la mémoire] des anciens princes. 6.－Ceux qui gouvernaient des familles, n'osaient pas faire injure à leurs serviteurs et à leurs femmes de second rang, et à-plus-forte-raison à leur épouse et à leurs fils! 7.－De la sorte, ils obtenaient parmi [tous] les hommes un cœur content, avec lequel on servait ses parents. 8.－Or de cette façon, pendant-leur-vie, les parents jouissaient-de-la paix [que leur procuraient leurs fils] ; quand [après leur mort] il leur était offert-des-sacrifices, leur âme les recevaient avec-joie. 9.－C'est ainsi que le dessous du Ciel (l'Empire.) était dans	4.治國者。不敢侮於鰥寡。而況於士民乎。 5.故得百姓之懽心。以事其先君。 6.治家者不敢侮於臣妾之心。而況於妻子乎。 7.故得人之懽心。以事其親。 8.夫然。故生則親安之。祭則鬼享之。 9.是以天下和平災害不生。禍亂不作。	4.－Ceux qui gouvernaient des états, n'osaient pas faire injure aux veufs et aux veuves, et à plus forte raison à leurs fonctionnaires publics et à leur peuple ! 5.－De la sorte, ils parvenaient à ces que les cent familles, avec un cœur content, servissent par des hommages la mémoire des anciens princes. 6.－Ceux qui gouvernaient des familles, n'osaient pas faire injure à leurs serviteurs et à leurs femmes de second rang, et à plus forte raison à leur épouse et à leurs fils! 7.－De la sorte, ils arrivaient à tous les hommes un cœur content, avec lequel on servait ses parents. 8.－Les parent pendant leur vie, jouissaient de la paix que leur procuraient leurs fils; et après leur mort, losqu'on leur offrait des sacrifices, leur âme les recevaient avec-joie. 9.－Le Dessous du Ciel (l'Empire.) était aiinsi dans la concorde et la paix; les désastres et les calamités ne prenaient pas naissance; le malheur

孝經	**Noël (1711)** ***Liber quintus classicus dictus filialis observantia, sinicè Hiao Kim***	**Cibot (1779)** ***Hiao King, Le livre de la Piété Filiale***	**Pluquet (1786)** ***Le Livre de la Piété Filiale***	**Bridgman (1835)** ***Heaou King, or Filial Duty***
	lubentissimo animo eos adjuvabant ad inserviendum suis Parentibus. Quibus ita habitis, omnes ubique Parentes, dum vivebant, pace gaudebant ; dum obiêrant, diligenter illis parentabatur. Quocircà totum Imperium concordiâ & tranquillitate florebat, nullæ calamitates exurgebant, nulla mala, nulli tumultus oboriebantur. Hinc sapientes Imperatores, qui filialis observantiæ subsidio Imperium regunt, similem etiam consequuntur effectum, uti liber Carm. sic ait: *Cùm Imperator grandi virtue excellit, tunc omnia circumquaque Regna ei sponte obtemperant.*	voyait ni révoltes ni désordres. Hélas ! ces heureux temps recommenceraient encore sous un Prince éclairé qui gouvernerait l'Empire par la Piété Filiale. Il est dit dans le *Chi-king* : *Q uand un Prince est sage et vertueux, son exem ple subjugue tout*.	cérémonies de leurs parents morts. Par ce moyen, les peres &les meres vivoient dans la paix & dans le bonheur, & après leur mort on leur rendoit exactement tous les honneurs prescrits par les rites. L'empire jouissoit d'une paix profonde; il n' éprouvoit ni fléaux ni malheurs; on n'y voyoit ni tumulte ni désordre. Les sages empereurs qui voudront gouverner l'empire par le moyen de la piété filiale, produiront toujours ces effets. Le livre des poésies le dit: " Lorsqu'un empereur s' éleve à une vertu éminente, tous les royaumes s'empressent de se soumettre à lui, & lui obéissent avec joie."	pattern of virtuous conduct, And the nations on all sides submitted to them."

Legge (1879) ***The Hsiâo King, Or Classic of Filial Piety***	**de Rosny (1889)** ***Livre Sacré de la Piété Filiale***	**西譯孝經** **(1889)** **東學校羅尼 注解**	**de Rosny (1893)** ***La Morale de Confucius: Le Livre Sacré de la Piété Filiale***
	la concorde et la paix ; que les désastres et les calamités ne-prenaient-pas naissance ; que le malheur et le désordre ne se produisaient pas. 10.－C'est pour [arriver à ce résultat] que les anciens rois gouvernaient ainsi le dessous du Ciel. 11.－[Le Livre canonique] des Poésies dit : [L'Empereur] avait une conduite de haute vertu ; les Royaumes des quatres [points cardinaux] le suivaient [en se soumettant à ses préceptes].	10.故明王之以孝治天下如此。 11.詩云。有覺德行。四國順之。	et le désordre ne se produisaient pas. 10.－C'est pour arriver à ce résultat que les anciens rois gouvernaient ainsi le dessous du Ciel. 11.－Le Livre canonique des Poésies dit : « L'Empereur avait une conduite de haute vertu ; les Royaumes des quatres points cardinaux le suivaient en se soumettant à ses préceptes.»

孝經	**Noël (1711)** ***Liber quintus classicus dictus filialis observantia, sinicè Hiao Kim***	**Cibot (1779)** ***Hiao King, Le livre de la Piété Filiale***	**Pluquet (1786)** ***Le Livre de la Piété Filiale***	**Bridgman (1835)** ***Heaou King, or Filial Duty***
9. 聖治章第九	Capitulum IX. Virtutis Regimen.		Chapitre IX	Section IX. The influence of the sages on the government.
曾子曰：敢問聖人之德，無以加於孝乎？ 子曰：天地之性，人為貴。人之行，莫大於孝。孝莫大於嚴父， 嚴父莫大於配天，則周公其人也。昔者周公郊祀后稷，以配天。 宗祀文王於明堂，以配上帝。是以四海之內，各以其職來祭。 夫聖人之德，又何以加於孝乎? 故親生之膝下，以養父母日嚴。聖人因嚴以教敬，因親以教愛。聖人之教不肅而成，其政不嚴而治， 其所因者本也。父子之道，天性也。君臣之義也。父母生之，續莫大焉。 君親臨之，厚莫重焉。故不愛其親而愛他人者，謂之悖德。不敬其親而敬他人者，謂之	Discipulus *Tsem*: Ausim, inquit, te, Magister, rogare: Inviro omnibus numeris absoluto, datúrne major virtus, quàm filialis observantia? Quemadmodum, reponit Confucius, inter omnes res, quas cælum & terra producunt, nulla est homine nobilior; ita inter omnes hominis actiones nulla est filiali observantiâ insignior. Inter omnes autem filialis observantiæ partes nulla est patris veneratione major ; & inter omnes patris venerationes nulla est excelsior, quàm patrem cæli Domino comitem adjungere; Ritus autem patrem cæli Domino comitem adjungendi à Principe *Cheu Kum,* principium duxit. Olim Princeps *Cheu Kum*, cùm litando cæli Domino antiquissimum	— Mais quoi ! demanda *Tcheng-tzeu ;* est-ce que la vertu du *Cheng-gin* n'enchérit pas sur la Piété Filiale ? — L'homme, répondit Confucius, est ce qu'il y a de plus noble dans l'univers ; la Piété Filiale est ce qu'il y a de plus grand dans les oeuvres de l'homme ; respecter son père est ce qu'il y a de plus relevé dans la Piété Filiale ; et *Pei* son père avec le *Tien,* est ce qu'il y a de plus sublime dans le respect filial. *Tcheou-kong* porta le sien jusque-là. Quand il offrait les sacrifices pour les moissons, il *Pei* son ancêtre *Heou-tsi* avec le *Tien ;* quand il offrait les sacrifices des Solstices, il *Pei* *Ouen-ouang* son père avec le *Chang-ti ;* aussi tous les Princes qui sont	Oserois-je vous demander, dit Tseng-Tsée, s'il y a quelque vertu au-dessus de la piété filiale? Comme l'homme, répondit Confucius, est ce qu'il y a de plus noble dans les productions du ciel & de la terre, de même la piété filiale est ce qu'il y a de plus distingué dans les oeuvres de l'homme. Ce qu'il y a de plus relevé dans la piété filiale, est le respect; & ce qu'il y a de plus sublime dans le respect filial, c'est de voir dans son père l'image du maître du ciel. L'usage de regarder son père comme l'associé ou comme l'assesseur du maître du ciel commencé sous le prince Cheu-Kum, qui, en offrant un sacrifice au maître du ciel, fit placer la tablette de son père	"Concerning the virtues of the sages, " said Tsăng Tsan, "may I presume to ask whether there is any one greater than filial duty ?"Confucius replied, "Of all things which derive their nature from heaven and earth, man is the most noble: and of all the duties which are incumbent on him, there is none greater than filial obedience: nor in performing this, is there anything so essential as to reverence the father: and as a mark of reverence, there is nothing more important than to place him on an equality with heaven. Thus did the noble lord of Chow. Formerly, he sacrificed on the round altar to the spirits of his remote ancestors, as equal with Heaven; and

Legge (1879) ***The Hsiâo King, Or Classic of Filial Piety***	**de Rosny (1889)** ***Livre Sacré de la Piété Filiale***	**西譯孝經 (1889) 東學校羅尼 注解**	**de Rosny (1893)** ***La Morale de Confucius: Le Livre Sacré de la Piété Filiale***
Chapter IX. The Government of the Sages	CHAPITRE NEUVIÈME LE GOUVERNEMENT DES SAINTS [ROIS].	聖治章第九	CHAPITRE NEUVIÈME LE GOUVERNEMENT DES SAINTS [ROIS].
The disciple Zăng said, 'I venture to ask whether in the virtue of the sages there was not something greater than filial piety.' The Master replied, 'Of all (creatures with their different) natures produced by Heaven and Earth, man is the noblest. Of all the actions of man there is none greater than filial piety. In filial piety there is nothing greater than the reverential awe of one's father. In the reverential awe shown to one's father there is nothing. greater than the making him the correlate of Heaven . The duke of *K*âu was the man who (first) did this. 'Formerly the duke of Kâu at the border altar sacrificed to Hâu-kî as the correlate of Heaven, and in the Brilliant Hall he honoured king Wăn, and sacrificed to him as the correlate of God. The consequence was that from (all the states) within the four seas, every (prince) came in the discharge of his duty to (assist in those)	1.－Tseng-tse dit : Oserais-je vous demander, si dans la vertu du saint homme, il n'y a rien qui surpasse la Piété filiale ? 2.－Le Philosophe dit : Parmi les produits du Ciel et de la Terre, l'homme est [le plus] noble. Parmi les actions de l'homme, il n'y en a pas de plus grande que la Piété filiale. 3.－Dans la Piété filiale, il n'y a rien de plus grand que le Respect pour le père. Dans le sentiment-de-crainte-respectueuse [qu'on professe] pour son père, il n'y a rien de plus grand que de le considérer comme-l'image du Ciel. 4.－Ainsi Tcheou-Koung était l'homme [qui agissait de la sorte]. 5.－Dans l'antiquité, [lorsque] le sage Tcheou-Koung faisait des sacrifices, Heou-tsi était-consi-dérés-par-lui comme-l'image du Ciel. 6.－[Lorsqu'il] faisait des sacrifices à Wen-wang, dans la Salle Lumineuse, il le	1.曾子曰。敢問聖人之德其無以加於孝乎。 2.子曰。天地之性。人為貴。人之行。莫大於孝。 3.孝莫大於嚴父。嚴父莫大於配天。 4.則周公其人也。 5.昔者周公郊祀后稷。以配天。 6.宗祀文王於明堂。以配上帝。	1.－Tseng-tse dit : Oserais-je vous demander, si dans la vertu que peut acquérie le saint homme, il n'y a rien qui surpasse la Piété filiale ? 2.－Le Philosophe dit : Parmi les produits du Ciel et de la Terre, l'homme est le plus noble. Parmi les actions de l'homme, il n'y en a pas de plus grande que la Piété filiale. 3.－Dans la Piété filiale, il n'y a rien de plus grand que le respect pour le père ; dans le respect qu'on professe pour son père, il n'y a rien de plus grand que de le considérer comme l'image du Ciel. 4.－Or le sage Tcheou-Koung, était l'homme qui agissait suivant ces principes. 5.－Dans l'antiquité, lorsque le sage Tcheou-Koung faisait des sacrifices, Heou-tsi (son ancêtre) était consi dérés par lui comme l'image du Ciel. 6.－Lorsque dans la Salle Lumineuse, il

孝經	**Noël (1711)** ***Liber quintus classicus dictus filialis observantia, sinicè Hiao Kim***	**Cibot (1779)** ***Hiao King, Le livre de la Piété Filiale***	**Pluquet (1786)** ***Le Livre de la Piété Filiale***	**Bridgman (1835)** ***Heaou King, or Filial Duty***
悖禮。以順則逆民，無則焉不在於善，而皆在於凶德。 雖得之，君子不貴也。君子則不然，言思可道，行思可樂，德義可尊，作事可法，容止可觀，進退可度，以臨其民。是以其民畏而愛之，則而象之。故能成其德教，而行其政令。詩云：淑人君子，其儀不忒。	suum Avum & Familiæ Conditorem, *Heu Cie* comitem ei in litamine adjunxisset ; posteà litando in aula imperiali eidem cæli Domino, patrem suum *Ven Uam* etiam cæli Domino in litamine comitem adjunxit; (id est, parentalem patris Tabellam ad latus Tabellæ cæli Domini apposuit;) atque inde factum est, ut omens Imperii Reguli pro debito in Imperatorem obsequio, ultrò undique confluerent ad hanc parentalem Ceremoniam suis muneribus condecorandam. Quænam igitur major virtus quàm filialis observantia in viro omnibus numeris absoluto desiderari potest? Quocircà dum quis ab infantia isto tenero erga Parentes amore educatur, posteà majorem in dies erga illos venerationem sensim acquirit.	entre les quatre mers venaient à l'envi pour en augmenter la solennité. Or, que peut ajouter la vertu du saint à cette Piété Filiale ? Le voici : l'affection d'un enfant pour son père et sa mère naît comme sur leurs genoux, au milieu des caresses qu'ils lui font ; la crainte se mêle à cette affection, à proportion qu'ils l'instruisent, et croît de jour en jour. Or, le *Cheng-gin* enseigne à changer cette affection en amour, et à élever cette crainte jusqu'au respect. Si sa doctrine n'a pas besoin de reprendre pour corriger, si sa politique de menacer pour gouverner, c'est qu'elle remonte jusqu'à la source et porte sur la base de tout. « Les rapports immuables de père et de fils découlent de l'essence même	à côté de la tablette du maître du ciel. Aussi tous les princes qui sont entre les quatre mers s'empressèrent de se rendre à cette solemnité, & d'en augmenter la pompe par leur présence. Croyez-vous donc que l'on puisse désirer quelque chose de plus que la piété filiale dans un homme accompli? Par son respect & par son amour filial il enseigne aux autres les devoirs du respect & de l'amour filial. Ainsi un prince accompli peut, sans le secours des châtiments & des menaces, imprimer dans le cœur de ses peuples les principes de la plus excellente discipline, & produire les plus heureux effets d'un bon gouvernement, sans rigueur & sans violence. Tous ces effets naissent de la piété comme de leur racine. Un père est par rapport à son fils ce que le	in the open hall he sacrificed to Wan Wang, as equal with the Supreme Ruler. And hence all the nobles within the four seas, according to their respective ranks, sent to aid him in the sacrificial rites. Since such was the influence of filial duty, what virtue of the sages could surpass it ? Therefore, the child was instructed to cherish with daily increasing reverence the parents who gave him birth, and who dandled him on their knees. Thus the sages, by a reverential deportment, taught respect; and by filial regard, inculcated love. Hence their instruction was perfect without being severe, and their government effectual without being rigorous. All this was in consequence of their inculcating fundamental

Legge (1879) ***The Hsiâo King, Or Classic of Filial Piety***	**de Rosny (1889)** ***Livre Sacré de la Piété Filiale***	**西譯孝經 (1889)** **東學校羅尼 注解**	**de Rosny (1893)** ***La Morale de Confucius: Le Livre Sacré de la Piété Filiale***
sacrifices. In the virtue of the sages what besides was there greater than filial piety? 'Now the feeling of affection grows up at the parents' knees, and as (the duty of) nourishing those parents is exercised, the affection daily merges in awe. The sages proceeded from the (feeling of) awe to teach (the duties of) reverence, and from (that of) affection to teach (those of) love. The teachings of the sages, without being severe, were successful, and their government, without being rigorous, was effective. What they proceeded from was the root (of filial piety implanted by Heaven). 'The relation and duties between father and son, (thus belonging to) the Heaven-conferred nature, (contain in them the principle of) righteousness between ruler and subject . The son derives his life from his parents, and no greater gift could possibly be transmitted; his ruler and parent (in one), his father deals with him accordingly, and no generosity could be greater than this.	considérait comme-l'image du Suprême-Empereur. 7.－De la sorte, entre les Quatre mers, chaque [prince] jugeait de son devoir de venir l'assister dans ses sacrifices. 8.－Or, dans la vertu du saint homme, que pour-rait-on mettre encore au dessus de la Piété filiale ? 9.－En effet, par [l'amour des] parents, cette [Piété filiale] nait au bas des genoux, et en nourrissant son père et sa mère, chaque jour [elle se traduit] en sentiments de crainte respectueuse. 10.－Le saint homme procède du sentiment-de-crainte respectueuse pour enseigner la vénération ; il procède du sentiment de-la-parenté pour enseigner l'amour. 11.－L'enseignement du saint homme n'est pas sévère et-cependant il est parfait ; son gouvernement n'est pas rigoureux et cependant il'-con-stitue-un-bon-gouvernement. Les conséquences [de toutes ces choses] ont pour base [la Piété filiale] 12.－Le Philosophe dit : La loi [qui règle les rapports] du père et	7.是以四海之內各以其職來助祭。 8.夫聖人之德又何以加於孝乎。 9.故親生之膝下以養父母日嚴。 10.聖人因嚴以教敬。因親以教愛。 11.聖人之教。不肅而成。其政不嚴而治。其所因者本也。 12.子曰。父子之道。天性也。君臣之義也。	faisait des sacrifices à Wen-wang (son père), il considérait celui-ci comme l'image du Suprême-Souverain (le Seigneur Suprême). 7.－De la sorte, entre les Quatre Mers (c'est-à-dire dans l'univers), tous les princes jugeaient de son devoir de venir l'assister dans ses sacrifices. 8.－Or, dans la vertu du Saint-Homme, que pour-rait-on mettre encore au dessus de la Piété filiale ? 9.－En effet, par l'amour des parents, cette Piété filiale nait au bas des genoux, et en nourrissant son père et sa mère, chaque jour se traduit en sentiments de crainte respectueuse. 10.－Le Saint-Homme procède du sentiment-de-crainte respectueuse pour enseigner la vénération ; il procède du sentiment de la parenté pour enseigner l'amour. 11.－L'enseignement du Saint-Homme n'est pas sévère et-cependant il est parfait ; son gouvernement n'est pas rigoureux et cependant il'-con-stitue-un-bon-gouvernement. Les conséquences de toutes

孝經	**Noël (1711)** ***Liber quintus classicus dictus filialis observantia, sinicè Hiao Kim***	**Cibot (1779)** ***Hiao King, Le livre de la Piété Filiale***	**Pluquet (1786)** ***Le Livre de la Piété Filiale***	**Bridgman (1835)** ***Heaou King, or Filial Duty***
	Vir autem omnibus numeris absolutus, sua filiali veneratione filialem venerationem, suo filiali amore filialem amorem alios edocet; atque ita Princeps absolutus felicissimo successu absque pœnarum minis optima disciplinæ præcepta populis tradit, & optimum sine rigore consequitur regiminis effectum. Hæc autem omnia ex filiali observantia, tamquam ex radice profluunt. Pater respectu filii, est ut Cælum respectu rerum productarum; sive ut Cælum est universale rerum omnium principium, ita pater est particulare filii principium; & filius respectu patris, est ut Subditus respectu Regis. Quod primum in humanæ conditionis ordine locum tenet, est Parentum generatio; & in humanæ conditionis	du *Tien* et offrent la première idée de Prince et de sujet. Un fils a reçu la vie de son père et de sa mère, ce lien qui l'unit à eux est au -dessus de tout lien, et les droits qu'ils ont sur lui font nécessairement au-dessus de tout. Aussi ne pas aimer ses parents et prétendre aimer les hommes, c'est contredire l'idée de la vertu ; ne pas honorer ses parents et prétendre honorer les hommes, c'est démentir la notion du devoir . Or, choquer les premières idées et les premières notions dans l'enseignement, c'est laisser les peuples sans voie ; car enfin tout ce qui brouille ou altère la connaissance du bien, tourne en ruine pour la vertu ; et pût-elle se conserver, le sage lui refuserait son estime. O qu'il est éloigné de contredire ainsi les premières idées de vertu et de devoir!	ciel est par rapport à toutes les productions; le père est le principe particulier du fils, comme le ciel est le principe universel de tout; & le fils est par rapport à son père ce que le sujet est par rapport à son roi. Les parents tiennent le premier lieu dans l'ordre des chose; qui contribuent à l'existence de l'homme, & leur gouvernement est le premier gouvernement auquel il soit soumis dans l'ordre de la nature. C'est donc une chose contraire à la raison d'aimer les autres hommes & de ne pas aimer son père &sa mère. Si un prince qui veut rendre ses peuples soumis &dociles s' écarte de ces loix de l'honnêteté & de la raison, les peuples n'ont plus alors de règle sur laquelle ils se dirigent, quand même le roi les aimeroit, parce qu'il anéantit la	principles. The feelings which ought to characterize the intercourse between father and son are of a heavenly nature, resembling the bonds which exist between a prince and his ministers. The son derives his life from his father and mother, than which no gift transmitted from one to another can be greater; the regards of his parents are fixed upon him, than which no favor can be more important. Therefore, not to love one's parents, but yet to love others, is a perversion of virtuous principles: and not to reverence one's parents, and yet to respect others, is a violation of the rules of propriety. Thus to turn that which is in accordance with virtue into its opposite, leaves the people without any rule to guide them. And he who acts in this manner has no

Legge (1879) ***The Hsiâo King, Or Classic of Filial Piety***	**de Rosny (1889)** ***Livre Sacré de la Piété Filiale***	**西譯孝經 (1889)** **東學校羅尼 注解**	**de Rosny (1893)** ***La Morale de Confucius: Le Livre Sacré de la Piété Filiale***
Hence, he who does not love his parents, but loves other men, is called a rebel against virtue; and he who does not revere his parents, but reveres other men, is called a rebel against propriety. When (the ruler) himself thus acts contrary to (the principles) which should place him in accord (with all men), he presents nothing for the people to imitate. He has nothing to do with what is good, but entirely and only with what is injurious to virtue. Though he may get (his will, and be above others), the superior man does not give him his approval. 'It is not so with the superior man. He speaks, having thought whether the words should be spoken; he acts, having thought whether his actions are sure to give pleasure. His virtue and righteousness are such as will be honoured; what he initiates and does is fit to be imitated; his deportment is worthy of contemplation; his movements in advancing or retiring are all according to the proper rule. In this way does he present himself to the people, who both	du fils, se trouve dans la nature céleste. Elle explique-l'idée de prince et de sujet. 13.－Le père et la mère donnent naissance à l'enfant ; en fait-de-lien, il n'en est pas de plus grand. Le prince comme chef de famille vieille sur ses sujets ; en fait de mansuétude, il n'en est pas qui ait plus de poids. 14.－Le Philosophe dit : Celui qui n'aime pas ses parents et aime les autres hommes, s'appelle un révolté contre la vertu. Celui qui ne respecte pas ses parents et respecte les autres hommes, s'appelle un révolté contre les rites. 15.－Lorsque dans sa conduite, [le chef del'Etat] se met-en-contradiction [avec les bons principes], le peuple n'a plus derègle; [du moment où] il ne réside plus dans le Bien, alors tout est placé dans la mauvaise conduite. Quoiqu'il puisse [faire sa volonté], le sage ne l'honore point. 16.－Du sage la règle-de-conduite n'est pas telle. Ce qu'il dit, on peut le dire ; ce qu'il fait, on peut s'en réjouir ; sa vertu et sa justice sont dignes de respect ;	13.父母生之續莫大焉。君親臨之。厚莫重焉。 14.子曰。不愛其親而愛他人者。謂之悖德。不敬其親而敬他人者。謂之悖禮。 15.以順則逆。民無則焉。不在於善。而皆在於凶德。雖得之。君子所不貴。 16.君子則不然。言斯可道。行斯可樂。德義可尊。作事可法。容止可觀。進退可度。	ces choses ont pour base la Piété Filiale. 12.－Le Philosophe dit : La loi qui règle les rapports du père et du fils, se trouve dans la nature céleste. Elle explique-l'idée de prince et de sujet. 13.－Le père et la mère donnent naissance à l'enfant ; en fait-de-lien, il n'en est pas de plus grand. Le prince comme chef de famille vieille sur ses sujets ; en fait de mansuétude, il n'en est pas qui ait plus de poids. 14.－Le Philosophe dit : Celui qui n'aime pas ses parents et aime les autres hommes, s'appelle un révolté contre la vertu. Celui qui ne respecte pas ses parents et respecte les autres hommes, s'appelle un révolté contre les rites. 15.－Lorsque dans sa conduite, le chef del'Etat se met-en-contradiction [avec les bons principes], le peuple n'a plus derègle; du moment où il ne réside plus dans le Bien, alors tout est placé dans la mauvaise conduite. Quoiqu'il puisse faire sa volonté, le sage ne l'honore point. 16.－Du sage la règle-de-conduite n'est pas telle : ce qu'il dit, on

孝經	**Noël (1711)** ***Liber quintus classicus dictus filialis observantia, sinicè Hiao Kim***	**Cibot (1779)** ***Hiao King, Le livre de la Piété Filiale***	**Pluquet (1786)** ***Le Livre de la Piété Filiale***	**Bridgman (1835)** ***Heaou King, or Filial Duty***
	regimine, est Parentum gubernatio. Idcircò qui non Parentes, sed alios amat, is rationi, qui non Parentes, sed alios honorat, is honestati adversari dicitur. Si igitur Rex cupidus populos sibi obtemperantes habendi, huic honestati & rationi adversetur, ii non habent normam qua dirigantur; non quia Rex illos non amat, sed quia filialis observantiæ virtutem evertit ; & quamvis pacificè Regno potiatur, alii tamen id parvi pendnut. Sapiens verò Princeps longè aliter se habet; in verbis æquitatem, & in factis populorum utilitatem sepectat. Unde ejus virtus honore, facta imitatione, species veneratione, urbanitas exemplo digna censetur; dúmque sic Regnum administrat, populi eum venerantur, amant, imitantur.	Ses paroles sont d'un vrai qui éclaire , ses actions d'une innocence qui charme, ses vertus d'une pureté qui inspire le respect, ses entreprises d'une sagesse q ui en persuade l'imitation, ses manières d'une décence qui attire les regards, toute sa conduite enfin d'une réserve qui sert de règle. C'est ainsi qu'il guide les peuples ; les peuples à leur tour le révèrent, le chérissent et travaillent à lui ressembler. Ainsi ses enseignements sur la vertu passent dans les mœurs publiques, et les lois qu'il établit ne trouvent ni résistance ni obstacles. O *vertu de mon Roi*, dit le *Chi-king, vous êtes sublime et sans tâche !*	piété filiale; on lui fait même peu de gré de gouverner son royaume tranquillement. Il n'en est pas ainsi d'un prince sage: ses paroles out toujours l' équité pour objet, &ses actions le bonheur de ses peuples pour but: on honore sa vertu, on imite ses actions, on révère ses manières, on se propose son urbanité pour modele; tant qu'il gouverne, les peuples le réverent , le chérissent s'efforcent de lui ressembler : ses enseignement sur la vertu ont le plus heureux succès, & ses loix ne trouvent point d'opposition. Le livre des poésies le dit: "Oh! Que la probité de ce prince est excellente! Son honnêteté est sans tache. "	share of goodness, but is altogether evil. And though he should attain his wishes, honorable men will not treat him with respect. It is not thus with the truly good man. His words are worthy of attention; his deportment is agreeable; his integrity commands respect ; his conduct in the management of business is deserving of imitation; and all his movements may be regarded as patterns of correct behavior. When such an one goes among the people, they will love and reverence him, and strive to be like him. Such an one, therefore, is able to carry instruction to perfection, and make his government truly effective. " As in the Book of Odes it is said: "The great and good man Is never guilty of an error."

Legge (1879) ***The Hsiâo King, Or Classic of Filial Piety***	**de Rosny (1889)** ***Livre Sacré de la Piété Filiale***	**西譯孝經** **(1889)** **東學校羅尼 注解**	**de Rosny (1893)** ***La Morale de Confucius: Le Livre Sacré de la Piété Filiale***
revere and love him, imitate and become like him. Thus he is able to make his teaching of virtue successful, and his government and orders to be carried into effect . 'It is said in the Book of Poetry , "The virtuous man, the princely one, Has nothing wrong in his deportment."'	les choses qu'il fait sont conformes à-la-loi ; son attitude est digne d'admiration ; sa conduite est réglée. 17. — Quand-dans-ces-conditions il se présente a son peuple, il en résulte que son peuple le respecte et l'aime ; il lui sert de règle et de modèle. 18. — De la sorte, il peut accomplir son enseignement de la vertu et mettre en pratique son gouvernement et ses ordonnances. 19. — [Le Livre sacré] des Vers dit : L'homme pur, le sage, dans sa conduite n'a point de faute.	17.以臨其民。是以其民畏而愛之。則而象之。 18.故能成其德教。而行政令。 19.詩云。淑人君子。其儀不忒。	peut le dire ; ce qu'il fait, on peut s'en réjouir ; sa vertu et sa justice sont dignes de respect ; les choses qu'il fait sont conformes à-la-loi ; son attitude est digne d'admiration ; sa conduite est réglée. 17. — Quand-dans-ces-conditions il se présente a son peuple, il en résulte que son peuple le respecte et l'aime ; il lui sert de règle et de modèle. 18. — De la sorte, il peut accomplir son enseignement de la vertu et mettre en pratique son gouvernement et ses ordonnances. 19. — Le Livre canonique des Vers dit : L'homme pur, le sage, dans sa conduite n'a point de faute.

孝經	**Noël (1711)** ***Liber quintus classicus dictus filialis observantia, sinicè Hiao Kim***	**Cibot (1779)** ***Hiao King, Le livre de la Piété Filiale***	**Pluquet (1786)** ***Le Livre de la Piété Filiale***	**Bridgman (1835)** ***Heaou King, or Filial Duty***
	Quocircà & virtutum documenta quæ tradit, & legum adminicula quæ sancit, felicem sortiuntue effectum. Quod laudat his verbis lib. Carm tom. *Que Fum : Prob ! quanta probitate excellit iste Princeps ! ejus honestas omni prorsus nævo caret.*			
10. 紀孝行章第十 子曰：孝子之事親也，居則致其敬，養則致其樂，病則致其憂， 喪則致其哀，祭則致其嚴，五者備矣，然後能事親。事親者，居上不驕， 為下不亂，在醜不爭。居上而驕，則亡。為下而亂，則刑。在醜而爭，則兵。 三者不除，雖日用三牲之養，猶為不孝也。	CAPITULUM X. Filialis Observantiæ expositio. Sic rursum pergit Confucius: Verus Parentum cultor in ædibus reverentiam, in alimentis lætitiam, in morbis tristitiam, in exequiis luctum, in parentationibus honorem erga illos omni cum studio patefacit. Qui hæc quinque præstat, potest dici versus Parentum cultor. Deinde verus Parentum cultor si sit in superiori dignitate constitutus, non superbit; si in inferiori magistratûs gradu collocatus, non tumultuatur ; si	 Un fils qui a une vraie Piété Filiale s'applique sans relâche à servir ses parents ; il ne se départ jamais du plus profond respect jusque dans l'intérieur de son domestique; il pourvoit à leur entretien jusqu'à leur procurer tout ce qui peut leur faire plaisir ; il est touché de leurs infirmités jusqu'à en avoir le coeur serré de tristesse ; il les conduit au tombeau avec des regrets qui vont jusqu'à une extrême désolation ; il leur fait le	Chapitre X Un fils qui a une vraie piété filiale témoigne toujours à ses parents le plus profound respect, même dans l'intérieur de la maison; il ne neglige rien pour leur procurer les aliments qui leur sont agréables; il est pénétré de douleur lorsqu'ils sont maladies; il est dans la désolation à leur mort; il leur rend les devoirs funebres avec les témoignages les plus éclatants de respect & de vénération. Ces cinq choses	SECTION X. *The acts of filial duty enumerated.* "Those children who properly understand and perform their duty," said the sage, "serve their parents with their best and highest powers; they habitually pay to them the utmost respect. In supporting them, they manifest unmixed pleasure; in sickness, they exhibit unfeigned regret; at their death, they are overwhelmed with extreme grief; and in sacrificing to their manes, they display unbounded reverence. Being

Legge (1879) ***The Hsiâo King, Or Classic of Filial Piety***	**de Rosny (1889)** ***Livre Sacré de la Piété Filiale***	**西譯孝經** **(1889)** **東學校羅尼 注解**	**de Rosny (1893)** ***La Morale de Confucius: Le Livre Sacré de la Piété Filiale***
CHAPTER X. AN ORDERLY DESCRIPTION OF THE ACTS OF FILIAL PIETY. The Master said, 'The service which a filial son does to his parents is as follows:--In his general conduct to them, he manifests the utmost reverence; in his nourishing of them, his endeavour is to give them the utmost pleasure; when they are ill, he feels the greatest anxiety; in mourning for them (dead), he exhibits every demonstration of grief; in sacrificing to them, he displays the utmost solemnity. When a son is complete in these five things (he may be pronounced) able to serve his parents. 'He who (thus) serves his parents, in a high	CHAPITRE DIXIÈME EXPOSÈ DES ACTES CONCERNANT LA PIÉTÉ FILIALE 1.－Le Philosophe dit : Le fils doué-de-Piété-Filiale qui sert ses parents, dans leur intérieur, s'attache au-plus haut dégré à leur témoigner du respect. 2.－Quand il les nourrit, il s'attache-au-plus haut-dégré à leur donner du contentement. 3.－Quand ils sont malades, il s'attache-au-plus-haut- dégré à leur anxiété. 4.－Quand ils meurent ; il s'attache-au-plus-haut dégré à se lamenter [sur leur perte]. 5.－Dans les sacrifices [offerts à leur mémoire] il s'attache-au-plus-haut-dégré à la solennité [des cérémonies]	紀孝行章第十 1.子曰。孝子之事親。居則致其敬。 2.養則致其樂。 3.病則致其憂。 4.喪則致其哀。 5.祭則致其嚴。	CHAPITRE DIXIÈME EXPOSÈ DES ACTES CONCERNANT LA PIÉTÉ FILIALE 1.－Le Philosophe dit : Le fils doué de Piété-Filiale qui sert ses parents, dans leur intérieur, s'attache au-plus haut dégré à leur témoigner du respect. 2.－Quand il les nourrit, il s'attache au plus haut dégré à leur donner du contentement. 3.－Quand ils sont malades, il s'attache au plus haut dégré à leur anxiété. 4.－Quand ils meurent ; il s'attache au plus haut dégré à se lamenter de leur perte. 5.－Dans les sacrifices offerts à leur mémoire il s'attache-au-plus-haut-dégré à la solennité les

孝經	**Noël (1711)** ***Liber quintus classicus dictus filialis observantia, sinicè Hiao Kim***	**Cibot (1779)** ***Hiao King, Le livre de la Piété Filiale***	**Pluquet (1786)** ***Le Livre de la Piété Filiale***	**Bridgman (1835)** ***Heaou King, or Filial Duty***
	in plebe dejectus, non altercatur. Qui autem in superiori dignitate constitutus superbit, se cum illa in exitium trahit ; qui in inferiori magistratûs gradu collocatus tumultuatur, legum pœnas incurrit, qui in plebe dejectus altercatur, arma in se accersit. Qui ergo hæc tria à se non amovet, quamvis quotidie tribus diversis bovinæ, ovinæ, porcinæ carnis ferculis opiparè Parentes alat, non potest tamen dici verus Parentum cultor.	*Tsi* enfin avec un respect qui monte presque jusqu'à la vénération. Ces cinq choses renferment tous les devoirs de la Piété Filiale; qui sert ainsi ses parents, ne donne point dans l'orgueil, quelque élevé qu'il soit. Placé au second rang, il ne cause jamais aucun trouble. S'il est *éclipsé* dans la foule, il fuit de loin toute querelle. Qui s'enorgueillit dans l'élévation, se perd ; qui cause du trouble au second rang, se met sous le glaive des séditions ; qui a des querelles étant éclipsé dans la foule, affronte les rigueurs des supplices. Or, qui donne dans un de ces trois excès, quand même il nourrirait ses parents chaque jour avec les trois animaux des grands sacrifices, il n'a pas de Piété Filiale.	renferment tous les devoirs de la piété fillale, & celui qui les remplit ne s'enorgueillit point lors même qu'il est élevé aux plus grandes dignités. Dans un érat subordonné il n'excite point de tumulte; &s'il est dans les dernieres classes, il n' éleve point de querelles. Or celui qui s'enorgueillit de sa dignitéla perd &se perd lui même: celui qui, dans un rang inférieur, cause du tumulte, s'expose a la rigueur des loix: l'homme du peuple qui éleve une querelle se fait emprisonner . Celui qui n' évite pas ces trios excès n'a point la piété filiale, quand même il nourriroit tous les jours ses parents avec les viandes que l'on offre dans les grands sacrifices.	perfect in these five particulars, they may then be regarded as having completed their duty. Those who perform aright the services they owe to their parents, if they are in elevated stations will not be proud; nor insubordinate, if in inferior ones; nor contentious, if they are among the multitude. But if those who are high in authority become proud, they will be ruined; if those who are in inferior stations become insubordinate, they will be punished; and if those who are among the multitude become contentious, they will occasion a war of weapons. If, therefore, either of these three evils are not put away, the mere fact of daily supplying parents with the best animal food, can never be regarded as the performance of filial duty."

Legge (1879) ***The Hsiâo King, Or Classic of Filial Piety***	**de Rosny (1889)** ***Livre Sacré de la Piété Filiale***	**西譯孝經 (1889)** **東學校羅尼 注解**	**de Rosny (1893)** ***La Morale de Confucius: Le Livre Sacré de la Piété Filiale***
situation, will be free from pride; in a low situation, will be free from insubordination; and among his equals, will not be quarrelsome. In a high situation pride leads to ruin; in a low situation insubordination leads to punishment; among equals quarrelsomeness leads to the wielding of weapons. 'If those three things be not put away, though a son every day contribute beef, mutton, and pork to nourish his parents, he is not filial.'	6.－Ces cinq choses, du moment où il s'en acquitte, par suite il [est réputé] bien servir ses parents. 7.－Celui qui sert ses parents, s'il est haunt placé, n'est point orgueilleux ; s'il est dans une humble-condition, il n'est point désordonné ; s'il appartient aux basses-classes, il n'est pas querelleur. 8.－Haut placé et orgueilleux, alors il se perdrait ; dans une humble-condition s'il était désordonné, alors il encourerait-des-châtiments ; dans les basses-classes s'il était disputeur, alors il encourerait le [glaive] militare. 9.－Ces trois-défauts, celui qui ne les évite point, quand-bien-même [il offrirait à ses parents] pour leurs besoins journaliers la nourriture des trois animaux [du grand sacrifice], il serait encore sans Piété filiale.	6.五者備矣。然後能事親。 7.事親者。居上不驕。為下不亂。在醜不爭。 8.居上而驕。則亡。為下而亂。則刑。在醜而爭。則兵。 9.此三者不除。雖日用三牲之養。猶為不孝也。	cérémonies. 6.－Ces cinq choses, du moment où il s'en acquitte, par suite il est réputé bien servir ses parents. 7.－Celui qui sert sert parents, s'il est haunt placé, n'est point orgueilleux ; s'il est dans une humble-condition, il n'est point désordonné; s'il appartient aux basses classes, il n'est pas querelleur. 8.－Haut placé et orgueilleux, alors il se perdrait ; dans une humble condition s'il était désordonné, alors il encourerait-des-châtiments ; dans les basses-classes s'il était disputeur, alors il encourerait le glaive militare. 9.－Ces trois-défauts, celui qui ne les évite point, quand-bien-même il présent à ses parents pour leurs besoins journaliers la nourriture des trois animaux [qu'on offre pour le Grand Sacrifice], il serait encore sans Piété filiale.

孝經	**Noël (1711)** ***Liber quintus classicus dictus filialis observantia, sinicè Hiao Kim***	**Cibot (1779)** ***Hiao King, Le livre de la Piété Filiale***	**Pluquet (1786)** ***Le Livre de la Piété Filiale***	**Bridgman (1835)** ***Heaou King, or Filial Duty***
11. 五刑章第十一	CAPITULUM XI. Quinque pœnarum genera.		Chapitre XI	SECTION XI. Of crimes and punishments.
子曰：五刑之屬三千，而罪莫大於不孝，要君者無上，非聖人者無法， 非孝者無親，此大亂之道也。	Sic iterùm pergit Confucius: Quamvis recenseantur ter mille delicta, quæ quinque pœnarum generibus singula singulis subjacent, nulllum tamen filiali inobedientiâ majus est. Regem lacessere, est nolle Superiorem; Sapientes rejicere, est nolle Magistros; filialem obedientiam spernere, est nolle Parentes. Hæc verò tria sunt lata ad ultimam rerum omnium confusionem via. Nota: Generatim hæc erant apud Sinas quinque pœnarum genera: Frontem insculpto nigro charactere notare, naresrescindere, pedem amputare, castrare, morte plectere.	Les cinq supplices embrassent trois mille crimes , le plus grand de tous est le défaut de Piété Filiale. Qui se révolte contre son Souverain, ne veut personne au dessus de soi ; qui rejette le saint, ne veut dépendre d'aucune loi ; qui abjure la Piété Filiale, ne veut avoir personne à aimer : ce qui fait ouvrir la porte à des désordres qui anéantissent toute règle et tout bien.	Il y a cinq sortes de supplices pour trois mille especes de crimes; mais le plus grand de tous ces crimes est le défaut de piété filiale. Attaquer le roi, c'est ne vouloir point de supérieur; rejetter les sages, c'est ne vouloir point de maître; mépriser la piété filiale, c'est ne vouloir point de pere & de mere : ces trios choses sont le grand chemin qui conduit à la confusion générale.	"There are," continued the sage, "three thousand crimes to which one or the other of the five kinds of punishment is attached as a penalty; and of these no one is greater than disobedience to parents. When ministers exercise control over the monarch, then there is no supremacy; when the maxims of the sages are set aside, then the law is abrogated: and so those who disregard filial duty, are as though they had no parents. These three evils prepare the way for universal rebellion."

Legge (1879) ***The Hsiâo King, Or Classic of Filial Piety***	**de Rosny (1889)** ***Livre Sacré de la Piété Filiale***	**西譯孝經 (1889)** **東學校羅尼 注解**	**de Rosny (1893)** ***La Morale de Confucius: Le Livre Sacré de la Piété Filiale***
CHAPTER XI. FILIAL PIETY IN RELATION TO THE FIVE PUNISHMENTS. The Master said, 'There are three thousand offences against which the five punishments are directed , and there is not one of them greater than being unfilial. 'When constraint is put upon a ruler, that is the disowning of his superiority; when the authority of the sages is disallowed, that is the disowning of (all) law; when filial piety is put aside, that is the disowning of the principle of affection. These (three things) pave the way to anarchy.'	CHAPITRE ONZIÈME DES CINQ CHATIMENTS 1.－Le Philosophe dit : Des trois mille espèces de crimes [qui composent] les cinq [classes de] crimes, il n'y en a pas de plus grande que le défaut de Piété filiale. 2.－Celui qui attente à-la-personne-de-son prince, ne reconnait point de supérieur ; 3.－Celui qui (ne reconnait) pas de saints, ne-veut-pas-avoir de loi-morale. 4.－Celui qui n'a pas de Piété filiale, ne veut-pas-avoir de parenté. 5.－Ces [trois choses] sont la voie des grands désordres.	五刑章第十一 1.子曰。五刑之屬三千。而罪莫大於不孝。 2.要君者無上。 3.非聖人者無法。 4.非孝者無親。 5.此大亂之道也。	CHAPITRE ONZIÈME DES CINQ CHATIMENTS 1.－Le Philosophe dit : Des trois mille espèces de crimes qui composent les cinq classes de crimes, il n'y en a pas de plus grande que le défaut de Piété filiale. 2.－Celui qui attente à la personne de son prince, ne reconnait point de supérieur ; 3.－Celui qui ne reconnait pas de saints, ne-veut-pas-avoir de loi-morale. 4.－Celui qui n'a pas de Piété-Filiale, ne veut-pas-avoir de parenté. 5.－Ces trois choses sont la voie des grands désordres.

孝經	**Noël (1711)** ***Liber quintus classicus dictus filialis observantia, sinicè Hiao Kim***	**Cibot (1779)** ***Hiao King, Le livre de la Piété Filiale***	**Pluquet (1786)** ***Le Livre de la Piété Filiale***	**Bridgman (1835)** ***Heaou King, or Filial Duty***
12. 廣要道章第十二	CAPITULUM XII. Potissimæ disciplinæ explanatio.		Chapitre XII	SECTION XII. 'The best moral principles' amplified and explained.
子曰：教民親愛，莫善於孝。教民禮順，莫善於悌。移風易俗，莫善於樂。安上治民，莫善於禮。禮者，敬而已矣。故敬其父，則子悅。敬其兄，則弟悅。敬其君，則臣悅。 敬一人而千萬人悅。所敬者寡而悅者眾，此謂之要道也。	Iterùm sic Confucius: Ad docendos populous Regis amorem, nullus melior modus, quàm ut Rex amet suos Parentes; ad eos docendos Magistratuum reverentiam, nullus melior modus, quàm ut Rex suos fraters seniors revereatur; ad immutandos pravos mores, nullus melior modus, quàm ut Rex Musicam curet; ad consequendam & suam pacem & populorum submissionem, nullus melior modus, quàm ut Rex Ritus colat; colere autem Ritus nihil est aliud, quàm honore alios prosequi. Itaque si Imperator patrem, fratrem natu majorem, Regulum honore prosequatur, mox	La Piété Filiale, continua Confucius, et le moyen le plus aimable d'enseigner au peuple les affections et les bienfaisances de l'amour ; l'amitié fraternelle est le moyen le plus aimable de persuader au peuple les égards et les déférences du sentiment ; la musique est le moyen le plus aimable de réformer les moeurs publiques, et de les renouveler entièrement ; le *Li* enfin est le moyen le plus aimable de conserver l'autorité du Souverain et d'assurer les soins de l'administration publique . Le *Li* naît du respect, et le produit. Un fils est ravi des égards qu'on a pour son père, un cadet est flatté des attentions qu'on a	Un roi qui aime ses parents emploie le moyen le plus sûr pour se faire aimer de ses peuples : un roi qui révére ses freres aînés emploie le moyen le plus sûr pour faire respecter les magistrats: un roi qui a soin de bien régler la musique emploie le meilleur moyen pour réformer les moeurs :un roi qui observe les rites emploie le meilleur moyen pour conserver parmi ses peuples la paix & la soumission: or observer les rites n'est rien autre chose qu'honorer les autres. Ainsi, si l'empereur honore son pere, son frere aîné, un roi, alors tous ses enfants, tous ses freres cadets, tous ses préfcts, sont contents: ainsi, en honorant une seule personne,	"For teaching the people to love one another," the sage remarked,"there is nothing so beneficial as a proper understanding of filial duty; for teaching them the rules of politeness and obedience, there is nothing so good as a thorough knowledge of the duties which brothers owe to each other: for reforming and improving their manners, instruction in music is the most efficient means that can be employed: and for promoting the tranquility of rulers and the subordination of the people, nothing is equal to properly inculcating the principles of propriety. Now propriety of conduct has its foundation

Legge (1879) ***The Hsiâo King, Or Classic of Filial Piety***	**de Rosny (1889)** ***Livre Sacré de la Piété Filiale***	**西譯孝經 (1889)** **東學校羅尼 注解**	**de Rosny (1893)** ***La Morale de Confucius: Le Livre Sacré de la Piété Filiale***
CHAPTER XII. AMPLIFICATION OF 'THE ALL-EMBRACING RULE OF CONDUCT' IN CHAPTER I. The Master said, 'For teaching the people to be affectionate and loving there is nothing better than Filial Piety; for teaching them (the observance of) propriety and submissiveness there is nothing better than Fraternal Duty; for changing their manners and altering their customs there is nothing better than Music; for securing the repose of superiors and the good order of the people there is nothing better than the Rules of Propriety. 'The Rules of Propriety are simply (the development of) the principle of Reverence. Therefore the reverence paid to a father makes (all) sons pleased; the reverence paid to an elder brother makes (all) younger brothers pleased; the reverence paid to a ruler makes (all) subjects pleased. The reverence paid to one man makes thousands and myriads of men pleased. The	CHAPITRE DOUZIÈME DÉVELOPPEMENT RELATIF À LA DOCTRINE PARFAITE. 1.－Le Philosophe dit : Pour apprendre au peuple à aimer ses parents, il n'y a rien de meilleur que la Piété Filiale. 2.－ Pour apprendre au peuple la politesse et la soumission, il n'y a rien de meilleur que le Devoir-envers-les-cadets. 3.－Pour réformer les mœurs et changer les countumes, il n'y a rien de meilleur que la musique. 4.－Pour assurer-la-tranquillité au Supérieur et bien-gouverner le peuple, il n'y a rien de meilleur que les rites (la politesse). 5.－La politesse, c'est le respect, et rien de plus. 6.－En effet, si l'on respecte le père alors les fils sont joyeux ; si l'on respecte les ainés alors les cadets sont joyeux. On respecte un homme (l'Empereur), et mille myriades d'hommes se réjouissent. 7.－Ceux auxquels on doit le respect sont peu nombreux, et ceux qui se	廣要道章第十二 1.子曰。教民愛親。莫善於孝。 2.教民禮順。莫善於弟。 3.移風易俗。莫善於樂。 4.安上治民。莫善於禮。 5.禮者。敬而已矣。 6.故敬其父則子悅。敬其兄則弟悅。敬其君則臣悅。敬一人而千萬人悅。 7.所敬者寡。而悅者眾。此之謂要道。	CHAPITRE DOUZIÈME DÉVELOPPEMENT RELATIF À LA DOCTRINE PARFAITE. 1.－Le Philosophe dit : Pour apprendre au peuple à aimer ses parents, il n'y a rien de meilleur que la Piété-Filiale. 2.－ Pour apprendre au peuple la politesse et la soumission, il n'y a rien de meilleur que le Devoir envers les cadets. 3.－Pour réformer les mœurs et changer les countumes, il n'y a rien de meilleur que la Musique. 4.－Pour assurer-la-tranquillité au Supérieur et bien-gouverner le peuple, il n'y a rien de meilleur que les Rites (la Politesse). 5.－Les Rites sont le respect (d'autrui), et rien de plus. 6.－En effet, si l'on respecte le père alors les fils sont joyeux ; si l'on respecte les ainés alors les cadets sont joyeux. On respecte Un homme (l'Empereur), et mille myriades d'hommes se réjouissent. 7.－Ceux auxquels on doit le respect sont peunombreux, et ceux qui se

孝經	**Noël (1711)** ***Liber quintus classicus dictus filialis observantia, sinicè Hiao Kim***	**Cibot (1779)** ***Hiao King, Le livre de la Piété Filiale***	**Pluquet (1786)** ***Le Livre de la Piété Filiale***	**Bridgman (1835)** ***Heaou King, or Filial Duty***
	omnes ejus filii, omnes ejus fratres natu minores, omnes ejus Præsecti gaudio exultabunt; atque ita honore unum prosequendo, innumerabiles exhilarabit; sive quos honore prosequetur, erunt pauci; quos gaudio afficiet, erunt plurimi. Et hoc dicitur potissma priscorum Imperatorum disciplina, & boni regiminis compendiosa ars.	pour son aîné, un vassal est charmé des honneurs particuliers qu'on rend à son maître, un million d'hommes est enchanté des honnêtetés qu'on n'a faites qu'a un seul. Ceux qu'on distingue ainsi, sont en petit nombre, et tout le monde s'en réjouit ; c'est donc le grand art de régner.	l'empereur fait le bonheur d'une infinité d'hommes, & c' étoit à quoi se réduisoit l'art de gouverner des anciens empereurs.	in respect. When [princes] respect their parents, children take pleasure [in imitating them]; respect is shown to elder brothers, the younger will rejoice [to follow the example]; when the sovereign is respected, his ministers will be delighted. Thus when one is duly respected, thousands and tens of thousands receive pleasure; and the few, by paying respect, render the many happy. This explains what is meant by 'the best moral principles.'"
13. 廣至德章第十三	CAPITULUM XIII.		Chapitre XIII	SECTION XIII. 'The greatest virtue' amplified and explained.
子曰：君子之教以孝也，非家至而日見也。教以孝，所以敬天下之為人父者也。教以悌，所以敬天下之為人兄者也。教以臣，所以敬天下之為人君者也。詩云：	Summæ virtutis explanatio. Sic rursus idem : Dum dicitur Imperator sapiens sua filiali observantia omnes suos populos instruere, non hoc intelligendum	Un Prince enseigne la Piété Filiale, poursuivit Confucius, sans aller en faire des leçons chaque jour dans les familles ; il apprend à honorer les pères et mères dans tout l'Empire,	Lorsque l'on dit qu'un empereur sage enseigne la piété filiale à ses peuples, cela ne signifie pas qu'il va chaque jour en faire des leçons dans les maisons, mais qu'en observant	"The instruction of the truly good man," the sage again remarked, "is communicated to the people by inculcating filial obedience, and this without their repairing daily to

Legge (1879) ***The Hsiâo King, Or Classic of Filial Piety***	**de Rosny (1889)** ***Livre Sacré de la Piété Filiale***	**西譯孝經 (1889)** **東學校羅尼 注解**	**de Rosny (1893)** ***La Morale de Confucius: Le Livre Sacré de la Piété Filiale***
reverence is paid to a few, and the pleasure extends to many;--this is what is meant by an "All-embracing Rule of Conduct."'	réjouissent sont en foule. Telle est la signification de la Voie parfaite.		réjouissent sont en foule. Telle est ls signification de la Voie Parfaite.
CHAPTER XIII. AMPLIFICATION OF 'THE PERFECT VIRTUE' IN CHAPTER I. The Master said, 'The teaching of filial piety by the superior man does not require that he should go to, family after family, and daily see the members of each. His teaching of filial piety is a tribute of reverence to all the fathers under	CHAPITRE TREIZIÈME DÉVELOPPEMENT RELATIF A LA SUPRÊME VERTU 1.－Le Philosophe dit : L'enseignement de l'homme supérieur [est basé] sur la Piété filiale; il ne consiste pas à se rendre dans les familles et chaque jour à aller les voir. 2.－Il enseigne la Piété filiale en honorant ceux	廣至德章第十三 1.子曰。君子之教以孝也。非家至而日見之也。 2.教以孝所以敬天下之為人父者。	CHAPITRE TREIZIÈME DÉVELOPPEMENT RELATIF A LA SUPRÊME VERTU 1.－Le Philosophe dit : Le sage fonde son enseignement sur la Piété-Filiale; il ne consiste pas à se rendre dans les familles et chaque jour à aller les voir. 2.－Le sage enseigne que la Piété-Filiale à

孝經	**Noël (1711)** ***Liber quintus classicus dictus filialis observantia, sinicè Hiao Kim***	**Cibot (1779)** ***Hiao King, Le livre de la Piété Filiale***	**Pluquet (1786)** ***Le Livre de la Piété Filiale***	**Bridgman (1835)** ***Heaou King, or Filial Duty***
愷悌君子，民之父母。非至德，其孰能順民如此其大者乎？	est, quòd unamquamque domum adiens, quotidie illos conveniat ; sed quòd & suæ filialis erga Parentes suos observantiæ, & fraternæ egra fratres suos seniores reverentiæ exemplo efficiat, ut omnes in toto Imperio Parentes & fratres seniores debito honore colantur. Idcircò lib. Carminum sic ait: *Princeps, qui sibi devinctos populos renovare valet, is dicitur populorum parens*. Ecquis autem, nisi sit summæ virtutis Princeps, tam amplum in devinciendis sibi populorum animis effectum obtenere possit ?	en rendant des honneurs à la paternité ; il apprend à aimer les frères dans tout l'Empire , en rendant des honneurs à la frater nité ; il apprend à être un sujet fidèle dans tout l'Empire, en ren dant des honneurs à l'autorité publique . Le *Chi-king* dit : *Un Prince qui se fait aim er et change les m oe urs, est le père et la m ère des peuples. O combien parfaite ne doit pas être la vertu qui conduit les peuples à ce qu'il y a de plus grand, en suivant la pente de tous les coeurs!*	la piété filiale, en révérant son frere aîné, son exemple porte dans tout l'empire les enfants à aimer leurs peres & leurs meres, & les freres cadets à révérer leurs freres aînés. Voilà pourquoile livre des poésies dit: " Un prince qui peut renouveller les moeurs de ses peuples est véritablement leur pere " Or quel autre qu'un prince d'une vertu éminente peut produire un aussi grand effet?	his house, or even seeing him. His inculcation of filial obedience causes all the parents in the empire to be duly respected. His inculcation of right feelings towards elder brothers is the means of making all elder brothers properly respected. And by teaching ministerial fidelity, he cause all the people of the empire to pay due respect to their rulers." In the Book of Odes it is said: "Let all the rulers in the empire Become the fathers and mothers of the people." "Now without carrying virtue to its utmost limit, who is there that can keep the people in this high degree obedient?"

Legge (1879) ***The Hsiâo King, Or Classic of Filial Piety***	**de Rosny (1889)** ***Livre Sacré de la Piété Filiale***	**西譯孝經 (1889)** **東學校羅尼 注解**	**de Rosny (1893)** ***La Morale de Confucius: Le Livre Sacré de la Piété Filiale***
heaven; his teaching of fraternal submission is a tribute of reverence to all the elder brothers under heaven; his teaching of the duty of a subject is a tribute of reverence to all the rulers under heaven. 'It is said in the Book of Poetry , "The happy and courteous sovereign Is the parent of the people." 'If it were not a perfect virtue, how could it be recognised as in accordance with their nature by the people so extensively as this?'	qui, parmi les hommes sous le Ciel (dans l'Empire) sont des pères. 3.－Il enseigne les-devoirs-des-cadets en honorant ceux qui, parmi les hommes sous le Ciel (dans l'Empire) sont des ainès. 4.－Il enseigne les-devoirs-des-sujets en honorant ceux qui, parmi les hommes sous le Ciel (dans l'Empire) sont des princes. 5.－[Le Livre canonique] des Poésies dit : Le Prince bon et affable est le père et la mère du peuple. S'il-ne-possédait-pas la suprême vertu ; comment serait-il un être assez grand pour se mettre à l'unisson avec le peuple? (?)	3.教以弟所以敬天下之為人兄者。 4.教以臣所以敬天下之為人君者也。 5.詩云。愷悌君子民之父母。非至德。其孰能順民。如此其大者乎。	honorer ceux qui, parmi les hommes, sont des pères Sous le Ciel (dans l'Empire). 3.－Il enseigne les-devoirs-des-cadets en honorant ceux qui, parmi les hommes sont des aînés sous le Ciel (dans l'Empire). 4.－Il enseigne les devoirs des sujets en honorant ceux qui sont des princes parmi les hommes sous le Ciel (dans l'Empire). 5.－Le Livre canonique des Poésies dit : «Le Prince bon et affable est le père et la mère du peuple. S'il ne possédait pas la suprême vertu ; comment serait-il un être assez grand pour se mettre à l'unisson avec le peuple? »

孝經	**Noël (1711)** ***Liber quintus classicus dictus filialis observantia, sinicè Hiao Kim***	**Cibot (1779)** ***Hiao King, Le livre de la Piété Filiale***	**Pluquet (1786)** ***Le Livre de la Piété Filiale***	**Bridgman (1835)** ***Heaou King, or Filial Duty***
14. 廣揚名章第十四	CAPITULUM XIV. Magni nominis fama.		Chapitre XIV	SECTION XIV. The principle of 'gaining reputation' illustrated.
子曰：君子之事親孝，故忠可移於君。事兄悌，故順可移於長。居家理，故治可移於官。是以行成於內，而名立於後世矣。	Sic idem: Quia vir sapiens est fidelis in Parentum observantia, obsequens in fratrum reverentia, solers in domûs cura, ideò facilè potest hanc Parentum fidelitatem cum Regis observantia, hoc fratrum obsequium cum Magistratuum reverrentia, hanc domûs solertiam cum Regni cura commutare, unde fit, ut, ubi domum suam obsoluta virtute composuit, posteà magnam nominis sui famam transfundat sequentibus sæculis.	Confucius ajouta encore : — La Piété Filiale du Prince à servir ses parents, produit une Piété Filiale qui se signale aisément envers sa personne ; les soins qu'il rend à ses frères produisent une amitié et des déférences fraternelles qui se signalent aisément envers les gens en place ; le bon ordre et la paix qui règnent dans son domestique, produisent une sagesse d'administration qui se signale aisément dans les affaires publiques. Plus il travaille heureusement à cultiver et à perfectionner l'intérieur de son auguste famille, plus il réussit à se faire un nom chez tous les siècles à venir.	Le sage est fidele aux devoirs de la piété envers ses pere & mere, & à ceux du respect envers ses freres; il est habile dans l'administration de sa maison. Il a donc une grande facilité à remplir fidélement tout ce qu'il doit au roi & aux magistrats; il peur appliquer au gouvernement du royaume l'habileté avec laquelle il gouverne sa maison; il peut par ce moyen se faire une grande réputation dans les siecles à venir.	"The truly good man," said the sage, "serves his parents with filial piety; and will, therefore in like manner, be faithful to his prince. He serves his elder brothers with true fraternal feelings, and consequently will, in the same measure, be obedient to his superiors. He rules well his own house, and will accordingly, in the same way control those who are in authority under him. Thus by his conduct at home being perfect, his reputations is established and will be transmitted to future generations."

Legge (1879) ***The Hsiâo King, Or Classic of Filial Piety***	**de Rosny (1889)** ***Livre Sacré de la Piété Filiale***	**西譯孝經 (1889)** **東學校羅尼 注解**	**de Rosny (1893)** ***La Morale de Confucius: Le Livre Sacré de la Piété Filiale***
CHAPTER XIV. AMPLIFICATION OF 'MAKING OUR NAME FAMOUS' IN CHAPTER I. The Master said, 'The filial piety with which the superior man serves his parents may be transferred as loyalty to the ruler; the fraternal duty with which he serves his elder brother may be transferred as submissive deference to elders; his regulation of his family may be transferred as good government in any official position. Therefore, when his conduct is thus successful in his inner (private) circle, his name will be established (and transmitted) to future generations.'	CHAPITRE QUINZIÈME DÉVELOPPEMENT RELATIF A L' ÉLÉVATION DE SOI-MÊME. 1.－Le Philosophe dit : l'homme supérieur, en servant ses parent, [pratique] la Piété filiale. En conséquence il est loyal et peut reporter [ces sentiments] sur son Prince. 2.－En servant ses ainés, [il pratique les devoirs] fraternels. En conséquence, il est soumis et peut reporter [ces sentiments] sur les hommes-élevés (en rang ou en âge). 3.－Dans sa famille, il respecte-la-raison. En conséquence, il [sait-pratiquer-le-bon-gouvernement], et peut reporter [ce savoir] dans les magistratures [auxquelles il peut être appelé]. 4.－Il en résulte que sa conduite étant parfaite dans son intérieur, sa renommée est établie pour les générations futures.	廣揚名章第十五 1.子曰。君子之事親孝。故忠可移於君。 2.事兄弟。故順可移於長。 3.居家理。故治可移於官。 4.故行成於內。而名立於後世矣。	CHAPITRE QUINZIÈME DÉVELOPPEMENT RELATIF A L' ÉLÉVATION DE SOI-MÊME. 1.－Le Philosophe dit : l'homme supérieur, en servant ses parent, pratique la Piété-Filiale. De la sort, il est loyal et peut reporter mêmes sentiments sur son Prince. 2.－En servant ses ainés, il pratique les devoirs fraternels. En conséquence, il est soumis et peut reporter ces sentiments sur les hommes élevés en rang ou en âge. 3.－Dans sa famille, il respecte-la-raison. En conséquence, il sait pratiquer le bon gouvernement, et peut reporter ce savoir dans les magistratures dont il est investi. 4.－Il en résulte que sa conduite étant parfaite dans son intérieur, sa renommée est établie pour les générations futures.

孝經	**Noël (1711)** ***Liber quintus classicus dictus filialis observantia, sinicè Hiao Kim***	**Cibot (1779)** ***Hiao King, Le livre de la Piété Filiale***	**Pluquet (1786)** ***Le Livre de la Piété Filiale***	**Bridgman (1835)** ***Heaou King, or Filial Duty***
15. 諫諍章第十五	CAPITULUM XV. Admonitio.		Chapitre XV	SECTION XV. On remonstrance.
曾子曰：若夫慈愛恭敬，安親揚名，則聞命矣。敢問子從父之令，可謂孝乎？ 子曰：是何言與？是何言與？昔者天子有爭臣七人，雖無道不失其天下。諸侯有爭臣五人，雖無道不失其國。 大夫有爭臣三人，雖無道不失其家。士有爭友，則身不離於令名。 父有爭子，則身不陷於不義。故當不義，則子不可以不爭於父， 臣不可以不爭於君，故當不義則爭之，從父之令，又焉得為孝乎。	Tum discipulus *Tsem Tsu* sic Confucium interrogat: Quandoquidem igitur quid sit amore & honore Parentes prosequi, tranquillitate recreare, magni nominis famâ decorare, jam optimè intellexerim, ausim rursus percunctari: Si quis filius Parentis dicto omninò pareat, potéstne hic dici omnes filialis observantiæ partes adimplevisse? Quid loqueris, reponit Confucius? Quid, inquam, losqueris? Olim Imperator habebat septem Admonitores hinc quamvis ispe malè viveret, non tamen suo spoliabatur Imperio ; Regulus habebat quinque : hinc quamvis ipse malè ageret, non tamen suum Regnum amittebat ; primarius Regni Præfectus habebat	— Je le comprends maintenant, répondit *Tcheng-tzeu*, un fils bien né doit essentiellement aimer et chérir, respecter et honorer, contenter et rendre heureux, illustrer et immortaliser les parents ; mais j'ose demander encore, si un fils qui obéit aux vo lontés de son père remplit par-là tous les devoirs de la Piété Filiale ? — Que me demandez-vous ? répondit Confucius. L'Empereur avait anciennement sept sages pour censeurs, et quoiqu'il donnât dans de grands excès, il ne les poussait pas jusqu'à perdre l'Empi re. Un prince avait cinq sages pour le reprendre, et quoiqu'il donnât	Je comprends très bien, dit Tseng-Tsée, comment on doit respecter, aimer, chérir ses parents , les rendre heureux &les illustrer en se faisant une grande réputation. Permettez que je vous demande encore si un fils qui obéit en tour à son pere remplit les devoirs de la piété filiale. Que dites-vous là ? reprit Confucius. Autrefois l'empereur avoit sept moniteurs; & quoiqu'il donnât dans de grands excès, il ne les portoit jamais jusqu'à perdre l'empire. Un roi avoit cinq moniteurs; &quoiqu'il tombât dans le désordre, il ne le portoit cependant jamais jusqu'à perdre son royaume. Un premier ministre avoit	Tsăng Tsan addressing the sage said, "I have heard you say that a son should tenderly love and respectfully reverence his parents, seek to promote their present tranquillity, and thus render their names illustrious: may I presume to ask, if one who [without due consideration] obeys his father in all things is worthy to be called a filial son?" "What an inquiry this!" exclaimed the sage, "what an inquiry this! Formerly, if the emperor had only seven ministers who would remonstrate with him, though he himself were destitute of virtue, yet he lost not his empire. The nobles, though they might be devoid of principle, yet if they had even five servants who

Legge (1879) ***The Hsiâo King, Or Classic of Filial Piety***	**de Rosny (1889)** ***Livre Sacré de la Piété Filiale***	**西譯孝經 (1889)** **東學校羅尼 注解**	**de Rosny (1893)** ***La Morale de Confucius: Le Livre Sacré de la Piété Filiale***
CHAPTER XV. FILIAL PIETY IN RELATION TO REPROOF AND REMONSTRANCE. The disciple Zăng said, 'I have heard your instructions on the affection of love, on respect and reverence, on giving repose to (the minds of) our parents, and on making our name famous;--I would venture to ask if (simple) obedience to the orders of one s father can be pronounced filial piety.' The Master replied, 'What words are these! what words are these! Anciently, if the Son of heven had seven ministers who would remonstrate with him, although he had not right methods of government, he would not lose his possession of the kingdom; if the prince of a state had five such ministers, though his measures might be equally wrong, he would not lose his state; if a great officer had three, he would not, in a similar case, lose (the headship of) his clan; if an inferior officer had a friend who would remonstrate with him, a good name would not cease to be connected	CHAPITRE DIX-SEPTIÈME SUR LES REMONTRANCES ET LES REPRÉSENTATIONS 1.－Tseng-tse dit : S'il en est ainsi de l'affection et de l'amour, de la vénération et du respect, du repos [qu'on doit assurer] à ses parents, de [l'obligation de] rendre-célèbre son nom, moi Tsan j'ai entendu vos instructions. 2.－Pourrai-je vous le demander : Suivre les ordres de son père, cela peut-il s'appeler la Piété filiale ? 3.－Le Philosophe dit : Quelles paroles ! quelles paroles ! Quelle insanité de paroles ! 4.－Anciennement le Fils du Ciel avait des censeurs au nombre de sept, quand bien même il aurait manqué de droiture, il ne perdait pas son Empire. 5.－Les princes feudataires avaient des censeurs au nombre de cinq ; quand bien même ils auraient manqué de droiture, ils ne perdaient pas leur royaume. 6.－Les grands officiers avaient des censeurs au nombre de trois ; quand bien même ils auraient	諫爭章第十七 1.曾子曰。若夫慈愛恭敬。安親揚名。參聞命矣。 2.敢問。從父之令。可謂孝乎。 3.子曰。是何言與。是何言與。言之不通也。 4.昔者天子有爭臣七人。雖亡道不失天下。 5.諸侯有爭臣五人。雖無道不失其國。 6.大夫有爭臣三人。雖無道不失其家。	CHAPITRE DIX-SEPTIÈME SUR LES REMONTRANCES ET LES REPRÉSENTATIONS 1.－Tseng-tse dit : S'il en est ainsi de l'affection et de l'amour, de la vénération et du respect, du repos qu'on doit assurer à ses parents, de l'obligation de rendre-célèbre son nom, moi Tsan j'ai entendu vos instructions. 2.－Pourrai-je vous le demander : Suivre les ordres de son père, cela peut-il s'appeler la Piété filiale ? 3.－Le Philosophe dit : Quelles paroles ! quelles paroles ! Quelle insanité de paroles ! 4.－Anciennement le Fils du Ciel avait des censeurs au nombre de sept, quand bien même il aurait manqué de droiture, il ne perdait pas son Empire. 5.－Les princes feudataires avaient des censeurs au nombre de cinq ; quand bien même ils auraient manqué de droiture, ils ne perdaient pas leur royaume. 6.－Les grands officiers avaient des censeurs au nombre de trois ; quand bien même ils auraient

孝經	**Noël (1711)** ***Liber quintus classicus dictus filialis observantia, sinicè Hiao Kim***	**Cibot (1779)** ***Hiao King, Le livre de la Piété Filiale***	**Pluquet (1786)** ***Le Livre de la Piété Filiale***	**Bridgman (1835)** ***Heaou King, or Filial Duty***
	tres : hinc quamvis ipse malè se gereret, non tamen suam domum perditum ibat ; sapientiæ Alumnus amicum unum habebat admonitorem, atque ita boni nominis samâ non excidebat. Pater filium habebat admonitorem, atque ita in scelera non ruebat. Idcircò cùm pater aut Rex in culpam incidit, omninò debet filius patrem, & Minister Regem admonere. Quomodo ergo filius, qui Parentis dicto omninò paret, possit dici omnes filialis observantiæ partes adimplevisse ?	dans de grands excès, il ne les poussait pas jusqu'à perdre ses États. Un Grand de l'Empire avoit trois sages pour le reprendre, et quoiqu'il donnât dans de grands excès, il ne les poussait pas jusqu'à perdre sa maison. Un Lettré avait un ami pour le reprendre, et il n'en venait jamais jusqu'à déshonorer son nom. Un père avait son fils pour le reprendre, et il ne s'égarait jamais jusqu'à tomber dans le désor dre. Dès qu'une chose est censée mauvaise, un fils ne peut pas plus se dispenser d'en reprendre son père qu'un sujet son Souverain : or, dès qu'un fils doit reprendre son père quand il fait mal, comment remplirait-il les devoirs de la Piété Filiale , en se bornant à obéir aux volontés de son père ?	trios moniteurs; & quoiqu'il se conduisît mal, cependant il n'arrivoit point à un déréglement qui lui fit perdre sa maison. Un lettré avoit pour moniteur un ami, & par ce moyen il ne venoit jamais jusqu'à perdre sa réputation. Le pere avoit pour moniteur son fils, & jamais il ne s'abandonnoit au crime. Un fils doit avertir son pere, & le ministre son roi, lorsqu'il com met une faute: comment don un fils rempliroit-il tous les devoirs de la piété filiale en obéisant à toutes les volontés de son pere?	would remonstrate with them, lost not their respective countries. So also with regard to the magistrates; though unprincipled themselves, if they had only three faithful attendants who would remonstrate with them, their houses were not brought to ruin. And if a scholar had faithful friends to remonstrate with him, then he would not lose his good name. Even so a father, if he have a faithful son who will remonstrate with him, will not be in danger of falling into evil. When, therefore, iniquity lies in the way of one's parents, a son may not refrain from remonstrating with them. Nor may a minister or servant abstain from remonstrating with his master. Under such circumstances, how can mere inconsiderate obedience to a parent's commands be regarded as filial duty?"

Legge (1879) ***The Hsiâo King, Or Classic of Filial Piety***	**de Rosny (1889)** ***Livre Sacré de la Piété Filiale***	**西譯孝經 (1889)** **東學校羅尼 注解**	**de Rosny (1893)** ***La Morale de Confucius: Le Livre Sacré de la Piété Filiale***
with his character; and the father who had a son that would remonstrate with him would, not sink into the gulf of unrighteous deeds . Therefore when a case of unrighteous conduct is concerned, a son must by no means keep from remonstrating with his father, nor a minister from remonstrating with his ruler. Hence, since remonstrance is required in the case of unrighteous conduct, how can (simple) obedience to the orders of a father be accounted filial piety ?	manqué de droiture, ils ne perdaient pas leur maison.		manqué de droiture, ils ne perdaient pas leur maison.
	7.－Les fonctionnaires avaient un ami pour les censurer ; alors leur personne était inséparable d'une réputation respectée.	7.士有爭友。則身不離於令名。	7.－Les fonctionnaires avaient un ami pour les censurer ; alors leur personne était inséparable d'une réputation respectée.
	8.－ Le père avait un fils pour lui-faire-des-remontrances ; alors sa personne ne tombait pas dans l'injustice.	8.父有爭子。則身不陷於不義。	8.－ Le père avait un fils pour lui-faire-des-remontrances ; alors sa personne ne tombait pas dans l'injustice.
	9.－En effet, lorsqu'il a commis une injustice, alors le fils ne doit pas laisser son père sans remontrances ; le fonctionnaire ne doit pas laisser sans remontrances son prince.	9.故當不義。則子不可以弗爭於父。臣不可以弗爭於君。	9.－En effet, lorsqu'il a commis une injustice, alors le fils ne doit pas laisser son père sans remontrances ; le fonctionnaire ne doit pas laisser sans remontrances son prince.
	10.－En effet, lorsqu'il a commis une injustice, alors il fait des remontrances. S'il se bornait à obéir aux ordres de son père, comment parviendrait-il à pratiquer la Piété filiale?	10.故當不義。則爭之。從父之令。又安得為孝乎。	10.－Lorsqu'il a commis une injustice, alors il fait des remontrances. S'il se bornait à obéir aux ordres de son père, comment parviendrait-il à pratiquer la Piété filiale?

孝經	**Noël (1711)** ***Liber quintus classicus dictus filialis observantia, sinicè Hiao Kim***	**Cibot (1779)** ***Hiao King, Le livre de la Piété Filiale***	**Pluquet (1786)** ***Le Livre de la Piété Filiale***	**Bridgman (1835)** ***Heaou King, or Filial Duty***
16. 感應章第十六	CAPITULUM XVI. Respondens effectus.		Chapitre XVI	SECTION XVI. On the retributive results of the performance of filial duty.
子曰：昔者明王事父孝，故事天明。事母孝，故事地察。長幼順，故上下治。 天地明察，神明彰矣。 故雖天子必有尊也，言有父也；必有先也，言有兄也。宗廟致敬，不忘親也。修身慎行，恐辱先也。 宗廟致敬，鬼神著矣。孝悌之至，通於神明，光於四海，無所不通。詩云：自西自東，自南自北，無思不服。	Rursus sic Confucius: Olim sapientes Imperatores sua filiali observantia inserviebant patri, ceu Cælo: idircò suo servitio Cælum perspicuè noscebant; matri, ceu terræ: idircò suo servitio terram accuratè examinabant; mutuam inter consanguineos seniores & juniores benevolentiam procurabant: idircò superiores & inferiores optimè regebant. Ritè autem & Cælo cognito & terrâ examinatâ, tunc intelligens Spiritus suos effectus prodebat. Quocircà Imperator quamvis supremam gerat dignitatem, habet tamen quos & ut Superiores veneretur, nimirùm Parentes, Parentúmque fratres ; ut	Confucius ajouta ensuite : — Les plus sages Empereurs de l'an tiquité servaient leur père avec une vraie Piété Filiale; voilà pourquoi ils servaient le *Tien* avec tant d'intelligence : ils servaient leur mère avec une vraie Piété Filiale ; voilà pourquoi ils servaient le *Ti* avec tant de religion : ils étaient pleins de condescendance pour les vieux et pour les jeunes ; voilà pourquoi ils gouvernaient si heureusement les supérieurs et les inférieurs. Le *Tien* et le *Ti* étant servis avec intelligence et avec religion, l'esprit intelligent se manifestait. L'Empereur lui -même a des supérieurs à qui il doit des respects, c'est -à-dire, son	Autrefois les sages empereurs servoient leur pere comme le ciel, voilà pourquoi ils servorient le ciel avec tant d'intelligence; ils servoient leur mere comme la terre, & voilà pourquoi ils servoient la terre avec tant de religion; ils faisoient régner une bienveillance réciproque entre les parents plus âgés, & les moins âgés, voilà pourquoi ils gouvernoient avec tant de facilité les supérieurs & les inférieurs. Le ciel & la terre étant bien connus, l'esprit intelligent se manifestoit par ses effets. Quoique l'empereur possede une dignité suprême, il y a cependant des supérieurs qu'il doit révérer, savoir, ses parents, ses oncles & ses freres; son respect éclate dans le palais des	"The ancient kings,"said the sage, "served their parents with true filial respect; hence they could serve heaven intelligently. In the same way they honored their mothers; and hence could honor the earth with an understanding mind. With them, concord and obedience were maintained between seniors and juniors; hence superiors and inferiors moved in their respective spheres. To them, who understand clearly the principles of serving heaven and honoring earth, the spiritual intelligences will manifest themselves. Even the son of heaven must have some one above him, namely his father; he must have some one senior to himself,

Legge (1879) ***The Hsiâo King, Or Classic of Filial Piety***	**de Rosny (1889)** ***Livre Sacré de la Piété Filiale***	**西譯孝經 (1889)** **東學校羅尼 注解**	**de Rosny (1893)** ***La Morale de Confucius: Le Livre Sacré de la Piété Filiale***
CHAPTER XVI. THE INFLUENCE OF FILIAL PIETY AND THE RESPONSE TO IT.	CHAPITRE QUATORZIÈME INFLUENCE ET CONSÈQUENCES DE LA PIÉTÉ FILIALE	應感章第十四	CHAPITRE QUATORZIÈME INFLUENCE ET CONSÈQUENCES DE LA PIÉTÉ FILIALE
'The Master said, 'Anciently, the intelligent kings served their fathers with filial piety, and therefore they served Heaven with intelligence; they served their mothers with filial piety, and therefore they served Earth with discrimination . They pursued the right course with reference to their (own) seniors and juniors, and therefore they secured the regulation of the relations between superiors and inferiors (throughout the kingdom).	1.－Le Philosophe dit : Anciennement, les rois éclairés servaient leur père avec Piété filiale; de la sorte, en servant le Ciel ils étaient éclairés. Ils servaient leur mère avec Piété filiale ; de la sorte, en servant la Terre, ils étaient diligents. Avec ceux qui étaient âgés comme avec ceux qui étaient jeunes, ils se mettaient à l'unisson ; de la sort [sic.], dans les régions-élevées comme dan les régions-inférieures (de la société), ils pratiquaient-un-bon-gouvernement.	1.子曰。昔者明王事父孝。故事天明。事母孝。故事地察。長幼順。故上下治。	1.－Le Philosophe dit : Anciennement, les rois éclairés servaient leur père avec Piété filiale; de la sorte, en servant le Ciel ils étaient éclairés . Ils servaient leur mère avec Piété filiale ; de la sorte, en servant la Terre, ils étaient diligents. Avec ceux qui étaient âgés comme avec ceux qui étaient jeunes, ils se mettaient à l'unisson ; de la sort [sic.], dans les régions-élevées comme dan les régions-inférieures (de la société), ils pratiquaient-un-bon-gouvernement.
'When Heaven and Earth were served with intelligence and discrimination, the spiritual intelligences displayed (their retributive power).	2.－[Du moment où] le Ciel et Terre [étaient servis avec] et diligence, les lumières spirituelles (c'est-à-dire les Esprits) se rendaientmanifestes.	2.天地明察神明彰矣。	2.－Du moment où le Ciel et Terre [étaient servis avec] lumières et diligence, les Lumières spirituelles (c'est-à-dire les Esprits) se rendaientmanifestes.
'Therefore even the Son of Heaven must have some whom he honours; that is, he has his uncles of his surname. He must have some to whom he concedes the precedence;	3.－En effet même le Fils du Ciel doit avoir du respect ; car il est dit qu'il a ses pères ; il doit reconnaître des supérieurs, car il est dit qu'il a ses ainés.	3.故雖天子必有尊也。言有父也。必有先也。言有兄也。	3.－En effet même le Fils du Ciel doit avoir du respect ; car il est dit qu'il a ses pères ; il doit reconnaître des supérieurs, car il est dit qu'il a ses ainés.
that is, he has his cousins, who bear the same surname, and	4.－Dans le temple des ancêtres, il professeau-plus-haut-degré le respect , (pour montrer	4.宗廟致敬。不忘親也。	4.－Dans le temple des ancêtres, il professeau-plus-haut-degré le respect , pour montrer

孝經	**Noël (1711)** ***Liber quintus classicus dictus filialis observantia, sinicè Hiao Kim***	**Cibot (1779)** ***Hiao King, Le livre de la Piété Filiale***	**Pluquet (1786)** ***Le Livre de la Piété Filiale***	**Bridgman (1835)** ***Heaou King, or Filial Duty***
	Priores sequatur, nimirùm frateres, congnatósque natu majores. Hinc in parentali defunctorum Majorum aula summam venerationem servat, ut Parentum suorum numquam obliviscatur ; & affiduâ cautelâ mores suos componit, veritus, nè Prædecessores suos ac Consanguineos seniores probro afficiat. Ubi autem hæc summa veneratio in parentali Majorum defunctorum aula servatur, illorum Spiritus se menti offerunt. Denique summæ in Parentes observantiæ, & in fratres seniores reverentiæ effectus non tantùm ad intelligentes usque Spiritus pertingit sed etiam ad omnes Imperii plagas clarissimè se se extendit, ita ut nullus locus sit, quem non pervadat. Uti lib. Carm.	père, des anciens, c'est -à-dire, ses aînés. Son respect éclate dans le *Tsong-miao*, afin qu'on voie qu'il n'oublie pas ses parents. Il cultive la vertu, il s'applique à sa perfection, afin de ne pas déshonorer ses ancêtres. Il fait éclater son respect dans le *Tsong-miao :* les âmes et les esprits viennent s'en réjouir. Quand la Piété Filiale et l'amour fraternel sont parfaits, on entre en commerce avec l'Esprit intelligent, et la gloire dont on se couvre, remplit les régions immenses et éloignées qu'environnent les quatre mers. Il est dit dans le *Chi-king De l'orient à l'occident, du nord au m idi, tout plie devant ses pensé*es.	ancêtres, afin que tout le monde sache qu'il n'oublie pas ses parents; & il regle avec beaucoup de soin ses moeurs, dans la crainte de faire quelque outrage à ses prédécesseurs &à ses parents. Enfin l'effet de la piété filiale & du respect pour les freres aînés s'éleve jusqu'aux esprits intelligents, &s'étend dans tout l'empire ; & c'est ce que le livre des poésies dit de l'empereur Vu-Vam : " Du levant au couchant , du nord au midi, il n'y avoit pas de coeur qui ne se soumît à lui."	to be regarded as his elder brother. But it is in the ancestral temple that he displays the most perfect degree of reverence, not forgetful of his parents, but adorning himself with virtue, and diligently attending to his conduct, lest he dishonor his progenitors; it is there, while worshiping with the profoundest reverence, that the spirits of his ancestors manifest themselves to him. He who performs filial and fraternal duties perfectly, will comprehend the spiritual intelligences, and spread light throughout the four seas. There will be nothing beyond his comprehension." As expressed in the Book of Odes: "From the west and from the east, From the south and from the north, None thought of insubmission."

Legge (1879) ***The Hsiâo King, Or Classic of Filial Piety***	**de Rosny (1889)** ***Livre Sacré de la Piété Filiale***	**西譯孝經** **(1889)** **東學校羅尼 注解**	**de Rosny (1893)** ***La Morale de Confucius: Le Livre Sacré de la Piété Filiale***
are older than himself. In the ancestral temple he manifests the utmost reverence, showing that he does not forget his parents; he cultivates his person and is careful of his conduct, fearing lest he should disgrace his predecessors. 'When in the ancestral temple he exhibits the utmost reverence, the spirits of the departed manifest themselves. Perfect filial piety and fraternal duty reach to (and move) the spiritual intelligences, and diffuse their light on all within the four seas; they penetrate everywhere. 'It is said in the Book of Poetry, "From the west to the east, From the south to the north, There was not a thought but did him homage."'	qu'il) n'oublie pas ses parents. 5.－Il cultive sa personne et est scrupuleux dans sa conduite, dans la crainte de causer-de-la-honte à ses parents. 6.－Dans le temple des ancêtres, il professeau-plus-haut-degré le respect; [de sorte que] les esprits des défunts apparaissent. 7.－Le degré suprême de la Piété filiale et des devoirs envers les cadets pénètre jusqu'aux Lumières spirituelles ; il brille [partout] entre les quatre mers ; il n'y a rien qu'il ne pénètre. 8.－Dans [le Livre canonique] des Vers, il est dit : Du couchant, du levant, du midi et du nord, il n'y avait-personne qui pensât à ne pas lui-rendre hommage.	5.修身慎行恐辱親也。 6.宗廟致敬。鬼神著矣。 7.孝弟之至。通於神明。光於四海。無所不通。 8.詩云。自西自東。自南自比。無思不服。	qu'il n'oublie pas ses parents. 5.－Il cultive sa personne et est scrupuleux dans sa conduite, dans la crainte de causer-de-la-honte à ses parents. 6.－Dans le temple des ancêtres, il professeau-plus-haut-degré le respect; de façon que les esprits des défunts apparaissent. 7.－Le degré suprême de la Piété filiale et des devoirs envers les cadets pénètre jusqu'aux Lumières spirituelles ; il brille [partout] entre les Quatre Mers (dans le monde); il n'y a rien qu'il ne pénètre. 8.－Dans le Livre canonique des Vers, il est dit : Du couchant, du levant, du midi et du nord, il n'y avait-personne qui pensât à ne pas lui-rendre hommage.

孝經	**Noël (1711)** ***Liber quintus classicus dictus filialis observantia, sinicè Hiao Kim***	**Cibot (1779)** ***Hiao King, Le livre de la Piété Filiale***	**Pluquet (1786)** ***Le Livre de la Piété Filiale***	**Bridgman (1835)** ***Heaou King, or Filial Duty***
	tom. *Ta Ya*, Odà *Ven Vam*, agens de hoc Principe *Ven Vam,* sic ait : *Ab Occidente usque ad Orientem, & ad Austra usque ad Septentrionem nullum erat cor, quod ei se se non submitteret.*			
17. 事君章第十七 子曰：君子之事上也。進思盡忠，退思補過，將順其美，匡救其德，故上下能相親也。詩云：心乎愛矣，遐不謂矣，中心藏之，何日忘之。	CAPITULUM XVII. Regis Ministerium. Sic pergit Confucius : Vir sapiens, qui agit primarium Regis Ministrum, dum regiam Aulam adit, omnes sui muneris partes explere, dum ab Aula recedit, emendare Regis cuplas, vitia frænare, virtutes imitari mediatur. Hinc Rex & Minister mutuam inter se benevolentiam fovent. Sic lib. Carminum ait : *Enimverò, qui possis intimum illum amorem verbis exprimere ? Quamvis procul à Regis latere semotus subinde existat, eum tamen*	 Le sage sert son Souverain : il ne porte au Palais que des pensées de fidélité, il n'e n remporte que des projets pour réparer les fautes, donner carrière aux vertus et arrêter les progrès du vice. Voilà ce qui le met en faveur. Il est dit dans le *Chi-king : O qui pourrait raconter les sentim ents de sa tendresse ! Quoique éloigné du Prince, il s'en rapproche sans cesse par m ille tendres souvenirs. Comment pourrait-il oublier ses intérêts ?*	Chapitre XVII Un sage, lorsqu'il est premier ministre, lorsqu'il se rend à la cour, ne pense qu'à y remplir ses devoirs ; lorsqu'il en sort, il ne songe qu'à corriger les fautes du roi, à réfréner ses vices, à imiter ses vertus : par ce moyen, le roi & le ministre sont unis par une bienveillance mutuelle. Ainsi le livre des poéses dit de ce ministre : "Oh! Qui pourroit exprimer toute l'étendue de sa tendresse ? quoiqu' éloigné du prince, il le porte toujours dans son coeur; & comment pourroit-il l'oublier? "	SECTION XVII. On serving the prince. "The truly good man," said the sage, "when in the presence of the prince, will serve him with fidelity; and when he retires, will seek to amend his faults: he will strive to guide his majesty to what is excellent, and to rescue him from what is evil. Then the prince and his ministers will love one another." Again it is said in the Book of Odes: "Their hearts love the prince, When afar off they speak no evil of him; They retain him in their hearts, And never for a day forget him"

Legge (1879) ***The Hsiâo King, Or Classic of Filial Piety***	**de Rosny (1889)** ***Livre Sacré de la Piété Filiale***	**西譯孝經 (1889)** **東學校羅尼 注解**	**de Rosny (1893)** ***La Morale de Confucius: Le Livre Sacré de la Piété Filiale***
CHAPTER XVII. THE SERVICE OF THE RULER. The Master said, 'The superior man serves his ruler in such a way, that when at court in his presence his thought is how to discharge his loyal duty to the utmost; and when he retires from it, his thought is how to amend his errors. He carries out with deference the measures springing from his excellent qualities, and rectifies him (only) to save him from what are evil. Hence, as the superior and inferior, they are able to have an affection for each other. It is said in the Book of Poetry, "In my heart I love him; And why should I not say so? In the core of my heart I keep him,	CHAPITRE DIX-HUITIÈME DES DEVOIRS ENVERS LE PRINCE 1.－Le Philosophe dit : L'homme supérieur se met-au-service de son prince. Quand il se rend-à-la-Cour, il songe à accomplir son devoir ; lorsqu'il se retire il pense à réparer les fautes [de l'Empereur]. 2.－Il le suit dans le bien (qu'il fait), il le sauve de ses fautes. 3.－De la sorte, le supérieur et l'inférieur peuvent être mutuellement unis. 4.－[Le Livre canonique] des Poésies dit : Dans mon cœur je l'aime ; pourquoi ne pas le dire? Au fond du cœur, je le garde. Quel jour [pourrai-je] l'oublier ?	事君章第十八 1.子曰。君子事上。進思盡忠。退思補過。 2.將順其美。匡救其惡。 3.故上下能相親 。 4.詩云。心乎愛矣。遐不謂矣。心藏之。何日忘之。	CHAPITRE DIX-HUITIÈME DES DEVOIRS ENVERS LE PRINCE 1.－Le Philosophe dit : L'homme supérieur se met-au-service de son prince. Quand il se rend-à-la-Cour, il songe à accomplir son devoir ; lorsqu'il se retire il pense à réparer les fautes qui ont pi être commises. 2.－Il suit l'Empereur dans le bien (qu'il fait), il le sauve des conséquences de ses fautes. 3.－De la sorte, le supérieur et l'inférieur peuvent être mutuellement unis. 4.－Le Livre canonique des Poésies dit : Dans mon cœur je l'aime ; pourquoi ne pas le dire? Au fond du cœur, je le garde. Quel jour pourrai-je l'oublier ?

孝經	**Noël (1711)** ***Liber quintus classicus dictus filialis observantia, sinicè Hiao Kim***	**Cibot (1779)** ***Hiao King, Le livre de la Piété Filiale***	**Pluquet (1786)** ***Le Livre de la Piété Filiale***	**Bridgman (1835)** ***Heaou King, or Filial Duty***
	in corde semper fovet, quando sanè eum oblivisci queat ?			
18. 喪親章第十八 子曰：孝子之喪親也，哭不偯，禮無容。言不文，服美不安，聞樂不樂， 食旨不甘，此哀戚之情也。三日而食，教民無以死傷生，毀不滅性， 此聖人之政也。喪不過三年，示民有終也。為之棺槨衣衾而舉之， 陳其簠簋而哀戚之。擗踊哭泣，哀以送之，卜其宅兆，而安厝之。為之宗廟，以鬼享之。春秋祭祀，以時思之。 生事愛敬，死事哀戚， 生民之本盡矣，死生之義備矣，孝子之事親終矣。	CAPITULUM XVIII. Parentum Justa. Denique sic finit suum sermonem Confucius: Filius obsequens dum Parentibus justa persolvit, ploratum edit, sed dolor vocem intercludit; exhibet urbanitatis officia, sed sine forma; verba profert, sed sine ornatu. Pulchras vestes induere non sustinet; audiens Musicam, non sentit ejus suavitatem ; edens cibum, non percipit ejus saporem; atque hic est debitus filii paternam aut maternam mortem lugentis affectus. Funerum autem Ritus ac leges à priscis Sapientibs [*sic*] sancitæ præscribunt, ut post tres dies filius comedat, ad docendos nempe populos ob alterius mortem non esse	 Confucius finit en disant : — Un fils qui fait les funérailles de ses parents, n'a pas la force de pousser des soupirs ; i1 fait les cérémonies avec un visage pétrifié de douleur ; les paroles qui sortent de sa bouche n'ont ni élégance, ni suite ; ses vêtements sont grossiers et en désordre sur lui ; la musique la plus touchante n'effleure pas son coeur ; les mets les plus exquis n'ont ni goût ni faveu r pour son palais, tant est grande et extrême la désolation qui absorbe toute son âme. Il prend quelque nourriture au troisième jour, parce que tous les peuples savent qu'il ne faut pas attenter sur sa vie, et que si on peut	Chapitre XVIII Enfin Confucius finit son entretien en disant : Un fils obéissant, lorsqu'il fait les funérailles de ses parents, pleure: mais la douleur ne lui permet pas de parler; il remplit les devoirs de l'urbanité, mais sans agrément; il parle, mais sans élégance; il ne peut supporter la parure; il entend la musique sans en sentir la beauté; il mange sans goûter les aliments: tel doit être l' état de l'ame d'un fils qui pleure son pere ou sa mere . Or les loix &les rites des funérailles, établis par les anciens sages, prescrivent au fils de manger au bout de trois jours pour apprendre aux peuples qu'il n'est pas permis	SECTION XVIII. On the death of parents. Again the sage remarked, "At the death of parents, filial sons will not mourn to excess; in the ritual observances they will not be extravagant, nor too precise in the use of language; they will not be pleased with elegant dress, nor enchanted with sounds of music, nor delighted with the flavor of delicate food. Such is the nature of grief. After three days they may eat. The sages taught the people not to destroy the living on account of the dead, nor to injure themselves with grief. The term of mourning is limited to three years, to show the people that it must have an end. When a parent dies, the coffin and

Legge (1879) ***The Hsiâo King, Or Classic of Filial Piety***	**de Rosny (1889)** ***Livre Sacré de la Piété Filiale***	**西譯孝經 (1889)** **東學校羅尼 注解**	**de Rosny (1893)** ***La Morale de Confucius: Le Livre Sacré de la Piété Filiale***
And never will forget him."'			
CHAPTER XVIII. FILIAL PIETY IN MOURNING FOR PARENTS. The Master said, 'When a filial son is mourning for a parent, he wails, but not with a prolonged sobbing; in the movements of ceremony he pays no attention to his appearance; his words are without elegance of phrase; he cannot bear to wear fine clothes; when he bears music, he feels no delight; when he eats a delicacy, he is not conscious of its flavour:--such is the nature of grief and sorrow. 'After three days he may partake of food; for thus the people are taught that the living should not be injured on account of the dead, and that emaciation must not be carried to the extinction of life:--such is the rule of the sages. The period of mourning does not go beyond three years, to show the people that it must have an end. 'An inner and outer coffin are made; the grave-clothes also are put on, and the shroud;	CHAPITRE DIX-NEUVIÈME DU DEUIL A LA MORT DES PARENTS. 1.－Le Philosophe dit : Lorsqu'un fils pieux accomplit les funérailles de ses parents, il pleure sans bruit ; il est poli, mais sans apprêt, il parle, mais sans art ; la beauté des vêtements, il ne la supporte pas ; il écoute la musique, mais sans plaisir ; les mêts-délicats qu'il mange sont [pour lui] sans saveur. Tels sont les sentiments du deuil et de la tristesse. 2.－[Après] trois jours, il prend de la nourriture [afin] d'enseigner au peuple de ne pas attenter à sa vie pour les morts, et en s' étiolant d' éteindre son existence. Telle est la ligne-de-conduite du saint-homme. 3.－Le deuil ne doit pas dépasser trois ans, [pour] montrer au peuple qu'il [doit] avoir un terme. 4.－On fait pour le défunt un cercueil-intérieur, un cercueil extérieur et un suaire, dans lequel on l'ensevelit.	喪親章第十九 1.子曰。孝子之喪親。哭不偯。禮無容。言不文。服美不安。聞樂不樂。食旨不甘。此哀戚之情。 2.三日而食。教民無以死傷生。毀不滅性。此聖人之政。 3.喪不過三年。示民有終。 4.為之棺椁衣衾以舉之。	CHAPITRE DIX-NEUVIÈME DU DEUIL A LA MORT DES PARENTS. 1.－Le Philosophe dit : Lorsqu'un fils pieux accomplit les funérailles de ses parents, il pleure sans bruit ; il est poli, mais sans apprêt, il parle, mais sans art ; la beauté des vêtements, il ne la supporte pas ; il écoute la musique, mais sans plaisir ; les mêts-délicats qu'il mange sont pour lui sans saveur. Tels sont les sentiments du deuil et de la tristesse. 2.－Après trois jours, il prend de la nourriture afin d'enseigner au peuple de ne pas attenter à sa vie pour les morts, et en s' étiolant d' éteindre son existence. Telle est la ligne de conduite du Saint-Homme. 3.－Le deuil ne doit pas dépasser trois ans, afin de montrer au peuple qu'il doit avoir une limite. 4.－On fait pour le défunt un cercueil-intérieur, un cercueil extérieur et un suaire, dans lequel on

孝經	**Noël (1711)** ***Liber quintus classicus dictus filialis observantia, sinicè Hiao Kim***	**Cibot (1779)** ***Hiao King, Le livre de la Piété Filiale***	**Pluquet (1786)** ***Le Livre de la Piété Filiale***	**Bridgman (1835)** ***Heaou King, or Filial Duty***
	nocendum suæ propriæ vitæ; macie quidem extenuandum corpus, non extinguendum. Insuper præscribunt, ut funebris luctus ultra tres annos non extendatur, ad ostendendum funerum Ritus habere suos fixos limites ac finem. Prætereà fit sandapila, ejúsque ornatus adjectitius ; sepulchrali amictu cadaver involvitur, & sandapilæ infertur; apponuntur escarum fercula, lugetur, gemitur, effertur funus; fœminæ conpressis ad pectus manibus, viri exuti veste exteriori saltitantes plorant; eligitur aptus sepulchri locus, & septo circumdatur; sepulchro infertur sandapila; erigitur parentale ædificium ad faciendas parentationes; vere & autumno illis parentatur ad renovandam istis temporibus	s'abandonner à sa douleur jusq u'à maigrir, il serait horrible de s'y livrer jusqu'à mourir soi -même, en pleurant un mort. Les saints sont sagement réglés : le deuil ne dure que trois années, parce qu'il faut une décision commune pour les peuples, et qu'il doit avoir un terme. Je n'ai rien de particulier à vous dire sur les cérémonies funèbres, ajouta Confucius, vous les savez. On prépare une bière et un cercueil ; une robe et des habits ; on élève le cadavre sur une estrade, et on range devant, des vases ronds et carrés ; on se lamente et on se désole, on se meurtrit le sein et on s'agite, on pleure et on soupire. On accompagne le convoi, en s'abandonnant à toute sa douleur, et on choisit avec soin le lieu de la sépulture ; on met	de porter atteinte à sa propre vie pour la mort d'un autre; qu'on peut ressentir une douleur qui amaigrisse le corps, mais qui ne le tue pas. Ces mêmes rites défendent de porter le deuil plus de trois ans, pour faire voir que les rites funebres doivent avoir un terme fixe & une fin. Quant à la pompe funèbre, on prépare un cercueil, on envelope le cadavre dans ses habits, on le met dans le cercucil, on arrange autour différents plats remplis d'alimenets; on pleure, on gémit; on transporte le corps mort, on l'accompagne jusqu'à la sépulture, pour laquelle on choisit un lieu convenable pour y rendre aux morts au printemps &à l'automne les devoirs qu'on leur rendoit pendant la vie. Un fils a donc rempli tous les	a case for it are made ready, and the corpse wrapped in a shroud is laid therein. The sacrificial vessels are arranged, and lamentation is made for the deceased. The members of the family, male and female, moving by the side of the coffin, weep as they advance. A felicitous burial-place is selected, and the body is there laid down to rest. Then an ancestral temple is erected, and offerings are there made to the departed spirit. And in spring and autumn, sacrificial rites are performed in order to keep the dead in perpetual remembrance.— Thus with affection and respect to serve parents while living, and mourn and lament for them when dead, constitutes the fundamental duty of the living; and thus the claims of parents, both while

Legge (1879) ***The Hsiâo King, Or Classic of Filial Piety***	**de Rosny (1889)** ***Livre Sacré de la Piété Filiale***	**西譯孝經** **(1889)** **東學校羅尼 注解**	**de Rosny (1893)** ***La Morale de Confucius: Le Livre Sacré de la Piété Filiale***
and (the body) is lifted (into the coffin). The sacrificial vessels, round and square, are (regularly) set forth, and (the sight of them) fills (the mourners) with (fresh) distress. The women beat their breasts, and the men stamp with their feet, wailing and weeping, while they sorrowfully escort the coffin to the grave. They consult the tortoise-shell to determine the grave and the ground about it, and there they lay the body in peace. They prepare the ancestral temple (to receive the tablet of the departed), and there present offerings to the disembodied spirit. In spring and autumn, they offer sacrifices, thinking of the deceased as the seasons come round. 'The services of love and reverence to parents when alive, and those of grief and sorrow to them when dead:--these completely discharge the fundamental duty of living men. The righteous claims of life and death are all satisfied, and the filial son's service of his parents is completed.'	5.－On arrange les vases destinés-aux-sacrifices et on se lamente sur lui. 6.－[Les femmes] se frappent la poitrine ; [les hommes] frappent-le-sol-du pied ; on crie, on se lamente en l'accompagnant [à sa dernière de-meure]. 7.－On consulte-la-carapace-de-tortue sur [le lieu où sera] la tombe et ses alentours, et en paix on l'y dépose. 8.－On prépare pour lui le temple des Ancêtres, pour à son âme faire-des-offrandes. 9.－Au printemps et en automne, on fait des sacrifices pour, à ces époques, penser à lui. 10.－Vivants, les servir par l'amour et le respect ; morts, les servir par le deuil et la tristesse ; telle est pour ceux qui vivent l'accomplissement fondamental [du devoir], la condition régulière des [rapports entre les] morts et les vivants ; c'est la fin des services [que doit rendre] à ses parents un fils [doué] de Piété filiale.	5.陳其簠簋而哀戚之。 6.擗踊哭泣。哀以送之。 7.卜其宅兆。而安措之。 8.為之宗廟。以鬼享之。 9.春秋祭祀。以時思之。 10.生事愛敬。死事哀戚。生民之本盡矣。死生之義備矣。孝子之事親終矣。 孝經終	l'ensevelit. 5.－On arrange les vases destinés-aux-sacrifices et on se lamente sur lui. 6.－Les femmes se frappent la poitrine ; les hommes frappent le sol du pied; on crie, on se lamente en l'accompagnant à sa dernière de-meure. 7.－On consulte la carapace de tortue sur le lieu de la tombe et ses alentours, et en paix on l'y dépose. 8.－On prépare pour lui le Temple des Ancêtres, pour faire des offrandes à son âme. 9.－Au printemps et en automne, on fait des sacrifices pour montrer, à ces époques, qu'on ne l'a pas oublié. 10.－Servir les vivants avec amour et le respect ; servir les morts, en portant le deuil et en éprouvant de la tristesse; telle est, pour ceux qui vivent, l'accomplissement fondamental du devoir, la condition régulière des rapports qui doivent exister entre les morts et les vivants; c'est la fin des services que doit rendre à ses parents un fils doué de Piété filiale.

孝經	**Noël (1711)** ***Liber quintus classicus dictus filialis observantia, sinicè Hiao Kim***	**Cibot (1779)** ***Hiao King, Le livre de la Piété Filiale***	**Pluquet (1786)** ***Le Livre de la Piété Filiale***	**Bridgman (1835)** ***Heaou King, or Filial Duty***
	illorum memoriam. Denique sivivis Parentibus amore & honore, mortuis luctu & mœrore inserviatur, videtur viventis filii munus omninò adimpletum esse, mortisque ac vitæ æquitas exactè servata. Atque is est filialis erga Parentes observantiæ ultimus finis.	le cadavre avec respect dans son tombeau, et on élève un *Miao* pour *Hiang* son âme, on fait des *Tsi* au printemps et en automne, et on conserve chèrement le souvenir des morts auxquels on rougirait de ne pas penser souvent. Conclusion. Honorer & aimer ses parents pendant leur vie, les pleurer & les regretter après leur mort, est le grand accomplissement des loix fondamentales de la société humaine. Qui a rempli envers eux toute justice pendant leur vie & après leur mort, a fourni en entier la grande carrierede la Piété Filiale.	devoirs de la piété filiale & observé exactement l'équité de la vie & de la mort, s'il a aimé & honoré ses parents pendant leur vie, s'il les a pleurés & regrettés sincèrement & amèrement après leur mort.	living and when dead, are fully satisfied: this is the accomplishment of filial duty."

Legge (1879) ***The Hsiâo King, Or Classic of Filial Piety***	**de Rosny (1889)** ***Livre Sacré de la Piété Filiale***	西譯孝經 (1889) 東學校羅尼 注解	**de Rosny (1893)** ***La Morale de Confucius: Le Livre Sacré de la Piété Filiale***

孝經	**Noël (1711)** ***Liber quintus classicus dictus filialis observantia, sinicè Hiao Kim***	**Cibot (1779)** ***Hiao King, Le livre de la Piété Filiale***	**Pluquet (1786)** ***Le Livre de la Piété Filiale***	**Bridgman (1835)** ***Heaou King, or Filial Duty***

Legge (1879) ***The Hsiâo King, Or Classic of Filial Piety***	**de Rosny (1889)** ***Livre Sacré de la Piété Filiale***	**西譯孝經 (1889) 東學校羅尼 注解**	**de Rosny (1893)** ***La Morale de Confucius: Le Livre Sacré de la Piété Filiale***
	CHAPITRE SEIZIÈME DE L'APPARTEMENT PRIVÉ 1.－Le Philosophe dit :N'est-ce pas de l'intérieur de l'appartement privé que les principes sociaux se produisent- à-l' état-accompli : [on y professe] la crainte-respectueuse du père, la crainte-respectueuse de l'ainé. 2.－L' épouse et les enfants, les serviteurs et les concubines sont comme le peuple, comme les esclaves, les gens-de-service.	閨門章第十六 1.子曰。閨門之內。具禮矣乎。嚴父嚴兄。 2.妻子臣妾。猶百姓徒役也。	CHAPITRE SEIZIÈME DE L'APPARTEMENT PRIVÉ 1.－Le Philosophe dit :N'est-ce pas de l'intérieur de l'appartement privé que les principes sociaux se produisent- à-l' état-accompli : on y professe la crainte-respectueuse du père, la crainte-respectueuse de l'ainé. 2.－L' épouse et les enfants, les serviteurs et les concubines sont comme le peuple, comme les esclaves, les gens-de-service.

孝道西遊：孝經翻譯與歐洲漢學的源起

2022年6月初版　　定價：新臺幣680元

著者　潘鳳娟
叢書主編　沙淑芬
校對　吳美滿
內文排版　菩薩蠻
封面設計　廖婉茹

出版者　聯經出版事業股份有限公司
地址　新北市汐止區大同路一段369號1樓
叢書主編電話　(02)86925588轉5310
台北聯經書房　台北市新生南路三段94號
電話　(02)23620308
台中辦事處　(04)22312023
台中電子信箱　e-mail：linking2@ms42.hinet.net
郵政劃撥帳戶第0100559-3號
郵撥電話　(02)23620308
印刷者　世和印製企業有限公司
總經銷　聯合發行股份有限公司
發行所　新北市新店區寶橋路235巷6弄6號2樓
電話　(02)29178022

副總編輯　陳逸華
總編輯　涂豐恩
總經理　陳芝宇
社長　羅國俊
發行人　林載爵

行政院新聞局出版事業登記證局版臺業字第0130號

本書如有缺頁，破損，倒裝請寄回台北聯經書房更換。　ISBN 978-957-08-6361-1 (精裝)
聯經網址：www.linkingbooks.com.tw
電子信箱：linking@udngroup.com

國家圖書館出版品預行編目資料

孝道西遊：孝經翻譯與歐洲漢學的源起/潘鳳娟著．
初版．新北市．聯經．2022年6月．552面．14.8×21公分
ISBN　978-957-08-6361-1（精裝）

1.CST：漢學　2.CST：跨文化研究　3.CST：文集

030.7　　111007713